P9-ASC-792

KARIN SLAUGHTER

LETZTE LÜGEN

THRILLER

Aus dem amerikanischen Englisch
von Fred Kinzel

HarperCollins

Die Originalausgabe erschien 2024 unter dem Titel
This Is Why We Lied bei William Morrow, New York.

1. Auflage 2024

Deutsche Erstausgabe

Published by arrangement with
William Morrow, an imprint of HarperCollins *Publishers*, US

Gesetzt aus der Stempel Garamond
von GGP Media GmbH, Pößneck
Druck und Bindung von GGP Media GmbH, Pößneck
Printed in Germany
ISBN 978-3-365-00836-2
www.harpercollins.de

Für David –
für seine unendliche Freundlichkeit und Geduld

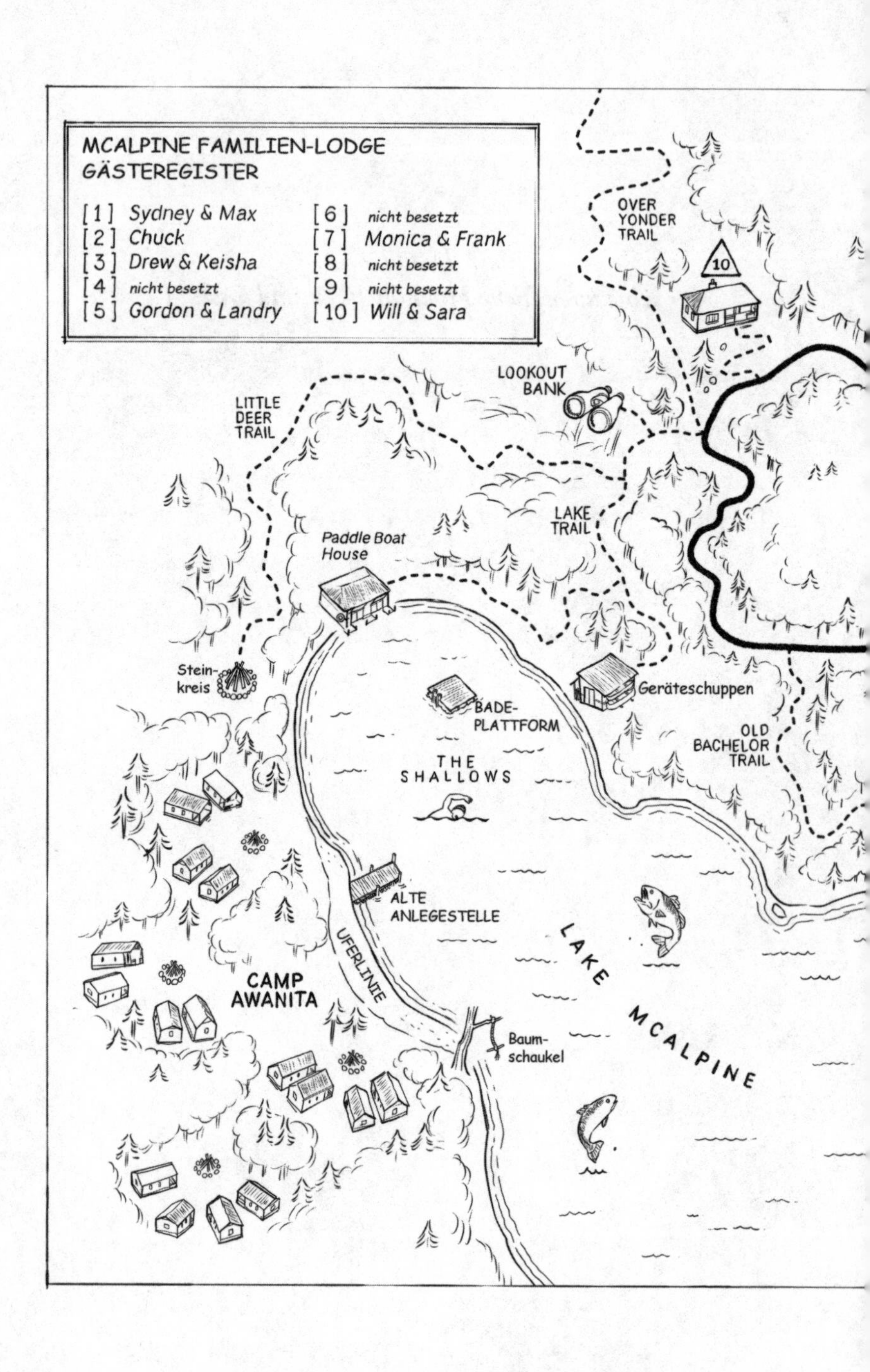
MCALPINE FAMILIEN-LODGE
GÄSTEREGISTER
[1] Sydney & Max
[2] Chuck
[3] Drew & Keisha
[4] nicht besetzt
[5] Gordon & Landry
[6] nicht besetzt
[7] Monica & Frank
[8] nicht besetzt
[9] nicht besetzt
[10] Will & Sara
OVER YONDER TRAIL
10
LOOKOUT BANK
LITTLE DEER TRAIL
LAKE TRAIL
Paddle Boat House
Stein-kreis
Geräteschuppen
BADE-PLATTFORM
OLD BACHELOR TRAIL
THE SHALLOWS
ALTE ANLEGESTELLE
UFERLINIE
CAMP AWANITA
LAKE MCALPINE
Baum-schaukel

JUDGE CECIL TRAIL
9
5
4
3
2
1
LOOP TRAIL
6
7
8
HAUPTHAUS
P
DOG LEG TRAIL
PFERDEKOPPEL
CHOW TRAIL
AUSSICHTS-DECK
SPEISESAAL
LOST WIDOW TRAIL
FISHTOPHER TRAIL
Zufahrtsstraße von der Stadt
Junggesellen-hütten
Mini Falls
BACH
MCALPINE TRAIL
WASSERFALL
MERKE:
Nicht maßstabsgetreu.
McAlpine Familien-Lodge

PROLOG

Will Trent setzte sich am Seeufer auf die Erde, um seine Wanderstiefel auszuziehen. Die Ziffern seiner Uhr leuchteten im Dunkeln. Eine Stunde vor Mitternacht. In der Ferne war eine Eule zu hören, und eine leichte Brise flüsterte in den Bäumen. Der Mond war eine vollkommene Scheibe am Nachthimmel, die Gestalt im Wasser reflektierte sein Licht. Sara Linton schwamm auf die Badeplattform zu. Ihr Körper war in kühles Blau getaucht, als sie durch die sanften Wellen glitt. Dann drehte sie sich langsam auf den Rücken und lächelte Will an.

»Kommst du rein?«

Will brachte kein Wort heraus. Er wusste, dass Sara an sein unbeholfenes Schweigen gewöhnt war, aber diesmal war es etwas anderes. Ihr bloßer Anblick machte ihn sprachlos. Sein einziger Gedanke war: Was zum Teufel fand sie nur an ihm? Es war genau das, was alle dachten, die sie zusammen sahen. Sie war so ungeheuer klug, witzig und wunderschön, und er bekam nicht einmal seine Schnürsenkel im Dunkeln auf.

Er zerrte sich den Stiefel vom Fuß, als sie in seine Richtung schwamm. Ihr langes kastanienrotes Haar schmiegte sich um den Kopf. Die nackten Schultern ragten aus dem dunklen Wasser. Sie hatte ihre Kleidung abgelegt, ehe sie in den See getaucht war, und hatte über seine Bemerkung gelacht, dass es vielleicht keine so gute Idee war, mitten in der Nacht in ein Gewässer zu springen, das man kaum sehen konnte, zumal niemand wusste, wo sie waren.

Aber es war vielleicht eine noch schlechtere Idee, sich dem Wunsch einer nackten Frau zu verweigern, die ihn bat, zu ihr ins Wasser zu kommen.

Will zog seine Socken aus, dann stand er auf, um seine Hose aufzuknöpfen. Sara ließ einen leisen, beifälligen Pfiff hören, als er sich auszuziehen begann.

»Hey, mach mal langsamer«, sagte sie.

Er lachte, aber er wusste nicht, wie er damit umgehen sollte, dass ihm so leicht ums Herz war. Will hatte ein anhaltendes Glücksgefühl wie dieses noch nie erlebt. Sicher, er hatte freudige Momente gekannt – der erste Kuss, der erste Sex, der erste Sex, der länger als drei Sekunden dauerte, der Collegeabschluss, zum ersten Mal einen echten Gehaltsscheck zur Bank tragen, und der Tag, an dem es ihm endlich gelang, sich von seiner hassvergifteten Ex-Frau scheiden zu lassen.

Das hier war anders.

Will und Sara hatten vor zwei Tagen geheiratet, und die Euphorie, die er während der Trauung empfunden hatte, war nicht abgeklungen. Wenn überhaupt, wurde das Gefühl mit jeder Stunde stärker. Sie brauchte ihn nur anzulächeln oder über einen seiner schlechten Witze zu lachen, und es war, als verwandelte sich sein Herz in einen Schmetterling. Was kein besonders männlicher Gedanke war, wie er sehr wohl wusste, aber es gab Dinge, die dachte man, und Dinge, die teilte man mit, und genau das war einer der zahlreichen Gründe, warum er lieber unbeholfen schwieg.

Sara johlte, als Will eine Riesenshow daraus machte, sein Hemd abzustreifen, bevor er ins Wasser ging. Er war es nicht gewöhnt, nackt herumzulaufen, schon gar nicht im Freien, deshalb tauchte er sehr viel rascher unter, als gut für ihn war. Das Wasser war kalt, auch jetzt zu Mittsommer, und die Kälte stach wie mit Nadeln in seine Haut. Seine Füße versanken im Schlamm.

Dann schlang Sara ihre Arme und Beine um ihn, und Will hatte plötzlich keine Beschwerden mehr.

»Hallo«, sagte er.

»Hallo.« Sie strich ihm das Haar aus der Stirn. »Warst du schon einmal in einem See?«

»Nicht freiwillig«, gab er zu. »Bist du sicher, dass man hier gefahrlos baden kann?«

Sie dachte darüber nach. »Kupferkopfottern sind eher in der Dämmerung aktiv. Und für Wassermokassinschlangen sind wir wahrscheinlich zu weit nördlich.«

An Schlangen hatte Will gar nicht gedacht. Er war im Zentrum von Atlanta aufgewachsen, inmitten von schmutzigem Beton und gebrauchten Spritzen. Sara kam aus einer kleinen Universitätsstadt im südlichen Georgia und kannte sich aus in der Natur.

Einschließlich Schlangen, wie es schien.

»Ich muss etwas gestehen«, sagte sie. »Ich habe Mercy erzählt, dass wir sie belogen haben.«

»Dachte ich mir schon«, sagte Will. Die Auseinandersetzung zwischen Mercy und ihrer Familie heute Abend war heftig gewesen. »Wird sie zurechtkommen?«

»Wahrscheinlich. Jon scheint ein guter Junge zu sein.« Sara schüttelte den Kopf, weil alles so sinnlos war. »Es ist schwer, ein Teenager zu sein.«

Will versuchte, einen heiteren Ton in das Gespräch zu bringen. »Es hat seine Vorteile, in einem Waisenhaus aufzuwachsen.«

Sie legte ihm den Zeigefinger auf die Lippen, womit sie vermutlich sagen wollte, dass sie es nicht komisch fand. »Schau mal nach oben.«

Will blickte hoch. Dann legte er ehrfürchtig den Kopf in den Nacken. Er hatte noch nie richtige Sterne am Himmel gesehen. Keine Sterne wie diese jedenfalls. Helle, einzelne Lichtpunkte in der samtschwarzen Weite der Nacht. Nicht gedämpft von Lichtverschmutzung. Nicht getrübt von Smog oder Dunst. Er holte tief Luft. Spürte, wie sich sein Herzschlag verlangsamte. Das Einzige, was er hörte, waren tatsächlich Grillen. Das einzige menschengemachte Licht war ein schwaches Funkeln von der umlaufenden Veranda des Haupthauses.

Es gefiel ihm hier.

Sie waren fünf Meilen durch felsiges Gelände gewandert, um zur McAlpine Familien-Lodge zu gelangen. Die gab es schon so lange, dass Will bereits als Kind von ihr gehört hatte. Er hatte davon geträumt, eines Tages hierherzukommen. Kanu fahren, Stand-up-Paddeln, Mountainbiking, Wandern, Marshmallows an einem Lagerfeuer rösten. Dass er diesen Ausflug nun mit Sara machte, dass er ein glücklich verheirateter Mann in den Flitterwochen war, brachte ihn noch mehr zum Staunen als sämtliche Sterne am Himmel.

»An Orten wie diesem kratzt man ein wenig an der Oberfläche, und alle möglichen schlimmen Dinge kommen zum Vorschein«, sagte Sara.

Will wusste, dass sie immer noch an Mercy dachte. An den brutalen Streit mit ihrem Sohn. An die kalte Reaktion ihrer Eltern. Ihren armseligen Bruder. An ihren Ex-Mann, der ein totales Arschloch war. Ihre exzentrische Tante. Dann waren da die anderen Gäste mit ihren Problemen, die durch den reichlich ausgeschenkten Alkohol beim gemeinsamen Abendessen noch stärker an die Oberfläche getreten waren. Was Will daran erinnerte, dass er die Anwesenheit anderer Leute nicht einkalkuliert hatte, wenn er als Junge von diesem Ort träumte. Vor allem nicht die eines ganz bestimmten Arschlochs.

»Ich weiß, was du sagen wirst«, fuhr Sara fort. »Deshalb haben wir gelogen.«

Es war nicht genau das, was er sagen wollte, aber es war nahe dran.

Will war Special Agent beim Georgia Bureau of Investigation. Sara war ausgebildete Kinderärztin und arbeitete gegenwärtig als Medical Examiner beim GBI, dem Georgia Bureau of Investigation. Beide Berufe führten häufig zu ausführlichen Äußerungen von Fremden, die nicht alle angenehm und manchmal richtig übel waren. Sie hatten gedacht, ihre Flitterwochen besser genießen zu können, wenn sie ihre Jobs verheimlichten.

Andererseits hielt es einen nicht davon ab, das eine zu sein, wenn man sich als das andere ausgab. Sie waren beide die Sorte Mensch, denen andere Menschen nicht egal waren. Insbesondere Mercy nicht. Sie schien im Augenblick die ganze Welt gegen sich zu haben. Will wusste, wie viel Kraft es erforderte, den Kopf oben zu halten, immer weiterzugehen, wenn einen seine ganze Umgebung hinunterziehen wollte.

»Hey.« Sara umarmte ihn fester und schlang die Beine um seine Mitte. »Ich muss noch etwas gestehen.«

Will lächelte, weil sie lächelte. Der Schmetterling in seiner Brust begann sich zu regen. Dann regten sich noch andere Dinge, da sie ihren Körper heiß an seinen presste.

»Was wolltest du noch gestehen?«, fragte er.

»Ich kann nicht genug von dir bekommen.« Sara bedeckte seinen Hals mit Küssen und versuchte, ihm mit den Zähnen eine Reaktion zu entlocken. Die Gänsehaut war wieder da. Ihr Atem in seinem Ohr flutete sein Gehirn mit Verlangen. Er ließ die Hand langsam abwärtswandern. Ihr Atem stockte, als er sie berührte. Er spürte, wie ihr Busen sich an seiner nackten Brust bewegte.

Dann gellte ein lauter, heller Schrei durch die Nacht.

»Will!« Sara erstarrte. »Was war das?«

Er hatte keine Ahnung. Er hätte nicht sagen können, ob der Schrei von einem Menschen oder einem Tier stammte. Sehr schrill war er gewesen, es stockte einem beinahe das Blut in den Adern. Kein Wort oder Hilferuf, sondern ein Laut ungezügelten Entsetzens. Ein Geräusch, das in den Kernbereichen des Gehirns einen Flucht- oder Kampfreflex auslöste.

Will war nicht für Flucht geschaffen.

Er nahm Saras Hand, und sie wateten rasch ans Ufer. Er hob seine Kleidung auf und gab Sara ihre Sachen. Während er sein Hemd anzog, starrte Will über die Wasserfläche. Er wusste aus der Karte, dass sich der See in der Form eines schlummernden Schneemanns ausdehnte. Der Schwimmbereich war am Kopf. Um die Biegung des Unterleibs verschwand die Uferlinie in der Dunkelheit. Geräusche waren schwer zu lokalisieren. Es war naheliegend, dass der Schrei von dort gekommen war, wo die Menschen sich befanden. Vier andere Paare und ein männlicher Single wohnten in der Lodge. Die Familie McAlpine logierte im Haupthaus. Ohne Will und Sara waren die Gäste in fünf der zehn Hütten untergebracht, die fächerförmig um den Speisesaal angeordnet waren. Damit befanden sich insgesamt achtzehn Menschen auf dem Gelände.

Jeder von ihnen konnte geschrien haben.

»Das streitende Paar beim Abendessen.« Sara knöpfte ihr Kleid zu. »Die Zahnärztin war sturzbetrunken. Der IT-Typ …«

»Was ist mit dem alleinreisenden Mann?« Will zog seine Cargoshorts an den nassen Beinen hoch. »Der ständig gegen Mercy gestichelt hat?«

»Chuck«, sagte Sara. »Der Anwalt war ein Ekel. Wie ist er ans WLAN gekommen?«

»Seine pferdeverrückte Frau ist allen auf die Nerven gegangen.« Will schlüpfte barfuß in seine Stiefel. Die Socken steckte er in die Tasche. »Die verlogenen App-Typen führen irgendwas im Schilde.«

»Was ist mit dem Schakal?«

Will, der sich gerade die Stiefel band, blickte auf.

»Baby?« Sara drehte ihre Sandalen mit dem Fuß um, damit sie hineinschlüpfen konnte. »Bist du …«

Er ließ die Schnürsenkel offen. Er hatte keine Lust, über den Schakal zu reden. »Fertig.«

Sie machten sich auf den Weg. Will drängte es, voranzukommen, und er erhöhte das Tempo, bis er merkte, dass Sara zurückblieb. Sie war ungemein sportlich, aber ihre Sandalen waren für Spaziergänge gemacht, nicht zum Laufen.

Er blieb stehen und drehte sich zu ihr um. »Einverstanden, wenn ich …«

»Lauf zu«, sagte sie. »Ich hol dich später ein.«

Will verließ den Pfad und rannte schnurstracks durch den Wald. Er ließ sich von der Verandabeleuchtung leiten und stieß Zweige und stachelige Ranken beiseite, an denen er mit den Hemdsärmeln hängen blieb. Seine Füße scheuerten in den Stiefeln. Es war ein Fehler gewesen, einen Schnürsenkel offen zu lassen. Er erwog, stehen zu bleiben, aber der Wind änderte gerade die Richtung und brachte einen leichten Kupfergeruch mit. Will konnte nicht sagen, ob er Blut roch oder ob sein Polizistengehirn die Erinnerung an frühere Tatorte auswarf.

Der Schrei konnte von einem Tier gekommen sein.

Selbst Sara war sich nicht sicher gewesen. Will wusste nur eines mit Bestimmtheit: Wer oder was den Laut ausgestoßen hatte, hatte Todesangst gehabt. Kojote. Luchs, Bär. Es gab viele Geschöpfe im Wald, die bei anderen Lebewesen dieses Gefühl hervorriefen.

Reagierten sie übertrieben?

Er hörte auf, durch das Unterholz zu stapfen, und drehte sich um die eigene Achse, um den Pfad auszumachen. Er konnte feststellen, wo Sara war, nicht weil er sie sah, sondern weil er ihre Schuhe auf dem Schotter knirschen hörte. Sie war auf halbem Weg zwischen dem Haupthaus und dem See. Ihre Hütte stand am anderen Ende der Anlage. Sara versuchte sich wahrscheinlich einen Plan zurechtzulegen. Brannte in den anderen Hütten Licht? Sollte sie einfach an ein paar Türen klopfen? Oder war sie genau wie Will der Meinung, dass sie aufgrund ihrer beruflichen Tätigkeit übertrieben wachsam waren und dass es eine wirklich lustige Geschichte für ihre Schwester abgeben würde, wie sie beide auf den Todesschrei eines Tieres hin losgestürmt waren, um zu ermitteln, anstatt es in einem nächtlichen See miteinander zu treiben?

Will war im Augenblick nicht nach Humor zumute. Das schweißnasse Haar klebte ihm am Schädel, an seiner Ferse hatte sich eine Blase gebildet, und von seiner Stirn tropfte Blut, weil eine dornige Ranke ihm die Haut aufgeritzt hatte. Er lauschte der Stille im Wald. Nicht einmal die Grillen zirpten noch. Er schlug nach einem Insekt, das ihn in den Hals stach. Etwas huschte durch die Bäume über ihm.

Vielleicht gefiel es ihm hier doch nicht so gut.

Schlimmer aber war, dass er in seinem tiefsten Innern den Schakal für diese Misere verantwortlich machte. Nichts war in Wills Leben jemals gut gegangen, wenn dieses Arschloch in der Nähe war, schon früher in ihrer Kindheit nicht. Der sadistische Scheißkerl war immer ein wandelnder Unheilsbringer gewesen.

Will rieb sich das Gesicht mit beiden Händen, als könnte er jeden Gedanken an den Schakal ausradieren. Sie waren keine Kinder mehr. Will war ein erwachsener Mann in den Flitterwochen.

Er wandte sich in die Richtung, in der er Sara vermutete. Will hatte im Dunkeln jedes Gefühl für Zeit und Richtung verloren. Unmöglich zu sagen, wie lange er durch den Wald gerannt war, als wollte er eine Horde Ninja-Krieger angreifen. Der Weg durch das Unterholz war sehr viel anstrengender, wenn einen kein Adrenalin mehr mit dem Gesicht voran in stachlige Lianen rennen ließ. Will legte sich insgeheim seinen eigenen Plan zurecht. Sobald er den Pfad erreicht hatte, würde er seine Socken anziehen und den Schnürsenkel binden, damit er nicht für den Rest der Woche hinkte. Er würde seine wunderschöne Frau suchen und zu ihrer Hütte führen, wo sie an der Stelle weitermachen konnten, wo sie aufgehört hatten.

»Hilfe!«

Will erstarrte.

Dieses Mal gab es keine Ungewissheit. Der Schrei war so ausgeprägt, dass er ohne Zweifel aus dem Mund einer Frau stammte.

Dann schrie sie erneut.

»Bitte!«

Will sprintete auf den See zu. Der Schrei war vom entgegengesetzten Ende des Schwimmbereichs gekommen, dem Unterteil des Schneemanns. Er hielt den Kopf gesenkt, die Beine arbeiteten wie Kolben. Er hörte das Blut in den Ohren rauschen, zusammen mit dem Echo der Schreie. Der Wald wurde immer dichter. Herabhängende Äste schlugen gegen seine Arme. Mücken schwirrten um sein Gesicht. Das Gelände fiel plötzlich ab. Er kam mit dem Außenrist des Fußes auf und knickte um.

Will achtete nicht auf den stechenden Schmerz und zwang sich, weiterzugehen. Er musste sein Adrenalin in den Griff bekommen, das Tempo drosseln. Die Hotelanlage lag höher als der See. Unweit des Speisesaals war eine steile Böschung. Er fand das Ende des Rundwegs und folgte dann einem weiteren Pfad, der in Serpentinen abwärtsführte. Sein Herz schlug immer noch heftig, in seinem Kopf kreisten die Selbstvorwürfe. Er hätte gleich seinem Instinkt folgen sollen, er hätte es erkennen müssen. Ihm wurde schlecht beim Gedanken daran, was er vorfinden würde, denn die Frau hatte um ihr Leben geschrien, und es gab kein bösartigeres Raubtier als den Menschen.

Dichter Rauch hing jetzt in der Luft, und er musste husten. Im Mondlicht, das durch die Bäume fiel, erkannte er, dass das Gelände terrassenförmig angelegt war. Will stolperte auf eine Lichtung, wo der Boden übersät war von leeren Bierdosen und Zigarettenkippen. Überall lag Werkzeug. Will schaute nach rechts und links, als er an Sägeböcken, Verlängerungskabeln und einem umgekippten Generator vorbeitrabte. Er sah drei weitere Hütten in verschiedenen Stadien der Renovierung. Bei einer bedeckte eine Plane das Dach. Bei der nächsten waren die Fenster mit Brettern vernagelt. Die letzte Hütte brannte. Flammen züngelten zwischen den Balken der Seitenwände hervor, die Tür stand halb offen. Aus einem geplatzten Seitenfenster stieg Rauch auf. Das Dach würde nicht mehr lange standhalten.

Die Hilfeschreie. Das Feuer.

Jemand musste in der Hütte sein.

Will holte tief Luft, bevor er die Stufen zur Veranda hinauflief. Er trat die Tür weit auf. Augenblicklich wurden von dem folgenden Hitzestoß seine Augen trocken. Alle Fenster bis auf eines waren mit Brettern verschlagen, nur das Feuer erhellte den Raum. Er bewegte sich tief gebückt, um unterhalb des Qualms zu bleiben. Durchquerte das Wohnzimmer. Betrat die winzige Küche. Ein Badezimmer, das geräumig genug für eine Wanne war. Ein kleiner Schrank. Seine Lungen schmerzten, er bekam fast keine Luft mehr. Er atmete einen Mundvoll schwarzen Rauch ein und wandte sich zum Schlafzimmer. Keine Tür. Keine Lampen. Kein Schrank. Die rückwärtige Seite der Hütte war bis auf die Wandpfosten entblößt.

Sie standen zu eng, als dass er hindurchgepasst hätte.

Will hörte ein lautes Krachen über dem Tosen des Feuers. Er trabte ins Wohnzimmer zurück. Die Decke war vollständig von Flammen eingehüllt. Sie nagten an den Tragbalken. Das Dach brach ein, es regnete brennende Holzteile. Will sah vor lauter Qualm kaum die Hand vor Augen.

Die Eingangstür war zu weit entfernt. Er rannte zu dem geborstenen Fenster und sprang in letzter Sekunde, an fallenden Trümmern vorbei. Er rollte sich auf dem Boden ab und wurde von einem Hustenkrampf geschüttelt. Seine Haut war straff gespannt, als wollte sie in der Hitze zu kochen anfangen. Er versuchte aufzustehen, schaffte es aber nur auf Hände und Knie, ehe er einen rußig schwarzen Schleimklumpen aushustete. Seine Nase lief, sein Gesicht war schweißüberströmt. Er hustete erneut, dabei schien seine Lunge voller Glasscherben zu sein. Er drückte die Stirn auf die Erde. Schlamm klebte an seinen versengten Brauen. Er atmete tief durch die Nase ein.

Kupfer.

Will richtete sich auf.

Polizisten waren gemeinhin überzeugt, dass man das Eisen im Blut riechen konnte, wenn es auf Sauerstoff traf. Das stimmte jedoch nicht. Das Eisen benötigte eine chemische Reaktion, damit der Geruch aktiviert wurde. An Tatorten von Verbrechen waren es meist die Fettbestandteile der Haut, die den Prozess auslösten. Wasser verstärkte den Geruch.

Will blickte auf den See hinaus.

Ein Stück entfernt konnte er die Sohlen von einem Paar Nike-Sneakers erkennen.

Blutbefleckte Jeans, bis auf die Knie heruntergezogen.

Die Arme seitlich im Wasser schwebend.

Der Körper lag mit dem Gesicht nach oben halb im See, halb über der Oberfläche.

Will war einen Moment lang wie hypnotisiert von dem Anblick. Es lag daran, wie das Mondlicht die Haut in ein wächsernes, blässliches Blau verwandelte. Vielleicht weil er über das Aufwachsen im Waisenhaus gewitzelt hatte oder weil ihm immer noch die Abwesenheit jeglicher Angehöriger von seiner Seite bei der Trauung nachhing – Will musste plötzlich an seine Mutter denken.

Seines Wissens dokumentierten nur zwei Fotos das siebzehn Jahre kurze Leben seiner Mutter. Eins war ein Polizeifoto von einer Festnahme, zu der es ein Jahr vor Wills Geburt gekommen war. Das andere hatte der Gerichtsmediziner gemacht, der sie obduziert hatte. Polaroid. Verblasst. Das wächserne Blau der Haut seiner Mutter ähnelte dem bei der toten Frau, die keine zehn Meter entfernt im See lag.

Will stand auf und schleppte sich auf die Leiche zu.

Er bildete sich nicht ein, das Gesicht seiner Mutter zu sehen. Sein Bauchgefühl hatte ihm bereits verraten, wen er vorfinden würde. Dennoch, vor der Leiche zu stehen und zu erkennen, dass er recht gehabt hatte, brannte eine weitere Narbe in den dunkelsten Teil seines Herzens.

Eine weitere tote Frau. Ein weiterer Sohn, der ohne Mutter aufwachsen würde.

Mercy McAlpine lag im seichten Wasser, kleine Wellen hoben

und senkten die Schultern, als würde sie fortwährend die Achseln zucken. Ihr Kopf ruhte auf einer Ansammlung von Steinen, sodass Mund und Nase aus dem Wasser ragten. An der Oberfläche treibende Strähnen des blonden Haars verliehen ihr eine ätherische Wirkung – ein gefallener Engel, ein verblassender Stern.

Die Todesursache war kein Geheimnis. Auf die Frau war erkennbar wiederholt eingestochen worden. Die weiße Bluse, die Mercy zum Abendessen getragen hatte, war in der blutigen Masse ihrer Brust verschwunden. Wasser hatte einige der Wunden sauber gespült. Will konnte tiefrote Kerben in ihrer Schulter erkennen, wo das Messer gedreht worden war. Dunkelrote Rechtecke zeigten an, dass nur der Griff ein tieferes Eindringen der Klinge verhindert hatte.

Will hatte in seinem Berufsleben schon schlimmere Tatorte gesehen, aber diese Frau hatte vor kaum einer Stunde noch gelebt, sie war umhergelaufen, hatte gescherzt, geflirtet, mit ihrem mürrischen Sohn gestritten und sich mit ihrer toxischen Familie bekriegt, und jetzt war sie tot. Sie würde die Geschichte mit ihrem Jungen nicht mehr ins Lot bringen können. Sie würde nie sehen, wie er sich verliebte. Nie in der ersten Reihe sitzen, wenn er die Liebe seines Lebens heiratete. Keine Urlaube oder Geburtstage mehr, keine Abschlussfeiern oder stille Momente zusammen.

Und alles, was Jon blieb, war der Schmerz über ihre Abwesenheit.

Will gestattete sich einige Augenblicke der Trauer, ehe er sich wieder seiner Ausbildung gemäß verhielt. Er ließ den Blick durch den Wald schweifen für den Fall, dass der Mörder noch in der Nähe war. Er suchte den Boden nach Waffen ab, der Angreifer hatte das Messer jedoch mitgenommen. Dann spähte er wieder in den Wald und lauschte nach auffälligen Geräuschen. Er schluckte die Bitterkeit in seiner Kehle herunter und kniete sich neben Mercy. Legte die Finger an ihren Hals, um nach einem Puls zu suchen.

Er spürte einen ruckartigen Herzschlag.

Sie lebte.

»Mercy?« Will drehte ihren Kopf sanft in seine Richtung. Ihre Augen waren geöffnet, das Weiße leuchtete wie glänzende Murmeln. »Wer hat Ihnen das angetan?«

Will hörte ein Pfeifen, aber es kam nicht aus ihrem Mund oder ihrer Nase. Ihre Lungen versuchten, Luft durch die offenen Wunden in ihrer Brust einzusaugen.

»Mercy.« Er legte die Hände um ihr Gesicht. »Mercy McAlpine. Mein Name ist Will Trent. Ich bin Agent beim Georgia Bureau of Investigation. Sie müssen mich jetzt ansehen.«

Ihre Augenlider begannen zu flattern.

»Sehen Sie mich an, Mercy«, befahl Will. »Sehen Sie mich an.«

Der weiße Augapfel leuchtete kurz, als sie die Augen verdrehte. Sekunden vergingen, vielleicht eine Minute, ehe sie sich schließlich auf Wills Gesicht fokussierte. Kurz blitzte ein Wiedererkennen auf, dann eine Woge von Angst. Sie war zurück in ihrem Körper und ergriffen von Entsetzen und Schmerz.

»Alles wird gut.« Will machte Anstalten, aufzustehen. »Ich hole Hilfe.«

Mercy packte Will am Kragen und hielt ihn zurück. Sie sah ihn an – sah ihn richtig an. Sie wussten beide, dass nichts mehr gut werden würde. Statt in Panik zu geraten, statt ihn gehen zu lassen, hielt sie ihn fest. Sie sah ihr Leben deutlich vor sich, die letzten Worte, die sie an ihre Familie gerichtet hatte, der Streit mit ihrem Sohn.

»J-Jon … Sagen Sie ihm … Sagen Sie ihm, er muss … er muss weg von … ah …«

Will sah, dass ihre Lider wieder flatterten. Er würde Jon gar nichts sagen. Mercy würde ihre letzten Worte selbst an ihren Sohn richten. Er hob die Stimme und schrie: »Sara! Hol Jon! Beeil dich!«

»N-nein …« Mercy begann zu zittern. Sie geriet in einen Schockzustand. »J-Jon darf nicht … er darf nicht … bleiben … muss weg von … weg von …«

»Hören Sie mir zu«, sagte Will. »Geben Sie Ihrem Sohn die Chance, sich zu verabschieden.«

»L-Liebe ihn … liebe ihn … so sehr.«

»Mercy, bitte bleiben Sie noch ein wenig bei mir. Sara wird Jon herbringen. Er muss Sie sehen, bevor …«

»Es tut mir leid …«

»Nichts muss Ihnen leidtun«, sagte Will. »Bleiben Sie einfach bei mir. Bitte. Denken Sie an das Letzte, was Jon zu Ihnen gesagt hat. So darf es nicht enden. Sie wissen, dass er Sie nicht hasst. Er will nicht, dass Sie sterben. Lassen Sie ihn nicht damit allein. Bitte.«

»Vergib … ihm …« Sie hustete Blut. »… vergib ihm.«

»Sagen Sie es ihm selbst. Jon muss es von Ihnen hören.«

Ihre Faust krallte sich in sein Hemd. Sie zog ihn noch näher. »V-vergib ihm …«

»Mercy, bitte …« Seine Stimme versagte. Sie entglitt ihm zu schnell. Mit einem Mal wurde ihm bewusst, was Jon sehen würde, wenn Sara ihn herbrachte. Das war kein zärtlicher Abschiedsmoment. Kein Sohn sollte mit der Erinnerung an den gewaltsamen Tod seiner Mutter leben müssen.

Er schluckte seinen eigenen Kummer herunter. »Okay. Ich sage es Jon. Ich verspreche es.«

Mercy fasste sein Versprechen als Erlaubnis auf, zu gehen.

Ihr Körper erschlaffte. Sie ließ seinen Kragen los. Will sah ihre Hand wieder ins Wasser fallen. Das Zittern hatte aufgehört. Ihr Mund stand weit offen. Ein langsamer, schmerzerfüllter Seufzer entwich ihrem Körper. Will wartete auf einen weiteren mühsamen Atemzug, aber ihre Brust regte sich nicht mehr.

Die Stille versetzte ihn in Panik. Er durfte sie nicht gehen lassen. Sara war Ärztin. Sie konnte Mercy retten. Sie würde Jon herführen, und er würde die Gelegenheit zum Abschiednehmen erhalten.

»Sara!«

Wills Stimme hallte über den See. Er riss sich das Hemd vom Leib und bedeckte Mercys Wunden. Jon sollte die Verletzungen nicht sehen. Er sollte das Gesicht seiner Mutter sehen. Er sollte wissen, dass sie ihn geliebt hatte. Er sollte sich nicht für den Rest seines Lebens fragen müssen, was gewesen sein könnte.

»Mercy?« Will schüttelte sie so heftig, dass ihr Kopf zur Seite rollte. »Mercy?«

Er schlug ihr mit der flachen Hand an die Wange. Ihre Haut war eiskalt. Es gab keine Farbe mehr, die verblassen konnte. Das Blut hatte aufgehört zu fließen. Sie atmete nicht. Er konnte keinen Puls mehr finden. Er musste mit der Herzmassage beginnen. Will legte seine Hände übereinander und setzte sie auf Mercys Brust, dann drückte er die Arme durch und legte sein ganzes Gewicht in den Stoß.

Der Schmerz fuhr in seine Hand wie ein Blitzschlag. Er versuchte, sie zurückzuziehen, aber sie saß fest.

»Halt!« Sara war aus dem Nichts aufgetaucht. Sie packte seine Hände und drückte sie wieder an Mercys Brust. »Beweg dich nicht. Du durchtrennst sonst die Nerven.«

Will brauchte einen Moment, bis er begriff, dass sie sich nicht um Mercy sorgte, sondern um ihn.

Er schaute nach unten. Sein Verstand hatte keine Erklärung für das, was er sah. Nur langsam setzte die Erkenntnis ein. Was er sah, war die Mordwaffe. Es war ein wilder, wütender Angriff auf Mercy gewesen. Der Mörder hatte ihr das Messer in seiner Raserei nicht nur in die Brust gestoßen. Er hatte sie auch von hinten attackiert und es mit solcher Wucht in sie gerammt, dass der Griff abgebrochen war. Die Klinge steckte noch in Mercys Brust.

Will hatte seine Hand an ihr aufgespießt.

1

Zwölf Stunden vor dem Mord

Mercy McAlpine starrte zur Decke und ging in Gedanken ihre Woche durch. Alle zehn Paare waren heute Morgen abgereist. Fünf neue wanderten im Lauf des Tages herauf. Weitere fünf sollten am Donnerstag eintreffen, sodass sie übers Wochenende voll belegt waren. Sie musste dafür sorgen, dass alle Koffer in die richtigen Hütten gebracht wurden. Der Transporteur hatte die letzten am Morgen auf dem Parkplatz abgeladen. Sie musste überlegen, was sie mit dem idiotischen Freund ihres Bruders anfing, der wie ein streunender Hund ständig bei ihnen auftauchte. Das Küchenpersonal musste von seiner neuerlichen Anwesenheit unterrichtet werden, denn Chuck litt unter einer Erdnussallergie. Oder vielleicht sagte sie ihnen gar nichts, wodurch sich das Maß an dummem Geschwätz in ihrem Leben in etwa halbieren würde.

Die andere Hälfte rackerte sich auf ihr ab. Dave schnaufte wie eine Dampflok, die das Ende des Tunnels nie erreichen würde. Die Augen traten ihm aus dem Kopf, seine Wangen glühten. Mercy war vor fünf Minuten lautlos zum Höhepunkt gekommen. Sie hätte es ihm wahrscheinlich sagen sollen, aber sie hasste es, ihn gewinnen zu lassen.

Sie drehte den Kopf, um auf die Uhr neben dem Bett zu schauen. Sie lagen hier auf dem Boden von Hütte Nummer fünf, weil Dave es nicht wert war, seinetwegen die Bettwäsche zu wechseln. Es musste kurz vor Mittag sein. Mercy durfte nicht zu spät zum Familienmeeting kommen. Gegen zwei Uhr würden die Gäste eintrudeln. Telefonate mussten geführt werden. Zwei Paare hatten Massagen bestellt. Ein weiteres Paar hatte sich in letzter Minute zum Wildwasser-Rafting angemeldet. Sie musste überprüfen, ob der Reiterhof die richtigen Termine am Vormittag notiert hatte. Sie musste noch einmal den Wetterbericht checken, um abzuschätzen, ob der Sturm immer noch in ihre Richtung zog. Der Obsthändler hatte Nektarinen statt Pfirsichen geliefert. Glaubten die wirklich, dass sie den Unterschied nicht kannte?

»Merce?« Dave werkte immer noch auf ihr herum, aber sie hörte die Resignation in seiner Stimme. »Ich glaube, ich muss aufgeben.«

Mercy tätschelte zweimal seine Schulter, um ihn zu entlassen. Daves schlapper Schwanz klatschte gegen ihr Bein, als er sich erschöpft auf den Rücken rollte und an die Decke starrte. Sie musterte ihn. Er war gerade fünfunddreißig geworden, aber er sah aus, als ginge er eher auf die achtzig zu. Die Augen wässrig, die Nase von geplatzten Äderchen durchzogen. Er gab ein Pfeifen von sich, wenn er Luft holte. Er hatte wieder zu rauchen begonnen, weil ihn der Schnaps und die Tabletten nicht schnell genug umbrachten.

»Tut mir leid«, sagte er.

Eine Reaktion von Mercys Seite war überflüssig, denn sie hatten das Ganze so oft durchgemacht, dass ihre Worte als permanentes Echo existierten. *Vielleicht, wenn du nicht high wärst … Vielleicht, wenn du nicht betrunken wärst … Vielleicht, wenn du kein nutzloses Stück Scheiße wärst … Vielleicht, wenn ich keine einsame dumme Kuh wäre, die nicht aufhört, ihren Versager von Ex-Mann auf dem Boden zu ficken …*

»Soll ich …« Er gestikulierte nach unten.

»Danke, ich hab alles.«

Dave lachte. »Du bist die einzige Frau, die vortäuscht, *keinen* Orgasmus zu haben.«

Mercy hatte keine Lust, mit ihm zu scherzen. Sie hielt Dave ständig vor, schlechte Entscheidungen zu treffen, aber schlief weiterhin mit ihm, als wäre sie keinen Deut besser. Sie zog ihre Jeans an. Der Knopf ließ sich schwer schließen, denn sie hatte ein paar Pfund zugelegt. Sonst hatte sie außer ihren Schuhen nichts ausgezogen. Die lavendelfarbenen Nikes standen neben dem Werkzeugkasten, was sie plötzlich an etwas erinnerte. »Du musst die Toilette in Nummer drei reparieren, bevor die Gäste eintreffen.«

»Wird erledigt, Boss.« Dave wälzte sich gemächlich auf die Seite, um aufzustehen. Er hatte es nie eilig. »Denkst du, du kannst ein wenig Geld für mich lockermachen?«

»Zweig es von deinen Unterhaltszahlungen ab.«

Dave zuckte zusammen. Er war sechzehn Jahre im Rückstand.

»Was ist mit dem Geld, das dir Papa für die Renovierung der Junggesellenhütten bezahlt hat?«, fragte sie.

»Das war eine Anzahlung.« Daves Knie knacksten laut, als er aufstand. »Ich musste Material kaufen.«

Sie nahm an, der größte Teil des Materials stammte von seinem Dealer oder seinem Buchmacher. »Eine Plane und ein gebrauchter Generator belaufen sich nicht auf tausend Dollar.«

»Jetzt hör mal auf, Mercy Mac.«

Mercy seufzte vernehmlich, als sie ihr Spiegelbild betrachtete. Die Narbe, die sich der Länge nach über ihr Gesicht zog, hob sich leuchtend rot von ihrer blassen Haut ab. Ihr Haar war noch straff nach hinten gekämmt. Die Bluse war nicht einmal zerknittert. Sie sah aus, als hätte ein Mann, der eine einzige Enttäuschung war, sie gerade zu einem höchst unbefriedigenden Orgasmus gebracht.

»Was hältst du von dieser Investmentsache?«, fragte Dave.

»Ich denke, dass Papa tun wird, was er tun will.«

»Ich frage aber nicht ihn.«

Sie sah Dave im Spiegel an. Ihr Vater hatte die Neuigkeit von den reichen Investoren beim Frühstück verkündet. Mercy war nicht zurate gezogen worden, deshalb nahm sie an, Papa rief ihr auf diese Weise in Erinnerung, dass er immer noch das Sagen hatte. Die Lodge wurde seit sieben Generationen in der Familie McAlpine weitervererbt. Früher hatte es gelegentlich kleine Darlehen gegeben, meist von Gästen, die den Ort am Leben erhalten wollten. Sie halfen auf diese Weise mit, dass Dächer repariert oder neue Boiler angeschafft werden konnten. Einmal wurde die Stromleitung von der Straße ersetzt. Diesmal hörte es sich nach etwas sehr viel Größerem an. Papa hatte gesagt, das Geld der Investoren würde für einen Anbau an die Hauptanlage reichen.

»Ich finde, es ist eine gute Idee«, sagte Mercy. »Das Areal von dem alten Campingplatz nimmt den größten Teil des Grundstücks ein. Wir können größere Hütten bauen, vielleicht sogar ins Auge fassen, Hochzeiten oder Familienfeiern auszurichten.«

»Soll es immer noch Camp Pädowinita heißen?«

Mercy wollte nicht lachen, aber sie tat es. Das Camp Awinita bestand aus vierzig Hektar Campinggelände mit Seezugang, einem Bach voller Forellen und einem prächtigen Panoramabergblick. Das Land war bis vor fünfzehn Jahren eine verlässliche Einnahmequelle gewesen, aber dann waren sämtliche Organisationen, die es mieteten, von den Pfadfindern bis zu den Baptisten, von Pädophilieskandalen erschüttert worden. Niemand wusste, wie viele Kinder dort drüben gelitten hatten. Der Familie war nichts übrig geblieben, als das Campinglager zu schließen, bevor der Makel auch noch auf die Lodge abfärbte.

»Ich weiß nicht«, sagte Dave. »Der größte Teil des Landes steht unter Naturschutz. Man kann im Grunde nicht über die Stelle hinausbauen, wo der Bach in den See fließt. Außerdem sehe ich nicht, dass Papa irgendwen wissen lässt, wie das Geld verwendet wird.«

»›Auf diesem Schild an der Straße steht nur ein einziger Name‹«, zitierte Mercy ihren Vater.

»Es ist auch dein Name auf diesem Schild«, sagte Dave. »Du machst das großartig mit der Leitung des Ladens. Du hattest recht, was die Aufwertung der Badezimmer anging. Es war eine Plackerei, den Marmor hierherzuschaffen, aber er sieht ohne Frage beeindruckend aus. Die Hähne und Wannen wirken, als stammten sie aus einem Einrichtungsmagazin. Die Gäste geben mehr für Extras aus. Buchen wiederholt. Wenn du das alles nicht getan hättest, würden diese Investoren kein Geld anbieten.«

Mercy widerstand dem Drang, stolz auf sich zu sein. Komplimente bekam man in ihrer Familie nicht gerade nachgeworfen. Niemand hatte ein Wort über die farbigen Wände in den Hütten verloren, genauso wenig wie über die Kaffeetheken oder über die Pflanzkästen, die vor Blumen überquollen, sodass die Gäste das Gefühl hatten, ein Märchenland zu betreten.

»Wenn wir dieses Geld richtig verwenden, werden die Leute zweimal, vielleicht sogar dreimal so viel bezahlen wie jetzt. Vor allem, wenn wir sie über die Straße anreisen lassen, statt sie zu zwingen, hierher zu wandern. Wir könnten sogar Quads anschaffen, um bequem zum unteren Teil des Sees zu gelangen. Es ist wunderschön da unten.«

»Es ist weiß Gott schön, da muss ich dir recht geben.« Dave verbrachte den größten Teil seiner Tage auf der Anlage, vorgeblich, um die drei alten Hütten zu renovieren. »Hat Bitty etwas bei der Geldsache mitzureden?«, fragte er.

Ihre Mutter stand immer auf der Seite ihres Vaters, aber Mercy sagte: »Sie würde eher mit dir reden als mit mir.«

»Hab keinen Mucks vernommen.« Dave zuckte mit den Achseln. Früher oder später würde sich Bitty ihm anvertrauen. Sie liebte Dave mehr als ihre eigenen Kinder. »Wenn du mich fragst, ist größer nicht immer besser.«

Größer war genau das, worauf Mercy hoffte. Nachdem der Schock über die Neuigkeit abgeklungen war, hatte sie sich mit der Idee angefreundet. Der Zufluss von Geld konnte alles auf den Kopf stellen. Sie war es leid, sich in Treibsand zu bewegen.

»Es ist eine gewaltige Veränderung«, legte Dave nach.

Sie lehnte sich an die Kommode und sah ihn an. »Wäre es so schlimm, wenn alles anders wäre?«

Sie starrten einander an. Die Frage wog schwer. Sie ignorierte die wässrigen Augen und die rote Nase und sah auf einmal den achtzehnjährigen Jungen, der versprochen hatte, sie von hier wegzubringen. Dann die Erinnerung an den Autounfall, der ihr das Gesicht aufgerissen hatte. Die Entzugsklinik. Und noch ein Entzug. Der Kampf um das Sorgerecht für Jon. Den drohenden Absturz. Und immer die nicht endende, erbarmungslose Enttäuschung.

Ihr Handy auf dem Nachttisch meldete eine Benachrichtigung. Dave warf einen Blick darauf. »Jemand ist am Anfang des Wanderwegs.«

Mercy entsperrte den Schirm. Die Kamera befand sich auf dem Parkplatz, was bedeutete, sie hatte rund zwei Stunden Zeit, bis die ersten Gäste die fünf Meilen lange Wanderung zur Lodge hinter sich gebracht hatten. Oder vielleicht weniger. Die beiden sahen aus, als würden sie den Weg mühelos schaffen. Der Mann war sehr groß und schlank und hatte die Figur eines Läufers. Die Frau hatte eine lange, rote Lockenmähne und trug einen Rucksack, der aussah, als hätte sie ihn schon benutzt.

Das Paar küsste sich innig, bevor es sich auf den Weg machte. Mercy spürte einen Stich aus Eifersucht, als sie sah, wie sich die beiden an den Händen hielten. Der Mann blickte ständig zu der Frau hinunter. Sie blickte ständig zu ihm auf. Dann lachten beide, als wäre ihnen klar geworden, wie albern und verliebt sie sich benahmen.

»Der Typ wirkt wie besoffen von Sex«, sagte Dave.

Mercys Eifersucht wurde stärker. »Und sie schaut auch ziemlich beschwipst drein.«

»Ein BMW«, bemerkte Dave. »Sind das die Investoren?«

»Reiche Menschen sind nicht so glücklich. Muss das frisch verheiratete Paar sein. Will und Sara.«

Dave schaute genauer hin, auch wenn die beiden der Kamera jetzt den Rücken zuwandten. »Weißt du, womit sie ihren Lebensunterhalt verdienen?«

»Er ist Mechaniker. Sie ist Chemielehrerin.«

»Wo sind sie her?«

»Atlanta.«

»Das echte Atlanta oder der Großraum Atlanta?«

»Ich weiß es nicht, Dave. Atlanta-Atlanta.«

Er trat ans Fenster und schaute über das Gelände zum Haupthaus. Sie wusste, irgendetwas beunruhigte ihn, aber sie konnte sich nicht überwinden, ihn danach zu fragen. Mercy hatte viel Zeit in Dave investiert. Hatte sich bemüht, ihm zu helfen. Sich bemüht, ihn zu heilen. Ihn genug zu lieben. Genug zu sein. Sich bemüht, bemüht, bemüht, nicht im Treibsand seiner schmerzhaften Bedürftigkeit zu versinken.

Die Leute hielten Dave für einen entspannten, lockeren Typen, der der Mittelpunkt jeder Party war, aber Mercy wusste, dass in seiner Brust die Angst wie ein riesiger Klumpen saß. Dave wurde nicht von Süchten beherrscht, weil er mit sich im Reinen war. Er hatte die ersten elf Jahre seines Lebens im staatlichen Pflegesystem verbracht. Niemand hatte sich die Mühe gemacht, nach ihm zu suchen, als er weggelaufen war. Er hatte sich auf dem Gelände des Lagers herumgetrieben, bis Mercys Vater ihn schlafend in einer der Junggesellenhütten fand. Dann hatte Mercys Mutter ihm ein Abendessen gekocht, und Dave tauchte von da an jeden Abend auf, schließlich war er ins Haupthaus gezogen, und die McAlpines hatten ihn adoptiert, was zu einer Menge hässlicher Gerüchte führte, als Mercy mit Jon schwanger wurde. Es machte die Sache nicht besser, dass Dave achtzehn und Mercy gerade fünfzehn Jahre alt geworden war, als es passierte.

Sie hatten einander nie als Geschwister betrachtet. Sie waren eher wie zwei Idioten, die in der Nacht aneinander vorbeiliefen. Er hatte sie gehasst, bis er sie geliebt hatte. Sie hatte ihn geliebt, bis sie ihn gehasst hatte.

»Achtung.« Dave wandte sich vom Fenster ab. »Fischtopher ist im Anmarsch!«

Mercy schob ihr Handy in die Gesäßtasche, als ihr Bruder die Tür aufmachte. Er hatte eine der Katzen dabei, die wie eine mollige Stoffpuppe in seinen Armen hing. Christopher war so angezogen wie immer: Anglerweste, Fischerhut mit eingehakten Köderfliegen, Cargoshorts mit zu vielen Taschen, Flip-Flops, damit er rasch in seine Watstiefel schlüpfen, den ganzen Tag in der Mitte eines Bachs stehen und seine Leinen auswerfen konnte. Daher der Spitzname.

»Was hat dich hergelockt, Fischtopher?«, fragte Dave.

»Keine Ahnung.« Fisch zog die Augenbrauen hoch. »Etwas hat mich an Land gezogen.«

Mercy wusste, sie brachten es fertig, stundenlang so weiterzumachen. »Fisch, hast du Jon gesagt, dass er die Kanus saubermachen soll?«

»Ja, und er hat geantwortet, ich kann ihn am Arsch lecken.«

»Himmel noch mal.« Mercy warf Dave einen Blick zu, als wäre er allein für Jons Benehmen verantwortlich. »Wo ist er jetzt?«

Fisch setzte die Katze neben der anderen auf der Veranda ab. »Ich habe ihn in die Stadt geschickt, Pfirsiche holen.«

»Warum das denn?« Mercy schaute wieder auf die Uhr. »In fünf Minuten beginnt das Familienmeeting. Ich bezahle ihn nicht dafür, dass er sich den ganzen Sommer in der Stadt herumtreibt. Er muss den Zeitplan kennen.«

»Er darf nicht hier sein.« Fisch verschränkte die Arme, wie er es immer tat, wenn er glaubte, etwas Wichtiges zu sagen. »Delilah ist da.«

Er hätte Mercy weniger schockiert, wenn er gesagt hätte, dass Luzifer einen Reigen auf der Veranda tanzte. Ohne zu überlegen, packte sie Daves Arm. Ihr Herz hämmerte. Zwölf Jahre waren vergangen, seit sie ihrer Tante in einem überfüllten Gerichtssaal gegenübergestanden hatte. Delilah hatte versucht, das ständige Sorgerecht für Jon zu bekommen. Die tiefen Wunden, die der Kampf um ihn bei Mercy hinterlassen hatte, waren noch nicht verheilt.

»Was hat das verrückte Miststück hier verloren?«, fragte Dave. »Was will sie?«

»Keine Ahnung«, sagte Fisch. »Sie ist direkt an mir vorbeigefahren und dann mit Papa und Bitty ins Haus gegangen. Ich habe Jon gesucht und ihn weggeschickt, bevor er sie sieht. Gern geschehen.«

Mercy konnte ihm nicht danken. Sie hatte angefangen zu schwitzen. Delilah lebte eine Stunde entfernt in ihrer eigenen kleinen Blase. Ihre Eltern hatten sie kommen lassen, weil sie etwas im Schilde führten. »Papa und Bitty haben auf der Veranda auf Delilah gewartet?«

»Sie sind morgens immer auf der Veranda. Woher soll ich wissen, ob sie gewartet haben?«

»Fisch!« Mercy stampfte mit dem Fuß auf. Er konnte einen Schwarzbarsch und ein Rotauge auf zwanzig Meter Entfernung unterscheiden, aber er hatte keine Ahnung, wie man Menschen las. »Wie sahen sie aus, als Delilah vorfuhr? Waren sie überrascht? Haben sie etwas gesagt?«

»Ich glaube nicht. Delilah stieg aus ihrem Wagen. Sie hat ihre Handtasche so gehalten.«

Mercy sah, wie er die Hände vor dem Bauch verschränkte.

»Dann ist sie die Stufen hinauf, und sie sind alle ins Haus gegangen.«

»Zieht sie sich immer noch an wie Pippi Langstrumpf?«, fragte Dave.

»Wer ist Pippi Langstrumpf?«

»Ruhig«, zischte Mercy. »Delilah hat nichts darüber gesagt, dass Papa in einem Rollstuhl sitzt?«

»Nein. Keiner von ihnen hat irgendwas gesagt, wenn ich es recht bedenke. Sie waren merkwürdig still.« Fisch zeigte mit erhobenem Zeigefinger an, dass ihm noch etwas eingefallen war.

»Bitty wollte Papa ins Haus schieben, aber Delilah ließ sie nicht und hat es selbst übernommen.«

»Klingt ganz nach Delilah«, sagte Dave.

Mercy biss die Zähne zusammen. Delilah war nicht überrascht gewesen, ihren Bruder in einem Rollstuhl vorzufinden, also hatte sie bereits von dem Unfall gewusst, und das hieß, sie hatten telefoniert. Die Frage war allerdings, wer hatte angerufen? War sie hierher eingeladen worden oder einfach gekommen?

Wie aufs Stichwort läutete ihr Telefon. Mercy zog es aus der Tasche. Sie schaute auf das Display. »Bitty.«

»Schalt es auf Lautsprecher«, sagte Dave.

Mercy tippte auf den Schirm. Ihre Mutter fing jedes Gespräch gleich an, egal, ob sie angerufen wurde oder selbst anrief. »Hier ist Bitty.«

»Ja, Mutter.«

»Kommt ihr Kinder zum Meeting?«

Mercy schaute auf die Uhr. Sie waren zwei Minuten zu spät. »Ich habe Jon in die Stadt geschickt. Fisch und ich sind unterwegs.«

»Bring Dave mit.«

Mercys Hand verharrte über dem Telefon. Sie hatte das Gespräch beenden wollen. Jetzt zitterten ihre Finger. »Wieso willst du Dave dabeihaben?«

Aber ihre Mutter hatte schon aufgelegt.

Mercy sah Dave an, dann Fisch. Sie spürte, wie ihr ein Schweißtropfen den Rücken hinablief. »Delilah wird versuchen, Jon zurückzubekommen.«

»Das wird sie nicht. Jon hatte gerade Geburtstag. Er ist so gut wie erwachsen.« Ausnahmsweise war Dave derjenige, der logisch dachte. »Delilah kann ihn dir nicht mehr wegnehmen. Selbst wenn sie es versucht, vergehen Jahre, bis die Sache vor Gericht kommt. Bis dahin ist er achtzehn.«

Mercy legte die Hand aufs Herz. Er hatte recht. Jon benahm sich manchmal wie ein Baby, aber er war sechzehn. Mercy war keine Serienversagerin mit zwei Anklagen wegen Trunkenheitsfahrten, die sich mit Benzos von Heroin zu entwöhnen versuchte. Sie war eine verantwortungsbewusste Bürgerin. Sie führte das Familienunternehmen. Sie war seit dreizehn Jahren clean.

»Leute«, sagte Fisch, »sollen wir überhaupt wissen, dass Delilah hier ist?«

»Sie hat dich nicht gesehen, als sie die Straße heraufkam?«

»Vielleicht?« Es war eine Frage, keine Feststellung. »Ich habe neben dem Schuppen Holz aufgeschichtet. Sie fuhr ziemlich schnell. Ihr wisst ja, wie sie ist. Als wäre sie auf einer Mission.«

Mercy fiel eine Erklärung ein, die fast zu schrecklich war, um sie auszusprechen. »Der Krebs könnte zurück sein.«

Fisch sah betroffen aus. Dave entfernte sich ein paar Schritte und wandte den beiden den Rücken zu. Bitty hatte vor vier Jahren die Diagnose metastasierender Hautkrebs erhalten. Eine aggressive Behandlung hatte die Symptome vorübergehend abklingen lassen, aber das bedeutete nicht das Gleiche wie Heilung. Der Onkologe hatte ihr geraten, ihre Angelegenheiten jederzeit geordnet zu haben.

»Dave?«, fragte Mercy. »Hast du etwas bemerkt? Benimmt sie sich irgendwie anders?«

Dave schüttelte den Kopf und wischte sich über die Augen. Er war immer ein Muttersöhnchen gewesen, und Bitty war immer noch vernarrt in ihn, als wäre er ein Kleinkind. Mercy konnte ihm die Extraportion Zuwendung schlecht missgönnen. Seine leibliche Mutter hatte ihn in einem Pappkarton vor einer Feuerwache zurückgelassen.

»Sie …« Dave räusperte sich einige Male, bis er sprechen konnte. »Sie würde es mir unter vier Augen sagen, wenn der Krebs wiedergekommen wäre. Sie würde mich nicht bei einem Familientreffen damit konfrontieren.«

Mercy wusste, das stimmte, wenn auch nur, weil Dave der erste Mensch gewesen war, dem sie es beim letzten Mal erzählt hatte. Dave hatte immer eine besondere Beziehung zu ihrer Mutter gehabt. Er war derjenige gewesen, der ihr den Spitznamen *Little Bitty Mama* gegeben hatte, weil sie so klein war. Als sie gegen den Krebs kämpfte, hatte Dave sie zu jedem Arzttermin, jeder Operation, jeder Behandlung gebracht. Er war auch derjenige gewesen, der ihre Wundverbände gewechselt, ihre Medikamenteneinnahme überwacht und ihr sogar die Haare gewaschen hatte.

Papa war zu sehr mit dem Management der Lodge beschäftigt gewesen.

»Wir übersehen das Offensichtliche«, sagte Fisch.

Dave wischte sich die Nase mit dem Saum seines T-Shirts, als er sich wieder umdrehte. »Nämlich?«

»Papa will über die Investoren reden«, sagte Fisch.

Mercy kam sich wie eine Idiotin vor, weil sie nicht gleich daran gedacht hatte. »Müssen wir eine Gesellschafterversammlung einberufen, um abzustimmen, ob wir das Geld nehmen?«

»Nein.« Dave kannte die Regeln des McAlpine'schen Familientrusts besser als irgendwer sonst. Delilah hatte versucht, ihn hinauszudrängen, weil er nur adoptiert war. »Papa ist der Treuhänder, deshalb darf er diese Entscheidungen allein treffen. Davon abgesehen ist nur ein Quorum nötig, damit die Entscheidung gilt. Mercy, du vertrittst Jon, er braucht also nur dich, Fisch und Bitty. Es gibt keinen Grund, warum ich dabei sein müsste. Oder Delilah.«

Fisch blickte nervös auf die Uhr. »Wir sollten lieber gehen, oder? Papa wartet.«

»Wartet darauf, uns hinterrücks zu überfallen«, sagte Dave.

Mercy glaubte ebenfalls, dass ihr Vater genau das vorhatte. Sie machte sich keine Illusionen, dass ihnen eine herzerwärmende Familienzusammenkunft bevorstehen könnte.

»Bringen wir es hinter uns«, sagte sie.

Mercy führte die Männer über das Gelände, die beiden Katzen im Schlepptau. Sie kämpfte gegen ihre tief sitzenden Ängste an. Jon war in Sicherheit. Mercy war nicht hilflos. Sie war zu alt für eine Tracht Prügel, und es war ja nicht so, dass Papa schneller laufen konnte als sie.

Sofort stieg ihr die Schamröte ins Gesicht. Sie war eine schreckliche Tochter, so etwas auch nur zu denken. Vor anderthalb Jahren hatte ihr Vater eine Urlaubergruppe über den Mountainbikepfad geleitet, als er plötzlich kopfüber über die Lenkstange geflogen und in die Schlucht gestürzt war. Ein Rettungshubschrauber hatte ihn mithilfe einer Seilwinde vor den Augen der entsetzten Gäste auf einer Trage herausgeholt. Er hatte einen Schädelbruch erlitten, und zwei Halswirbel sowie das Rückgrat waren gebrochen. Es stand außer Frage, dass er im Rollstuhl enden würde. In seinem rechten Arm war ein Nerv beschädigt. Mit viel Glück würde er eine eingeschränkte Kontrolle über die linke Hand zurückerlangen. Er konnte noch selbstständig atmen, aber in diesen ersten Tagen nach dem Unfall hatten die Ärzte von ihm gesprochen, als wäre er bereits tot.

Mercy hatte keine Zeit zum Trauern gehabt. In der Lodge waren noch Gäste, und in den kommenden Wochen würden weitere folgen. Aktivitäten mussten geplant und Betreuer eingeteilt werden, sie mussten Vorräte bestellen und Rechnungen bezahlen.

Fisch war der Älteste, aber er hatte sich nie für Managementaufgaben interessiert. Seine einzige Leidenschaft bestand darin, Gäste ans Wasser zu führen. Jon war zu jung, und außerdem hasste er den Umgang mit Gästen. Auf Dave war kein Verlass. Delilah kam nicht infrage. Bitty wich verständlicherweise nicht von Papas Seite. Mangels anderer Optionen waren alle Aufgaben schließlich Mercy zugefallen. Dass sie ihre Sache tatsächlich gut machte, hätte eine Quelle des Stolzes für die Familie sein müssen. Dass die Veränderungen, die sie vornahm, gleich im ersten Jahr zu einem hohen Gewinnzuwachs führten und dass sie auf dem besten Weg war, diesen jetzt zu verdoppeln, hätte Anlass für eine Feier sein müssen.

Doch ihr Vater hatte nach seiner Rückkehr aus der Reha-Einrichtung vom ersten Moment an nur vor Wut gekocht. Nicht wegen des Unfalls. Nicht, weil ihm die athletische Leichtigkeit seines Körpers verlorengegangen war. Nicht einmal wegen des Verlusts seiner Bewegungsfreiheit. Aus unerfindlichen Gründen hatten sich seine Wut und seine Feindseligkeit direkt auf Mercy gerichtet.

Jeden Tag schob Bitty Papa durch die Anlage. Jeden Tag fand er an allem, was Mercy tat, etwas auszusetzen. Die Betten wurden nicht richtig gemacht. Die Handtücher wurden nicht richtig gefaltet. Die Gäste wurden nicht richtig behandelt und die Mahlzeiten nicht richtig serviert, und natürlich war *richtig* immer so, wie *er* es getan hatte.

Am Anfang hatte sich Mercy noch bemüht, ihn zufriedenzustellen, sein Ego zu streicheln, so zu tun, als würde sie es ohne ihn nicht schaffen, ihn um Rat und Zustimmung zu bitten. Nichts funktionierte. Sein Zorn schwärte nur weiter. Sie hätte Goldbarren scheißen können, und er hätte an jedem einzelnen etwas auszusetzen gehabt. Sie hatte gewusst, dass Papa ein anstrengender Tyrann sein konnte, aber es war ihr nicht bewusst gewesen, dass er ebenso kleinlich wie grausam war.

»Wartet mal.« Fisch hatte die Stimme gesenkt, als wären sie Kinder, die sich zum See schlichen. »Wie gehen wir die Sache an, Leute?«

»Wie immer«, sagte Dave. »Du wirst auf den Boden starren und den Mund halten. Ich werde alle verärgern. Mercy wird sich verschanzen und kämpfen.«

Das brachte ihm zumindest ein Lächeln ein. Mercy drückte Daves Arm, bevor sie die Tür aufmachte.

Wie immer empfing sie Düsternis. Dunkle, verwitterte Wände. Zwei winzige Fensterschlitze. Kein Sonnenlicht. Die Eingangshalle des Haupthauses war die ursprüngliche Lodge gewesen, als diese nach dem Bürgerkrieg eröffnet wurde. Damals war es kaum mehr als eine Anglerhütte gewesen. Man sah noch die

Axtspuren in der Holzverkleidung, wo die Bohlen aus den auf dem Gelände gefällten Bäumen geschnitten wurden.

Glück und Notwendigkeit hatten über die Jahre zu einer Erweiterung des Hauses geführt. Ein zweiter Eingang war an der Verandaseite angefügt worden, damit Wanderer, die den Weg heraufkamen, ein gastlicherer Anblick empfing. Für zahlungskräftige Gäste waren Privatzimmer gebaut worden, was eine Treppe zum Obergeschoss auf der Rückseite notwendig machte. Ein Salon und ein Speisesaal wurden für Möchtegern-Teddy-Roosevelts angefügt, die herbeiströmten, um den Wald im neuen Nationalpark zu erkunden. Die Küche hatte man angebaut, als Holzöfen nicht mehr praktikabel gewesen waren. Die umlaufende Veranda war ein Zugeständnis an die drückende Sommerhitze. Irgendwann hatten sich zwölf McAlpine-Brüder in Stockbetten im Obergeschoss gedrängt. Die eine Hälfte von ihnen hatte die andere Hälfte gehasst, was den Bau der drei Junggesellenhütten am See erforderlich gemacht hatte.

Sie hatten sich größtenteils in alle Winde zerstreut, als die Große Depression zuschlug und ein einsamer, verbitterter McAlpine zurückblieb, der nur mit äußerster Mühe durchhielt. Er hatte ihre Asche auf einem Regal im Keller aufbewahrt, als sie einer nach dem anderen zurückgekehrt waren. Dieser Urgroßvater von Mercy und Fisch war für die Schaffung des strikt geregelten Treuhandvermögens der Familie verantwortlich, und die Verbitterung gegenüber seinen Geschwistern war aus jedem Absatz deutlich herauszulesen.

Dieser Trust war auch der einzige Grund, warum das Anwesen nicht vor Jahren in Teilen verkauft wurde. Der größte Teil des Campingplatzes stand unter Naturschutz und durfte nicht ausgebaut werden. Die Verwendung des übrigen Teils wurde durch Vereinbarungen beschränkt. Größere Vorhaben konnten nach den Bestimmungen des Trusts nur im Konsens realisiert werden, und über die Jahre hatte es unter den McAlpines nur Arschlöcher gegeben, die mit den anderen Arschlöchern stritten und einen Konsens allein aus Gehässigkeit vermieden. Dass Mercys Vater das größte Arschloch in einer langen Ahnenreihe war, hätte keine Überraschung sein dürfen.

Doch hier waren sie nun.

Mercy straffte den Rücken, als sie den langen Flur zum hinteren Teil des Hauses entlangging. Ihre Augen begannen zu tränen, als das Sonnenlicht durch die mit einer Kurbel zu bedienenden Flügelfenster strömte, dann durch die venezianischen Fenster und schließlich durch die eleganten Harmonikatüren, die auf die hintere Veranda führten. Die Räume waren wie die Ringe eines Baums. Man konnte das Vergehen der Zeit an dem Rosshaarputz, den Popcorndecken und den avocadogrünen Geräten ablesen, die den brandneuen Herd mit sechs Kochfeldern in der Küche vervollständigten.

Genau dort warteten ihre Eltern auf sie. Papas Rollstuhl war an den runden Säulentisch geschoben worden, den Dave nach dem Unfall gebaut hatte. Bitty saß neben ihm, den Rücken gerade, die Lippen geschürzt, die Hand auf einem Stapel Dienstpläne. Ihr Aussehen hatte etwas Zeitloses. Kaum eine Falte war auf ihrem Gesicht zu sehen. Sie hatte immer eher wie Mercys ältere Schwester gewirkt als wie ihre Mutter. Bis auf den missbilligenden Gesichtsausdruck. Wie üblich lächelte Bitty nicht, bevor sie Dave sah, dann hellte sich ihre Miene auf, als wäre Elvis mit dem Jesuskind auf dem Arm durch die Tür gekommen.

Mercy registrierte es kaum. Delilah war nirgendwo zu sehen, was ihre Gedanken sofort wieder rotieren ließ. Wo versteckte sie sich? Weshalb war sie hier? Was wollte sie? War sie Jon auf der schmalen Straße begegnet?

»Ist es so schwer, pünktlich zu sein?« Papa schaute demonstrativ zur Küchenuhr. Er trug eine Armbanduhr, aber es kostete ihn Mühe, den Arm zu drehen. »Setzt euch.«

Dave ignorierte die Anordnung und beugte sich hinunter, um Bitty auf die Wange zu küssen. »Geht's dir gut, Little Bitty Mama?«

»Alles in Ordnung, Schatz.« Bitty tätschelte sein Gesicht. »Komm, setz dich.«

Ihre leichte Berührung glättete Daves Sorgenfalten vorübergehend. Er blinzelte Mercy zu, als er sich einen Stuhl herauszog. Muttersöhnchen. Fisch nahm wie üblich links von ihr Platz, den Blick auf den Boden gerichtet, die Hände im Schoß. Keine Überraschung.

Mercy ließ den Blick auf ihrem Vater ruhen. Er hatte jetzt mehr Narben im Gesicht als sie selbst, dazu tiefe Falten, die fächerförmig von seinen Augenwinkeln ausstrahlten und wie große Anführungszeichen in seine hohlen Wangen schnitten. Er war in diesem Jahr achtundsechzig geworden, aber er sah aus wie neunzig. Er war immer draußen in der Natur gewesen, vor dem Unfall hatte Mercy ihren Vater nie länger still sitzen sehen, als er brauchte, um sich eine Mahlzeit in den Mund zu schaufeln. Die Berge waren sein Zuhause. Er kannte jeden Meter der Rundwege. Den Namen eines jeden Vogels. Jede Blume. Die Gäste vergötterten ihn. Die Männer wünschten sich ein Leben wie seines. Die Frauen wünschten sich seine Zielstrebigkeit. Sie nannten ihn ihren Lieblingsguide, ihren Seelenverwandten, ihren Vertrauten.

Ihr Vater war er ja nicht.

»Also dann, Kinder.« Bitty fing alle Meetings mit derselben Redewendung an, als wären sie alle noch klein. Sie beugte sich vor, damit sie die Pläne verteilen konnte. Sie war eine zierliche Frau, kaum größer als eins fünfzig, mit einer leisen Stimme und einem engelsgleichen Gesicht. »Heute kommen fünf Paare. Noch einmal fünf am Donnerstag.«

»Wieder eine volle Bude«, sagte Dave. »Gut gemacht, Mercy Mac.«

Die Finger von Papas linker Hand krallten sich um die Armlehne. »Wir werden zusätzliche Guides für das Wochenende brauchen.«

Mercy musste erst einmal ihre Stimme finden. Würden sie dieses Meeting tatsächlich durchziehen, als lauerte Delilah nicht irgendwo im Verborgenen? Papa führte eindeutig etwas im Schilde. Es blieb ihr nichts übrig, als mitzuspielen.

Sie sagte: »Ich habe Xavier und Gil bereits angeheuert. Jedediah ist auf Stand-by.«

»Stand-by?«, fragte Papa. »Was zum Teufel ist *Stand-by*?«

Mercy verkniff sich das Angebot, das Wort für ihn zu googeln. Sie hatten strikte Regeln, was die Zahl von Gästen pro Führer anging. Nicht nur aus Sicherheitsgründen, sondern auch weil ihre betreuten Ausflüge saftige Teilnehmerbeiträge einbrachten. »Für den Fall, dass sich ein Gast in letzter Minute für die Wanderung anmeldet.«

»Dann sagst du ihm, es ist zu spät. Wir lassen Guides nicht im Ungewissen hängen. Sie arbeiten für Geld, nicht für Versprechungen.«

»Jed hat kein Problem damit, Papa. Er sagt, er kommt, wenn er kann.«

»Und was, wenn er nicht zur Verfügung steht?«

Mercy knirschte mit den Zähnen. Er verschob immer die Torpfosten. »Dann begleite ich die Gäste selbst.«

»Und wer kümmert sich um den Laden, während du dich oben in den Bergen amüsierst?«

»Dieselben Leute, die sich um ihn gekümmert haben, wenn du in den Bergen warst.«

Papa blähte zornig die Nasenlöcher. Bitty schaute tief enttäuscht drein. Das Meeting dauerte noch keine Minute, und schon stritten sie. Mercy würde niemals gewinnen. Ob sie schnell lief oder langsam, sie blieb immer im Treibsand stecken.

»Schön«, sagte Papa. »Du tust ja sowieso, was du willst.«

Er gab nicht nach. Er bekam das letzte Wort und teilte ihr gleichzeitig mit, dass sie falschlag. Mercy war im Begriff zu antworten, aber Dave stieß sie unter dem Tisch mit dem Bein an, damit sie es bleiben ließ.

Papa war ohnehin schon fortgefahren. Er nahm jetzt Fisch ins Visier. »Christopher, du musst dich bei den Investoren von deiner besten Seite zeigen. Sie heißen Sydney und Max, eine Frau und ein Mann, aber sie hat die Hosen an. Nimm sie mit zu den Wasserfällen, wo sie bestimmt einen guten Fang machen. Langweile sie nicht mit deinem Ökogefasel.«

»Auf keinen Fall, verstanden.« Fisch hatte seinen Master in Natural Resources Management an der UGA mit dem Schwerpunkt Fischerei- und Wasserkunde gemacht. Die meisten Gäste waren hingerissen von seiner Leidenschaftlichkeit. »Ich dachte, es würde ihnen …«

»Dave«, sagte Papa. »Was ist los mit den Junggesellenhütten? Bezahle ich dich pro Nagel?«

In einer Schrotsalve von passiver Aggression, die alle am Tisch traf, ließ sich Dave Zeit mit seiner Antwort. Er führte gemächlich die Hand ans Gesicht und kratzte sich geistesabwesend am Kinn. Schließlich sagte er: »Ich hab Trockenfäule in der dritten Hütte gefunden. Musste den rückwärtigen Teil entkernen und von vorn anfangen. Könnte im Fundament sein, wer weiß.«

Papa blähte wieder die Nasenlöcher. Er konnte Daves Behauptung unmöglich überprüfen. Selbst wenn man ihn auf ein Geländefahrzeug schnallen würde, käme er nicht bis zu diesem Teil des Anwesens.

»Ich will Fotos sehen«, sagte Papa. »Dokumentiere den Schaden. Und räum unbedingt dein ganzes Zeug weg. Ein Sturm zieht auf. Ich zahle nicht schon wieder für eine neue Kreissäge, weil du Dummkopf sie im Regen stehen lässt.«

Dave säuberte seinen Fingernagel. »Klar doch, Papa.«

Mercy sah, wie die linke Hand ihres Vaters die Armlehne umklammerte. Vor zwei Jahren wäre er um den Tisch gestürmt. Jetzt musste er jeden Funken Energie sparen, nur um sich am Arsch kratzen zu können.

»Wann soll ich die Investoren treffen?«, fragte sie.

Papa schnaubte nur höhnisch über die Frage. »Warum solltest du sie treffen?«

»Weil ich die Managerin bin. Weil ich alle Kalkulationsbögen und Gewinn- und Verlustrechnungen habe. Weil ich eine McAlpine bin. Weil jeder von uns denselben Anteil am Treuhandvermögen hält. Weil ich das Recht dazu habe.«

»Du hast das Recht, den Mund zu halten, bevor ich ihn dir stopfe.« Papa wandte sich an Fisch. »Wieso ist Chuck wieder hier? Wir sind kein Obdachlosenasyl.«

Mercy wechselte einen Blick mit Dave. Er fasste es als sein Stichwort auf, eine Bombe mitten in die Runde zu werfen. »Verrätst du uns, warum Delilah hier ist?«

Bitty rutschte nervös auf ihrem Stuhl umher.

Papa begann zu lächeln, was ein ganz eigenes Angstgefühl erzeugte. Seine Grausamkeit hinterließ immer ein Mal. »Was glaubst du, warum sie hier ist?«

»Ich glaube …« Dave trommelte mit den Fingern auf dem Tisch. »Ich glaube, die Investoren sind nicht hier, um zu investieren. Sie sind hier, um zu kaufen.«

Fisch klappte die Kinnlade herunter. »Was?«

Mercy hatte das Gefühl, keine Luft mehr zu bekommen. »D-das kannst du nicht. Nach den Bestimmungen des Trusts …«

»Es ist alles geregelt«, sagte Papa. »Wir müssen hier raus, bevor du den Laden an die Wand fährst.«

»*An die Wand fährst?*« Mercy konnte nicht glauben, was sie hörte. »Willst du mich verarschen?«

»Mercy!«, zischte ihre Mutter. »Pass auf, wie du redest.«

»Wir sind für die ganze Saison ausgebucht!« Sie konnte nicht aufhören zu brüllen. »Der Gewinn ist um dreißig Prozent gegenüber dem Vorjahr gestiegen!«

»Und du hast ihn für Marmorbäder und modisches Bettzeug verplempert.«

»Was wir durch erneute Buchungen wieder hereingeholt haben.«

»Wie lange wird das anhalten?«

»Solange du dich verdammt noch mal raushältst!«

Mercy hörte ihr wütendes Kreischen durch den Raum gellen. Sofort überfielen sie Schuldgefühle. Noch nie hatte sie in diesem Ton mit ihrem Vater gesprochen. Keiner von ihnen hatte es getan.

Sie hatten sich zu sehr gefürchtet.

»Mercy«, sagte Bitty. »Setz dich, Kind. Zeig ein wenig Respekt.«

Mercy sank langsam auf ihren Stuhl. Aus ihren Augen strömten die Tränen. Das war so ein Verrat. Sie war eine McAlpine. Sie sollte die siebte Generation sein. Sie hatte alles – *alles* – aufgegeben, um hierzubleiben.

»Mercy«, wiederholte Bitty. »Entschuldige dich bei deinem Vater.«

Mercy schüttelte den Kopf. Sie versuchte, die Splitter in ihrer Kehle zu schlucken.

»Hör mir gut zu, Miss dreißig Prozent.« Papas Ton schnitt wie ein Rasiermesser in ihre Haut. »Jedes Arschloch kann ein gutes Jahr haben. Es sind die mageren Jahre, die du nicht schaffen wirst. Der Druck wird dich in die Knie zwingen.«

Sie wischte sich über die Augen. »Das weißt du nicht.«

Papa stieß ein Lachen aus. »Wie oft musste ich deinen Arsch schon aus dem Arrest freikaufen? Deine Entziehungskuren bezahlen? Deine Anwälte? Deine Bewährung? Dem Sheriff ein bisschen Geld zustecken, damit er nicht hinschaut? Mich um deinen Jungen kümmern, weil du so hoffnungslos besoffen warst, dass du dich selbst vollgepisst hast?«

Mercy starrte an ihm vorbei auf den Herd. Das war der tiefste Teil des Treibsands, die Vergangenheit, der sie nie, nie entrinnen würde.

»Delilah ist hergekommen, um ihr Votum abzugeben, richtig?«, sagte Dave.

Papa antwortete nicht.

»In den Bestimmungen des Trusts heißt es, du brauchst sechzig Prozent der Stimmen, um den gewerblichen Teil des Anwesens verkaufen zu können. Du hast mich die Hütten renovieren lassen, damit wir dieses Land zum gewerblichen Teil dazurechnen können, stimmt's?«

Mercy verstand kaum, was er sagte. Der Familientrust war hochkompliziert. Sie hatte sich nie wirklich mit dem Text befasst, weil nie die Chance bestanden hatte, dass es eine Rolle spielte. Über Jahrzehnte hatten sämtliche Generationen der McAlpines entweder diesen Ort so gehasst, dass sie weggingen, oder widerwillig zum Wohl aller gearbeitet.

»Wir sind zu siebt«, sagte Dave. »Das heißt, du brauchst vier Stimmen, um zu verkaufen.«

Mercy lachte überrascht auf. »Die hast du nicht. Ich vertrete Jon, bis er achtzehn wird. Wir stimmen beide mit Nein. Dave stimmt mit Nein. Fisch stimmt mit Nein. Du hast die Stimmen nicht. Auch nicht mit Delilah.«

»Christopher?« Papa richtete seinen Laserblick auf Fisch. »Stimmt das?«

»Ich …« Fisch hielt den Blick gesenkt. Er liebte dieses Land, kannte jede Anhöhe und jede Senke, jeden guten Angelplatz und jeden ruhigen Fleck. Aber das hielt ihn nicht davon ab, zu sein, wer er nun mal war. »Ich kann mich da nicht hineinziehen lassen. Ich erkläre mich für befangen. Oder enthalte mich. Wie immer ihr es nennen wollt. Ich bin raus.«

Mercy wünschte, sein Rückzug wäre eine Überraschung gewesen. »Damit sind wir bei jeweils fünfzig Prozent«, sagte sie zu ihrem Vater. »Fünfzig Prozent sind nicht sechzig.«

»Ich habe eine Zahl für euch«, sagte Papa. »Zwölf Millionen Dollar.«

Mercy hörte, wie es in Daves Kehle arbeitete, als er schluckte. Geld veränderte ihn immer. Es war der Dr.-Jekyll-Trank, der ihn in ein Monster verwandelte.

»Zieh die Hälfte für Steuern ab«, sagte Mercy. »Sechs Millionen geteilt durch sieben, richtig? Papa und Bitty bekommen jeder einen Anteil. Fisch bekommt seinen, ob er abstimmt oder nicht.«

»Genau wie Jon«, sagte Dave.

»Dave, bitte.« Sie wartete darauf, dass er sie ansah. Aber er sah nur Dollarzeichen und ging bereits im Kopf durch, was für Zeug er kaufen und welche Leute er beeindrucken wollte. Mercy befand sich in einem Raum voller Menschen, sie war umgeben von ihrer Familie, aber wie immer war sie vollkommen allein.

Bitty sagte: »Überlegt doch, was ihr Kinder mit so viel Geld anfangen könntet. Reisen. Euer eigenes Unternehmen gründen. Noch einmal studieren, vielleicht?«

Mercy wusste genau, was sie tun würden. Jon würde es nicht zusammenhalten können. Dave würde es verkoksen und versaufen und immer noch mehr wollen. Fisch würde es an irgendwelche Organisationen spenden, die sich für den Gewässerschutz einsetzten. Mercy würde mit jedem Penny rechnen müssen, weil sie eine verurteilte Straftäterin mit zwei Fahrten unter Alkoholeinfluss war, die die Schule abgebrochen hatte, um ein Kind zu bekommen. Gott allein wusste, ob das Geld reichte, bis sie alt war. Falls sie so lange lebte.

Ihre Eltern andererseits waren fein raus. Sie hatten eine Rente aus ihrer privaten Altersvorsorge. Die Unfallversicherung hatte Papas Behandlungs- und Rehakosten abgedeckt. Sie waren beide in der staatlichen Krankenversicherung und erhielten ihre Dividenden von der Lodge. Sie brauchten das Geld nicht. Sie hatten alles, was sie brauchten.

Außer Zeit.

»Was denkst du, wie lange dir noch bleibt?«, fragte sie ihren Vater.

Papa blinzelte. Für einen Moment war er nicht auf der Hut. »Wovon redest du?«

»Du gehst nicht zu deiner Physiotherapie. Du weigerst dich, deine Atemübungen zu machen. Du verlässt das Haus nur, um mich zu kontrollieren.« Mercy zuckte mit den Achseln. »Corona oder auch nur eine üble Erkältung könnten nächste Woche dein Ende bedeuten.«

»Merce«, murmelte Dave. »Werd jetzt nicht gemein.«

Mercy wischte sich die Tränen aus den Augen. Sie war über gemein hinaus. Sie wollte ihnen wehtun, so wie sie ihr ständig wehtaten. »Was ist mit dir, Mutter? Wie lange noch, bis der Krebs wieder da ist?«

»Himmel«, sagte Dave. »Das geht zu weit.«

»Und mir mein Geburtsrecht zu stehlen, geht nicht zu weit?«

»Dein Geburtsrecht«, sagte Papa. »Du dummes Luder. Du willst wissen, was aus deinem Geburtsrecht geworden ist? Wirf mal einen Blick in den Spiegel auf deine hässliche Visage.«

Durch Mercys Körper lief ein Zittern. Es bedeutete Anspannung. Grässliche Angst.

Papa hatte sich nicht bewegt, aber sie fühlte sich wieder wie als Teenager, wenn sich seine Hände um ihren Hals krallten. Wie er sie an den Haaren packte, wenn sie wegzulaufen versuchte. Ihr den Arm so weit verdrehte, dass die Sehne schnalzte. Sie kam wieder zu spät zur Schule, zu spät zur Arbeit, hatte ihre Hausaufgaben nicht gemacht, hatte sie zu früh gemacht. Er war immer hinter ihr her, boxte sie auf den Arm, machte ihr blaue Flecken an den Beinen, schlug sie mit dem Gürtel, peitschte sie mit dem Strick in der Scheune aus. Er hatte ihr in den Bauch getreten, als sie schwanger war. Ihr das Gesicht in den Teller gedrückt, als ihr so schlecht war, dass sie nicht essen konnte. Ein Vorhängeschloss an ihrer Zimmertür befestigt, damit sie Dave nicht treffen konnte. Vor dem Richter ausgesagt, dass sie es verdient hatte, ins Gefängnis zu kommen. Einem zweiten Richter erzählt, sie sei geisteskrank. Einem dritten, sie sei als Mutter ungeeignet.

Sie sah ihn jetzt mit einer plötzlichen, verblüffenden Klarheit.

Papa war nicht wütend über das, was er bei dem Unfall verloren hatte.

Er war wütend über das, was Mercy gewonnen hatte.

»Du blöder alter Mann.« Die Stimme, die aus ihrem Mund kam, klang wie besessen. »Ich habe fast mein ganzes Leben auf diesem gottverlassenen Land vergeudet. Denkst du, ich habe eure Gespräche und euer Geflüster nicht gehört, eure Telefonate und nächtlichen Geständnisse?«

Papa hob ruckartig den Kopf. »Wage es nicht …«

»Halt den Mund«, fuhr sie ihn an. »Haltet alle den Mund, jeder Einzelne von euch. Fisch, Dave, Bitty. Selbst Delilah, wo immer zum Henker sie sich versteckt. Ich könnte euer Leben auf der Stelle zerstören. Ein Anruf. Ein Schreiben. Wenigstens zwei von euch Arschlöchern könnten im Gefängnis landen. Der Rest dürfte sich nirgendwo mehr blicken lassen. Alles Geld der Welt würde euch euer Leben nicht zurückbringen. Ihr wärt ruiniert.«

Mercys Angst ging mit einem nie gekannten Machtgefühl einher. Sie registrierte, wie sie fieberhaft über ihre Drohungen nachdachten, die Risiken abschätzten. Sie wussten, Mercy bluffte nicht. Sie konnte sie alle in Flammen aufgehen lassen, ohne auch nur ein Streichholz anzuzünden.

»Mercy«, sagte Dave.

»Was, Dave? Sagst du meinen Namen, oder gibst du auf wie immer?«

Er senkte den Kopf. »Ich sage nur, sei vorsichtig.«

»Vorsichtig weswegen?«, fragte sie. »Du weißt aus Erfahrung, dass ich einiges einstecken kann. Und was mich angeht, ist alles längst bekannt. Es steht in mein hässliches Gesicht geschrieben. Es ist in diesen Grabstein unten auf dem Friedhof in Atlanta gemeißelt. Ich habe nichts zu verlieren außer diesem Ort hier, und ich schwöre bei Gott dem Allmächtigen, dass ich euch alle mit in den Abgrund reiße, wenn es dazu kommt.«

Die Drohung genügte, um alle einen seligen Moment lang verstummen zu lassen. In der Stille hörte Mercy Autoreifen auf dem Kies der Zufahrt knirschen. Der alte Truck brauchte einen neuen Auspuff, aber Mercy war dankbar für die Warnung. Jon kam aus der Stadt zurück.

»Wir sprechen nach dem Abendessen darüber«, sagte sie. »Schließlich sind Gäste auf dem Weg zu uns. Dave, repariere die

Toilette in Nummer drei. Fisch, mach die Kanus sauber. Bitty, erinnere die Küche an Chucks Erdnussallergie. Und du, Papa – ich weiß, du kannst nicht viel tun, aber ich rate dir, halt deine verdammte Schwester von meinem Sohn fern.«

Mercy verließ die Küche. Sie ging an der Harmonikatür vorbei, an den venezianischen Fenstern, an den Flügelfenstern. In der düsteren Eingangshalle legte sie die Hand auf den Türknauf, wartete jedoch einen Moment, ehe sie öffnete. Jon versuchte, den Truck rückwärts einzuparken. Sie hörte das Getriebe knirschen, als er von der Kupplung rutschte.

Sie holte tief Luft und ließ sie langsam wieder entweichen.

Dieser dunkle Raum barg Geschichte, von Schweiß, harter Arbeit und Land, das seit mehr als hundertsechzig Jahren weitervererbt worden war. Fotografien an den Wänden zeigten die Meilensteine: eine Daguerreotypie der Fischerhütte. Sepiastichige Drucke verschiedener McAlpines, die auf dem Gelände tätig waren. Die Grabung des ersten Brunnens. Die Verlegung der Stromleitung in den 1930ern. Die Entstehung von Camp Awinita. Pfadfinder um ein Lagerfeuer. Gäste, die am See Marshmallows am Lagerfeuer rösteten. Das erste Farbfoto zeigte die neuen Sanitäranlagen. Die Junggesellenhütten. Die Badeplattform. Das Bootshaus für die Paddelboote. Die Familienporträts. Die Generationen der McAlpines, ihre Hochzeiten und Begräbnisse, ihre Kinder, ihr Leben.

Mercy brauchte keine Fotos. Sie hatte ihre eigene Geschichte aufgezeichnet. Tagebücher aus ihrer Kindheit. Belege für die doppelte Buchführung und den Steuerbetrug, die sie in einem Versteck im Büro gefunden hatte und hinter einem alten Geschirrschrank in der Küche. Die Notizbücher, die sie selbst angelegt hatte. Es gab Geheimnisse, die Dave vernichten würden. Enthüllungen, die Fisch zerreißen würden. Verbrechen, die Bitty ins Gefängnis bringen konnten. Und das unverfälscht Böse, das Papa verübt hatte, damit dieser Ort in seinen brutalen, gierigen Händen verblieb.

Keiner von ihnen würde Mercy die Lodge wegnehmen. Vorher mussten sie sie umbringen.

2

Zehn Stunden vor dem Mord

Will begriff schnell, dass es einen großen Unterschied machte, ob man fünf Meilen täglich in den Straßen von Atlanta joggte oder einen Berg hinaufwanderte. Vielleicht war es eine schlechte Idee gewesen, seine Beinmuskeln ein Leben lang nur für genau eine Sache zu trainieren. Es machte das Ganze nicht besser, dass Sara wie eine Gazelle den Pass hinaufsprang. Er beobachtete sie immer mit großem Vergnügen bei ihren morgendlichen Yoga-Übungen, aber ihm war nicht klar gewesen, dass sie sich heimlich für einen Triathlonwettkampf in Form brachte.

Er holte seine Wasserflasche aus dem Rucksack, weil es ihm einen Vorwand für eine Pause verschaffte. »Wir sollten immer gut mit Flüssigkeit versorgt sein.«

Ihr verschmitztes Lächeln verriet ihm, dass sie ihn durchschaut hatte. Sie drehte sich um und ließ den Blick schweifen. »Es ist so schön hier oben. Ich vergesse oft, wie angenehm es ist, von Bäumen umgeben zu sein.«

»Wir haben Bäume in Atlanta.«

»Nicht solche.«

Will musste ihr recht geben. Die Fernsicht über die Berge war atemberaubend, wenn man nicht das Gefühl hatte, an den Waden von Hornissen attackiert zu werden.

»Danke, dass du mich hierhergeführt hast.« Sie legte ihm die Hände auf die Schultern. »Das ist ein perfekter Start in unsere Flitterwochen.«

»Letzte Nacht war auch schon ziemlich fantastisch.«

»Genau wie heute Morgen.« Sie gab ihm einen langen Kuss. »Um welche Zeit müssen wir am Flughafen sein?«

Er grinste. Sara war für die Hochzeit zuständig gewesen, in Wills Zuständigkeit fielen die Flitterwochen, und er hatte getan, was er konnte, damit alles schön geheim blieb. Er hatte sogar Saras Schwester gebeten, für sie zu packen, und ihr Gepäck war bereits zur Lodge gebracht worden. Er hatte Sara weisgemacht, sie würden eine Tageswanderung unternehmen und ein gemütliches Picknick genießen, ehe sie nach Atlanta zurückkehrten und an ihr Reiseziel flogen.

»Um welche Zeit willst du am Flughafen sein?«

»Ist es ein Nachtflug?«

»Ist es einer?«

»Werden wir lange sitzen? Wolltest du deshalb vorher noch ein wenig Bewegung haben?«

»Ist das so?«

»Du kannst das Theater bleiben lassen.« Sie zupfte ihn spielerisch am Ohr. »Tessa hat mir alles erzählt.«

Will wäre beinahe darauf hereingefallen. Sara und ihre Schwester standen sich unglaublich nahe, aber es war ausgeschlossen, dass Tessa ihn verraten hatte. »Netter Versuch.«

»Ich muss wissen, was ich einpacken soll«, sagte sie, was richtig war, aber auch hinterhältig. »Brauche ich einen Badeanzug oder eine dicke Jacke?«

»Du meinst, fliegen wir an den Strand oder in die Arktis.«

»Willst du mich ernsthaft bis heute Abend warten lassen?«

Will hatte überlegt, wann er Sara ihr wahres Reiseziel offenbaren sollte. Sollte er warten, bis sie die Lodge erreicht hatten? Sollte er es vorher verraten? Würde sie mit seiner Wahl zufrieden sein? Sie hatte einen Nachtflug erwähnt. Hatte sie an ein romantisches Ziel wie Paris gedacht? Vielleicht hätte er nach Paris mit ihr fliegen sollen. Wenn er genügend Blut spendete, konnte er sich mit dem Honorar vielleicht eine Jugendherberge leisten.

»Mein Liebster.« Sie strich ihm mit dem Daumen über die Stirn. »Wohin es auch geht, ich werde glücklich sein, weil ich mit dir zusammen bin.«

Sie küsste ihn wieder, und er beschloss, dass dieser Moment ebenso gut war wie jeder andere Zeitpunkt. Wenn sie enttäuscht reagierte, geschah es wenigstens nicht vor Publikum.

»Setzen wir uns«, sagte Will.

Er half ihr mit ihrem Rucksack. Die Plastikteller klapperten an das Blechbesteck, als er ihn abstellte. Sie hatten bereits eine Mittagspause mit Blick auf eine Weide voller grasender Pferde eingelegt. Will hatte raffinierte Sandwiches aus der französischen Bäckerei in Atlanta besorgt, die ihn in seiner Überzeugung bestärkten, dass er nicht der Typ für raffinierte Sandwiches war.

Aber Sara war begeistert gewesen, und das war es, was zählte.

Er nahm zärtlich ihre Hand, als sie sich auf dem Boden gegenübersaßen. Wills Daumen ging automatisch zu ihrem Ringfinger. Er spielte mit dem schmalen Ehering, der sich zu dem Ring seiner Mutter gesellt hatte. Will dachte an die Trauungszeremonie, an seine Euphorie, die bis heute anhielt. Faith, seine Partnerin beim GBI, war an seiner Seite gewesen. Er hatte mit seiner Chefin Amanda getanzt, die mehr wie eine Mutter für Will war, wenn deine Mutter die Sorte Mensch war, die dir ins Bein schoss, damit sich die Bösewichter dich vorknöpften, während sie das Weite suchte.

»Will?«, fragte Sara.

Er spürte, wie sich sein Mund zu einem verlegenen Lächeln verzog. Urplötzlich war er nervös. Er wollte sie nicht enttäuschen. Er wollte sie aber auch nicht zu sehr unter Druck setzen. Die Lodge war vielleicht eine blöde Idee gewesen. Vielleicht würde Sara sie hassen.

»Sag mir, was dir an der Hochzeit am besten gefallen hat«, forderte ihn Sara auf.

Will merkte, wie sein Lächeln etwas weniger verlegen wurde. »Dein Kleid war wunderschön.«

»Das ist lieb«, sagte sie. »Mein Lieblingsteil war, als alle gegangen waren und du mich im Stehen an der Wand gevögelt hast.«

Sein Lachen war mehr ein schallendes Gebrüll. »Kann ich meine Antwort noch mal ändern?«

Sie legte ihm zärtlich die Hand an die Wange. »Sag es mir.«

Will holte tief Luft und schob seine Bedenken energisch beiseite. »Als ich ein Kind war, gab es eine kirchliche Gruppe, die in den Sommerferien Aktivitäten mit dem Kinderheim veranstaltete. Sie fuhren etwa nach Six Flags mit uns, oder wir gingen ins Varsity, um Hotdogs zu essen oder einen Film anzuschauen, oder was immer.«

Saras Lächeln wurde weicher. Sie wusste, dass sein Leben im Kinderheim nicht leicht gewesen war.

»Sie finanzierten manchen Kindern auch ein Sommerferienlager. Zwei Wochen in den Bergen. Ich durfte nie mit, aber die Kinder, die dabei waren – sie sprachen für den Rest des Jahres über nichts anderes mehr. Kanu fahren, fischen, wandern, lauter solche Sachen.«

Sara presste die Lippen zusammen und rechnete. Will hatte achtzehn Jahre im Pflegesystem verbracht. Dass er nicht wenigstens einmal mit ins Ferienlager gedurft hatte, war statistisch unwahrscheinlich.

»Man musste Passagen aus der Bibel auswendig lernen und sie vor der ganzen Kirchengemeinde vortragen«, erklärte Will. »Wenn man richtig zitierte, durfte man mitfahren.«

Er sah sie heftig schlucken.

»Verdammt, es tut mir leid.« Das brachte auch nur er fertig, dass er Sara in ihren Flitterwochen zum Weinen brachte. »Es war meine Entscheidung, es lag nicht an meiner Leseschwäche. Ich konnte mir die Verse einprägen, aber ich wollte nicht vor fremden Leuten reden. Sie wollten uns helfen, uns zu öffnen, glaube ich. Wir sollten lernen, ein Referat zu halten oder eine Präsentation zu machen oder …«

Sie nahm seine Hand.

»Jedenfalls ...« Er musste mit seiner Geschichte vorankommen. »Ich hörte am Ende von jedem Sommer von dem Camp – die Kinder kriegten sich gar nicht mehr ein davon –, und ich dachte, es wäre nett, dorthin zu fahren. Nicht zum Zelten, weil ich weiß, dass du Camping hasst.«

»Das stimmt.«

»Aber es gibt eine Ökolodge, zu der man wandern kann. Sie ist per Auto nicht erreichbar. Sie wird seit vielen Jahren von derselben Familie betrieben. Es gibt Guides, die einen zum Mountainbiken, Fischen oder Stand-up-Paddeln begleiten, oder ...«

Sie unterbrach ihn mit einem Kuss. »Ich liebe alles daran.«

»Bist du dir sicher?«, fragte Will. »Denn es ist nicht nur für mich. Ich habe dir eine Massage gebucht, und es gibt Yoga am See bei Sonnenaufgang. Außerdem hat die Lodge kein Internet, kein Fernsehen und keinen Handyempfang.«

»Heilige Scheiße.« Sara wirkte aufrichtig verblüfft. »Wie wirst du das durchhalten?«

»Ich werde dich an jeder Wand in unserer Hütte vögeln.«

»Wir haben unsere eigene Hütte?«

»Hallo!«

Sie drehten sich beide um. Ein Mann und eine Frau standen etwa zwanzig Meter entfernt auf dem Pfad. Sie trugen Wanderkleidung und Rucksäcke, die so neu waren, dass sich Will fragte, ob sie die Preisschilder erst in ihrem Wagen abgenommen hatten.

»Geht ihr beiden zur Lodge?«, rief der Mann. »Wir haben uns nämlich verlaufen.«

»Wir haben uns nicht verlaufen«, murmelte die Frau. Beide trugen Eheringe, aber Will gewann bei dem schneidenden Blick, den sie ihrem Mann zuwarf, den Eindruck, dass die Sache zur Diskussion stand. »Es gibt nur einen Weg hin und zurück, oder?«

Sara sah Will an. Er war die ganze Zeit vorausgegangen, und es gab tatsächlich nur einen Weg, aber er wollte sich nicht einmischen.

»Ich bin Sara«, sagte sie. »Das ist mein Mann Will.«

Will räusperte sich, als er aufstand. Sie hatte ihn nie zuvor ihren Mann genannt.

Der Fremde schaute zu Will auf. »Wow, wie groß sind Sie? Eins dreiundneunzig? Eins fünfundneunzig?«

Will antwortete nicht, aber das schien den Mann nicht zu stören.

»Ich bin Frank. Das ist Monica. Was dagegen, wenn wir zusammen gehen?«

»Aber gern.« Sara griff nach ihrem Rucksack. Der Blick, den sie Will zuwarf, war eine wenig subtile Erinnerung daran, dass es einen Unterschied zwischen unbeholfenem Schweigen und Unhöflichkeit gab.

»Schöner Tag, was?«, sagte er. »Gutes Wetter.«

»Ich habe gehört, es könnte einen Sturm geben«, meinte Frank.

Monica murmelte leise etwas vor sich hin.

»Hier entlang, oder?« Frank übernahm die Führung vor Sara. Der Pfad war schmal, sodass Will nichts anderes übrig blieb, als hinter Monica das Schlusslicht zu bilden. Ihrem Schnaufen nach zu urteilen genoss die Frau die Wanderung nicht. Und schon gar nicht war sie dafür ausgerüstet. Ihre Sneakers glitten ständig auf dem felsigen Untergrund aus.

»... die Idee, hierherzukommen«, sagte Frank gerade. »Ich meine, ich liebe es, draußen zu sein, aber die Arbeit lässt mir kaum Zeit dafür.«

Monica schnaubte wieder. Will blickte über sie hinweg zu Frank. Der Mann hatte die kahle Stelle auf seinem Kopf mit einem Sonnenschutzspray behandelt, um die rosa Haut zu schützen, und das Mittel war durch den Schweiß in seinen Kragen gelaufen und hinterließ einen dunklen Ring.

»… und dann sagte Monica: ›Wenn du aufhörst, davon zu reden, komme ich mit.‹« Franks Stimme hatte den Rhythmus eines Schlagbohrers angenommen. »Also musste ich ein paar freie Tage einplanen, was in meinem Job nicht einfach ist. Mir untersteht ein Team von acht Leuten.«

Nach der Art, wie Frank redete, vermutete Will, dass er weniger verdiente als seine Frau. Und dass es ihn störte. Er schaute auf seine Armbanduhr. Auf der Website der Lodge stand, dass die Gäste für gewöhnlich zwei Stunden für die Wanderung benötigten. Will und Sara hatten eine Mittagspause eingelegt, es blieben also vielleicht noch zehn, fünfzehn Minuten zu gehen. Oder zwanzig, denn Franks Tempo war nicht sehr zügig.

Er fragte ihn: »Wie seid ihr auf die Lodge gekommen?«

»Google«, antwortete Frank.

»Danke, Google«, murmelte Monica.

»Und was macht ihr beiden so?«, fragte Frank.

Will sah, wie sich Sara wappnete. Die beiden hatten vor Wochen vereinbart, dass es, egal wohin sie fuhren, einfacher sein würde, wenn sie über ihre Berufe logen. Will wollte nicht gepriesen oder verunglimpft werden, weil er eine Polizeimarke trug. Sara wollte sich keine verrückten medizinischen Beschwerden oder gefährliche Theorien über Impfungen anhören.

Bevor sie den Mut verlor, sagte er: »Ich bin Mechaniker. Meine Frau unterrichtet Chemie an der Highschool.«

Er sah Sara lächeln. Es war das erste Mal, dass er sie seine Frau genannt hatte.

»Ach, in dem naturwissenschaftlichen Zeug war ich schlecht«, sagte Frank. »Monica ist Zahnärztin. Hattest du Chemie in der Schule, Monica?«

Monica brummte mehr, als dass sie antwortete. Sie war von Wills Art.

»Ich mache die IT für die Afmeten Versicherungsgruppe«, sagte Frank. »Keine Sorge, niemand hat je von ihnen gehört. Wir kümmern uns hauptsächlich um Personen mit hohem Nettovermögen und institutionelle Anleger.«

»Oh, seht mal, noch mehr Wanderer«, sagte Sara.

Will zog es beim Gedanken an noch mehr Leute den Magen zusammen. Das zweite Paar musste sie während ihrer Mittagspause unbemerkt überholt haben. Die beiden waren älter, wahrscheinlich Mitte fünfzig, aber entschlossener und besser ausgerüstet für die Wanderung.

Beide warteten lächelnd, bis die Gruppe zu ihnen aufschloss.

»Ihr seid bestimmt alle zur McAlpine Lodge unterwegs«, sagte der Mann. »Ich bin Drew, das ist meine Partnerin Keisha.«

Will wartete, bis er mit Händeschütteln an der Reihe war, und bemühte sich, nicht an die seligen Augenblicke zu denken, in denen er mit Sara allein gewesen war. Sein Gehirn warf Bilder von der Website der McAlpine Lodge aus. Von einem Koch zubereitete Mahlzeiten. Geführte Wanderungen. Ausflüge zum Fliegenfischen. Immer waren es zwei oder drei Paare, die auf den Fotos ihren Spaß hatten. Erst jetzt kam Will zu Bewusstsein, dass sich die Paare bis zu ihrer Ankunft in der Lodge wahrscheinlich nicht gekannt hatten.

Am Ende würde er noch mit Frank Stand-up-Paddling machen.

Keisha sagte: »Ihr habt Landry und Gordon knapp verpasst. Sie sind schon zur Lodge vorausgespurtet. Es ist ihr erstes Mal. Die beiden sind App-Entwickler.«

»Wirklich?«, fragte Frank. »Haben sie gesagt, welche Apps?«

»Wir waren alle zu sehr von der Aussicht gefesselt, um viel über andere Dinge zu reden.« Drew legte die Hand auf Keishas Hüfte. »Wir haben uns geschworen, dass wir die ganze Woche nicht über die Arbeit reden werden. Seid ihr dabei?«

»Unbedingt«, sagte Sara. »Wollen wir weiter?«

Will hatte sie nie mehr geliebt.

Alle verstummten, während sie dem kurvenreichen Weg den Berg hinauf folgten. Das Blätterdach über ihnen wurde dichter.

Der Pfad war nun wieder so schmal, dass sie einzeln hintereinander gingen. Eine gut in Schuss gehaltene Holzbrücke führte über einen rauschenden Bach. Will schaute auf das schäumende Wasser hinunter. Er überlegte, wie oft er wohl die Ufer überflutete, aber er ließ von der Frage ab, als Frank laut für sich den Unterschied zwischen Bächen und Flüssen zu erörtern begann. Sara lächelte Will gequält zu, während Frank wie ein Zwergpudel hinter ihr herkläffte. Will war irgendwie an der vorletzten Stelle gelandet. Drew war vor ihm. Monica ging mit gesenktem Kopf am Ende und rutschte mit ihren Schuhen immer noch auf dem felsigen Untergrund aus. Will hoffte, sie hatte sich ihre Wanderstiefel zur Lodge bringen lassen. Er selbst trug seine Kampfstiefel von HAIX. In denen konnte er wahrscheinlich an einer Gebäudefassade hinaufklettern. Wenn seine Waden nicht explodierten.

Frank hörte schließlich auf zu reden, als sie einen felsigen Abschnitt bewältigen mussten, und das Schweigen hielt gottlob an, als der Weg breiter und das Gehen leichter wurde. Sara gelang es, hinter Frank zurückzufallen, damit sie sich mit Keisha unterhalten konnte. Es dauerte nicht lange, bis die beiden Frauen miteinander lachten. Will liebte Saras zwanglose Art. Sie konnte mit fast allen Menschen eine gemeinsame Basis finden. Will eher nicht, aber ihm war bewusst, dass sie die nächsten sechs Tage mit diesen Leuten zusammen sein würden. Und ihm war der Blick noch im Gedächtnis, den sie ihm vorhin zugeworfen hatte. Sie wollte, dass er seinen Teil zur Konversation beitrug. Will war immer nur dann gut in Small Talk, wenn er einem Verdächtigen an einem Tisch gegenübersaß.

Er stellte sich vor, welche Sorte Verbrecher die anderen vier Gäste sein könnten. Angesichts der happigen Kosten für die Lodge ging der Verdacht bei mindestens drei von ihnen in Richtung Wirtschaftskriminalität. Frank wäre definitiv in etwas verstrickt, was mit Kryptowährungen zu tun hatte. Keisha hatte etwas von der Gerissenheit und dem Geschick einer Veruntreuerin an sich. Drew erinnerte Will an einen Kerl, den er wegen eines Schneeballvertriebssystems mit Nahrungsergänzungsmitteln verhaftet hatte. Damit blieb noch Monica, die berechtigterweise aussah, als könnte sie Frank jederzeit umbringen. Will schätzte, dass sie von der Gruppe am ehesten ungeschoren davonkommen würde. Sie würde ein Alibi haben. Einen Anwalt. Sie würde ihm todsicher nicht bei einem Verhör gegenübersitzen.

Und ihm würde es schwerfallen, ihr das Verbrechen vorzuwerfen.

»Will«, sagte Drew. Wie man eine Unterhaltung eben anfing, wenn man sich keine Verbrecherkarrieren ausmalte. »Das erste Mal in der Lodge?«

»Ja.« Will hielt die Stimme gesenkt, weil Drew es ebenfalls getan hatte. »Und ihr?«

»Das dritte Mal. Wir sind wahnsinnig gern da oben.« Er hakte die Daumen in die Träger seines Rucksacks ein. »Keisha und ich besitzen ein Catering-Unternehmen auf der Westside. Ist schwer, sich freizumachen. Das erste Mal hat sie mich unter Protestgeschrei meinerseits hier heraufgeschleift. Ich konnte nicht fassen, dass es kein Telefon oder Internet gab, und war sicher, ich würde ins Koma fallen, bevor der erste Tag um war. Aber dann ...«

Will sah, wie er die Arme seitlich ausstreckte und einen tiefen, reinigenden Atemzug machte.

»In der Natur zu sein, ist wie ein Neustart für die Seele, wenn Sie verstehen, was ich meine.«

Will nickte, aber er hatte seine Bedenken. »Alles in der Lodge wird also in der Gruppe gemacht?«

»Die Mahlzeiten werden gemeinsam eingenommen. Die Aktivitäten sind auf vier Gäste pro Guide beschränkt.«

Will gefiel diese Quote nicht. »Wie wird das eingeteilt?«

»Man kann sich ein bestimmtes Paar wünschen«, sagte Drew. »Warum, glauben Sie, habe ich mich zurückfallen lassen, um mit Ihnen zu reden?«

Will vernutete, es war ziemlich offensichtlich. »Es gibt wirklich kein Internet? Keinen Empfang?«

»Nicht für uns.« Drew grinste. »Sie haben eine Festnetzleitung für Notfälle. Das Personal hat Zugang zu WLAN, aber sie dürfen das Passwort nicht herausrücken. Glauben Sie mir, beim ersten Mal habe ich versucht, jemanden rumzukriegen, aber der Papa führt ein strenges Regiment.«

»Der Papa?«

»O Mann!«, schrie Frank.

Will sah ein Reh über den Pfad sausen. Hundert Meter weiter war eine große Lichtung, die von Sonnenlicht durchflutet war. Ein Regenbogen wölbte sich über den blauen Himmel. Es war wie in einem Kinofilm. Fehlte nur noch eine singende Nonne. Er spürte, wie sein Herz langsamer schlug und eine große Ruhe über ihn kam. Sara sah ihn wieder an und lächelte übers ganze Gesicht. Er ließ den Atem entweichen, den er unbewusst angehalten hatte.

Sie war glücklich.

»Hier.« Drew überreichte Will eine Karte. »Sie ist alt, aber sie wird Ihnen bei der Orientierung helfen.«

Alt traf es genau. Die Karte sah aus, als stammte sie aus den 1970ern, mit aufgedruckten Lettern und Zeichnungen, die auf verschiedene Sehenswürdigkeiten hinwiesen. Eine unregelmäßige Schleife schlängelte sich wie ein Lasso um den obersten Quadranten der Karte, gestrichelte Linien zeigten kleinere Wege an. Will entdeckte die Holzbrücke, wo sie den Bach überquert hatten. Der Maßstab konnte nicht stimmen. Sie waren mindestens zwanzig Minuten gegangen, um bis hierherzukommen. Er folgerte aus dem McAlpine-Stempel am unteren Rand, dass es den Eigentümern nicht so sehr auf Genauigkeit angekommen war.

Er betrachtete im Gehen die Abbildungen. Das weitläufige Haus am unteren Ende des Lassos schien das Zentrum des Anwesens zu bilden. Die kleineren Häuser waren vermutlich die

Hütten. Sie waren von eins bis zehn durchnummeriert. Ein achteckiges Gebäude diente wohl als Speisesaal, denn daneben war ein Piktogramm eines Tellers mit Besteck. Ein Weg führte zu einem Wasserfall, wo Scharen von Fischen durch die Luft sprangen. Ein anderer Weg verlief zu einem Geräteschuppen mit Kanus. Wieder ein anderer schlängelte sich zu einem Bootshaus. Der See war geformt wie ein Schneemann, der an einer Wand lehnte. Der Kopf war offenbar der Schwimmbereich. Es gab eine Badeinsel im Wasser. An einem Aussichtspunkt war eine Bank eingezeichnet.

Will registrierte mit Interesse, dass es nur eine Zufahrtsstraße gab, die nahe dem Haupthaus endete. Er nahm an, sie überquerte den Bach in der Nähe der hölzernen Fußgängerbrücke und führte in den Ort hinunter. Die Familie trug ihre Versorgungsgüter nicht auf dem Rücken nach oben. Ein Laden von dieser Größe würde per Lkw beliefert werden müssen und brauchte einen Anfahrtsweg für das Personal. Außerdem Wasser und Strom. Die Festnetzleitung lief wahrscheinlich unter der Erde. Niemand wollte sich in einem Agatha-Christie-Roman wiederfinden.

»Verdammt«, sagte Drew. »Das nutzt sich nie ab.«

Will blickte auf. Sie hatten die Lichtung erreicht. Das Haupthaus war ein Sammelsurium schlechter Architektur. Das Obergeschoss sah wie hingeklatscht aus. Das Erdgeschoss hatte Ziegel auf einer Seite und Schindeln auf der anderen. Es schien zwei Haupteingänge zu geben, einen vorn und einen an der Seite. Ein dritter, kleinerer Treppenaufgang führte hinter dem Haus nach oben, zusammen mit einer Rampe für einen Rollstuhl. Eine geräumige umlaufende Veranda bemühte sich nach Kräften, dem Ganzen ein wenig architektonischen Zusammenhalt zu verleihen, aber für die nicht zueinanderpassenden Fenster gab es keine Entschuldigung. Manche der schmaleren erinnerten Will an die Zellen im Fulton County Jail.

Eine Frau, die aussah, als hielte sie sich viel im Freien auf, stand am unteren Ende der seitlichen Verandatreppe. Sie hatte das blonde Haar straff hinten am Kopf zusammengebunden und war mit Cargoshorts und einer weißen Bluse bekleidet, dazu trug sie lavendelfarbene Nike-Sneakers. Auf dem Tisch neben ihr stand eine Auswahl Snacks, dazu Wasserbecher und Gläser mit Sekt. Will blickte sich um, er wollte sich vergewissern, dass Monica noch da war. Sie war beim Anblick des Tischs quicklebendig geworden, überholte Will auf der Zielgeraden und griff sich ein Sektglas, das sie in einem Zug leerte.

»Ich bin Mercy McAlpine, die Managerin der McAlpine Lodge.« Mit dieser Begrüßung wandte sich die Frischluftfrau an die Gruppe. »Drei Generationen McAlpines leben hier auf dem Anwesen. Wir alle heißen Sie bei uns willkommen. Wenn Sie mir kurz Ihre Aufmerksamkeit schenken wollen, gehe ich ein paar der Regeln und Sicherheitsbestimmungen mit Ihnen durch, dann kommen wir zur Spaßabteilung.«

Wie nicht anders zu erwarten stand Sara in der ersten Reihe und hörte aufmerksam zu – ganz der schöne Nerd, der sie nun einmal war. Frank klebte an ihrer Seite. Keisha und Drew drückten sich wie die bösen Kids in der Schule weiter hinten herum. Monica nahm sich noch ein Glas Sekt und setzte sich auf die unterste Treppenstufe. Eine kräftig aussehende Katze strich um ihre Beine. Will sah eine zweite Katze, die sich auf den Boden fallen ließ und auf den Rücken wälzte. Er nahm an, die App-Entwickler, Landry und Gordon, hatten die Einführung bereits hinter sich und waren zu ihrem Glück allein.

»Im unwahrscheinlichen Fall einer Notsituation – wie etwa ein Brand oder gefährliches Wetter – hören Sie diese Glocke.« Mercy deutete zu einer großen Glocke, die an einem Mast hing. »Wenn Sie das Läuten hören, versammeln Sie sich bitte auf dem Parkplatz auf der anderen Seite des Hauses.«

Will wechselte zwischen Brownie-Happen und Kartoffelchips, als Mercy den Evakuierungsplan erklärte. Dann begann es sich zu sehr wie ein Briefing in der Arbeit anzuhören, und er blendete die Stimme der Frau aus und schaute sich auf dem Gelände um. Es erinnerte ihn an verschiedene College-Campus, die er im Fernsehen gesehen hatte. Keramiktöpfe, die vor Blumen überquollen. Parkbänke, Rasenflächen und Pflasterziegel, auf denen die Katzen die Sonne genossen, wie er sich vorstellte.

Acht Hütten schmiegten sich rund um das Haupthaus in ihre eigenen kleinen Gärten. Will nahm an, die beiden übrigen waren am hinteren Ende des Grundstücks. Was bedeutete, dass die Familie wahrscheinlich im Haupthaus zusammenlebte. Seiner Größe nach zu urteilen, musste es mindestens sechs Schlafzimmer im Obergeschoss geben. Er konnte sich nicht vorstellen, freiwillig so über anderen Leuten zu wohnen. Andererseits lebte Saras Schwester ein Stockwerk unter Wills und Saras Eigentumswohnung, vielleicht dachte Will also zu sehr an das Waisenhaus in Atlanta und zu wenig an die Waltons.

»So«, sagte Mercy. »Und jetzt der spaßige Teil.«

Sie begann, Mappen auszuteilen. Drei Paare, drei Mappen. Sara schlug ihre begierig auf. Sie liebte Informationspakete. Wills Aufmerksamkeit wandte sich jetzt wieder Mercy zu, die erklärte, wie die Aktivitäten abliefen, wo sie sich treffen sollten, welche Ausrüstung gestellt wurde. Ihr Gesicht war weiter nicht bemerkenswert bis auf die lange Narbe, die von ihrer Stirn über ein Augenlid zum Nasenflügel hinunterlief und dann scharf zur Kinnlinie abbog.

Will kannte sich gut aus mit Narben, die von Gewalteinwirkung stammten. Eine Faust oder ein Schuh konnten nicht so präzise verletzen. Eine Messerklinge konnte nicht so gerade schneiden. Ein Baseballschläger konnte eine lineare Wunde hervorrufen, aber die Narbe neigte dazu, am tiefsten Punkt des Einschlags wellenförmig zu verlaufen. Will tippte darauf, dass ein scharfkantiges Stück Metall oder Glas die Verletzung verursacht hatte. Das hieß: entweder ein Industrieunfall oder einer, an dem ein Auto beteiligt war.

»Zur Verteilung der Hütten.« Mercy blickte auf ihr Klemmbrett. »Sara und Will sind am Ende des Wegs in Nummer zehn. Mein Sohn Jon wird euch den Weg zeigen.«

Mercy wandte sich mit einem warmen Lächeln zum Haus um. Der Ausdruck von Zuneigung war jedoch vergeudet an den Jungen, der langsam die Verandatreppe herunterkam. Jon schien etwa sechzehn zu sein und hatte die Art harter Muskeln, die Jungs im Teenageralter durch ihre schiere Existenz aufbauten. Will bemerkte, wie er Sara ausgiebig von Kopf bis Fuß musterte. Dann strich er sich das Lockenhaar aus der Stirn und zeigte seine strahlend weißen Zähne.

»Hallo.« Jon marschierte geradewegs an Frank vorbei und fokussierte seinen ganzen Charme auf Sara. »Hat Ihnen die Wanderung Spaß gemacht?«

»Ja, sehr. Danke.« Sara konnte gut mit Kindern umgehen, aber ihr entging, dass dieses Kind sie nicht wie ein Kind ansah. »Du bist ebenfalls ein McAlpine?«

»Bekenne mich schuldig. Die dritte Generation, die auf dem Berg lebt.« Er fuhr sich wieder mit den Fingern durchs Haar. Vielleicht brauchte er einen Kamm. »Sie können mich Jon nennen. Ich hoffe, Sie genießen Ihren Aufenthalt bei uns.«

»Jon.« Will trat vor Frank. »Ich bin Will. Saras Ehemann.«

Der Junge musste den Hals verdrehen, um zu Will aufzublicken, aber es kam darauf an, dass er die Botschaft verstand. »Hier entlang, Sir.«

Will gab die von Hand gezeichnete Karte an Drew zurück, der beifällig nickte. Kein schlechter Start in die Woche. Will hatte eine wunderschöne Frau geheiratet. Er war auf einen Berg gestiegen. Er hatte Sara glücklich gemacht. Er hatte einen gierigen Teenager eingeschüchtert.

Jon führte sie über das Gelände. Er hatte einen albernen Gang, als lernte er noch, seinen Körper zu benutzen. Will konnte sich erinnern, wie das war, wenn man von einem Tag auf den andern nicht wusste, ob man morgens mit einem Bartflaum aufwachen würde oder mit einer kieksenden Stimme wie ein Mädchen. Nicht für alles Geld der Welt hätte er diese Zeit noch einmal durchmachen wollen.

Sie bogen zwischen den Hütten fünf und sechs auf den wie ein Lasso geformten Weg. Der Boden war geschottert. Eine Katze flitzte ins Gebüsch, wahrscheinlich auf der Jagd nach einem Streifenhörnchen. Will stellte erfreut fest, dass Niedrigvoltleuchten ihnen helfen würden, sich bei Nacht zurechtzufinden. Dunkelheit im Wald war nicht das Gleiche wie Dunkelheit in der Stadt. Das Blätterdach über ihnen war dicht; er spürte, wie die Temperatur sank, als Jon sie in leicht abfallendes Gelände führte. Die Ranken und Äste rund um den Pfad waren gestutzt worden, aber Will hatte den Eindruck, tief in den Wald hineinzugehen.

»Dieser Weg nennt sich Loop Trail.« Sara hatte die Infomappe bei der Karte aufgeschlagen. »Zwei Runden ergeben etwa eine Meile. Wir sind in der oberen Hälfte. Wir können den unteren Teil erkunden, wenn wir zum Abendessen gehen. Vermutlich werden wir zehn bis fünfzehn Minuten zum Speisesaal brauchen.«

Wills Magen knurrte.

Sie blätterte zum Kalender um und sah überrascht zu Will auf. »Du hast uns beide für Yoga eingetragen.«

»Ich dachte, ich versuche es mal.« Will war sich sicher, er würde wie ein Trottel dabei aussehen. »Deine Schwester hat gesagt, du angelst gern.«

»Meine Schwester hat recht. Aber ich bin nicht mehr dazu gekommen, seit ich nach Atlanta gezogen bin.« Sie ließ den Zeigefinger über die Tage im Kalender wandern. »Wildwasser-Rafting, Mountainbiken. Ich sehe gar nicht, wo du dich für ein Wettpinkeln mit einem Teenager eingetragen hast.«

Will unterdrückte ein Grinsen. »Ich glaube, das Erste ist inbegriffen.«

»Gut. Ich würde dich ungern für ein Zweites bezahlen sehen.«

Will verstand die Botschaft, der Sara jedoch die Schärfe nahm, als sie sich bei ihm unterhakte. Sie legte den Kopf beim Gehen an seine Schulter, und sie verfielen in geselliges Schweigen. Will nahm die Neigung des Wegs vor allem deshalb wahr, weil ihn seine Waden daran erinnerten, dass sie an all das hier nicht gewöhnt waren. Es war ein gehöriges Stück zu gehen. Er schätzte, dass fünf Minuten vergangen waren, bis das Gelände steiler wurde. Die Bäume zogen sich zurück, der Himmel öffnete sich über ihren Köpfen. Die Bergkette in der Ferne wellte sich wie ein endloser fliegender Teppich. Will wusste nicht, ob es am Höhenunterschied lag oder am sich ändernden Stand der Sonne, aber jedes Mal, wenn er bewusst schaute, schien der Blick ein anderer zu sein. Die Farben waren eine Explosion von Grüntönen. Die Luft war so frisch, dass seine Lunge beim Atmen zu beben schien.

Jon war stehen geblieben. Er deutete zwanzig Meter voraus auf eine Weggabelung. »Zum See geht es da hinunter. Sie sollten nach Einbruch der Dunkelheit aber nicht mehr schwimmen gehen. Hütte zehn ist am weitesten vom Haupthaus entfernt, aber wenn Sie an der Gabelung links gehen, kommen Sie außen herum zum Speisesaal.«

»Früher gab es hier irgendwo einen Campingplatz, oder?«, fragte Will.

»Camp Awinita«, sagte Jon.

»Ist *awinita* ein Wort der amerikanischen Ureinwohner?«, wollte Sara wissen.

»Es ist Cherokee für Rehkitz, aber ein Gast hat mir vor einiger Zeit erklärt, dass es eigentlich zwei Worte sind und mit einem *d* gesprochen wird, wie *ahwi anida*.«

»Weißt du, wo das Camp ist?«, fragte Will.

»Sie haben es dichtgemacht, als ich klein war.« Jon zuckte mit den Achseln und ging weiter. »Wenn Sie sich für dieses ganze Zeug interessieren, können Sie meine Großmutter Bitty fragen. Sie werden sie beim Abendessen treffen. Sie weiß mehr über diesen Ort als so ziemlich jeder andere.«

Will sah Jon um eine Biegung verschwinden. Er ließ Sara vorausgehen. Der Ausblick war von hinten sogar noch besser. Er betrachtete ihre Beine, die Wölbung ihres Hinterns. Die wohlgeformten Muskeln entlang ihrer nackten Schultern. Ihr Haar war zu einem Pferdeschwanz gebunden, und in ihrem Nacken glänzte ein Schweißfilm. Will war ebenfalls verschwitzt. Am besten, sie duschten vor dem Essen noch ausgiebig zusammen.

»Oh, wow.« Sara blickte an einer Abzweigung von dem Weg empor. Jon stieg eine Steintreppe hinauf, die aussah, als wäre sie für eine Szene aus *Der Herr der Ringe* in den Hügel geätzt worden. Farne wucherten an den Rändern. Moos bedeckte die benachbarten Steine. Am oberen Ende der Treppe stand eine kleine Hütte mit rustikaler Holzverkleidung. Aus den Pflanzkästen ergossen sich Blumen in allen Farben. Eine Hängematte schaukelte sanft auf der Veranda. Will hätte die nächsten zehn Jahre versuchen können, etwas so Perfektes zu erschaffen, und es wäre ihm nicht annähernd gelungen.

»Das ist wie im Märchen.« Sara war nie schöner, als wenn sie lächelte. »Ich liebe einfach alles hier.«

»Von diesem Höhenzug kann man drei Bundesstaaten sehen«, sagte Jon.

Sara löste den Kompass von ihrem Rucksack. Sie öffnete die Mappe, suchte die Karte und zeigte dann in die Ferne. »Das muss Tennessee sein, richtig?«

»Ja, Ma'am.« Jon kam die Treppe ein Stück herunter. »Das dort drüben ist der Osthang des Lookout Mountain. Es gibt eine Bank am See, die Lookout-Bank heißt und von wo man ihn besser sieht. Wir sind hier auf dem Cumberland Plateau.«

»Was bedeutet, dass Alabama in dieser Richtung liegt.« Sara deutete in die Richtung hinter Will. »Und North Carolina ist weit da drüben.«

Will drehte sich um. Alles, was er sah, waren Abermillionen von Bäumen, die sich in sanften Wellen über das Gebirge ausbreiteten. Er schwenkte herum, und das gleißende Licht der

Nachmittagssonne verwandelte einen Teil des Sees in einen Spiegel. Von hier oben sah die breite Wasseroberfläche weniger wie ein Schneemann aus, sondern mehr wie eine riesige Amöbe, die in die Krümmung der Erde verschwand.

»Das sind die Shallows, der seichte Teil des Sees«, sagte Jon. »Das Wasser kommt aus den Bergen, deshalb ist es selbst um diese Jahreszeit ein bisschen kalt.«

Sara hielt die Mappe offen vor sich wie ein Buch und las vor: »Lake McAlpine hat eine Ausdehnung von mehr als eins Komma sechs Quadratkilometern und ist bis zu zwanzig Meter tief. An den Shallows, die am Ende des Lake Trails liegen, sind es etwas über vier Meter, weshalb dieser Bereich ideal zum Schwimmen ist. Es gibt Schwarzbarsche, Glasaugenbarsche, Blaue Sonnenbarsche und Flussbarsche. Achtzig Prozent des Sees liegen in einem Naturschutzgebiet und dürfen nicht verändert werden. Das Gelände der Lodge grenzt im Westen an den dreitausend Quadratkilometer großen Muscogee State Forest und im Osten an den noch etwas größeren Cherokee National Forest.«

»Cherokee und Muscogee sind zwei der Stämme, die es in dieser Gegend gab«, sagte Jon. »Die Lodge wurde nach dem Bürgerkrieg gegründet, vor sieben Generationen von McAlpines.«

Will nahm an, dass man das Land den Stämmen geraubt hatte. Die Ureinwohner wurden aus ihrer Heimat vertrieben und gezwungen, nach Westen zu wandern. Die meisten waren auf dem Weg dorthin gestorben.

Sara blickte in die Karte. »Was hat es mit diesem Teil am Bach auf sich, dem Lost Widow Trail?«

»Das ist weit unten an einem steilen Hang genau auf der Rückseite des Sees«, sagte Jon. »Die Geschichte geht so, dass dem ersten Cecil McAlpine, der den Ort gegründet hat, von ein paar üblen Kerlen die Kehle aufgeschlitzt wurde. Seine Frau dachte, er sei tot. Sie verließ den Berg, und keiner wusste, wohin sie ging. Allerdings starb er nicht, aber das ahnte sie nicht. Er suchte tagelang nach ihr, aber sie blieb für immer verschwunden.«

»Du weißt eine Menge über diesen Ort«, sagte Sara.

»Meine Großmutter hat mir die Geschichten immer wieder erzählt, als ich ein Kind war. Sie liebt alles an der Gegend hier oben.« Jon zuckte mit den Achseln, aber Will bemerkte, dass sein Gesicht vor Stolz gerötet war. »Bereit?«

Jon wartete nicht auf eine Antwort. Er stieg die Treppe hinauf und zog die Eingangstür der Hütte auf. Es gab keinen Schlüssel. Alle Fenster waren zum Lüften bereits geöffnet.

Sara lächelte wieder. »Es ist wunderschön. Danke, Will.«

»Die Koffer sind bereits im Schlafzimmer.« Jon begann seine eingeübte Rede. »Da ist die Kaffeemaschine, die Kapseln sind in der Schachtel dort. Tassen hängen an den Haken. Unter der Arbeitsfläche ist ein kleiner Kühlschrank mit allem, worum Sie gebeten haben.«

Will sah sich um, während Jon auf alles deutete. Er hatte die Hütte mit zwei Schlafzimmern gebucht, weil die Aussicht angeblich besser war. Die Mehrkosten bedeuteten wahrscheinlich, dass er sich ein Jahr lang seinen Lunch von zu Hause mitnehmen musste, aber Saras hingerissene Reaktion war es wert.

Er war selbst ziemlich angetan von seiner Wahl. Der Wohnbereich der Hütte war groß genug für eine Couch und zwei Clubsessel. Das Leder sah gut eingesessen und bequem aus. Der Webteppich war federnd weich. Die Lampen entsprachen dem Einrichtungsgeschmack der 1950er-Jahre. Alles wirkte durchdacht und mutete hochwertig an. Will nahm an, wenn man sich die Mühe machte, etwas einen Berg hinaufzuschleppen, wollte man sichergehen, dass es eine Weile hielt.

Er folgte Jon und Sara in das größere Schlafzimmer. Ihre Koffer lagen auf dem hohen Bett, das mit einem dunkelblauen Samtüberwurf bedeckt war. Auch hier ein weicher Teppich. Passende Lampen. Ein weiterer komfortabler Ledersessel mit einem Beistelltisch in der Ecke.

Will warf einen Blick ins Badezimmer und war überrascht, wie modern es wirkte. Weißer Marmor, moderne Armaturen im Industriedesign. Vor einem großen Fenster mit Blick auf das Tal stand eine geräumige Wanne. Will fehlten die Worte für die atemberaubende Aussicht, deshalb stellte er sich vor, wie er mit Sara in der Wanne sitzen würde, und kam zu dem Schluss, dass es ein Jahr lang Erdnussbutter-Sandwiches zum Lunch wert war.

Jon sagte: »Einer von uns dreht um acht Uhr morgens eine Runde über das Gelände und dann noch einmal um zehn Uhr abends. Wenn Sie etwas brauchen, hinterlassen Sie eine Nachricht auf der Treppe unter dem Felsen oder warten Sie auf Ihrer Veranda, dann sehen Sie uns vorbeikommen. Ansonst müssen Sie zur Lodge laufen. Kann ich Ihnen jetzt noch etwas besorgen?«

»Wir haben alles, danke.« Will griff nach seiner Geldbörse.

»Wir dürfen keine Trinkgelder annehmen«, sagte Jon.

»Wie wäre es, wenn ich dir den Vape hinten in deiner Gesäßtasche abkaufen würde?«, fragte Sara.

Will war so überrascht, wie Jon aussah. Sara hatte als Kinderärztin eine tiefe Abneigung gegen E-Zigaretten. Sie hatte zu viele Kids gesehen, die sich ihre Lunge damit ruinierten.

»Bitte sagen Sie es meiner Mom nicht.« Jon wirkte bei der verzweifelten Bitte auf einen Schlag fünf Jahre jünger. Er krächzte und wurde fahrig. »Ich habe ihn mir heute in der Stadt besorgt.«

»Ich gebe dir zwanzig Dollar dafür.«

»Wirklich?« Jon zog den Metallstift bereits aus der Tasche. Er war leuchtend blau, mit einer silbernen Spitze. In einem 7-Eleven kostete er vielleicht zehn Dollar. »Da ist Red Zeppelin drin. Brauchen Sie noch mehr Kartuschen?«

»Nein, danke.« Sara machte Will ein Zeichen, er solle bezahlen.

Will hätte sich besser dabei gefühlt, ein Vape bei einem Minderjährigen einfach zu konfiszieren, aber das würde ein Mechaniker wohl nicht tun. Er händigte Jon widerwillig das Geld aus.

»Danke.« Jon faltete den Schein sorgfältig. Will konnte förmlich sehen, wie der Junge überlegte, auf welche Weise er an noch mehr Geld kommen könnte. »Wir sollen das eigentlich nicht tun, aber wenn Sie, äh, ich meine, wenn Sie es brauchen … Ich habe das WLAN-Passwort. Hier draußen wird es nicht funktionieren, aber im Speisesaal und …«

»Nein, danke«, sagte Sara.

Will öffnete die Tür, damit der Junge ging. Er salutierte beim Hinausgehen. Es war schwer, ihm nicht zu folgen. Das WLAN-Passwort wäre nicht schlecht gewesen.

»Du denkst doch nicht etwa daran, dir das Passwort geben zu lassen?«, meinte Sara.

Will schloss die Tür und benahm sich wie ein Mann, den es nicht interessierte, wie sich Atlanta United gegen den FC Cincinnati schlug. Er sah Sara einen verschließbaren Plastikbeutel aus ihrem Rucksack holen. Sie verpackte den Vapestift darin und verstaute ihn im Rucksack.

»Ich will nicht, dass Jon ihn aus dem Müll fischt«, erklärte sie.

»Du weißt, dass er sich einfach einen neuen kaufen wird.«

»Wahrscheinlich«, sagte sie. »Aber nicht mehr heute Abend.«

Will kümmerte es nicht, was Jon tat. »Gefällt es dir hier?«

»Es ist wundervoll. Danke, dass du mich an einen so besonderen Ort geführt hast.« Sie forderte ihn mit einem Kopfnicken auf, ihr ins Schlafzimmer zu folgen. Ehe er sich irgendwelche Hoffnungen machte, gab sie die Kombination an ihrem Kofferschloss ein. »Was werde ich da drin wohl finden?«

»Ich habe ihn Tessa für dich packen lassen.«

»Das war sehr hinterlistig.« Sara zog den Reißverschluss auf, öffnete den Koffer und schloss ihn dann wieder. »Was sollen wir als Erstes tun? Zum See hinuntergehen? Um das Gelände spazieren? Die anderen Gäste kennenlernen?«

»Wir müssen vor dem Essen unbedingt beide duschen.«

Sara schaute auf ihre Armbanduhr. »Wir könnten ein ausgiebiges Bad in der Wanne nehmen und dann das Bett ausprobieren.«

»Guter Plan.«

»Kommst du mit diesen Kopfkissen zurecht?«

Will testete die Kissen. Die Füllung war stramm wie ein Seehundhintern. Er bevorzugte die Variante Pfannkuchen.

»Als du vorhin nicht zugehört hast, hat Jon uns erklärt, dass es im Haupthaus noch eine Auswahl anderer Kissen gibt.« Sie lächelte wieder. »Ich könnte auspacken und das Bad einlaufen lassen, während du dir deine Kissen holst.«

Will küsste sie, bevor er ging.

Die Shallows funkelten im Sonnenlicht, als er die Steintreppe hinunterstieg. Er schirmte die Augen mit der Hand ab, bis er den Pfad erreicht hatte. Anstatt dem Loop Trail zur Hauptanlage zu folgen, ging er in Richtung See, um sich mit dem Weg vertraut zu machen. Das Landschaftsbild änderte sich, als er näher ans Wasser kam. Er nahm die Feuchtigkeit in der Luft wahr. Hörte das leise Plätschern von Wellen. Die Sonne stand tief am Himmel. Er kam an der Lookout-Bank vorbei, von der man, wie der Name schon sagte, einen besonders schönen Ausblick hatte. Will spürte wieder, wie dieser Friede von ihm Besitz ergriff. Drew hatte recht: Es war wie ein Neustart, draußen in der Natur zu sein. Und Sara hatte ebenfalls recht, was die Bäume anging. Alles fühlte sich hier anders an. Gemächlicher, weniger stressig. Es würde ihm schwerfallen, am Ende der Woche von hier Abschied zu nehmen.

Will blickte in die Ferne und gestattete sich, eine Weile an nichts zu denken und den Augenblick zu genießen. Er war sich seiner Anspannung nicht bewusst gewesen, bis sie von ihm abgefallen war. Er betrachtete den Ring an seinem Finger. Abgesehen von der Timex-Uhr am Handgelenk trug er nie Schmuck, aber ihm gefiel der dunkle Titanring, den Sara für ihn ausgesucht hatte. Sie hatten sich mehr oder weniger simultan einen Heiratsantrag gemacht. Will hatte nachgelesen, dass man drei Monatsgehälter für einen Verlobungsring ausgeben sollte. Mit Saras Einkommen als Ärztin hatte er den besseren Part erwischt.

Er sollte sich wahrscheinlich überlegen, wie er ihr dafür danken konnte, statt mit offenem Mund in die Ferne zu starren. Will ging den Weg zurück, den er gekommen war. Er konnte zusammen mit Sara von der Badewanne aus verfolgen, wie die Sonne unterging. Sie hatte ihn offensichtlich für eine Weile nicht in der Hütte haben wollen. Klar wusste sie, dass es einfacher wäre, die neuen Kissen nach dem Abendessen mitzunehmen. Aber wahrscheinlich wollte sie ihn mit etwas Hübschem überraschen. Der Gedanke brachte Will zum Grinsen, als er auf dem Weg in eine scharfe Biegung ging.

»Hey, Trash.«

Will schaute hoch. Ein Mann stand zehn Meter entfernt von ihm, rauchte eine Zigarette und verpestete die frische Luft. Will war sehr lange nicht mehr bei diesem Spitznamen gerufen worden. Er hatte ihn im Kinderheim verpasst bekommen. Der Grund dahinter war denkbar schlicht: Die Polizei hatte ihn als Säugling in einem Mülleimer gefunden.

»Komm schon, Trash«, sagte der Mann. »Erkennst du mich nicht?«

Will musterte den Fremden. Er war mit einer Malerhose und einem fleckigen weißen T-Shirt bekleidet. Kleiner als Will. Rundlicher. Die gelben Augäpfel und das Netz geplatzter Äderchen ließen auf eine lange Geschichte von Suchtmittelmissbrauch schließen. Was allerdings nicht dabei half, seiner Identität auf die Sprünge zu kommen. Die meisten Kinder, mit denen Will aufgewachsen war, hatten mit irgendeiner Sucht gekämpft. Es war schwer, dem zu entgehen.

»Willst du mich verarschen?« Der Mann stieß Rauch aus, als er langsam auf Will zuging. »Du erkennst mich wirklich nicht?«

In Will rührte sich eine alte Angst. Es war die absichtlich langsame Bewegung, die eine Erinnerung freisetzte. Einen Moment zuvor war er noch mit einem Fremden auf einem Wanderweg in den Bergen gestanden, und plötzlich saß er im Gemeinschaftsraum des Kinderheims und sah den Jungen, den sie alle den Schakal nannten, langsam die Treppe herunterkommen. Ein Schritt. Dann der nächste. Sein Finger fuhr wie eine Sichel am Geländer herab.

Es gab eine ungeschriebene Regel im Adoptionsgeschäft, dass niemand ein Kind haben wollte, das älter als sechs Jahre war. Danach waren sie zu hoffnungslos. Zu beschädigt. Will hatte es Dutzende Male erlebt im Kinderheim. Ältere Kinder gingen meist in Pflegefamilien, nur sehr selten wurden sie adoptiert. Diejenigen, die zurückkamen, hatten immer einen ganz bestimmten Ausdruck in den Augen. Manchmal erzählten sie ihre Geschichte. Dann wieder konnte man an den Narben an ihrem Körper ablesen, was passiert war. Brandwunden von Zigaretten. Der unverkennbare Haken eines Kleiderbügels. Die gekräuselte Narbe von einem Baseballschläger. Die bandagierten Handgelenke, wenn die Kinder versucht hatten, dem Elend selbst ein Ende zu machen.

Alle wollten die körperlichen und seelischen Schäden auf ihre eigene Weise heilen. Essstörungen. Nächtliche Panikattacken. Aggressionsausbrüche. Manche konnten nicht aufhören, sich zu ritzen. Andere versuchten es mit einer Pfeife oder einer Flasche. Manch konnten ihre Wut nicht beherrschen. Andere wurden zu Meistern des Schweigens.

Ein paar lernten, ihre Traumata als Waffe gegen andere einzusetzen. Sie bekamen Spitznamen wie der Schakal, denn sie waren gerissene, aggressive Raubtiere. Sie schlossen keine Freundschaften, sondern strategische Bündnisse, die sie umstandslos aufgaben, sobald sich eine bessere Option ergab. Sie logen dir ins Gesicht. Klauten deine Sachen. Verbreiteten beschissene Gerüchte über dich. Brachen ins Büro ein und lasen deine Akte. Fanden heraus, was mit dir passiert war, Details, die du selbst nicht einmal wusstest. Dann dachten sie sich einen Spitznamen für dich aus. Wie zum Beispiel Trash. Und du wurdest ihn dein Leben lang nicht mehr los.

»Na also«, sagte der Schakal. »Jetzt weißt du wieder, wer ich bin.«

Will spürte, wie die ganze Anspannung in seinen Körper zurückkehrte. »Was willst du, Dave?«

3

Mercy deutete in der kleinen Küche von Hütte drei umher. »Dort ist die Kaffeemaschine. Die Kapseln sind in dieser Schachtel. Die Tassen …«

»Alles klar.« Keisha lächelte wissend. Sie betrieb ein Catering-Unternehmen in Atlanta und hatte Erfahrung darin, täglich die gleiche Leier abzuspulen. »Wir sind überglücklich, wieder hier zu sein.«

»Mehr als überglücklich.« Drew stand in der offenen Terrassentür im Wohnzimmer. Alle Hütten mit nur einem Schlafzimmer gingen auf den Cherokee Ridge hinaus. »Ich spüre jetzt schon, wie mein Blutdruck sinkt.«

»Du nimmst aber trotzdem brav deine Tabletten, mein Freund.« Keisha wandte sich an Mercy. »Wie geht es Ihrem Vater?«

»Einigermaßen«, sagte Mercy und versuchte, nicht mit den Zähnen zu knirschen. Sie hatte keinen von ihrer Familie gesehen, seit sie damit gedroht hatte, sie alle zu vernichten. »Das ist Ihr dritter Besuch hier. Wir alle freuen uns wirklich sehr, dass Sie gekommen sind.«

»Lassen Sie Bitty unbedingt wissen, dass wir sie sprechen möchten«, sagte Keisha.

Mercy bemerkte eine gewisse Schärfe in ihrem Ton, aber sie

hatte im Moment genug Mist um die Ohren und musste sich nicht zusätzlich welchen einbilden. »Mach ich.«

»Sieht aus, als hätten Sie diesmal eine gute Gruppe beisammen«, sagte Drew. »Mit ein paar Ausnahmen.«

Mercys Lächeln verrutschte nicht. Sie hatte die Zahnärztin und ihren Mann bereits kennengelernt. Es war keine Überraschung gewesen, als Monica ihre Amex-Karte ausgehändigt und Mercy angewiesen hatte, dafür zu sorgen, dass es immer reichlich zu trinken gab.

»Mir gefällt die Lehrerin sehr, diese Sara«, sagte Keisha. »Wir haben uns auf dem Weg hierher kennengelernt.«

»Ihr Mann scheint auch ein netter Kerl zu sein«, sagte Drew. »Was dagegen, wenn wir vier uns zusammentun?«

»Kein Problem.« Mercy behielt ihren ungezwungenen Ton bei, auch wenn sie nach dem Abendessen die gesamten Wochenpläne umschreiben musste. »Fischtopher hat ein paar tolle Stellen für Sie ausgesucht. Ich denke, Sie werden zufrieden sein.«

»Ich bin jetzt schon zufrieden.« Drew sah Keisha an. »Bist du zufrieden?«

»Ach, Schatz, ich bin immer zufrieden.«

Mercy nahm es als ihr Stichwort, sich zu verabschieden. Die beiden umarmten sich schon, als sie die Tür schloss. Sie hätte beeindruckt sein sollen, weil sie zwanzig Jahre älter waren als Mercy und es immer noch miteinander trieben, aber sie war schlichtweg neidisch. Und außerdem genervt. Sie hatte gehört, dass die Toilettenspülung im Badezimmer lief, was bedeutete, dass Dave sich nicht die Mühe gemacht hatte, sie zu reparieren.

Sie machte sich eine Notiz und ging weiter zu Hütte fünf. Mercy konnte Papas missbilligenden Blick spüren, der ihr von der Veranda aus folgte. Bitty saß neben ihm und strickte etwas, das niemand je tragen würde. Die Katzen lagen behaglich zu ihren Füßen. Ihre Eltern benahmen sich, als wäre das Familientreffen verlaufen wie immer. Noch immer keine Spur von Delilah. Dave war verschwunden. Fisch war zum Geräteschuppen gehastet. Er war vermutlich der Einzige, der tatsächlich tat, was Mercy ihm aufgetragen hatte. Und wahrscheinlich derjenige, der am stärksten beunruhigt war.

Sie sollte ihren Bruder suchen und sich entschuldigen. Sie sollte ihm sagen, dass alles gut werden würde. Es musste eine Möglichkeit geben, wie Mercy Dave dazu bewegen konnte, gegen den Verkauf zu stimmen. Sie würde Geld zusammenkratzen müssen, um ihn zu bestechen. Dave würde immer lieber hundert Dollar heute nehmen als fünfhundert nächste Woche. Und dann für den Rest seiner Tage wegen der verlorenen vierhundert herumjammern.

»Mercy Mac!« Chuck brüllte quer über das Gelände. Er hatte wie üblich seine riesige Wasserflasche dabei, als wäre er eine Art Spitzensportler, der permanent Flüssigkeit brauchte. Mercy wusste zwei Dinge über ihn: dass er schwer in sie verliebt war und dass sich jedes Mal ihre Nackenhaare aufstellten, wenn sie ihn sah.

»Fisch wartet unten beim Geräteschuppen auf dich«, log sie.

»Ach so.« Er blinzelte hinter seinen dicken Brillengläsern. »Danke, aber eigentlich habe ich dich gesucht. Wollte mich vergewissern, dass ihr wegen meiner …«

»… Erdnussallergie Bescheid wisst«, sprach sie für ihn den Satz zu Ende. Sie wusste seit sieben Jahren von seiner Allergie, aber er erinnerte sie immer wieder daran. »Ich habe Bitty gebeten, in der Küche Bescheid zu sagen. Du solltest bei ihr nachfragen.«

»In Ordnung.« Er warf einen Blick auf Bitty, ging aber nicht zu ihr. »Brauchst du Hilfe bei irgendwas? Ich bin stärker, als ich aussehe.«

Mercy sah ihn einen in Fett gebetteten Muskel beugen und strecken. Sie biss sich auf die Zunge, damit sie ihn nicht anherrschte, sich verdammt noch mal zum Teufel zu scheren. Er war der beste Freund ihres Bruders. Sein einziger Freund, wenn man ehrlich war. Das Mindeste, was sie tun konnte, war, den gruseligen Scheißtyp zu ertragen. »Besser, du redest mit Bitty. Es würde mindestens eine Stunde dauern, bis ein Rettungswagen hier ist. Wir wollen dich nicht wegen eines Allergieschocks verlieren.«

Sie drehte sich um, damit sie die Enttäuschung auf seinem Mondgesicht nicht sehen musste. Mercys ganzes Leben war voll von irgendwelchen Chucks gewesen. Gutmütige, vertrottelte Typen, leidlich gepflegt und mit halbwegs guten Jobs. Mercy war mit einigen von ihnen ausgegangen. Hatte ihre Mütter kennengelernt. War sogar in ihre Kirchen mitgegangen. Und dann hatte sie es jedes Mal vermasselt, indem sie zu Dave zurückgekehrt war.

Vielleicht lag Papa gar nicht so weit daneben, wenn er sagte, Mercys größte Tragödie liege darin, dass sie intelligent genug war, um zu wissen, wie dumm sie war. Nichts in ihrer Vergangenheit deutete auf etwas anderes hin. Das einzig Gute, was sie je geschafft hatte, war, ihren Sohn zurückzubekommen. An den meisten Tagen würde ihr Jon wahrscheinlich zustimmen. Sie fragte sich, wie er sich wohl fühlen würde, wenn er erfuhr, dass Mercy den Verkauf blockierte. Aber von dieser Brücke würde sie springen müssen, wenn sie dort ankam.

Mercy stieg die Treppe zu Hütte fünf hinauf und klopfte lauter, als sie beabsichtigt hatte.

»Ja?« Landry Peterson öffnete die Tür. Sie hatten sich bei der Ankunft des Paares kennengelernt, aber jetzt trug er nur ein Handtuch um die Mitte. Er war ein gut aussehender Mann. Seine rechte Brustwarze war gepierct, und über dem Herz hatte er eine Tätowierung: viele bunte Blumen und ein Schmetterling rund um einen kursiv und mit Schleifchen geschriebenen Namen – *Gabbie*.

Mercys Augen brannten, als sie den Namen las, und ihr Mund wurde trocken. Sie zwang sich, den Blick von der Tätowierung abzuwenden, und sah Landry ins Gesicht.

Sein Lächeln war durchaus freundlich. Dann sagte er: »Ziemliche Narbe, die Sie da haben.«

»Ich …« Mercys Hand ging unwillkürzlich an ihr Gesicht, aber es war unmöglich, sie ganz abzudecken.

»Entschuldigen Sie meine Neugier. Ich war in einem früheren Leben Mund-, Kiefer- und Gesichtschirurg.« Landry legte den Kopf schief und studierte sie, als wäre sie eine Laborprobe unter Glas. »Die haben gute Arbeit geleistet. Da waren sicher etliche Stiche nötig. Wie lange waren Sie im OP?«

Mercy brachte es endlich fertig zu schlucken. Sie legte diesen McAlpine-Schalter in ihrem Kopf um, der sie vorgeben ließ, alles sei bestens. »Ich weiß es nicht genau. Es ist lange her. Jedenfalls wollte ich nachschauen, ob bei Ihnen alles in Ordnung ist. Brauchen Sie etwas?«

»Ich glaube, für den Moment haben wir alles.« Er blickte an ihr vorbei erst nach links, dann nach rechts. »Nette Anlage haben Sie hier. Muss ein hübsches Sümmchen einbringen. Davon kann die ganze Familie leben, oder?«

Mercy war bestürzt. Sie fragte sich, ob dieser Mann irgendwie mit den Investoren in Verbindung stand. Dann versuchte sie, das Gespräch wieder auf vertrautes Terrain zu lenken. »Sie finden den Wochenplan in Ihrer Mappe. Abendessen ist um …«

»Schatz?«, rief Gordon Wylie aus der Hütte. Mercy erkannte seinen volltönenden Bariton. »Kommst du?«

Mercy trat den Rückzug an. »Ich hoffe, Sie genießen Ihren Aufenthalt.«

»Einen Moment noch«, hielt Landry sie auf. »Was sagten Sie über das Abendessen?«

»Cocktails um sechs. Das Essen wird um halb sieben serviert.«

Mercy holte ihren Notizblock heraus und gab vor, etwas aufzuschreiben, als sie die Treppe hinunterging. Sie hörte nicht, dass die Tür geschlossen wurde. Landry beobachtete sie also, ein zweites Augenpaar neben Papas missbilligendem Starren. Ihr Rücken schien zu brennen, als sie zurück zum Rundweg ging.

Benahm sich Landry merkwürdig? Oder interpretierte Mercy sein Verhalten nur als merkwürdig? Gabbie konnte alles Mögliche sein, ein Songtitel, ein Ort, eine Frau. Viele schwule Männer experimentierten vor ihrem Coming-out. Oder Landry war vielleicht bisexuell. Vielleicht flirtete er mit Mercy. Er wäre nicht der Erste. Oder sie rastete einfach aus, weil es so wehgetan hatte, als sie dieses Tattoo sah.

Gabbie.

Mercy berührte die Narbe in ihrem Gesicht. Es hatte nie eine bessere Darstellung von Vorher und Nachher gegeben. Vorher, als Mercy nur eine enttäuschende Versagerin gewesen war. Nachher, als Mercy das einzig Gute zerstört hatte, das in ihrem Leben passiert war. Nicht nur das Gute, sondern ihre Chance auf Glück. Auf Frieden. Auf eine Zukunft, in der sie sich nicht verzweifelt wünschte, zurückgehen und die Vergangenheit ändern zu können.

Sie zwang sich, den McAlpine-Schalter umzulegen und sich ins Alles-ist-bestens-Land führen zu lassen. Mercy hatte schon genug Stress, ohne nach Sachen zu suchen, die sie noch mehr belasten konnten. Sie warf einen Blick auf ihre To-do-Liste. Sie musste nach den Flitterwöchnern sehen. Sie sollte in der Küche vorbeischauen, denn Bitty hatte den Mitarbeitern dort garantiert nichts von Chucks Allergie gesagt. Sie sollte Fisch suchen und zwischen ihnen alles wieder ins Lot bringen. Sie sollte die defekte Toilettenspülung selbst reparieren. Die Investoren würden irgendwann auftauchen. Offenbar waren sie sich für die Wanderung zu fein und kamen über die Straße herauf. Mercy war hin und her gerissen, wie sie sich ihnen gegenüber verhalten sollte. Sollte sie ihnen mit kühler Höflichkeit begegnen oder ihnen die Augen auskratzen?

Gabbie.

Der Schalter versagte. Sie verließ den Weg und lehnte sich an einen Baum. Schweiß lief ihr über den Rücken. Ihr Magen brannte säuerlich. Sie beugte sich vor und kotzte. Ein paar Spritzer trafen die Wedel eines Frauenhaarfarns und drückten sie zu Boden. Genauso fühlte sich Mercy – als würde eine heftige Übelkeit sie ständig niederdrücken.

»Mercy Mac?«

Dieser verdammte Dave.

»Wieso versteckst du dich hier in den Bäumen?« Dave arbeitete sich durch das Unterholz. Er roch nach billigem Bier und Zigaretten.

»Ich habe Kartuschen für E-Zigaretten in Jons Zimmer gefunden«, sagte sie. »Daran bist du schuld.«

»Wie bitte?« Er setzte eine gekränkte Miene auf. »Himmel, Kleines, wirst du heute jedes Mal auf mich einschlagen, wenn du mich siehst?«

»Was willst du, Dave? Ich habe zu arbeiten.«

»Jetzt komm schon«, sagte er. »Ich wollte dir etwas Lustiges erzählen, aber ich weiß nicht, ob du in der Stimmung dafür bist.«

Mercy lehnte sich wieder an den Baum. Sie wusste, er würde sie nicht gehen lassen. »Was ist es?«

»Nicht mit dieser Einstellung.«

Sie hätte ihn am liebsten geohrfeigt. Vor drei Stunden war er wie ein gestrandeter Wal auf ihr gelegen. Vor zwei Stunden hatte sie damit gedroht, sein Leben zu zerstören. Und jetzt wollte er ihr eine lustige Geschichte erzählen.

Sie gab nach. »Tut mir leid. Was ist es?«

»Bist du dir sicher?« Er wartete nicht darauf, dass sie ihn weiter lockte. »Erinnerst du dich an diesen Jungen aus dem Heim, von dem ich dir erzählt habe?«

Er hatte eine Menge Geschichten über Kinder aus dem Heim erzählt. »Welcher?«

»Trash«, sagte er. »Er ist dieser große Kerl, der heute angekommen ist. Will Trent. Der Typ mit der Rothaarigen.«

Mercy konnte nicht anders. »Das war das Mädchen, das dir deinen ersten Blowjob verpasst hat?«

»Ach, woher, das war eine andere. Angie. Ich schätze mal, sie hat dem armseligen Scheißer schließlich den Laufpass gegeben. Oder sie liegt irgendwo tot im Graben. Hätte nie gedacht, dass dieser Blödmann mal bei einer normalen Frau landet.«

Normal war Daves Wort für Menschen, die nicht von ihrer beschissenen Kindheit versaut waren. Mercy hatte selten jemanden kennengelernt, der in diese Kategorie fiel, aber Sara Linton schien eine der wenigen Glücklichen zu sein. Sie hatte diese Ausstrahlung, die nur andere Frauen wahrnahmen. Sie hatte ihr Leben auf der Reihe.

Mercy wischte sich mit dem Handrücken über den Mund. Ihr Leben lag wie Legosteine über den Boden verstreut.

»Irre, dass er jetzt hier oben ist«, sagte Dave. »Ich habe dir ja erzählt, dass er nicht so toll lesen kann. Er konnte sich die Bibelverse nicht merken. Irgendwie mitleiderregend, dass er so viele Jahre später in der Nähe des Campingplatzes auftaucht. Ich meine, du hattest deine Chance, Kumpel. Zeit, weiterzugehen.«

Mercy lehnte sich wieder an den Baum. Sie schwitzte immer noch. Der angekotzte Farn war keine dreißig Zentimeter von Daves Fuß entfernt, aber Dave war wie üblich zu sehr mit sich selbst beschäftigt, um es zu bemerken. Und wie üblich musste sie so tun, als interessierte es sie. Aber vielleicht traf es die Sache diesmal nicht ganz, denn Mercy war tatsächlich interessiert. Trash hatte immer eine herausragende Rolle in Daves Geschichten von seiner tragischen Jugend gespielt. Der Junge, der zu nichts zu gebrauchen war, war die Pointe von beinahe jedem Witz.

Es wäre nicht das erste Mal gewesen, dass Dave jemanden falsch einschätzte. Mercy hatte noch kein Wort mit Will Trent gewechselt, aber seine Frau war nicht der Typ, um sich mit einer wandelnden Witzfigur zusammenzutun. Das war eher Mercys Fach.

»Was steckt wirklich dahinter?«, fragte sie. »Du hast irgendwie komisch reagiert, als du ihn in der Kameraaufnahme gesehen hast.«

Dave zuckte mit den Achseln. »Schlechtes Blut. Wenn es nach mir ginge, könnte er gleich wieder dorthin zurückmarschieren, wo er hergekommen ist.«

Seine Aufgeblasenheit war so idiotisch, dass Mercy ein Lachen unterdrücken musste. »Was hat er dir denn angetan?«

»Nichts. Es geht darum, was er glaubt, dass *ich* ihm angetan habe.« Dave ließ einen verschleimten Seufzer hören. »Der Typ war sauer auf mich, weil er dachte, er hätte mir seinen Spitznamen zu verdanken.«

Sie sah Dave die Arme ausbreiten und die Schultern hochziehen, wie immer vollkommen unschuldig daran, Leuten dämliche Spitznamen wie Little Bitty Mama, Mercy Mac oder Fischtopher zu verpassen.

»Ich meine, was immer damals im Kinderheim passiert ist«, sagte er, »ich habe heute versucht, der Klügere zu sein, aber der Typ hat sich wie ein totales Arschloch benommen.«

»Du hast mit ihm gesprochen?«

»Ich war auf dem Weg, diese Toilette zu reparieren. Da bin ich ihm begegnet.«

Mercy fragte sich, für wie dumm Dave sie eigentlich hielt. Hütte zehn war am hinteren Ende des Rundwegs. Die Toilette mit der laufenden Spülung war in Hütte drei, direkt hinter ihr.

»Und?«, ermunterte sie ihn trotzdem.

Dave zuckte wieder mit den Achseln. »Ich habe versucht, das Richtige zu tun. Was mit ihm passiert ist, war nicht meine Schuld, aber ich dachte, eine Entschuldigung könnte ihm helfen, das Trauma ein wenig aufzuarbeiten. Ich wünschte, jemand wäre mal zu mir so nett.«

Mercy war wiederholt die Adressatin von Daves halbherzigen Entschuldigungen gewesen. Sie waren nicht nett. »Was genau hast du gesagt?«

»Ich weiß nicht. Etwas wie: Lassen wir die Vergangenheit doch ruhen.« Dave zuckte wieder die Achseln. »Ich habe versucht, großherzig zu sein.«

Mercy biss sich auf die Unterlippe. Das war ein mächtiges Wort für Dave. »Was hat er gesagt?«

»Er fing an, von zehn rückwärts zu zählen.« Dave hakte die Daumen in den Hosentaschen ein. »Sollte ich mich etwa bedroht fühlen? Wie gesagt, er ist nicht der Hellste.«

Mercy senkte den Blick, damit Dave ihre Reaktion nicht sah. Will Trent war einen Kopf größer als Dave und muskulöser als Jon. Sie hätte ihren Anteil an der Lodge darauf verwettet, dass Dave das Weite gesucht hatte, ehe Will bei fünf war. Andernfalls hätten sie Dave in einem Leichensack vom Berg getragen.

»Was hast du gemacht?«, fragte sie.

»Ich bin einfach gegangen. Was hätte ich sonst tun sollen?« Dave kratzte sich am Bauch, eins der Zeichen, mit denen er sich verriet, wenn er log. »Wie gesagt, er ist irgendwie mitleiderregend. Der Bursche war immer still, wusste nicht, wie man mit Leuten redet. Und dann ist er hier oben beim Campingplatz, nach wie vielen Jahren? Manche Kids legen das nie ab, was sie durchgemacht haben. Nicht meine Schuld, dass er immer noch so verkorkst ist.«

Mercy hätte viel über Leute zu sagen gewusst, die nicht loslassen konnten.

»Jedenfalls«, sagte Dave und stöhnte. »Was du vorhin bei dem Meeting gesagt hast – das war nur Bullshit, oder?«

Mercy straffte sich unwillkürlich. »Nein, es war nicht nur Bullshit. Ich werde nicht zulassen, dass Papa diesen Ort verkauft, der mir zusteht. Der Jon zusteht.«

»Du willst also deinem eigenen Jungen fast eine Million Dollar wegnehmen?«

»Ich nehme ihm gar nichts weg«, sagte Mercy. »Sieh dich um, Dave. Sieh dir diesen Ort an. Die Lodge kann Jon sein Leben lang ernähren. Er kann sie an seine Kinder und Enkel weitergeben. Das ist auch sein Name auf dem Schild da unten an der Straße: McAlpine. Alles, was er tun muss, ist arbeiten. Wenigstens so viel bin ich ihm schuldig.«

»Du bist ihm eine Wahlmöglichkeit schuldig«, sagte Dave. »Frag Jon, was er will. Er ist praktisch schon ein Mann. Es sollte auch seine Entscheidung sein.«

Mercy schüttelte mechanisch den Kopf, noch bevor er zu Ende gesprochen hatte. »Großer Gott, nein.«

»Genau wie ich mir dachte.« Dave schnaubte enttäuscht. »Du fragst Jon nicht, weil du zu feige bist, dir seine Antwort anzuhören.«

»Ich frage Jon nicht, weil er immer noch ein Kind ist«, sagte Mercy. »Ich will nicht so viel Druck auf ihn ausüben. Jon wird wissen, dass du verkaufen willst. Er wird wissen, dass ich es nicht will. Es wäre, als müsste er sich zwischen uns entscheiden. Willst du ihm das wirklich antun?«

»Er könnte aufs College gehen.«

Mercy war verblüfft. Nicht, weil sie Jon eine gute Ausbildung verwehren wollte, sondern weil Dave den Jungen seit Jahren massiv dahingehend beeinflusste, dass er ein Studium für Zeitverschwendung hielt. Er hatte das Gleiche bei Mercy gemacht, als sie anfing, in Abendkursen ihren Highschool-Abschluss nachzuholen. Er wollte immer verhindern, dass jemand mehr schaffte, als er selbst geschafft hatte.

»Merce«, sagte Dave. »Überleg doch, was du aufgeben willst. Du wolltest von diesem Berg weg, solange ich dich kenne.«

»Ich wollte mit dir von diesem Berg weggehen, Dave. Und ich war fünfzehn, als ich es sagte. Ich bin kein kleines Kind mehr. Ich führe diesen Laden. Du hast gesagt, dass ich es gut mache.«

»Das war nur …« Er tat das Kompliment, auf das sie so stolz gewesen war, mit einer Handbewegung ab. »Du musst Vernunft annehmen. Wir sprechen hier von Geld, das alles verändert.«

»Aber nicht auf eine gute Weise«, entgegnete sie. »Ich will nicht ins Detail gehen, aber wir wissen beide, wie gemein du wirst, wenn Geld im Spiel ist.«

»Pass bloß auf, ja?«

»Es gibt nichts aufzupassen. Es spielt keine Rolle. Wir könnten uns ebenso gut über die Preise von Heißluftballons unterhalten. Ich lasse nicht zu, dass du mir das alles hier wegnimmst. Nachdem ich so viel Herzblut investiert habe. Nach allem, was ich durchgemacht habe.«

»Was zum Teufel hast du denn durchgemacht?«, bohrte Dave nach. »Ich weiß, es war nicht alles leicht, aber du hattest immer ein Zuhause. Immer stand Essen auf dem Tisch. Du hast nie im strömenden Regen draußen geschlafen. Nie hat irgendein verdammter Perverser dir das Gesicht in die Erde gedrückt.«

Mercy schaute an ihm vorbei. Als ihr Dave zum ersten Mal von dem sexuellen Missbrauch erzählte, den er als Kind durchgemacht hatte, war sie fast zerbrochen vor Schmerz. Beim zweiten und dritten Mal hatte sie mit ihm zusammen geweint. Beim vierten und fünften Mal dann, und auch noch beim hundertsten Mal, hatte sie alles getan, was er verlangte, wenn es ihm nur half, diesen dunklen Ort hinter sich zu lassen, ob es Kochen oder Saubermachen war oder irgendwas im Schlafzimmer. Etwas, das wehtat. Etwas, wonach sie sich schmutzig und klein fühlte. Alles, damit es ihm besser ging.

Und dann hatte Mercy begriffen, dass es keine Rolle spielte, was in Daves Kindheit geschehen war. Was zählte, war die Hölle, durch die er sie jetzt als Erwachsener gehen ließ.

Sein Bedürfnis war das bodenlose Loch im Treibsand.

»Es ist sinnlos, dieses Gespräch zu führen«, sagte sie. »Mein Entschluss steht fest.«

»Im Ernst? Du willst nicht einmal darüber sprechen? Du verrätst einfach dein eigenes Kind?«

»Ich bin nicht diejenige, die ihn verraten wird, Dave!« Mercy kümmerte es nicht, ob Gäste sie hören konnten. »Du bist derjenige, der mir Sorgen macht.«

»Ich? Was zum Teufel werde ich denn tun?«

»Du wirst ihm sein Geld wegnehmen.«

»Blödsinn.«

»Ich habe gesehen, was du tust, wenn du ein bisschen Geld in der Tasche hast. Diese tausend Dollar von Papa haben dir gerade mal einen Tag gereicht.«

»Ich sagte doch, ich habe Material gekauft!«

»Wer redet jetzt hier Blödsinn?«, sagte Mercy. »Du wirst dich nie mit einer Million Dollar zufriedengeben. Du wirst sie für Autos, Footballspiele und Partys verschleudern, du wirst Lokalrunden in der Kneipe spendieren und dich überall in der Stadt als Großkotz aufspielen, und nichts davon wird dein Leben verändern. Es wird dich nicht zu einem besseren Menschen machen. Es wird nicht auslöschen, was dir widerfahren ist, als du klein warst. Und du wirst mehr wollen, denn das willst du immer, Dave. Du nimmst und nimmst, und es interessiert dich einen Scheißdreck, dass jemand anderer leer zurückbleibt.«

»Das ist verdammt hässlich, was du da sagst.« Er schüttelte den Kopf und wandte sich zum Gehen, aber dann kam er zurück und fragte: »Habe ich auch nur ein Mal die Hand gegen den Jungen erhoben?«

»Du musst ihn nicht schlagen. Du zermürbst ihn einfach. Du kannst nicht anders. Es ist deine Natur. Du versuchst doch schon wieder, es auch mit dem armen Mann in Hütte zehn zu machen. Dein ganzes Leben lang bringst du alle dazu, sich so verdammt klein zu fühlen, weil du selbst dich nur dann groß fühlen kannst.«

»Halt dein verdammtes Maul.« Seine Hand schoss vor und schloss sich um ihre Kehle. Sie knallte mit dem Rücken gegen den Baum. Alle Luft wich mit einem Schlag aus ihrer Brust. Das war immer das Ergebnis, wenn Mercy mit ihrem Mitleid am Ende war. Dave fand andere Wege, ihr Interesse zu binden.

»Hör mir zu, du verdammtes Miststück.«

Mercy hatte schon vor langer Zeit gelernt, keine Spuren in seinem Gesicht oder auf den Händen zu hinterlassen. Sie schlug die Fingernägel in die Haut auf seiner Brust, damit er sie losließ.

»Hörst du zu?« Er verstärkte seinen Griff. »Du hältst dich für gottverdammt schlau, was? Du denkst, du hast mich durchschaut.«

Mercy trat mit den Füßen nach ihm. Sie sah buchstäblich Sterne.

»Du musst dir überlegen, wer Jon vertritt, wenn du stirbst. Wie willst du verhindern, dass der Verkauf durchgeht, wenn du tot im Grab liegst?«

Mercys Lunge begann zu flattern. Sein wütendes, aufgedunsenes Gesicht verschwamm vor ihren Augen. Sie würde das Bewusstsein verlieren. Vielleicht sterben. Für einen kurzen Moment wünschte sie es sich sogar. Es wäre so einfach, dieses eine letzte Mal aufzugeben. Sollte Dave doch sein Geld haben. Sollte Jon doch sein Leben ruinieren. Sollte Fisch doch seinen Weg hinunter vom Berg finden. Papa und Bitty würden erleichtert sein. Delilah würde entzückt sein. Niemand würde Mercy vermissen. Es würde nicht einmal ein verblasstes Foto von ihr an der Wand geben.

»Verdammtes Miststück.« Dave lockerte seinen Griff, bevor sie ohnmächtig wurde. Sein angewiderter Gesichtsausdruck sagte alles. Er gab Mercy jetzt schon die Schuld daran, dass es so weit gekommen war. »Ich habe noch nie jemanden bestohlen, den ich liebe. Nie. Und zur Hölle mit dir, weil du das gesagt hast.«

Mercy sank langsam auf die Knie, als er durch den Wald davonstapfte. Sie lauschte seinen wütenden Selbstgesprächen und wartete, bis sie verklungen waren, ehe sie es wagte, sich wieder zu rühren. Sie tastete unter ihren Augen, aber sie fühlte keine Tränen. Sie legte den Kopf an den Baum, sah zu den Wipfeln hinauf. Sonnenlicht blinkte zwischen den Blättern.

Es hatte am Anfang noch Zeiten gegeben, da sich Dave entschuldigte, wenn er ihr wehgetan hatte. Dann war er zur Phase halbherziger Entschuldigungen übergegangen, bei denen er die Worte zwar aussprach, am Ende aber irgendwie doch keine

Schuld hatte. Jetzt erschütterte nichts mehr seine Überzeugung, dass es Mercy war, die das Miese in ihm zum Vorschein brachte. Der entspannte Dave. Der lockere Dave. Der Partylöwe Dave. Niemand erkannte, dass der Dave, den sie sahen, nur Show war. Der echte Dave, der wahre Dave war der, der sie gerade hatte erwürgen wollen.

Und die wahre Mercy war die, die sich gewünscht hatte, dass er es tat.

Sie tastete ihren Hals ab, ob sie schmerzende Stellen fand. Es würden auf jeden Fall Blutergüsse zu sehen sein. Ausreden schossen ihr durch den Kopf. Vielleicht ein Unfall mit einem Lasso. Auf die Lenkstange vom Mountainbike gestürzt. Beim Aussteigen aus dem Kanu ausgerutscht. In einer Angelschnur verheddert. Sie hatte Dutzende von Erklärungen parat. Sie musste nur morgen früh in den Spiegel schauen und diejenige aussuchen, die zu den blauen Flecken passte.

Mercy mühte sich auf die Beine. Sie hustete in ihre Hand. Blut sprenkelte die Handfläche. Dave hatte sie wirklich übel zugerichtet. Sie stieg zurück auf den Pfad und spielte eine Art Spiel, bei dem sie alle Gelegenheiten durchging, bei denen er ihr wehgetan hatte. Da gab es zahllose Ohrfeigen und Faustschläge. Das ging meistens schnell. Er schlug zu, dann zog er sich zurück. Nur selten ließ er nicht von ihr ab wie ein Boxer, der die Glocke nicht hören wollte. Zweimal hatte er sie bis zur Bewusstlosigkeit gewürgt, beide Male innerhalb eines Monats. Beide Male wegen der Scheidung.

Sie hatte Dave dabei erwischt, wie er sie betrog. Dann wieder betrog. Und dann wieder, denn bei Dave war es so, dass er es als Erlaubnis zum Weitermachen auffasste, wenn er mit etwas ungestraft davonkam. Im Rückblick glaubte Mercy nicht einmal, dass er in eine der Frauen verliebt gewesen war. Oder sich auch nur zu ihnen hingezogen fühlte. Manche waren erheblich älter. Andere waren aus der Form gegangen, hatten ein halbes Dutzend Kinder oder waren äußerst unangenehme Menschen. Eine fuhr seinen Truck zu Schrott. Den Truck, den Bitty bezahlt hatte. Eine bestahl ihn. Eine andere drückte ihm ein Tütchen Gras in die Hand, als die Cops an die Tür seines Wohnwagens klopften.

Was Dave am Betrügen mochte, war nicht der Sex. Der war bei seinem Schwanz ohnehin reine Glückssache. Was er liebte, war der Akt des Betrügens. Herumzuschleichen. Heimliche Nachrichten in sein Prepaid-Handy zu tippen. Durch Dating-Apps zu wischen. Sie darüber zu belügen, wohin er fuhr, wann er zurück sein würde, mit wem er zusammen war. Zu wissen, dass es Mercy demütigen würde. Zu wissen, dass die Frauen, die er an Land zog, so dumm waren zu glauben, er würde Mercy für sie verlassen und sie dann heiraten. Zu wissen, dass er herumficken konnte, ohne ein großes Geheimnis daraus zu machen.

Zu wissen, dass Mercy ihn trotzdem wieder aufnehmen würde.

Sicher, sie ließ ihn jedes Mal dafür schuften, aber Dave fuhr auch darauf ab. Tat, als hätte er sich geändert. Weinte seine Krokodilstränen. Das Drama der vielen nächtlichen Gespräche. Die ständigen Textnachrichten. Er kreuzte mit Blumen auf, mit einer romantischen Song-Playlist und mit einem Gedicht, das er auf die Serviette einer Bar geschrieben hatte. Bettelte und flehte, war unterwürfig und höflich, kochte und putzte, zeigte ein plötzliches Interesse an Jons Erziehung und war saccharinsüß, bis Mercy ihn zurücknahm.

Einen Monat später prügelte er ihr dann die Scheiße aus dem Leib, weil sie ihre Schlüssel zu laut auf den Küchentisch fallen ließ.

Strangulation war ein schrilles Warnsignal, das hatte Mercy zumindest im Internet gelesen. Wenn ein Mann die Hände um den Hals einer Frau legte, erhöhte sich die Wahrscheinlichkeit, dass diese Frau schwer verletzt oder getötet wurde, um das Sechsfache.

Nachdem er sie zum ersten Mal gewürgt hatte, hatte Mercy ihn zum ersten Mal um die Scheidung gebeten. *Gebeten*, nicht es ihm mitgeteilt, als hätte sie eine Erlaubnis gebraucht. Dave war explodiert, hatte ihren Hals so heftig zusammengedrückt, dass sie spürte, wie sich die Knorpel verschoben. Sie war ohnmächtig geworden in ihrem Wohnwagen und in ihrer eigenen Pisse aufgewacht.

Das zweite Mal war es passiert, als sie ihm erzählte, dass sie für sich und Jon eine kleine Wohnung in der Stadt gemietet hatte. Mercy wusste nicht mehr, was genau dann passiert war, nur, dass sie gedacht hatte, sie müsste tatsächlich sterben. Sie wusste nicht, wie viel Zeit vergangen war. Sie wusste nicht, wo sie sich befand. Wie sie dorthin gekommen war. Dann begriff sie, dass sie in der neuen kleinen Wohnung lag. Jon schrie im anderen Raum. Sie war zu seinem Kinderbett gestürzt. Er war knallrot im Gesicht und voller Rotz. Seine Windel war voll. Er hatte schreckliche Angst.

Manchmal konnte Mercy immer noch fühlen, wie er sich mit seinen Ärmchen verzweifelt an sie klammerte. Wie sein kleiner Körper bebte, während er heulte. Mercy hatte ihn beruhigt, ihn die ganze Nacht im Arm gehalten, alles wiedergutgemacht. Jons Hilflosigkeit hatte sie dazu bewegt, sich endgültig von Dave zu trennen. Sie hatte am nächsten Morgen die Scheidung eingereicht. Hatte die kleine Wohnung aufgegeben und war wieder in die Lodge gezogen. Sie hatte es nicht für sich selbst getan. Sie hatte nicht wegen Daves ständiger Demütigungen oder der Angst vor gebrochenen Knochen aufgegeben, nicht einmal, weil sie befürchtete, er könnte sie umbringen, sondern weil sie endlich verstand, dass Jon niemanden mehr haben würde, wenn sie starb.

Mercy musste das Muster diesmal entschieden durchbrechen. Sie würde den Verkauf blockieren. Sie würde tun, was nötig war, damit Dave ihren Sohn nicht weiter mürbe machte. Papa würde früher oder später sterben. Bitty hatte hoffentlich nicht viel länger. Mercy würde Jon nicht zu einem lebenslangen Ertrinken im Treibsand verdammen.

Wie aufs Stichwort kam Jon mit seinem federnden Gang den Rundweg entlang. Er hatte die Arme ausgestreckt, seine Finger strichen wie die Tragflächen eines Flugzeugs über die Spitzen der Büsche. Sie beobachtete ihn schweigend. Er war schon so gegangen, als er noch klein war. Mercy erinnerte sich, wie aufgeregt er immer gewesen war, wenn er sie auf dem Weg entdeckt hatte. Er war in ihre Arme gesaust, und sie hatte ihn hoch in die Luft gehoben. Jetzt konnte sie froh ein, wenn er sie überhaupt zur Kenntnis nahm.

Er ließ die Arme sinken, als sie auf den Weg hinaustrat. »Ich war unten beim Schuppen, um Fisch mit den Kanus zu helfen, aber er sagte, er hat es schon erledigt«, berichtete er. »Hütte zehn ist eingecheckt.«

Mercy fiel sofort eine neue Aufgabe für ihn ein, aber sie hielt sich zurück. »Wie sind die beiden?«

»Die Frau ist nett«, sagte Jon. »Der Typ macht einem irgendwie Angst.«

»Vielleicht solltest du nicht mit seiner Frau flirten.«

Jon lächelte verlegen. »Sie hatte eine Menge Fragen zur Lodge.«

»Hast du sie alle beantwortet?«

»Ja.« Jon verschränkte die Arme. »Ich habe gesagt, sie soll sich beim Abendessen an Bitty wenden, wenn sie noch mehr wissen will.«

Mercy nickte automatisch. Sie hatte viele Dinge aus Papas Zeit verändert, aber ihr Sohn sollte nicht ahnungslos klingen, was das Land anging, auf dem sie standen.

»Ist noch was?«, fragte er.

Mercy dachte wieder an Dave. Er folgte stets einem Muster nach ihren Auseinandersetzungen. Er war bestimmt in die Bar gegangen, um seine Wut in Alkohol zu ertränken. Der morgige Tag bereitete ihr Kopfzerbrechen. Er würde Jon auf jeden Fall suchen und ihm von den Investoren erzählen, und Mercy würde zweifellos die Böse in seiner Geschichte sein.

»Lass uns zur Lookout-Bank hinuntergehen«, sagte sie. »Ich möchte, dass du dich einen Moment zu mir setzt.«

»Musst du nicht arbeiten?«

»Das müssen wir beide«, erwiderte sie, aber sie ging trotzdem in Richtung der Bank. Jon folgte ihr in einigem Abstand. Mercy fasste an ihren Hals. Sie hoffte, er bemerkte keine Male. Sie hasste es, wie Jon sie ansah, nachdem Dave ausgerastet war. Halb vorwurfsvoll, halb mitleidig. Von Sorge war schon lange nichts mehr zu sehen. Es war für ihn vermutlich so, als würde er jemandem zuschauen, der mit dem Kopf gegen eine Wand lief, dann aufstand und wieder gegen die Wand lief.

Er hatte damit nicht unrecht.

»Okay.« Mercy nahm auf der Bank Platz und klopfte auf die Sitzfläche neben sich. »Komm.«

Jon fläzte sich ans andere Ende, die Hände in den Taschen seiner Shorts vergraben. Er war letzten Monat sechzehn geworden, und praktisch über Nacht hatte ihn die Pubertät voll erwischt. Der plötzliche Hormonschub wirkte wie ein Pendel. Im einen Moment konnte er vor Selbstbewusstsein kaum laufen und flirtete mit der Frau eines Gastes, im nächsten sah er hilflos und verloren aus wie ein kleiner Junge. Er erinnerte Mercy so sehr an Dave, dass sie vorübergehend keine Worte fand.

Dann erhob der mürrische Teenager sein Haupt. »Wieso schaust du mich so komisch an?«

Mercy öffnete den Mund, dann schloss sie ihn wieder. Sie brauchte mehr Zeit. Im Augenblick herrschte ein angespannter Friede zwischen ihnen. Anstatt ihn zu ruinieren, indem sie ihrem Sohn einen Vortrag über E-Zigaretten oder die Unordnung in seinem Zimmer hielt, schaute sie in die Ferne. Die Parade der Grüntöne, das Wasser in den Shallows, das sich leicht im Wind kräuselte. Im Herbst konnte man von diesem Fleck aus beobachten, wie sich das Laub verfärbte und alle Farbe von den

Gipfeln her aus der Landschaft wich. Sie musste diesen Ort für Jon bewahren. Er würde ihm nicht nur eine Zukunft sichern. Das Land gehörte zu seinem Leben.

»Ich vergesse manchmal, wie schön das alles ist«, sagte sie.

Jon schwieg dazu. Sie wussten beide, dass er absolut glücklich damit wäre, in einer fensterlosen Bude in der Stadt zu leben. Wie Dave gab er für gewöhnlich anderen Leuten die Schuld an seiner Einsamkeit. Beide konnten sich in einem Raum voller Menschen befinden und sich trotzdem allein fühlen. Wenn sie ehrlich war, ging es Mercy oft genauso.

»Tante Delilah ist im Haus«, sagte sie.

Jon sah sie an, aber er sagte nichts.

»Ich möchte dich daran erinnern, dass Delilah dich liebt, egal, was passiert ist, als du ein Baby warst. Deshalb ist sie vor Gericht gegangen. Sie wollte dich für sich behalten.«

Jon starrte nun ebenfalls in die Ferne. Mercy hatte nie ein schlechtes Wort über Delilah gesagt. Die einzige nützliche Lektion, die sie von Dave gelernt hatte, war, dass ein Mensch, der die ganze Zeit kläffte und sich wie ein Arschloch benahm, selten Sympathie erntete. Was der Grund dafür war, dass Dave sein Scheusalgesicht nur Mercy sehen ließ.

»Ist das ihr Subaru auf dem Parkplatz?«, sagte Jon.

Mercy kam sich wie ein Dummkopf vor. Natürlich hatte Jon Delilahs Wagen gesehen. Hier oben konnte man nichts geheim halten. »Ich glaube, Papa und Bitty haben mit ihr gesprochen. Deshalb ist sie heraufgefahren.«

»Ich will nicht bei ihr wohnen.« Jon warf einen Blick zu Mercy, ehe er wieder wegschaute. »Falls sie deshalb hier ist – ich gehe nicht fort von hier. Jedenfalls nicht wegen ihr.«

Mercy hatte alle Tränen schon vor langer Zeit verbraucht, aber sie empfand eine tiefe Traurigkeit über die Gewissheit in seiner Stimme. Er versuchte, sich um seine Mutter zu kümmern. Es würde vielleicht für einige Zeit das letzte Mal sein, dass er es tat. Möglicherweise für immer.

»Was will sie?«, fragte er.

Mercys Kehle schmerzte, als hätte sie Nägel geschluckt. »Du musst zu Papa gehen. Er wird dir sagen, was los ist.«

»Warum sagst du es mir nicht?«

»Weil …« Mercy hatte Mühe, sich zu erklären. Es war keine Feigheit. Es wäre leicht gewesen, Jons Sicht nach ihren eigenen Überlegungen zu formen. Aber Mercy wusste, sie wäre keinen Deut besser als Dave, wenn sie ihren Sohn auf diese Weise manipulierte. Sie hätte es weiß Gott gekonnt. Auch mit sechzehn war Jon noch formbar. Er war randvoll mit Hormonen und wahnsinnig leichtgläubig. Sie könnte ihn überreden, von einer Klippe zu springen, wenn sie es sich in den Kopf setzte. Dave würde ihn vollkommen zerstören.

»Mom?«, fragte Jon. »Warum sagst du es mir nicht selbst?«

»Weil du die andere Sicht von jemandem hören musst, der dafür ist.«

Er grinste spöttisch. »Du hörst dich wirr an.«

»Sag mir Bescheid, wenn du meine Sicht hören willst, okay? Ich werde so ehrlich zu dir sein, wie ich kann. Aber erst musst du es von Papa hören. In Ordnung?«

Mercy wartete, bis er nickte. Dann blickte sie in seine klaren blauen Augen, und ihr war zumute, als hätte jemand mit beiden Händen in ihre Brust gegriffen und ihr Herz in Stücke gerissen.

Das war Daves Werk. Er würde sich einen weiteren Teil von Mercy krallen, den wertvollsten Teil, und sie würde ihn nie zurückbekommen.

Jon starrte sie an. »Alles in Ordnung?«

»Klar«, sagte sie. »Die Frau in Hütte sieben will eine Flasche Whiskey. Kannst du ihr die bringen?«

»Sicher.« Jon stand auf »Welche Sorte?«

»Die teuerste. Und frag sie, ob sie morgen noch mehr braucht.« Mercy stand ebenfalls auf. »Dann möchte ich, dass du dir für den Rest des Abends freinimmst. Ich kümmere mich um den Abwasch nach dem Essen.«

Das strahlende Lächeln kehrte zurück, und er war wieder ihr kleiner Junge. »Im Ernst?«

»Im Ernst.« Mercy sog seine Begeisterung auf. Sie wollte diesen Moment festhalten, solange sie konnte. »Du machst wirklich gute Arbeit hier, Schatz. Ich bin stolz auf dich.«

Sein Lächeln war besser als jede Droge, die sie in ihrem Leben genommen hatte. Sie musste ihm öfter Komplimente machen, ihm die Gelegenheit geben, mehr Kind zu sein. Sie stand im Begriff, ihre gesamte Familie zu zerstören. Sie musste auch den Kreislauf der Arschloch-McAlpines durchbrechen.

»Egal, was passiert, denk daran, dass ich dich liebe, Baby. Vergiss es nie. Du bist das Beste, was mir je passiert ist, und ich liebe dich einfach.«

»Mom«, stöhnte er genervt.

Aber dann schlang er die Arme um sie, und Mercy war, als würde sie schweben.

Es dauerte etwa zwei Sekunden, dann löste sich Jon von ihr. Sie sah ihm nach, als er den Pfad hinauftrabte, und widerstand dem Drang, ihn zurückzurufen.

Mercy drehte sich um, bevor er verschwand. Sie gönnte sich einen Moment, um sich zu sammeln, ehe sie wieder an die Arbeit ging. Sie hielt sich an der Gabelung links und marschierte an der Krümmung des Sees entlang. Sie nahm den frischen Geruch des Wassers wahr, zusammen mit einem modrigen, holzigen Unterton.

Sie veranstalteten jeden Samstagabend als letztes Highlight für die Gäste ein Lagerfeuer unten bei den Shallows. Geröstete Marshmallows, heiße Schokolade und der gute Fisch, der auf seiner Mandoline klimperte, denn natürlich war Fisch die Art feinfühlige Seele, die ausgerechnet Mandoline spielte. Die Gäste liebten es. Wenn sie ehrlich war, liebte Mercy es auch. Es gefiel ihr, das Lächeln auf den Gesichtern zu sehen und zu wissen, dass sie zu ihrem Glück beigetragen hatte. Als Mutter eines Teenagersohns und Ex eines gewalttätigen Alkoholikers, als

Tochter eines sadistischen Hurensohns und einer kalten, distanzierten Mutter musste sie sich ihre Siege holen, wo immer sie welche fand.

Mercy schaute über das Wasser. Sie fragte sich, wie Papa ihrem Sohn die Investoren erklären würde. Würde er Mercy in einem schlechten Licht zeichnen? Würde er herumbrüllen und sie verfluchen? Hatte sie Jon unwillentlich beeinflusst? Wer sich wie ein Arschloch benimmt, erntet selten Sympathie. Jon würde sie beschützen wollen, auch wenn er nicht mit ihr einer Meinung war.

Sie konnte jetzt nichts anderes tun, als zu warten, bis Jon sich bei ihr meldete.

Arbeit würde die Zeit bis dahin schneller vergehen lassen. Sie holte ihren Notizblock hervor. Auf dem Rückweg nach oben würde sie bei den Flitterwöchnern vorbeischauen. Sie würde die Toilette selbst reparieren. Sie würde mit den Küchenmitarbeitern sprechen müssen. Sie machte sich eine Notiz wegen der Flasche Whiskey, die Jon in Hütte sieben lieferte. Sie hatte so eine Ahnung, dass die Zahnärztin richtig viel Geld hierließ, bevor sie am Sonntag auscheckte. Es gab keinen Grund, warum Monica mit ihrer Platinkarte nicht die Flaschen aus dem obersten Fach bekommen sollte. Papa war Abstinenzler, er hatte die Schnapsverkäufe nie forciert. Die exklusiven Whiskeys, für die Mercy im letzten Jahr die Werbetrommel gerührt hatte, waren fast ausschließlich für den Gewinnanstieg verantwortlich.

Mercy steckte den Block wieder zurück in die Tasche und ging den terrassierten Weg hinunter. Sie sah Fisch beim Geräteschuppen, wie er die Kanus mit dem Schlauch ausspritzte. Es versetzte Mercy einen Stich ins Herz, als sie ihren Bruder da knien sah. Fisch war so ernst und aufrichtig. Er war das älteste Kind, aber Papa hatte ihn immer wie einen nachträglichen Einfall behandelt. Dann war Dave dahergekommen, und Bitty hatte klargemacht, wen sie eigentlich als ihren Sohn ansah. Es war kein Wunder, dass Christopher beschlossen hatte, sich mehr oder weniger in nichts aufzulösen.

Sie wollte gerade seinen Namen rufen, als Chuck aus dem Geräteschuppen kam. Er hatte sein Hemd ausgezogen. Gesicht und Brust waren so rot, dass es aussah wie ein Sonnenbrand. Er hatte ein flaches Stück Alufolie in einer Hand und ein Feuerzeug in der anderen. Die Flamme sprang an. Rauch wehte von der Folie. Mercy sah, wie er sie in Fischs Richtung hielt. Fisch fächelte den Rauch zu seinem Gesicht und holte tief Luft.

»Mercy?«, sagte Chuck.

»Blödmänner«, zischte Mercy und machte kehrt.

»Mercy?«, rief Fisch. »Bitte …«

Das Geräusch ihrer rennenden Füße auf dem Weg übertönte, was immer er noch zu sagen hatte. Sie konnte nicht fassen, wie dumm ihr Bruder war. Genau davor hatte sie ihn auf dem Familientreffen gewarnt. Er machte sich nicht einmal mehr die Mühe, es zu verbergen. Was, wenn sie ein Gast gewesen wäre? Jon war eben beim Schuppen unten gewesen. Und wenn er jetzt den Weg heruntergekommen wäre und die beiden gesehen hätte, wie sie ihr Zeug kochten? Wie zum Teufel hätten sie das erklären wollen?

Mercy lief geradeaus weiter und umging die Gabelung. Sie wurde erst langsamer, als sie auf der anderen Seite des Bootshauses angelangt war, und wischte sich den Schweiß aus dem Gesicht. Fragte sich, ob der Tag noch schlimmer werden konnte. Sie warf einen Blick auf die Uhr. Noch eine Stunde, dann musste sie bei der Vorbereitung des Abendessens helfen. Sie hatte noch immer nicht wegen Chucks blöder Erdnussallergie mit der Küche gesprochen.

»Himmel noch mal«, flüsterte sie. Es war zu viel. Statt wieder den Hang hinaufzulaufen, ließ sie sich am Seeufer nieder und zwang sich, langsam durchzuatmen. Ihre Sinne stimmten sich auf die Natur ringsum ein. Die raschelnden Blätter. Die sanften Wellen. Der Geruch des Lagerfeuers vom Vorabend. Die wärmende Sonne am Himmel.

Hier war ihr Ort des Friedens. Die Shallows waren wie ein unsichtbarer Anker, der sie an dieses Land kettete. Sie konnte es nicht aufgeben. Niemand würde es je wieder so lieben, wie sie es tat.

Mercy sah die schwimmende Badeplattform hin und her schaukeln. Sie hatte hier viele Male Zuflucht gesucht. Papa hasste das Wasser und hatte sich geweigert, schwimmen zu lernen. Wenn er wieder mal auf dem Kriegspfad war, schwamm sie zur Insel hinaus, um ihm zu entkommen. Manchmal schlief sie unter den Sternen ein. Manchmal gesellte sich Fisch zu ihr. Später auch Dave, aber aus anderen Gründen.

Mercy schüttelte den Kopf. Sie wollte sich jetzt nicht in schlimmen Erinnerungen verlieren. Ihr Bruder hatte ihr hier das Schwimmen beigebracht. Er hatte Dave beigebracht, Wasser zu treten, denn Dave war zu ängstlich, um mit dem Kopf unterzutauchen. Mercy hatte Jon die beste Stelle für einen Kopfsprung von der Insel gezeigt: die Stelle, wo das Wasser am tiefsten war und wo man sich lautlos fortstehlen konnte, wenn Gäste auftauchten. Als Jon noch jünger war, kamen sie am Sonntagmorgen oft hierher. Dann erzählte er ihr von der Schule, von Mädchen oder davon, was er später mit seinem Leben anfangen wollte.

Jetzt öffnete er sich ihr längst nicht mehr auf diese Weise, aber Jon war ein guter Junge. Er brannte nicht gerade ein Feuerwerk ab in der Schule, und er war alles andere als beliebt, aber verglichen mit seinen Eltern machte er sich prächtig. Mercy wollte nichts weiter, als dass er glücklich war.

Sie wünschte es sich mehr als alles andere auf der Welt.

Jon würde die richtigen Menschen früher oder später finden. Es würde vielleicht eine Weile dauern, aber es würde passieren. Er war ein freundlicher Junge. Mercy hatte keine Ahnung, woher er das hatte. Sicher, er war auch aufbrausend wie sein Vater. Er traf schlechte Entscheidungen wie Mercy. Aber er vergötterte seine Großmutter. Er beschwerte sich nur ein bisschen, wenn Mercy ihn zur Arbeit anhielt. Natürlich langweilte er sich hier oben. Alle Kinder langweilten sich hier. Die zwölfjährige Mercy hatte nicht deshalb heimlich aus Schnapsflaschen getrunken, weil ihr Leben so wahnsinnig aufregend war.

»Verdammt«, murmelte sie. Ihr Gehirn konnte einfach nicht aufhören, sich an schlimme Dinge zu erinnern.

Sie wollte den Schalter im Kopf gewaltsam umlegen und starrte stumpfsinnig in den unglaublich blauen Himmel, wo die Sonne zum Gebirgszug weiterwanderte. Bald schloss sie die Augenlider zum Schutz vor dem gleißenden Licht. Der weiße Punkt blieb als Erinnerung auf ihrer Netzhaut. Sie sah, wie die Farbe dunkler wurde, fast marineblau. Dann formte sie sich zu einem Wort. Schnörkelige Kursivschrift. Quer über Landry Petersons Herz.

Gabbie.

Die Gäste in Hütte fünf hatten unter dem Namen Gordon Wylie reserviert. Eine Kopie von Gordons Führerschein war für die Buchung angefügt worden. Die Anzahlung war von Gordons Kreditkarte abgebucht worden, und die Nummer war für die Schlussrechnung hinterlegt. Der Lexus am Wanderparkplatz war auf Gordon zugelassen. Auf den Adressanhängern an ihren Koffern stand Gordons Anschrift.

Landrys Name tauchte nur einmal in der Anmeldung auf, als der des zweiten Gastes. Sein Arbeitgeber war derselbe wie Gordons: eine Firma namens Wylie App Co. Irgendwie klang es wie bei *Looney Tunes*. Für Mercy konnte der Name Landry ebenso gut frei erfunden sein. Die Lodge verifizierte nur die Person, die später für die Rechnung zuständig war. Sie vertrauten einfach darauf, dass die Leute ehrlich waren, wenn es um ihre Jobs ging, ihre Interessen, ihre Erfahrung mit Pferden, beim Klettern oder Wildwasser-Rafting.

Was bedeutete, dass Landry Peterson alles sein konnte. Ein heimlicher Geliebter, ein langjähriger Freund mit gewissen Vorzügen, ein Arbeitskollege, dem der Sinn nach mehr stand. Er konnte auch mit der jungen Frau verwandt sein, die Mercy vor siebzehn Jahren getötet hatte.

Ihr Name war Gabriella gewesen, aber ihre Familie hatte sie Gabbie genannt.

4

Sara saß auf dem Bettrand und erlaubte sich, zu weinen. Sie war so überwältigt von Gefühlen, dass sie die Tränen nicht zurückhalten konnte. Es hatte mächtig viel Stress im Vorfeld der Hochzeit gegeben. Sie hatten die Zeremonie um einen Monat verschieben müssen, bis der Gipsverband von ihrem gebrochenen Handgelenk entfernt werden konnte. Sie hatte Bestellungen stornieren, Zeitpläne ändern, mit Arbeitsprojekten jonglieren und Fälle auf die lange Bank schieben müssen. Dann war da der Zirkus mit Cousins und Cousinen, Tanten und Onkel gewesen, sie musste sich darum kümmern, dass alle eine Hotelreservierung hatten, dazu ein Auto und Essen, das ihnen schmeckte, und sie brauchten ein Besuchsprogramm, denn manche von ihnen waren über den Ozean hergeflogen und hatten beschlossen, eine Woche zu bleiben, weshalb sie wissen wollten, was sie unternehmen und besichtigen konnten, und Sara war offenbar ihr persönlicher *Tripadvisor*.

Ihre Schwester und ihre Mutter hatten mitgeholfen, und Will hatte mehr als seinen Teil beigetragen, aber Sara war noch nie so erleichtert gewesen, weil ein großes Ereignis hinter ihr lag.

Sie betrachtete die Ringe an ihrem Finger und machte einen tiefen, beruhigenden Atemzug. Sara verdiente einen Oscar, weil sie heute Morgen nicht ausgerastet war, als Will sagte, sie würden vor ihrer Hochzeitsreise noch eine kleine Wanderung unternehmen. Zwei Stunden entfernt. In den Bergen. Während es von seinem Haus zum Flughafen nur zwanzig Minuten waren.

Von *ihrem* Haus.

Sie hatte versucht, sich nicht darüber aufzuregen. Nicht während sie ihre Rucksäcke packten. Nicht als sie in den Wagen stiegen. Nicht als sie das Stadtgebiet verließen. Nicht als sie am Ausgangspunkt des Wanderwegs parkten. Will war für die Flitterwochen zuständig, und Sara hatte ihn zuständig sein lassen. Aber dann hatten sie auf einer Wiese für ein Picknick angehalten, es war immer später geworden, und sie war in Panik geraten, dass er sie womöglich mit einer Art Campingurlaub überraschen wollte.

Sara hasste Zelten. Genauer gesagt: Sie verachtete es. Sie hatte bei den Pfadfinderinnen nur durchgehalten, weil sie davon besessen gewesen war, sich alle Abzeichen zu verdienen.

Was die Geschichte von Saras Leben erzählte. Sie hatte sich immer zum Äußersten getrieben. Sie hatte ein Jahr früher mit der Highschool abgeschlossen. Das Grundstudium im Eiltempo absolviert. Sich im Medizinstudium an die Spitze ihres Jahrgangs gekämpft. Als Assistenzärztin Vollgas gegeben. Dann war da ihre Praxis als Kinderärztin gewesen und ihr Jobwechsel, um Vollzeit als Gerichtsmedizinerin zu arbeiten. Sie hatte ihre Bildung immer dazu benutzt, anderen Menschen zu dienen. Sich um Kinder in ländlichen Gegenden und später in einem öffentlichen Krankenhaus gekümmert. Den Angehörigen von Verbrechensopfern die Möglichkeit zu einem Schlussstrich verschafft. Und sie war die ganze Zeit für ihre kleine Schwester da gewesen. Hatte sich um ihre Eltern gekümmert. Ihrer Tante Bella Gesellschaft geleistet. Ihren ersten Ehemann unterstützt. Seinen Tod betrauert. Sich so viel Mühe gegeben, etwas von Bedeutung mit Will aufzubauen. Die Einmischungen seiner durchgeknallten Ex-Frau überstanden. Sie hatte sich mit Wills verrückter Beziehung zu seiner Chefin zurechtgefunden und war eine enge Freundin seiner Partnerin geworden. Sie hatte sich in seinen Hund verliebt.

Wenn Sara auf ihr Leben zurückblickte, sah sie eine Frau, die pausenlos vorwärtsmarschierte und gleichzeitig dafür sorgte, dass es allen gut ging.

Bis jetzt.

Sara schaute in den offenen Koffer. Will hatte alle ihre Bücher auf ihr iPad geladen. Er hatte Updates ihrer Podcasts auf dem Handy gemacht. Ihre Schwester hatte genau das eingepackt, was sie brauchte, bis hin zu den richtigen Toilettenartikeln und der Haarbürste. Ihr Vater hatte eine seiner handgeflochtenen Angelleinen beigesteuert, dazu eine Sammlung sehr schlechter Daddy-Witze. Ihre Tante hatte einen großen Strohhut spendiert, damit Saras geisterblasse Haut vor der Sonne geschützt war. Ihre Mutter hatte ihr eine kleine Taschenbibel mitgegeben, was ihr auf den ersten Blick ein wenig anmaßend erschienen war, aber dann hatte Sara bemerkt, dass eine Seite markiert war. Es war ein Abschnitt aus dem Buch Ruth:

Wohin du gehst, dahin will auch ich gehen, und wo du bleibst, da will auch ich bleiben. Dein Volk ist mein Volk, und dein Gott ist mein Gott …

Als Sara die Passage gelesen hatte, war es um sie geschehen gewesen. Ihre Mutter hatte Saras Gefühle für Will perfekt erfasst. Sie würde ihm überallhin folgen, sie würde bei ihm liegen, wo immer er es wollte. Sie würde die Familie seiner Wahl wie ihre eigene behandeln. Sie hätte sogar vorgegeben, Camping zu lieben, falls es darauf hinausgelaufen wäre. Sie war ihm voll und ganz ergeben.

Und so war sie wie eine von ihren Gefühlen überwältigte Frauengestalt aus der viktorianischen Zeit hemmungslos weinend auf das Bett gesunken. Sara konnte nicht anders. Alles war zu perfekt. Die zauberhafte Hochzeitszeremonie. Diese wunderschöne Lodge. Die Geschenke ihrer Familie. Die Aufmerksamkeit, die Will bei jedem Detail an den Tag gelegt hatte. Er hatte sogar veranlasst, dass der kleine Kühlschrank in der Küche mit ihrem Lieblingsjoghurt bestückt war. Sara hatte sich noch nie in ihrem Leben so liebevoll umsorgt gefühlt.

»Jetzt komm schon«, tadelte sie sich selbst. Die Zeit für ihren Zusammenbruch lief ab. Will würde bald zurück sein.

Sie holte die Papiertaschentücher aus dem Bad, um sich die Nase zu putzen. Neben der tiefen Wanne stand eine Auswahl von Badesalzen. Will zuliebe wählte sie das am wenigsten parfümierte aus, bevor sie den Hahn aufdrehte. Sie überprüfte ihr Aussehen im Spiegel. Ihre Haut war gerötet und fleckig, ihre Nase leuchtete förmlich, ihre Augen waren gerötet. Will würde vom Haupthaus zurückkommen und heißen Sex in der dampfenden Wanne erwarten, und sie sah aus wie eine entlaufene Irre.

Sara putzte sich die Nase. Sie ließ ihr Haar offen auf die Schultern fallen, weil sie wusste, dass es Will gefiel. Dann ging sie ins Schlafzimmer und packte weiter aus. Ihre kleine Schwester war nicht ausschließlich pflichtbewusst gewesen. Sie hatte zum Scherz ein Sexspielzeug unten in den Koffer gepackt. Sara legte es gerade wieder zurück, als sie eine laute Stimme vor dem Fenster der Hütte hörte.

»Paul!«, rief ein Mann. »Kannst du verdammt noch mal endlich warten?«

Sara ging in den vorderen Raum. Die Fenster standen offen, und sie blieb so stehen, dass man sie nicht sah, und beobachtete, wie zwei Männer unten auf dem Fußweg stritten. Sie waren älter, sehr fit und erkennbar frustriert.

»Es interessiert mich nicht, was du denkst, Gordon«, sagte Paul. »Es ist richtig, so zu handeln.«

»Richtig?«, entgegnete Gordon. »Seit wann interessiert es dich, das Richtige zu tun?«

»Seit ich verdammt noch mal gesehen habe, wie sie lebt!«, brüllte Paul. »Es ist nicht in Ordnung!«

»Schatz.« Gordon fasste den anderen Mann am Arm. »Du musst die Sache auf sich beruhen lassen.«

Paul entzog sich seinem Griff und begann, in Richtung See zu joggen.

Gordon lief ihm nach und schrie: »Paul!«

Sara zog die Fenstervorhänge zu. Das war interessant. Bei der Wanderung hatte Keisha gesagt, die App-Typen hießen Gordon und Landry. Sara überlegte, ob Paul ein anderer Gast war oder jemand, der in der Lodge arbeitete. Dann zwang sie sich, damit aufzuhören, denn sie war nicht hier, um aus anderen Leuten schlau zu werden. Sie war hier, um heißen Badewannensex mit ihrem Ehemann zu haben.

Ihr Ehemann.

Sara lächelte unwillkürlich, als sie ins Bad zurückging. Sie hatte Wills Gesichtsausdruck gesehen, als sie ihn zum ersten Mal öffentlich ihren Mann genannt hatte. Darin war die tiefe Freude widergespiegelt, die sie selbst empfunden hatte, als er sie zum ersten Mal als seine Frau bezeichnet hatte.

Sie schaute aus dem großen Panoramafenster hinter der Wanne. Von Gordon und Paul war nichts zu sehen. Die Hütte lag ein gutes Stück höher als der Pfad. Sie konnte nicht einmal den See erkennen. Der Ausblick ging auf Bäume und noch mehr Bäume. Sie kontrollierte die Wassertemperatur, die genau richtig war. Die Wanne würde sehr viel schneller voll sein, als sie vorausgesehen hatte. Sie war die Tochter eines Klempners, sie kannte sich mit fließendem Wasser aus. Sie kannte außerdem ihren Mann. Vielleicht entging es ihm, dass sie geweint hatte, wenn er sie nackt und erwartungsvoll in der Wanne vorfand. Und genauso kam es, als er fünf Minuten später ins Badezimmer spazierte.

Will ließ das Kissen in seiner Hand fallen. »Was ist los?«

Sara lehnte sich in der Wanne zurück. »Komm rein.«

Er warf einen Blick aus dem Fenster. Will war befangen, was seinen Körper anging. Wo Sara schlanke Muskeln und Sehnen sah, die Kontur seiner prächtigen Bauchmuskeln, seine schönen, starken Arme, sah Will nur die Narben, die er seit seiner

Kindheit trug. Die gekräuselten runden Brandmale von Zigaretten. Den Haken eines Kleiderbügels. Die Hauttransplantate, wo das Gewebe so geschädigt gewesen war, dass es nicht mehr heilen konnte.

In Saras Augen brannten wieder Tränen. Sie wünschte, sie könnte in der Zeit zurückreisen und jeden einzelnen Menschen umbringen, der ihm je wehgetan hatte.

»Alles in Ordnung?«, fragte Will.

Sie nickte. »Ich genieße nur die Aussicht.«

Will hielt sich nicht damit auf, die Temperatur zu prüfen. Er glitt gegenüber von ihr in die Wanne. Sie hatten zusammen fast nicht genug Platz darin. Seine Knie ragten ein Stück über den Wannenrand. Sara drehte sich herum, sodass sie den Kopf an seine Brust legen konnte. Will schlang die Arme um sie. So blickten sie beide auf die Baumwipfel hinaus. Dunst hing über dem Gebirgszug. Sara gefiel die Vorstellung, dem Regen auf dem Blechdach zu lauschen.

»Ich muss dir etwas gestehen«, sagte sie.

Er drückte seinen Mund auf ihr Haar.

»Ich war vorhin ein bisschen überwältigt von allem.«

»Schlimm überwältigt?«

»Positiv überwältigt.« Sie blickte zu ihm auf. »Überwältigt vor Glück.«

Will nickte. Sie küsste ihn zart, ehe sie den Kopf wieder auf seine Brust legte. In dieser Unterhaltung gab es Raum für ihn, etwas zu sagen. Sie merkte ihm an, dass er ebenfalls ein wenig überwältigt gewesen war. Allerdings rannte Will in so einem Fall eher einen steilen Berg hinauf, als dass er sich auf ein Bett setzte und weinte.

»Hat deine Schwester alles eingepackt, was du brauchst?«

»Einschließlich eines fünfundzwanzig Zentimeter langen, leuchtend rosa Dildos.«

Will schwieg einen Moment. »Wir können ihn ja mal ausprobieren, wenn dir der Sinn nach etwas Kleinerem steht.«

Sara lachte, als er sie näher an sich zog. In dem Marmorbad war es vollkommen still. Nicht ein Tropfen Wasser kam aus dem Hahn. Sara lauschte dem gleichmäßigen Rhythmus von Wills Atem und schloss die Augen. Sie lag in seinen Armen, bis das Wasser kalt wurde. Eigentlich hatte sie nicht einschlafen wollen, aber genau das war geschehen. Als sie wieder wach wurde, war der Dunstschleier von dem Regen langsam über die Berge gezogen.

Sie holte tief Luft und seufzte. »Wir sollten etwas unternehmen, oder?«

»Vielleicht.« Will strich langsam über ihren Arm. Sie widerstand dem Drang, wie eine Katze zu schnurren. »Ich muss dir etwas gestehen«, sagte er.

Sara konnte nicht sagen, ob er nur Spaß machte oder es ernst meinte. »Was denn?«

»Hier in der Lodge ist ein Kerl, der gleichzeitig mit mir in dem Kinderheim war.«

Die Mitteilung kam so unerwartet, dass Sara einen Moment brauchte, um sie zu verarbeiten. Will sprach nur selten von Leuten aus dem Heim. Sie wandte sich zu ihm um. »Wer ist es?«

»Er heißt Dave«, sagte Will. »Am Anfang war er in Ordnung. Dann ist irgendetwas passiert. Er veränderte sich. Die Kinder fingen an, ihn Schakal zu nennen. Keine Ahnung, vielleicht hat er sich den Namen selbst ausgedacht. Dave gab immer allen Leuten Spitznamen.«

Sara legte den Kopf wieder an seine Brust und lauschte seinem langsamen Herzschlag.

»Wir waren eine Weile befreundet«, sagte er. »Dave war in denselben Kursen wie ich. Förderkurse. Ich dachte, wir kommen ganz gut miteinander aus.«

Sie wusste, dass Will nur wegen seiner Dyslexie in Förderkursen gewesen war. Die war bis zum College nicht diagnostiziert worden. Er behandelte es immer noch wie ein beschämendes Geheimnis. »Was ist mit ihm passiert?«

»Er kam in eine wirklich üble Pflegefamilie. Sie betrogen das System. Erfanden alle möglichen Dinge, die mit Dave angeblich nicht stimmten, damit sie mehr Geld für seine Behandlung erhielten. Und dann bekam er Infekte. Also …«

Sara wusste, warum Will nicht weitersprach. Wiederholte Harnwegsinfekte bei Kindern waren häufig ein Zeichen von sexuellem Missbrauch.

»Sie haben ihn aus der Unterbringung herausgenommen, aber Dave kam zurück und war fies. Nur dass ich es nicht gleich begriffen habe. Er tat immer noch so, als wären wir Freunde. Ich hörte zwar ständig diese schlimmen Dinge über ihn, aber jeder im Heim erzählte schlimme Dinge über jeden anderen. Wir waren alle schwer lädiert.«

Sara fühlte, wie sich seine Brust hob und senkte.

»Er fing an, mich zu schikanieren. Suchte Streit. Ich war ein paarmal nahe dran, ihn zu schlagen, aber es wäre nicht fair gewesen. Er war kleiner und jünger als ich. Ich hätte ihm ernsthaft wehtun können.« Will streichelte weiter Saras Arm. »Dann fing er an, mit Angie herumzuziehen, was … Ich bin kein Idiot. Es war nicht so, als hätte er sie in den Keller gezerrt. Sie trieb es mit vielen Typen. Es vermittelte ihr das Gefühl, eine Art Kontrolle über ihr Leben zu haben. Ich vermute, Dave war genauso. Es traf mich allerdings anders, wenn Angie es mit ihm trieb. Wie gesagt, ich hielt ihn für meinen Freund, und dann wandte er sich gegen mich. Und sie wusste es und tat es trotzdem. Es war eine ungute Situation.«

Sara konnte sich die verquere Dynamik zwischen Will und seiner Ex-Frau nicht einmal ansatzweise vorstellen. Das einzig Gute, was ihr über die Frau einfiel, war ihr Verschwinden.

»Dave machte weiter mit ihr herum. Er sorgte dafür, dass ich es erfuhr, rieb es mir ständig unter die Nase. Es war, als wollte er, dass ich ihn verprügle. Als würde es etwas beweisen, wenn er mich gegen meinen Willen dazu brachte.« Will schwieg lange. »Dave war derjenige, der anfing, mich Trash zu nennen.«

Sara wurde schwer ums Herz. Sie konnte sich nicht vorstellen, wie es für Will war, diesem schrecklichen Menschen unmittelbar nach seiner Hochzeit über den Weg zu laufen und zu erleben, dass alle schlimmen Erinnerungen aus seiner Kindheit wieder in ihm hochkamen. Besonders dieser Spitzname musste wie ein Schlag ins Gesicht für ihn sein. In den letzten Tagen hatte Will ein paarmal beiläufig darüber gescherzt, dass die Plätze auf seiner Seite des Gangs bei der Trauung leer gewesen waren, aber Sara hatte die Wahrheit in seinen Augen gelesen. Er vermisste seine Mutter. Ihr letzter Akt der Liebe zu ihrem Kind war gewesen, ihn in einem Mülleimer zu verstecken, damit ihm nichts geschah. Dann hatte das verabscheuungswürdige Arschloch Dave diesen Umstand in ein Folterwerkzeug verwandelt.

»Dave hat versucht, sich zu entschuldigen«, sagte Will. »Jetzt eben, auf dem Weg hierher.«

Sara blickte überrascht auf. »Was hat er gesagt?«

»Es war nicht wirklich eine Entschuldigung.« Will lachte trocken, obwohl nichts an der Situation komisch war. »Er sagte: ›Komm schon, Trash, schau mich nicht so an. Ich entschuldige mich, wenn es dir hilft, darüber hinwegzukommen.‹«

»Was für ein Scheißkerl«, flüsterte Sara. »Was hast du erwidert?«

»Ich fing an, von zehn rückwärts zu zählen.« Will zuckte mit den Achseln. »Ich kann dir nicht sagen, ob ich ihn wirklich geschlagen hätte, er hat bei acht die Biege gemacht, und wir werden es nie erfahren.«

Sara schüttelte den Kopf. Fast wünschte sie sich, er hätte den Wichser in die Erde gehämmert.

»Es tut mir leid, dass das passiert ist«, sagte Will. »Ich verspreche, ich lasse nicht zu, dass es unserem Honeymoon in die Quere kommt.«

»Nichts wird uns in die Quere kommen.« Sara dachte an den Zusatz zum Bibelvers ihrer Mutter. Wills Feinde waren auch ihre Feinde. Dave sollte besser darum beten, dass er Sara in dieser Woche nicht über den Weg lief. »Ist er ein Gast?«

»Ich glaube, er ist ein Angestellter. Instandhaltung, so wie er angezogen war.« Will streichelte immer weiter ihren Arm. »Es ist komisch, denn Dave ist ein paar Jahre, bevor ich die Altersgrenze erreicht habe, aus dem Heim weggelaufen. Die Cops haben uns alle befragt, und ich habe ihnen erzählt, dass er wahrscheinlich hier oben ist. Dave hat das Zeltlager geliebt. Hat versucht, jedes Jahr herzukommen. Ich habe ihm immer mit den Bibelversen geholfen. Er hat sie so oft laut vorgelesen, dass ich sie auswendig konnte. Wir haben im Bus geübt, beim Sport, in der Freistunde. Wenn er halb so viel Mühe auf die Schule verwandt hätte, wäre er nicht bei den langsamen Kindern wie mir hängengeblieben.«

Sara legte ihm den Finger auf den Mund. Er war nicht langsam.

Will nahm ihre Hand und küsste sie. »Sind wir fertig mit Geständnissen?«

»Ich habe noch eins.«

Er lachte. »Okay.«

Sie setzte sich auf, sodass sie einander ansehen konnten. »Auf der Karte ist ein Weg namens Little Deer eingezeichnet. Er führt zur Rückseite des Sees.«

»Jon sagte, dass *awinita* das Cherokee-Wort für Kitz ist, also für ein kleines Reh.«

»Glaubst du, der Weg führt zu dem Campingplatz?«

»Lass es uns herausfinden.«

5

Sechs Stunden vor dem Mord

Das Küchenpersonal befand sich im hektischen Endspurt zur Vorbereitung des Abendessens, als Mercy in die Küche kam. Sie wich jemandem aus und verfehlte dabei nur knapp einen Stapel Geschirr, der über dem Kopf von Alejandro aufgetürmt war. Sie fing seinen Blick auf. Er nickte knapp, um ihr zu signalisieren, dass alles in Ordnung war.

Trotzdem fragte sie: »Du weißt Bescheid wegen der Erdnussallergie?«

Er nickte wieder, dieses Mal mit einer knappen Neigung des Kinns, die ausdrückte, dass sie endlich gehen sollte.

Mercy nahm es nicht persönlich. Sie war zufrieden damit, ihn arbeiten zu lassen. Ihr letzter Koch war ein übergriffiger alter Kauz mit einer schweren Tablettenabhängigkeit gewesen, der in der Woche nach Papas Unfall wegen Drogenhandels verhaftet worden war. Alejandro war ein junger puerto-ricanischer Koch, der frisch von der Atlanta Culinary School gekommen war. Mercy hatte ihm freie Hand über die Küche geboten, wenn er gleich am nächsten Tag anfangen würde. Die Gäste liebten ihn. Die beiden Jugendlichen aus dem Ort, die in der Küche jobbten, schienen begeistert von ihm zu sein. Sie wusste nur nicht, wie lange er sich damit zufriedengeben würde, oben in den Bergen fades Essen zuzubereiten, das nur Weiße für pikant hielten.

Sie stieß die Tür zum Speisesaal auf. Eine plötzliche Übelkeit überfiel sie, und sie stützte sich am Türrahmen ab. Ihr Kopf verdrängte unablässig all den Stress, aber ihr Körper erinnerte sie daran, dass er noch da war. Sie holte durch den Mund tief Luft, dann machte sie sich wieder an die Arbeit.

Mercy ging um den Tisch, rückte hier einen Löffel zurecht und dort ein Messer. Im Sonnenlicht fiel ihr ein Wasserfleck auf einem Glas auf, und sie wischte ihn mit dem Saum ihrer Bluse fort. Sie ließ den Blick über den Raum schweifen, den zwei lange Tische unterteilten. Zu Papas Zeit hatte es nur Bänke als Sitzgelegenheit gegeben, aber Mercy hatte Geld für richtige Stühle lockergemacht. Die Leute tranken mehr, wenn sie sich zurücklehnen konnten. Sie hatte außerdem in Lautsprecher investiert, damit man dezente Musik abspielen konnte, und in Lampen zum Dimmen, um Atmosphäre zu erzeugen. Papa hasste beides, aber er konnte nicht viel dagegen machen, weil er die Geräte nicht bedienen konnte.

Sie stellte das Glas ab, rückte noch eine Gabel gerade und schob einen Kerzenhalter in die Mitte des Tischs. Sie zählte lautlos die gedeckten Plätze ab. Frank und Monica, Sara und Will, Landry und Gordon, Drew und Keisha. Sydney und Max, die Investoren, saßen unten bei der Familie. Chuck war neben Fisch platziert, damit sie zusammen schmollen konnten. Delilah war ans Tischende gesetzt worden, was wirkte wie ein nachträglicher Einfall, aber angemessen schien. Mercy wusste, dass sich Jon nicht blicken lassen würde. Nicht nur, weil er inzwischen wahrscheinlich mit Papa über die Investoren gesprochen hatte, sondern weil Mercy ihm törichterweise den Abend freigegeben hatte. Alejandro spülte nicht ab, und die Kids aus dem Ort waren gern spätestens um halb neun vom Berg weg. Mercy würde bis Mitternacht auf sein, um sauberzumachen und das Frühstück vorzubereiten.

Sie schaute auf ihre Armbanduhr. Bald würden die Cocktails serviert werden. Sie spazierte auf das Freideck hinaus – eine weitere Verschönerung nach Papas Unfall. Sie hatte Dave die Aussichtsplattform vergrößern lassen, sodass die Planken über die Steilwand hinausragten. Er hatte Hilfe mit den Trägerbalken gebraucht, und so hatten er und ein paar Kumpel Bier getrunken, während sie an Seilen fünfzehn Meter hoch über der Schlucht hingen. Zum Abschluss des Projekts hatte er Lichterketten um die Geländer geschlungen. Es gab Sitzbänke und Simse für die Gläser, und es war eigentlich perfekt, wenn man nicht wusste, dass er ein halbes Jahr zu spät fertig geworden war und ihr das Dreifache von dem berechnete, was er zunächst veranschlagt hatte.

Mercys Blick ging über die Spirituosenflaschen auf der Theke. Ihre exotischen Etiketten machten sich gut im Sonnenlicht des frühen Abends. Unter Papa hatte die Lodge nur einen Hauswein mit dem Geschmack und der Konsistenz von Sirup angeboten. Jetzt verkauften sie Whiskey Sour und Gin Tonic zu lächerlich hohen Preisen. Mercy hatte immer vermutet, dass Gäste ihres Niveaus sich Tito's und Macallan leisten konnten. Was sie nicht vorausgesehen hatte, war, dass die Lodge fast so viel an Spirituosenverkäufen verdiente wie an den Zimmerpreisen.

Penny, eine weitere Frau aus dem Ort, bereitete hinter der Bar alles vor. Sie war älter als das übrige Personal, erfahren und ernst. Mercy kannte sie seit Jahren, ihr Kontakt reichte zurück bis in die Zeit, als Penny in der Highschool geputzt hatte. Beide waren damals extrem feierlustig gewesen, ehe sie auf die harte Tour zu einem Leben ohne Alkohol fanden. Zum Glück musste Penny nicht trinken, um zu wissen, was gut schmeckte. Sie verfügte über eine enzyklopädische Kenntnis an ausgefallenen Cocktails, die ihre Gäste begeisterten und sie ermutigten, immer mehr zu bestellen.

»Läuft's gut?«, fragte Mercy.

»Es läuft.« Penny schnitt Limetten in Scheiben und blickte auf, als Stimmen vom Wanderweg herüberhallten. Sie schaute auf die Uhr und runzelte die Stirn.

Mercy war nicht überrascht, dass Monica und Frank zu früh zur Cocktailstunde erschienen. Wenigstens vertrug Monica einiges. Sie wurde nicht laut oder ausfallend, eher unheimlich leise. Mercy war mit zahllosen Betrunkenen unterwegs gewesen, und die stillen waren meistens die schlimmsten. Nicht, weil sie ekelhaft oder unberechenbar wurden. Sondern weil sie entschlossen waren, sich zu Tode zu saufen. Frank war ein Ärgernis, aber Mercy hatte nicht den Eindruck, dass er sich mit Alkohol umbringen wollte.

Andererseits dachten die Leute dasselbe von Dave.

»Willkommen!« Mercy setzte ein Lächeln auf, als sie die Terrasse erreichten. »Alles gut bei Ihnen?«

Frank erwiderte das Lächeln. »Es ist fantastisch. Wir sind so froh, dass wir hergekommen sind.«

Monica war schnurstracks an die Bar gegangen. Sie klopfte auf eine Flasche und sagte zu Penny: »Einen doppelten, ordentlich eingeschenkt.«

Mercy spürte, wie ihr das Wasser im Mund zusammenlief, als Penny die Flasche WhistlePig Estate Oak öffnete. Sie sagte sich, das plötzliche Verlangen komme daher, dass ihre Kehle immer noch wund war, nachdem Dave sie gewürgt hatte. Ein kleiner Schluck Roggenwhiskey würde die Schmerzen garantiert lindern. Aber genau das hatte sie sich auch bei ihrem letzten Ausrutscher gesagt, nur dass es da Maisschnaps gewesen war.

Monica nahm das Glas und leerte es zur Hälfte. Mercy konnte sich nicht vorstellen, was für ein Luxusleben man führen musste, um sich für zwanzig Dollar pro Glas zu betrinken. Nach dem zweiten Glas schmeckte man ohnehin nichts mehr.

Das Knirschen vom Kies unter den Rädern des Rollstuhls kündete von Papas Ankunft. Bitty schob ihn, mit dem üblichen finsteren Blick. Ein Mann und eine Frau gingen links und rechts des Rollstuhls. Das mussten die Investoren sein. Beide waren wahrscheinlich Ende fünfzig, aber reich genug, um in Atlanta als Vierziger durchzugehen. Max trug Jeans und ein schwarzes T-Shirt. Der Schnitt von beidem ließ ihn nach einer Million Dollar aussehen. Sydney trug das Gleiche, aber anstelle seiner

HOKA-Sneakers stellte sie ein Paar abgetragene Lederreitstiefel zur Schau. Ihr blond gebleichtes Haar war zu einem hochsitzenden Pferdeschwanz gebunden, ihre Wangenknochen waren scharf wie Glas. Sie hielt sich auffallend gerade, mit erhobenem Kinn und steilen Brüsten.

Mercy erkannte die wahre Pferdenärrin. Eine solche Haltung hatte man nicht, weil man sich in der Shoppingmall herumtrieb. Die Frau hatte wahrscheinlich einen Stall voller Warmblüter und einen eigenen Trainer auf ihrem Anwesen in Buckhead. Wenn man jemandem zehntausend Dollar im Monat bezahlte, damit er einer Schar von Zweihunderttausend-Dollar-Pferdchen ein paar Tanzschritte beibrachte, waren zwölf Millionen für ein zweites oder drittes Zuhause nichts, was einem Kopfzerbrechen bereitete.

Bitty versuchte, Mercys Blick aufzufangen. Ihr verkniffenes Gesicht drückte heftige Missbilligung aus. Sie war sichtlich noch immer wütend wegen des Meetings. Bitty mochte es, wenn alles reibungslos lief. Sie hatte immer für Papa die Wogen geglättet und sie alle zu Unterwürfigkeit erzogen, indem sie ihnen Schuldgefühle einredete.

Mercy ertrug ihre Mutter jetzt nicht. Sie ging zurück in den Speisesaal. Ihr Magen rumorte wieder. Sie gestattete sich, ein klein wenig traurig zu sein. Mercy hatte gehofft, Jon würde mit seinem federnden Schritt hinter Papas Rollstuhl gehen. Noch mehr hatte sie gehofft, ihr Sohn würde sie nach ihren Gründen fragen, sie könnten darüber sprechen und Jon würde verstehen, dass er hier mit dem Familienunternehmen eher eine Zukunft hatte. Dass er sie nicht hassen würde oder wenigstens akzeptieren, dass sie eben verschiedener Ansicht waren. Aber da war kein Jon.

Mercy würde sie alle verlieren, ehe dieser Abend zu Ende war. Jon war nicht wie Dave. Sein Ärger köchelte, bevor er explodierte, und wenn er sich erst einmal Luft gemacht hatte, dauerte es Tage, manchmal Wochen, bis er in den Normalzustand zurückkehrte. Oder zumindest zu einer neuen Normalität, denn Jon hortete seine Kümmernisse wie Sammelkarten zum Tauschen.

Mercy merkte auf, als es leise klickte. Bitty schloss sachte die Tür zum Speisezimmer. Ihre Mutter tat alles bewusst umsichtig, ob sie ein Ei briet oder einen Raum durchquerte. Sie konnte sich wie ein Geist an einen heranschleichen. Oder wie der Tod, je nach Stimmung.

Im Augenblick traf eher Zweiteres zu. »Papa ist mit den Investoren hier«, sagte sie zu Mercy. »Ich weiß, du pflegst deine Befindlichkeiten, aber du musst dich von deiner besten Seite zeigen.«

»Du meinst die Seite, auf der meine Visage weniger hässlich ist?« Mercy sah, wie Bitty zusammenzuckte, aber sie zitierte nur ihren Vater. »Warum sollte ich nett zu ihnen sein?«

»Weil du all das, wovon du geredet hast, nicht tun wirst. Du wirst es nicht tun!«

Mercy sah auf ihre Mutter hinunter. Bitty hatte die Hände in die schmalen Hüften gestemmt. Ihre Wangen waren gerötet. Mit ihrem Engelsgesicht und der zierlichen Figur hätte man sie mit einem trotzigen Kind verwechseln können.

»Ich bluffe nicht, Mutter«, sagte Mercy. »Ich werde jeden Einzelnen von euch ruinieren, wenn ihr diesen Verkauf durchdrücken wollt.«

»Das wirst du ganz bestimmt nicht.« Bitty stampfte ungeduldig mit dem Fuß auf, was allerdings wenig eindrucksvoll geriet. »Hör mit diesem dummen Zeug auf.«

Mercy wollte ihr schon ins Gesicht lachen, aber dann fiel ihr eine Frage ein: »Willst denn du die Lodge verkaufen?«

»Dein Vater hat dir doch …«

»Ich frage, was *du* willst, Mutter. Ich weiß, es kommt nicht oft vor, dass du etwas mitzureden hast.« Mercy wartete, aber ihre Mutter antwortete nicht. Sie wiederholte ihre Frage. »Willst du die Lodge verkaufen?«

Bittys Lippen waren schmal wie ein Strich.

»Es ist unser Zuhause.« Mercy versuchte, an ihre Fairness zu appellieren. »Großvater sagte immer, wir sind nicht Eigentümer – wir sind Verwalter des Landes. Du und Papa, ihr hattet eure Zeit. Es ist nicht fair, Entscheidungen für die nächste Generation zu treffen, die sich auf euer Leben nicht auswirken.«

Bitty schwieg weiter, aber aus ihren Augen sprach nun weniger Zorn.

»In diesen Ort ist unser ganzes Leben eingeflossen.« Mercy wies auf den Speisesaal. »Ich habe geholfen, die Nägel in diese Bretter zu hämmern, als ich zehn Jahre alt war. Dave hat das Freideck gebaut, auf dem die Leute da draußen ihre Drinks nehmen. Jon hat auf den Knien diese Küche geschrubbt. Fisch hat einen Teil des Essens gefangen, das sie in der Küche gerade zubereiten. Ich habe fast jedes Abendessen meines Lebens auf diesem Berg eingenommen. Genau wie Jon. Genau wie Fisch. Willst du uns das wegnehmen?«

»Christopher sagt, es ist ihm egal.«

»Er sagt, er will sich nicht hineinziehen lassen«, korrigierte Mercy. »Das ist nicht dasselbe wie egal. Es ist das Gegenteil davon.«

»Jon ist deinetwegen am Boden zerstört. Er hat sich sogar geweigert, zum Abendessen zu kommen.«

Mercy presste eine Hand an ihr Herz. »Ist er okay?«

»Nein, ist er nicht«, antwortete Bitty. »Das arme Kind. Ich konnte nichts weiter tun, als ihn im Arm zu halten, während er geweint hat.«

Mercy schnürte es die Kehle zu, und der plötzliche scharfe Schmerz, den Daves Hände verursacht hatten, half ihr dabei, Rückgrat zu zeigen. »Ich bin Jons Mutter. Ich weiß, was am besten für ihn ist.«

Bitty stieß ein unaufrichtiges Lachen aus. Sie hatte immer versucht, sich bei Jon mehr wie eine Freundin als wie eine Großmutter zu benehmen. »Er spricht mit dir nicht so, wie er mit mir spricht. Er hat Träume. Er will etwas aus seinem Leben machen.«

»Das wollte ich auch«, erwiderte Mercy. »Du hast gesagt, wenn ich gehe, dürfte ich nie mehr zurückkommen.«

»Du warst schwanger«, sagte Bitty. »Und erst fünfzehn Jahre alt. Weißt du, wie peinlich das für mich und Papa war?«

»Weißt du, wie schwer es für mich war?«

»Dann hättest du nicht die Beine breitmachen dürfen«, fuhr Bitty sie an. »Du treibst es immer zu weit, Mercy. Dave hat das Gleiche über dich gesagt. Du gehst einfach zu weit.«

»Du hast mit Dave gesprochen?«

»Ja, ich habe mit Dave gesprochen. Jon hat sich an einer Schulter von mir ausgeweint und Dave an der anderen. Er ist fix und fertig wegen dieser leidigen Angelegenheit. Er braucht das Geld. Er hat Schulden.«

»Daran wird das Geld nichts ändern«, sagte Mercy. »Am Ende wird er nur bei anderen Leuten Schulden haben.«

»Diesmal ist es etwas anderes.« Aus diesem Drehbuch las Bitty seit mehr als einem Jahrzehnt vor. »Dave will sich ändern. Das Geld wird ihm die Möglichkeit verschaffen, es besser zu machen.«

Mercy schüttelte den Kopf. Was Dave anging, war Bittys Nachsicht unerschöpflich. Es gab endlos viele Kurven, die er noch kriegen konnte. Wohingegen Mercy ein ganzes Jahr lang jeden Monat einen Urintest machen musste, ehe ihre Mutter sie mit Jon allein ließ.

Bitty sagte: »Dave will uns ein Haus unten im Tal suchen, wo wir alle zusammen wohnen können.«

Mercy lachte. Der verlogene Scheißkerl riss sich Bittys und Papas Anteil an dem Verkauf auch noch unter den Nagel. Sie gab ihnen ein Jahr, bis er ihre Altersversorgung anzapfte.

»Er sagte, wir werden uns etwas Großes suchen, und alles auf einer Ebene, damit Papa nicht im Esszimmer schlafen muss. Mit einem Pool für Jon, damit er seine Freunde einladen kann. Der

Junge ist einsam hier oben«, sagte Bitty. »Dave kann dafür sorgen, dass Jon und wir Alten ein angenehmes Leben haben. Und du auch, wenn du nicht so stur wärst.«

Mercy lachte. »Warum überrascht es mich überhaupt, dass du auf Daves Seite bist? Ich bin genauso leichtgläubig wie du.«

»Er ist immer noch mein Baby, egal, was für verdrehte Ansichten du darüber hast. Ich habe ihn nie anders behandelt als dich und Christopher.«

»Bis auf die fortwährende Liebe und Zuneigung.«

»Hör mit deinem Selbstmitleid auf.« Bitty stampfte wieder leise mit dem Fuß auf. »Papa wollte es dir heute Abend sagen, aber egal, was mit den Investoren wird, du bist gefeuert.«

Zum zweiten Mal an diesem Tag fühlte sich Mercy wie nach einem Magenschwinger. »Ihr könnt mich nicht feuern.«

»Du stellst dich gegen die Familie«, sagte Bitty. »Wo willst du dann leben? Nicht in meinem Haus, o nein, Ma'm.«

»Mutter!«

»Komm mir nicht mit *Mutter*«, sagte Bitty. »Jon wird bleiben, aber du bist bis zum Ende der Woche hier raus.«

»Du wirst meinen Sohn nicht behalten.«

»Wie willst du ihn ernähren? Du besitzt keinen Cent.« Arrogant legte Bitty den Kopf schief. »Mal sehen, wie weit du unten im Tal bei der Jobsuche kommst, wenn eine Mordanklage über deinem Kopf schwebt.«

Mercy baute sich vor ihr auf. »Mal sehen, wie weit dein dürrer Arsch im Gefängnis kommt.«

Bitty wich verdattert zurück.

»Denkst du, ich weiß nicht, was du die ganze Zeit getrieben hast?« Die Angst in den Augen ihrer Mutter hatte etwas ungemein Befriedigendes. Mercy wollte mehr. »Stell mich auf die Probe, alte Frau. Ich kann jederzeit die Cops holen.«

»Hör gut zu, Kleine.« Bitty fuchtelte mit dem Zeigefinger vor Mercys Gesicht. »Wenn du mit deinen Drohungen so weitermachst, wird dir jemand ein Messer in den Rücken stechen.«

»Ich denke, das hat meine Mutter soeben getan.«

»Wenn ich auf jemanden losgehe, schaue ich ihm dabei in die Augen.« Sie funkelte Mercy böse an. »Du hast bis Sonntag.«

Bitty machte auf dem Absatz kehrt und ging zur Tür hinaus. Ihr lautloser Abgang war viel schlimmer als jedes Aufstampfen oder Türenknallen. Es würde keine Entschuldigung geben, und nichts würde zurückgenommen werden. Ihre Mutter hatte jedes Wort gemeint, das sie gesagt hatte.

Mercy war gefeuert. Sie hatte bis Ende der Woche Zeit, das Haus zu räumen.

Die Erkenntnis traf sie wie ein Schlag an den Kopf. Mercy ließ sich auf einen Stuhl sinken. Ihr war schwindlig, und sie zitterte an Händen und Füßen. Ihre schweißnasse Handfläche hinterließ einen Fleck auf dem Tisch. Konnten sie sie überhaupt feuern? Papa war der Treuhänder, aber fast alles andere lief auf eine Abstimmung hinaus. Mercy konnte sich auf Dave nicht verlassen. Fisch würde den Kopf in den Sand stecken. Mercy hatte kein Bankkonto und kein Geld bis auf die zwei Zehner in ihrer Tasche, und die stammten aus der Portokasse.

»Harter Tag?«

Mercy musste sich nicht umdrehen, um zu wissen, wer die Frage gestellt hatte. Die Stimme ihrer Tante klang noch genauso wie vor dreizehn Jahren. Es ergab eine Art grausamen Sinn, dass Delilah diesen Moment gewählt hatte, um sich zu zeigen.

»Was willst du, du vertrocknete alte …«

»Fotze?« Delilah setzte sich ihr gegenüber. »Ich habe vielleicht die Tiefe, aber sicher nicht die Wärme.«

Mercy sah ihre Tante an. Die Zeit hatte Papas ältere Schwester nicht verändert. Sie sah immer noch aus wie das, was sie war: ein alter Hippie, der in der Garage Seife herstellte. Ihr langes graues Haar war zu einem Zopf geflochten, der bis hinunter zum Hintern reichte. Sie trug ein schlichtes Baumwollkleid, das aussah, als wäre es aus einem Mehlsack gemacht. Ihre Hände waren schwielig und vernarbt von der Seifenproduktion. In ihrem

Bizeps war eine tiefe Kerbe, die wie ein Stück zusammengeknüllter Rupfen verheilt war.

Ihr Gesicht war immer noch freundlich. Das machte es so schwer. Mercy konnte die Tante Delilah, die sie in ihrer Kindheit geliebt hatte, nicht mit dem Ungeheuer in Einklang bringen, das sie schließlich gehasst hatte. Was im Wesentlichen das Gefühl war, das sie im Moment allen Menschen in ihrem Leben entgegenbrachte.

Bis auf Jon.

»Es ist erschreckend, wenn man über die Heldengeschichten nachdenkt, die über diesen alten Ort überliefert wurden«, sagte Delilah. »Als wäre nicht die ganze Gegend ein Aufmarschgebiet für Völkermord gewesen. Wusstest du, dass das ursprüngliche Fischer-Camp von einem Soldaten der Konföderierten errichtet wurde, der sich nach der Schlacht von Chickamauga unerlaubt von der Truppe entfernt hatte?«

Das Detail mit dem Desertieren hatte Mercy nicht gekannt, aber sie wusste, dass die Gründung des Camps nach dem Bürgerkrieg stattgefunden hatte. Der Familiengeschichte nach war der erste Cecil McAlpine ein Kriegsdienstverweigerer gewesen, der mit einer entflohenen Zofe in die Berge geflüchtet war.

»Vergiss das romantische Geschwafel«, sagte Delilah. »Die ganze Geschichte von der verschwundenen Witwe ist ein dampfender Haufen Pferdemist. Captain Cecil hat sich eine Sklavin mit heraufgebracht. Der Idiot dachte, sie seien verliebt. Sie sah es mehr als Entführung und Vergewaltigung. Sie schlitzte ihm mitten in der Nacht die Kehle auf und machte sich mit dem Familiensilber aus dem Staub. Er wäre fast gestorben. Aber du weißt ja, McAlpines sind schwer umzubringen.«

Letzteres wusste Mercy mit Bestimmtheit. »Denkst du, wenn du mir erzählst, was für widerliche Menschen meine Vorfahren waren, werde ich so schockiert sein, dass ich verkaufen will? Du weißt, ich habe meinen Vater hautnah kennengelernt.«

»Oh, das habe ich auch.« Delilah zeigte auf die raue Hautpartie auf ihrem Bizeps. »Das ist nicht etwa von einem Reitunfall. Dein Vater hat mit einer Axt nach mir geschlagen, als ich ihm mitgeteilt habe, dass ich die Lodge gern führen möchte. Ich schlug so hart auf dem Boden auf, dass ich mir den Kiefer gebrochen habe.«

Mercy biss sich auf die Unterlippe, um keine Reaktion zu zeigen. Sie wusste aus erster Hand, dass es die Wahrheit war. Sie hatte sich in der alten Scheune hinter der Koppel versteckt gehalten, als der Angriff stattfand. Mercy hatte nie jemandem erzählt, was sie mit angesehen hatte. Nicht einmal Dave.

»Cecil hat mich für eine Woche ins Krankenhaus gebracht. Ich habe einen Teil des Muskels in diesem Arm verloren. Sie mussten meinen Kiefer verdrahten. Hartshorne, der Polizist, hat sich nicht mal die Mühe gemacht, eine Aussage aufzunehmen. Ich konnte zwei Monate lang nicht reden.« Delilahs Worte waren brutal, aber ihr Lächeln war weich. »Nur zu, mach dein Witzchen, Mercy. Ich weiß, es drängt dich danach.«

Mercy schluckte den Kloß in ihrer Kehle. »Was soll das alles? Willst du mir sagen, ich soll wie du weggehen, bevor ich zu Schaden komme?«

Delilah bestätigte die Wahrheit mit einem weiteren Lächeln. »Es ist ein Haufen Geld.«

In Mercys Magen sammelte sich wieder die Säure. Sie war es so verdammt leid, zu streiten. »Was willst du, Dee?«

Delilah legte die Hand an ihre eigene Wange. »Ich sehe, deine Narbe ist besser verheilt als meine.«

Mercy wandte den Blick ab. Ihre Narbe war immer noch eine offene Wunde. Sie war in ihre Seele gemeißelt, wie der Name in diesen Grabstein unten auf dem Friedhof gemeißelt war.

Gabriella.

»Wieso, denkst du, hat mich dein Vater von diesem Familientreffen ausgeschlossen?«, fragte Delilah.

Mercy war zu erschöpft für Rätsel. »Ich weiß es nicht.«

»Mercy, denk über die Frage nach. Du warst immer die Cleverste hier oben. Jedenfalls nachdem ich fort war.«

Es war ihr singender Tonfall, der Mercy ins Herz schnitt – so beruhigend, so vertraut. Sie waren sich nahegestanden, bevor alles in die Brüche ging. Als Kind hatte Mercy jeden Sommer bei Delilah verbracht. Delilah schickte ihr Briefe und Postkarten von ihren Reisen. Sie war der erste Mensch, dem Mercy erzählt hatte, dass sie schwanger war. Sie war der einzige Mensch, der bei Mercy war, als Jon zur Welt kam. Mercy war mit Handschellen ans Krankenhausbett gefesselt gewesen, weil sie unter Arrest stand. Delilah hatte ihr geholfen, Jon an die Brust zu legen, damit sie ihn stillen konnte.

Und dann hatte sie versucht, ihn ihr für immer wegzunehmen.

»Du hast versucht, mir meinen Sohn zu stehlen«, sagte Mercy.

»Ich werde mich nicht entschuldigen für das, was passiert ist. Ich habe getan, wovon ich dachte, es ist das Beste für Jon.«

»Ihn seiner Mutter wegnehmen?«

»Du warst immer mal wieder im Gefängnis, immer mal wieder auf Entzug. Und dann ist diese schreckliche Sache mit Gabbie passiert. Sie haben es mit knapper Not geschafft, dein Gesicht wieder zusammenzunähen. Du hättest genauso gut selbst tot sein können.«

»Dave war …«

»… keine Hilfe«, sprach Delilah den Satz zu Ende. »Mercy, Liebes, ich war nie deine Feindin.«

Mercy stieß ein höhnisches Lachen aus. Alles, was sie dieser Tage hatte, waren Feinde.

»Ich habe mich im Wohnzimmer versteckt, während Cecil das Familientreffen abhielt.« Delilah musste nicht erwähnen, dass die Wände im Haus dünn waren. Sie hatte sicherlich alles gehört, einschließlich Mercys Drohungen. »Mein Kind, du spielst ein gefährliches Spiel.«

»Es ist das einzige Spiel, das ich kenne.«

»Du würdest sie tatsächlich ins Gefängnis schicken? Sie demütigen? Sie vernichten?«

»Sieh dir an, was sie mit mir machen wollen.«

»Guter Punkt. Du hattest es nie leicht mit ihnen. Bitty würde Dave jedem ihrer beiden eigenen Kinder vorziehen.«

»Versuchst du, mich aufzuheitern?«

»Ich versuche, wie mit einer Erwachsenen mir dir zu reden.«

Mercy hatte das überwältigende Verlangen, etwas Kindisches zu tun. Das war die dumme Seite an ihr, eine Brücke abzufackeln, während sie noch drüberlief.

»Bist du es nicht leid?«, fragte Delilah. »Gegen all diese Leute zu kämpfen? Leute, von denen du nie bekommen wirst, was du brauchst?«

»Was brauche ich denn?«

»Sicherheit.«

Mercy schnürte es die Brust zu. Sie hatte heute schon genug Tiefschläge eingesteckt, aber das Wort traf sie wie ein Dampfhammer. Sicherheit war genau das, was sie nie gekannt hatte. Da war immer die Angst, dass Papa explodierte. Dass Bitty etwas Gehässiges tat. Dass Fisch sie im Stich ließ. Dass Dave – ach was, es lohnte sich nicht, die Liste weiter durchzugehen, denn Dave tat alles, *außer* ihr Sicherheit zu geben. Nicht einmal Jon brachte Ruhe in ihr Leben. Mercy hatte immer schreckliche Angst, er könnte sich gegen sie wenden, so wie es die anderen taten. Dass sie ihn verlieren könnte. Dass sie immer allein bleiben würde.

Sie hatte ihr ganzes Leben stets auf den nächsten Schlag gewartet.

»Schätzchen.« Ohne Vorwarnung fasste Delilah über den Tisch und nahm Mercys Hand. »Sprich mit mir.«

Mercy blickte auf ihre Hände hinunter. Dort war Delilah tatsächlich gealtert. Pigmentflecken, Narben von heißer Lauge und Öl, Schwielen vom Befüllen und Leeren der Holzmodel. Delilah war zu scharfsinnig. Zu schlau. Das war nicht Treibsand, in dem Mercy lief. Es war zum Kochen aufgesetztes Wasser.

Mercy verschränkte die Arme und lehnte sich zurück. Delilah war noch keinen Tag hier, und schon fühlte sich Mercy schwach und verwundbar. »Warum hat dich Papa von dem Treffen ausgeschlossen?«

»Weil ich ihm gesagt habe, dass meine Stimme dir gehört. Was du auch tun willst, ich werde es unterstützen.«

Mercy schüttelte wieder den Kopf. Das war garantiert ein Trick. Niemand unterstützte sie jemals, schon gar nicht Delilah. »Jetzt bist du diejenige, die Spiele spielt.«

»Nein, Mercy. Gemäß den Regeln des Trusts erhalte ich immer noch Kopien der Bilanzen. Und soweit ich feststellen kann, hast du den Laden in sehr schweren Zeiten am Laufen gehalten. Auf einer persönlichen Ebene hast du es geschafft, den richtigen Weg einzuschlagen.« Delilah zuckte mit den Achseln. »In meinem Alter würde ich es vorziehen, das Geld zu nehmen, aber ich werde dich nicht dafür bestrafen, dass du deinem Leben eine Wende gegeben hast. Du hast meine Unterstützung. Ich werde gegen den Verkauf stimmen.«

Das Wort Unterstützung ging Mercy gewaltig gegen den Strich. Delilah war nicht hier, um ihre Unterstützung anzubieten. Sie hatte immer Hintergedanken. Mercy war im Moment zu müde, um sie zu erkennen, oder vielleicht hatte ihre verlogene, hassenswerte Familie sie einfach total ausgelaugt.

Sie sagte die ersten Worte, die ihr in den Sinn kamen. »Ich brauche deine scheiß Unterstützung nicht.«

»Ist das so?« Delilah schaute amüsiert drein, was noch ärgerlicher war.

»Ja, das ist so«, sagte Mercy, jedes Wort betonend. Nur zu gern hätte sie dieses blasierte Grinsen aus Delilahs Gesicht geohrfeigt. »Du kannst dir deine Unterstützung in den Arsch schieben.«

»Ich sehe, du hast dein berühmtes Temperament nicht verloren.« Delilah sah immer noch amüsiert aus. »Ist das klug?«

»Willst du wissen, was klug ist? Sich nicht in meine Angelegenheiten einzumischen.«

»Ich versuche, dir zu helfen, Mercy. Warum bist du so?«

»Find es selbst heraus, Dee. Du bist die Schlauste hier oben.«

Sie fühlte sich prächtig, als sie den Raum durchquerte, wie das befriedigendste *Fick-dich-selber* aller Zeiten. Warme Luft umfing Mercy, als sie die Tür zum Sonnendeck aufstieß, wo viel los war. Chuck und Fisch steckten die Köpfe zusammen, ihr Bruder sah sie nicht an, als sie seinen Blick suchte. Papa bildete den Mittelpunkt einer Gruppe, der er irgendwelchen Blödsinn über sieben Generationen McAlpines auftischte, die einander und das Land geliebt hatten. Jon war noch immer nirgendwo zu sehen. Er aß wahrscheinlich irgendeine Fertigmahlzeit in seinem Zimmer. Oder dachte über all die leeren Versprechungen nach, die Dave ausgekotzt hatte, von einem riesigen Haus in der Stadt, mit einem Swimmingpool und einer großen, glücklichen Familie, die seine verdammte Mutter nicht miteinschloss.

Ein plötzliches Unbehagen überfiel Mercy. Sie hielt sich am Geländer fest, denn die Realität traf sie wie ein Hammer. Was zum Teufel war los mit ihr, dass sie so aus dem Speisesaal gestürmt war? Delilahs Stimme hätte bedeutet, dass Mercy nur noch einen Menschen von Papas Seite herüberziehen musste. Und sie hatte sich für einen flüchtigen Moment des Triumphs selbst in die Pfanne gehauen. Es war genau die Art schlechter Entscheidungen, die sie auch ständig zu Dave zurückkehren ließ. Wie oft musste sie sich noch gegen Ziegelwände werfen, bis ihr endlich klar wurde, dass sie verdammt noch mal aufhören konnte, sich selbst wehzutun?

Sie berührte die Schwellung an ihrer Kehle. Schluckte den Speichel in ihrem Mund. Ignorierte den Angstschweiß, der ihr über den Rücken lief. Das berühmte Mercy-Temperament? Eher der berühmte Mercy-Irrsinn. Sie versuchte, das Zittern ihrer Hände mit Willenskraft zu stoppen. Sie musste die Unterhaltung aus ihrem Kopf verbannen. Delilah verbannen. Dave verbannen. Ihre Familie. Sie alle zählten im Augenblick nicht. Sie musste nur das Abendessen hinter sich bringen.

Mercy war immer noch die Managerin hier. Zumindest bis Sonntag. Sie sah nach den Gästen. Monica saß mit einem Glas in der Hand an der Seite. Frank stand dicht neben Sara, die höflich über Papas Märchen von einem frühen McAlpine lächelte, der einen Bären niedergerungen hatte. Keisha zeigte Drew einen Wasserfleck auf ihrem Glas. Die verfluchten Catering-Profis. Sollten sie sich doch mal mit hartem Wasser und zugedröhnten Jugendlichen aus dem Ort herumschlagen, die immer eine halbe Stunde zu spät zum Dienst antanzten.

Sie sah sich nach den anderen Gästen um. Ihr wurde flau im Magen, als sie Landry und Gordon den Weg herunterkommen sah. Die beiden trafen als Letzte ein. Sie unterhielten sich leise und mit gesenkten Köpfen. Die Investoren blickten in die Schlucht hinaus und besprachen wahrscheinlich, wie viele Teilzeitwohnrechte sie verkaufen konnten. Mercy hoffte, jemand stieß sie über das Geländer. Sie schaute sich noch einmal um und suchte nach Will Trent, den sie zunächst übersehen hatte. Er kniete in der Ecke und streichelte eine der Katzen. Er sah immer noch liebestrunken aus, was bedeutete, dass Dave das Letzte war, was ihm durch den Kopf ging.

So glücklich wäre Mercy auch gern gewesen.

»Hallo, Mercy Mac.« Chuck legte ihr die Hand auf den Arm. »Wenn ich …«

»Fass mich nicht an!« Mercy war nicht bewusst gewesen, dass sie brüllte, bis alle in ihre Richtung schauten. Sie schüttelte den Kopf und sah Chuck gezwungen lächelnd an. »Hey, tut mir leid. Du hast mich nur erschreckt, Dummerchen.«

Chuck schaute verwirrt drein, als Mercy ihm über den Arm strich. Sie berührte ihn sonst nie, sondern vermied es um jeden Preis.

»Du hast hier ganz schön Muskeln aufgebaut.« Sie fragte in die Runde: »Kann ich jemandem nachschenken?«

Monica hob die Hand. Frank drückte sie nach unten.

»Also, was den Bären angeht«, sagte Papa. »Der Legende

nach hat er am Ende einen Zigarrenladen in North Carolina betrieben.«

Im Schutz des höflichen Gelächters, das die Spannung löste, ging Mercy zur Bar. Sie war nur fünf Meter entfernt, aber es schienen fünfhundert zu sein. Mercy richtete die Etiketten der Flaschen aus und sehnte sich insgeheim nach dem Inhalt von einer oder am besten allen in ihrer Kehle.

»Alles okay mit dir, Mädchen?«, flüsterte Penny.

»Zum Teufel, nein«, flüsterte sie zurück. »Mach mal vorsichtig bei der Lady dort. Die bricht uns sonst am Tisch zusammen.«

»Wenn ich noch mehr Wasser in ihr Glas gebe, wird es aussehen wie eine Urinprobe.«

Mercy warf einen Blick auf Monica. Die Augen der Frau waren wie tot. »Sie wird es nicht bemerken.«

»Mercy«, rief Papa. »Komm, ich möchte dir dieses nette Paar aus Atlanta vorstellen.«

Bei seinem jovialen Ton bekam sie eine Gänsehaut. Das war der Papa, den alle vergötterten. Als Kind hatte es Mercy geliebt, diese Version ihres Vaters zu beobachten. Später fragte sie sich dann, warum er bei seiner Familie nicht derselbe fröhliche, charmante Mann sein konnte.

Der Kreis teilte sich, als sie auf ihn zuging. Die Investoren standen links und rechts seines Rollstuhls. Bitty war hinter ihm. Sie berührte ihre Mundwinkel mit den Zeigefingern, um Mercy zu einem Lächeln zu animieren.

Genau das tat Mercy und klatschte sich ein falsches Grinsen ins Gesicht. »Hallihallo zusammen. Willkommen auf dem Berg. Ich hoffe, ihr habt alles, was ihr braucht.«

Papa blähte verärgert die Nasenlöcher bei ihrem aufgesetzten Hillbilly-Akzent, fuhr aber mit der Vorstellung fort. »Sydney Flynn und Max Brouwer, das ist Mercy. Sie führt die Lodge, bis wir jemand Qualifizierteren gefunden haben.«

Mercys Grinsen verrutschte. Er hatte ihnen nicht einmal gesagt, dass sie seine Tochter war. »Das stimmt. Mein Daddy hat einen ziemlichen Sturz hingelegt. Es kann wahnsinnig gefährlich sein hier oben.«

»Manchmal gewinnt die Natur«, sagte Sydney.

Mercy hätte sich denken können, dass eine Pferdeliebhaberin von einem Todeswunsch beseelt war. »Ihren Stiefeln nach kennen Sie sich in einem Stall aus.«

Sydney wurde lebendig. »Reiten Sie auch?«

»Du lieber Himmel, nein. Mein Opa sagte immer, Pferde sind entweder mörderisch oder selbstmörderisch veranlagt.« Mercy kam zu Bewusstsein, dass jeder einzelne Gast hier einen Ausritt gebucht hatte. »Es sei denn, sie sind richtig gut zugeritten. Wir setzen nur Therapiepferde ein. Sie sind es gewöhnt, mit Kindern zu arbeiten. Reiten Sie, Max?«

»Gott bewahre. Ich bin Anwalt. Ich reite keine Pferde.« Er blickte von seinem Handy auf. Es gab offenbar Ausnahmen von Papas Regel, dass Gäste keinen WLAN-Zugang bekamen. »Ich stelle nur die Schecks für sie aus.«

Sydney ließ das schrille Lachen einer ausgehaltenen Frau hören. »Mercy, Sie müssen mich um das Anwesen führen. Ich würde gern mehr von dem Areal sehen, das unter Naturschutz steht. Wir haben Luftaufnahmen von den Weiden, aber ich würde sie gern vom Boden aus sehen. Meine Hand in die Erde stecken. Sie wissen, wie das ist. Die Erde muss zu einem sprechen.«

Mercy hielt den Mund und nickte. »Ich glaube, mein Bruder hat Sie für morgen früh zum Fliegenfischen eingeplant.«

»Fischen«, sagte Max. »Das ist mehr mein Stil. Man kann sich nicht den Hals brechen, wenn man aus einem Boot fällt.«

»Tatsächlich kann man das schon.« Fisch war aus dem Nichts aufgetaucht. »Als ich auf dem College war …«

»Also dann«, sagte Papa. »Lasst uns zum Essen hineingehen. Leute. Es riecht, als hätte der Koch wieder eine seiner köstlichen Mahlzeiten zubereitet.«

Mercy zwang sich, die Kiefer zu lockern, damit ihre Zähne nicht abbrachen. Von dem Moment an, als Alejandro den Fuß in die Küche gesetzt hatte, hatte sich Papa nur über seine Kochkünste beschwert.

Sie blieb ein wenig zurück, als die Gäste Papa in den Speisesaal folgten, und fing ein mitfühlendes Lächeln von Will auf, der als Letzter ging. Vermutlich wusste er aus Erfahrung, wie es war, öffentlich angeschissen zu werden. Sie konnte nicht abschätzen, welche Hölle ihm Dave im Kinderheim bereitet hatte. Aber Mercy war froh, dass es zumindest einem Menschen gelungen war, Daves Verdorbenheit abzuschütteln.

»Merce.« Fisch lehnte am Geländer. Er schaute auf sein Glas und ließ den Rest Soda darin kreisen. »Worum ging es da eben?«

Der Schock über die Auseinandersetzung mit Bitty und darüber, dass sie Delilah so vergrätzt hatte, war abgeklungen. Jetzt meldete sich die Panik wieder. »Sie haben mich gefeuert. Haben mir bis Sonntag Zeit gegeben, zu verschwinden.«

Fisch sah nicht überrascht aus, was bedeutete, dass er es bereits wusste, und seinem Schweigen und ihrer ganzen gemeinsamen Geschichte nach zu urteilen hatte er kein Sterbenswörtchen zu ihrer Verteidigung gesagt.

»Vielen Dank auch, Bruder«, sagte Mercy.

»Vielleicht ist es am besten so. Hast du es nicht satt hier?«

»Und du?«

Er zuckte vage mit den Achseln. »Max sagt, sie werden mich behalten.«

Mercy schloss für einen Moment die Augen. Heute folgte ein Verrat auf den anderen. Als sie die Augen wieder öffnete, war Fisch in die Hocke gegangen, um die Katze zu streicheln.

»Es ist ein guter Ausweg für mich, Mercy.« Fisch sah zu ihr auf, während er die Katze hinterm Ohr kraulte. »Du weißt, ich hatte nie einen Sinn für das Geschäftliche. Sie werden die Lodge dichtmachen und alles in ein Familienanwesen umwandeln. Viel Platz für die Pferde schaffen. Ich werde der Landverwalter sein. Endlich habe ich Verwendung für meinen Abschluss.«

Mercy wurde von überwältigender Trauer erfasst. Er sprach, als wäre es bereits beschlossen. »Dann bist du also einverstanden damit, dass ein paar reiche Leute das ganze Land für sich allein haben? Die Flüsse und Bäche zu Privatbesitz machen? Dass ihnen die Shallows im Wesentlichen gehören?«

Fisch zuckte mit den Achseln und schaute wieder auf die Katze. »Das alles wird auch jetzt nur von reichen Leuten genutzt.«

Mercy fiel nur eine Möglichkeit ein, zu ihm durchzudringen. »Bitte, Christopher. Du musst für Jon stark sein.«

»Jon wird es gut gehen damit.«

»Glaubst du das wirklich?«, fragte sie. »Du weißt genau, wie Dave ist, wenn es um Geld geht. Wie ein Hai, der Blut im Wasser gerochen hat. Er hat sich schon eine verrückte Fantasiegeschichte ausgedacht, dass er ein großes Haus kaufen wird, in dem er mit Papa und Bitty wohnen kann. Und mit Jon.«

Fisch rieb den Bauch der Katze etwas zu kräftig, und sie schlug mit der Pfote nach ihm. Er stand auf, schaute aber an Mercy vorbei, weil er ihr nicht in die Augen sehen konnte. »Vielleicht wäre das gar nicht so schlecht. Dave liebt Bitty. Er wird sich immer um sie kümmern. Jon hatte ebenfalls immer eine besondere Verbindung zu ihr. Du weißt, dass sie ihn vergöttert. Papa kann aus diesem Rollstuhl heraus niemandem wehtun. Es könnte ein Neustart für sie alle sein, wenn sie zusammenziehen. Dave hat sich immer eine Familie gewünscht. Aus diesem Grund ist er überhaupt nur hier heraufgekommen – damit er irgendwo dazugehört.«

Mercy fragte sich, warum ihrem Bruder nicht einfiel, dass sie das ebenfalls verdient hatte. »Dave kann nicht anders. Sieh dir an, was er mit mir gemacht hat. Er bekommt nicht einmal ein Girokonto bei der Bank. Er wird sie um ihr ganzes Geld bringen und sie mittellos zurücklassen.«

»Bevor es so weit ist, sind sie tot.«

Die Wahrheit fühlte sich grausamer an, da sie aus dem Mund ihres sanftmütigen Bruders kam. »Was ist mit Jon?«

»Er ist jung«, sagte Fisch, als würde es das irgendwie leichter machen. »Und ich muss zur Abwechslung an mich selbst denken. Es wäre nett, wenn ich einfach nur meine Arbeit machen könnte, ohne dieses ganze Familiendrama oder den Druck durchs Geschäft. Außerdem kann ich damit anfangen, etwas zurückzugeben. Vielleicht eine Hilfsorganisation gründen.«

Mercy konnte sich diese idiotischen Hirngespinste nicht mehr anhören. »Hast du vergessen, was ich bei dem Familientreffen gesagt habe? Ich werde nicht zulassen, dass mir das hier gestohlen wird. Denkst du, ich würde nicht bezeugen, was ich heute bei der Scheune gesehen habe? Ich schicke dir und Chuck das FBI so schnell auf den Hals, dass ihr in einer Zelle sitzt, bevor ihr wisst, wie euch geschieht.«

»Das wirst du nicht tun.« Fisch blickte ihr direkt in die Augen, was sie mehr zum Frösteln brachte als alles, was an diesem Tag passiert war. Sein Blick war fest, sein Kinn vorgereckt. Sie hatte noch nie erlebt, dass sich ihr Bruder einer Sache so sicher schien. »Du hast gesagt, dass von dir schon alles längst bekannt ist. Dass du nichts mehr zu verlieren hast. Aber wir wissen beide, dass es etwas gibt, was ich dir nehmen könnte.«

»Nämlich?«

»Den Rest deines Lebens.«

6

Fünf Stunden vor dem Mord

Sara lehnte sich an Will, als er den Arm über ihre Stuhllehne legte. Sie sah zu seinem attraktiven Gesicht auf und bemühte sich, nicht wie ein liebeskranker Teenager dahinzuschmelzen. Sie konnte noch das parfümierte Badesalz auf seiner Haut riechen. Er trug ein schieferblaues Hemd, das am Kragen offen war und lange Ärmel hatte. Es war ein bisschen warm im Raum. Sie sah einen Schweißtropfen in seinem Jugulum, und sie war nur deshalb keine nervige Streberin, obwohl ihr für die Vertiefung oberhalb seines Brustbeins automatisch die anatomische Bezeichnung einfiel, weil sie das starke Verlangen verspürte, es mit ihrer Zunge zu erkunden.

Er streichelte ihren Arm, und sie widerstand der Versuchung, die Augen zu schließen. Sie war müde von dem langen Tag, und sie mussten morgen schon bei Tagesanbruch zum Yoga aufstehen, dann eine Wanderung, dann Stand-up-Paddeln. Was sich alles nach viel Spaß anhörte, aber den ganzen Tag im Bett zu bleiben würde ebenfalls viel Spaß machen.

Sie hörte zu, wie Drew gerade Will erzählte, was sie auf der Wanderung erwartete, Lunchpakete und Panoramaaussicht. Sie sah Will an, dass er wegen des Campingplatzes noch immer enttäuscht war. Dabei waren sie sich nicht einmal sicher, ob sie ihn überhaupt gefunden hatten. Niemand von den McAlpines, die sie während der Cocktailstunde befragt hatten, war sonderlich daran interessiert gewesen, die Lage des Platzes zu bestätigen oder zu dementieren. Christopher hatte sich unwissend gestellt. Cecil hatte zur nächsten Räuberpistole angehoben. Selbst Bitty, die angeblich die Familienhistorikerin war, hatte rasch das Thema gewechselt.

Sie würden morgen Nachmittag noch einmal ihr Glück mit dem Little Deer Trail versuchen. Heute war nicht viel Zeit zur Erforschung geblieben, denn sie hatten eine gute Stunde mit genau dem vergeudet, was Sara am Camping hasste: Sie waren verschwitzt durch dichtes Unterholz getrampelt und hatten sich anschließend gegenseitig nach Zecken absuchen müssen. Schließlich waren sie auf eine überwucherte Lichtung mit einem großen Steinkreis gestolpert. Will hatte gescherzt, sie hätten wohl einen Hexenzirkel entdeckt. Sara schloss aus den Bierdosen und Zigarettenkippen, dass es eher ein Teenagertreffpunkt war.

Wahrscheinlich hatten sie einen alten Lagerfeuerkreis gefunden, was bedeutete, der Campingplatz musste in der Nähe sein. Die Kids im Kinderheim hatten von Schlafbaracken und einer Kantine erzählt und dass sie sich nachts hinter die Hütten der Betreuer geschlichen hatten, um sie auszuspionieren. Seit Will diese Geschichten gehört hatte, waren viele Jahre vergangen, trotzdem musste es noch Fundamente oder Reste der Gebäude geben. Was auf einen Berg getragen wurde, wurde in der Regel nicht wieder hinuntergetragen.

Sara wandte sich der Unterhaltung wieder zu, als Will gerade Drew fragte: »Und was haben Sie beide heute Nachmittag gemacht?«

»Ach, Sie wissen schon. Dies und jenes.« Er stieß Keisha mit dem Ellbogen an, die demonstrativ die Kalkflecken an ihrem Wasserglas betrachtete. Drew forderte sie mit einem kräftigen Kopfschütteln auf, das Thema fallen zu lassen, dann fragte er Will: »Wie ist der Honeymoon?«

»Großartig«, sagte Will. »Wie haben Sie beide sich eigentlich kennengelernt?«

Sara breitete die Stoffserviette über ihren Schoß und verkniff sich ein Lächeln, als Drew nicht nur das Jahr, sondern auch das genaue Datum und den Ort nannte. Will gab sich Mühe, locker plaudern zu lernen, aber was er auch sagte, er hörte sich immer wie ein Cop an, der nach einem Alibi fragt.

»Ich habe sie zu dem Heimspiel gegen Tuskegee mitgenommen«, sagte Drew.

»Das Stadion ist am Joseph Lowery Boulevard, richtig?«

»Sie kennen den Campus?« Drew klang beeindruckt von der offenen Frage, die dem Zweck diente, Fakten zu verifizieren. »Sie haben gerade den Grundstein für das RAYPAC gelegt.«

»Die Konzerthalle?«, fragte Will. »Wie sah das aus?«

Sara ließ Augen und Ohren zu Gordon wandern, der links von ihr saß. Sie versuchte, etwas von seinem Gespräch mit dem Mann neben ihm mitzubekommen. Unglücklicherweise sprachen sie zu leise. Von allen Gästen kamen die beiden Männer Sara am geheimnisvollsten vor. Bei den Cocktails hatten sie sich als Gordon und Landry vorgestellt, aber als Sara sie zuvor auf dem Weg unterhalb der Hütte gehört hatte, war Landry von Gordon eindeutig mit dem Namen Paul angesprochen worden. Sie wusste nicht, was die beiden im Schilde führten, aber sie stellte sich vor, dass Will ihnen auf die Schliche kommen würde, wenn er anfing, sie zu vernehmen, ob sie sich zwischen sechzehn und sechzehn Uhr dreißig in der Nachbarschaft von Hütte zehn aufgehalten hatten.

Sie wandte sich wieder dem Gespräch mit den Caterern zu.

»Wer war noch anwesend?«, wollte Will von Keisha wissen, was eine vollkommen legitime Frage zum ersten Date eines Paares war.

Sara klinkte sich wieder aus und schaute zu Monica, die mit Schlagseite neben Frank saß. Sara hatte bewusst nicht die Drinks gezählt. Zumindest nicht mehr nach dem zweiten. Die Frau war halb weggetreten. Frank musste sie mit seinem Arm stützen. Er war ein nerviger Typ, aber er schien um seine Frau ehrlich besorgt zu sein. Das konnte man von den beiden Neuankömmlingen nicht behaupten. Sydney und Max saßen näher beim Kopfende des Tischs. Der Mann checkte ununterbrochen sein Handy, was interessant war, wenn man die WLAN-Regeln der Lodge bedachte. Die Frau warf ständig ihren Pferdeschwanz, als wollte sie damit Fliegen verscheuchen.

»Zwölf insgesamt«, erzählte sie einem sehr desinteressierten Gordon. »Vier Appaloosa, ein holländisches Warmblut und der Rest Trakehner. Sie sind die Jüngsten, aber …«

Sara blendete sie aus. Sie mochte Pferde, aber nicht so sehr, dass sie ihre gesamte Persönlichkeit darauf aufbaute.

Will drückte ihr die Schulter.

Sie beugte sich zu ihm hinüber und flüsterte ihm ins Ohr: »Hast du den Mörder schon gefunden?«

»Es war Chuck im Speisesaal mit den Grissini.«

Sara ließ den Blick zu Chuck wandern, der gerade ein Grissini verschlang. Er hatte eine Drei-Liter-Wasserflasche vor sich auf dem Tisch stehen, denn niemand traute heutzutage mehr seinen Nieren. Christopher, der Angelguide, saß links von ihm. Die beiden sahen elend aus. Chuck hatte wahrscheinlich guten Grund dazu, denn Mercy hatte ihm praktisch den Kopf abgebissen. Sie hatte versucht, es zu überspielen, aber er bereitete ihr sichtliches Unbehagen. Selbst Sara hatte seine irritierende Ausstrahlung wahrgenommen, und sie hatte dem Mann nur kurz Guten Tag gesagt.

Von Christopher McAlpine hatte sie diesen Eindruck nicht; er schien so schüchtern wie unbeholfen zu sein. Er saß neben seiner seltsam kalten Mutter, deren Lippen faltenreich geschürzt waren. Bitty sah ihren Sohn nach einem weiteren Stück Brot greifen und schlug seine Hand weg, als wäre er noch ein Kind. Worauf er die Hände in den Schoß legte und den Blick senkte. Das einzige Familienmitglied, das das Abendessen zu genießen schien, war der Mann am Kopf der Tafel. Wahrscheinlich hatte er sie alle gezwungen, teilzunehmen. Er liebte es sichtlich, im Mittelpunkt zu stehen. Die Gäste schienen von seinen Geschichten begeistert zu sein, aber Sara dachte unwillkürlich, dass er der Typ des selbstgerechten Wichtigtuers war, der den Schulball streichen und Tanzen für illegal erklären würde.

Cecil McAlpine hatte einen dichten grauen Haarschopf und sah auf seine zerfurchte Art gut aus. Fast alle nannten ihn Papa. Sara folgerte aus den relativ frischen Narben in seinem Gesicht und an den Armen, dass er irgendwann in den letzten Jahren einen katastrophalen Unfall erlitten hatte. Im Rahmen böser Unfälle hatte er sogar noch Glück gehabt. Der Nervus phrenicus, der das Zwerchfell steuert, wird von den Nervensträngen C-3, -4 und -5 gebildet. Bei einer Schädigung in diesem Bereich musste man für den Rest seines Lebens künstlich beatmet werden. Falls man die ursprüngliche Verletzung überhaupt überlebte.

Sie sah, wie Cecil den Ringfinger der linken Hand hob, um seiner Frau zu signalisieren, dass er einen Schluck Wasser trinken wollte. Er hatte Will und Sara mit einem kräftigen Händedruck der rechten Hand begrüßt, als sie zur Cocktailrunde eingetroffen waren, aber das hatte ihn offenbar alle Kraft gekostet.

Nachdem Cecil getrunken hatte, sagte er zu Landry/Paul: »Die Quelle, die den See speist, entspringt oben am McAlpine-Pass. Folgen Sie dem Lost Widow Trail zum unteren Teil des Sees. Bis zum Wildbach sind es von dort etwa fünfzehn Minuten. Folgen Sie dem Bach etwa zwölf Meilen weit. Das ist eine tüchtige Wanderung geradewegs die Bergflanke hinauf. Von der Lookout-Bank auf dem Weg zum See zurück können Sie den Gipfel sehen.«

»Keesh«, flüsterte Drew heiser. »Lass es gut sein.«

Sara wusste, sie stritten über das kalkfleckige Glas, und sie wandte sich höflich ab und fing eine weitere Unterhaltung am anderen Ende des Tischs auf. Cecils Schwester, ein knorriger Müsli-Typ in einem Batikkleid, sagte gerade zu Frank: »Die Leute glauben immer, ich bin eine Lesbe, weil ich Birkenstock-Sandalen trage, aber ich erkläre ihnen dann, dass ich eine Lesbe bin, weil ich gern mit Frauen schlafe.«

»Ich auch!« Frank lachte bellend und prostete ihr mit seinem Wasserglas zu.

Sara und Will lächelten beide. Sie saßen leider zu weit entfernt. Die Tante schien die einzige amüsante Person am Tisch zu sein. Sara nahm aufgrund der Narben an ihren Händen und Unterarmen an, dass sie mit Chemikalien arbeitete. Eine wesentlich größere Narbe an ihrem Bizeps sah aus, als hätte eine Axt sie ein Stück ihres Arms gekostet. Sie arbeitete wahrscheinlich mit schwerem Gerät auf einer Farm. Sara konnte sie sich gut mit einer Maiskolbenpfeife und einem Rudel Hütehunde vorstellen.

»Hey.« Will senkte wieder die Stimme. »Was für ein Name ist Bitty eigentlich?«

»Es ist ein Spitzname.« Sara wusste, dass es Will aufgrund seiner Dyslexie schwerfiel, bestimmte Wortspiele zu verstehen. »Wahrscheinlich eine Abwandlung von *bisschen*. Weil sie so klein ist.«

Er nickte. Sie sah ihm an, dass ihn die Erklärung auf Dave brachte, den Lieferanten der Spitznamen. Sie waren beide froh gewesen, dass der fiese Scheißkerl nicht zu den Cocktails erschienen war. Sara wollte nicht, dass Dave ihren Abend überschattete. Sie legte die Hand auf Wills Oberschenkel. Spürte, wie sich die Muskeln spannten. Sie hoffte, dass sich das Dinner nicht in die Länge zog. Sie hatte Appetit auf andere Dinge.

»Jetzt geht's los!« Mercy kam mit einem Servierteller in jeder Hand aus der Küche. Zwei Jungen im Teenageralter folgten ihr mit weiteren Platten und Saucenschalen. »Als Vorspeisen gibt es heute Abend verschiedene Empanadas, Papas Rellenas und die berühmten Tostones unseres Kochs, die er nach einem Rezept seiner Mutter daheim in Puerto Rico zubereitet.«

Begleitet von viel *Ah!* und *Oh!* wurden die Teller in der Mitte des Tischs platziert. Sara rechnete damit, dass Will in Panik geraten würde, aber ihr Mann, der Honigsenf zu exotisch fand, schien erstaunlich gelassen zu bleiben.

»Hast du schon einmal puerto-ricanisch gegessen?«, fragte sie.

»Nein, aber ich habe mir die Speisekarte auf ihrer Website angesehen.« Er zeigte auf die verschiedenen Angebote. »Fleisch in frittiertem Brot. Fleisch in frittierten Kartoffeln. Gebratene Kochbananen, die theoretisch eine Frucht sind, aber das zählt nicht, weil sie zweimal gebraten sind.«

Sara lachte, aber sie freute sich insgeheim. Er hatte diesen Ort wirklich auch für sie ausgewählt.

Mercy ging herum und füllte die Wassergläser. Sie beugte sich zwischen Chuck und ihrem Bruder über den Tisch, und Sara sah, dass Mercy die Zähne zusammenbiss, als Chuck etwas murmelte. Man erkannte deutlich, dass es ihr kalt über den Rücken lief. Es musste da eine Vorgeschichte geben.

Sara wandte sich ab. Sie war entschlossen, sich nicht in die Probleme anderer Leute verwickeln zu lassen.

»Mercy«, sagte Keisha, »macht es Ihnen etwas aus, unsere Gläser nachzupolieren?«

Drew sah verärgert aus. »Es ist eigentlich egal.«

»Kein Problem.« Mercy biss die Zähne noch mehr zusammen, aber sie brachte es fertig, dabei den Mund zu einem Lächeln zu verziehen. »Bin sofort wieder da.«

Wasser spritzte auf den Tisch, als sie die beiden Gläser aufhob und in die Küche brachte. Drew und Keisha wechselten schneidende Blicke. Sara nahm an, Caterer konnten ihre pingeligen Catering-Gehirne genauso wenig abschalten wie Gerichtsmedizinerinnen oder Detectives. Und Klempnertöchter. Die Gläser waren sauber. Die Flecken stammten von den mineralischen Ablagerungen in hartem Wasser.

»Monica«, sagte Frank, aber leise. Er lud ihren Teller mit frittiertem Essen voll, damit sie etwas in den Magen bekam. »Erinnerst du dich an die Sorullos, die wir in San Juan auf dieser Dachterrasse mit Blick auf den Hafen gegessen haben?«

Monicas Blick schien klarer zu werden, als sie Frank ansah. »Wir hatten Eiscreme.«

»Ja.« Er drückte ihre Hand an seine Lippen. »Dann haben wir versucht, Salsa zu tanzen.«

Monicas Gesichtsausdruck wurde weicher, als sie ihren Mann ansah. »Du hast es versucht. Ich habe versagt.«

»Du hast noch nie bei etwas versagt.«

Sara spürte einen Kloß in der Kehle, als sich die zwei in die Augen blickten. Zwischen den beiden herrschte etwas sehr Berührendes. Vielleicht hatte sie das Paar falsch eingeschätzt. So oder so fühlte sie sich als Eindringling, weil sie die beiden beobachtete. Sie sah zu Will. Er hatte es ebenfalls bemerkt. Er wartete außerdem darauf, dass sie zu essen anfing, damit er auch anfangen konnte.

Sara griff nach ihrer Gabel und spießte eine Empanada auf.

Ihr Magen knurrte, und ihr wurde bewusst, dass sie einen Bärenhunger hatte. Sie würde aufpassen müssen, dass sie sich nicht überfraß, denn sie wollte nicht die Frau sein, die in der ersten Nacht ihrer Flitterwochen in ein Verdauungskoma fiel.

»Mom!« Jon stieß lautstark die Tür auf. »Wo bist du?«

Alle hatten sich bei dem Radau umgedreht. Jon taumelte mehr durch den Raum, als dass er ging. Sein Gesicht war aufgedunsen und schweißnass. Sara schätzte, dass er fast so viel getrunken haben musste wie Monica.

»Mom!«, brüllte er. »Mom!«

»Jon?« Mercy kam aus der Küche geeilt, ein Wasserglas in jeder Hand. Sie sah, in welchem Zustand ihr Sohn war, blieb aber cool. »Komm in die Küche, Baby.«

»Nein!«, schrie er. »Ich bin verdammt noch mal kein Baby. Sag mir, warum! Auf der Stelle!«

Er lallte so stark, dass Sara ihn kaum verstand. Sie sah, wie Will seinen Stuhl vom Tisch wegdrehte, für den Fall, dass Jon das Gleichgewicht verlor.

»Jon.« Mercy schüttelte warnend den Kopf. »Wir klären das später.«

»Einen Scheißdreck werden wir!« Er ging auf seine Mutter zu, den Zeigefinger in die Luft gereckt. »Du willst alles kaputt machen. Dad hat es so geplant, dass wir alle zusammen sein können. Ohne dich. Ich will nicht bei dir bleiben. Ich will mit Bitty in einem Haus mit Swimmingpool wohnen.«

Sara war schockiert, als Bitty ein Geräusch von sich gab, das nach Triumph klang.

Mercy hatte es ebenfalls gehört. Sie warf einen Blick zu ihrer Mutter, dann sagte sie zu ihrem Sohn: »Jon, ich bin …«

»Wieso machst du alles kaputt?« Er packte sie an den Armen und schüttelte sie so heftig, dass eins der Gläser aus ihrer Hand rutschte und auf dem Steinboden zersprang. »Warum musst du immer so ein Miststück sein?«

»Hey.« Will war aufgestanden, als Jon seine Mutter gepackt hatte. Er ging zu den beiden und sagte zu dem Jungen: »Lass uns nach draußen gehen.«

Jon fuhr herum und schrie: »Verpiss dich, Trash!«

Will war verblüfft. Sara ging es genauso. Woher kannte der Junge diesen schrecklichen Namen? Und wieso brüllte er ihn jetzt?

»Ich sagte, verpiss dich!« Jon versuchte, ihn wegzuschieben, aber Will bewegte sich nicht. Jon versuchte es noch einmal. »Scheiße!«

»Jon.« Mercys Hand zitterte so stark, dass das Wasser in dem verbliebenen Glas schwappte. »Ich liebe dich, und ich bin …«

»Ich hasse dich«, sagte Jon, und die Tatsache, dass er es nicht geschrien hatte, war weitaus niederschmetternder als sein vorangegangener Ausbruch. »Ich wünschte, du wärst verdammt noch mal tot.«

Er ging hinaus und schmiss die Tür hinter sich zu. Es war wie ein Überschallknall. Niemand sprach. Niemand rührte sich. Mercy war wie erstarrt.

Dann sagte Cecil: »Schau, was du angerichtet hast, Mercy.«

Mercy biss sich auf die Lippe. Sie sah so elend aus, dass Sara aus Mitleid errötete.

Bitty schnalzte missbilligend mit der Zunge. »Mercy, räum um Himmels willen dieses Glas weg, bevor du noch jemanden verletzt.«

Will kniete nieder, bevor Mercy es tat. Er nahm das Taschentuch aus seiner Gesäßtasche und klaubte damit die Scherben des Wasserglases auf. Mercy kniete sich zitternd neben ihn. Die Narbe in ihrem Gesicht glühte förmlich wegen der Demütigung. Es war so still im Raum, dass Sara die Glasscherben aneinanderklirren hörte.

»Es tut mir so leid«, sagte Mercy zu Will.

»Keine Sorge«, antwortete er. »Ich zerbreche ständig etwas.«

Mercys Lachen wurde von einem schweren Schlucken unterbrochen.

»Ich würde sagen …« Chuck ließ seine Stimme lustig klingen. »Der Apfel fällt nicht weit vom Stamm.«

Christopher sagte nichts. Er griff nach einem neuen Grissini und biss geräuschvoll ab. Sara konnte sich nicht vorstellen, wie wütend sie wäre, wenn jemand auch nur annähernd so schlecht von ihrer kleinen Schwester spräche, aber der Mann kaute nur drauflos wie ein hoffnungsloser Idiot.

Tatsächlich starrten alle Mercy an, als wären sie in einem altmodischen Monstrositätenkabinett auf einem Jahrmarkt.

Sara wandte sich an die Tischrunde. »Wir sollten diese köstlichen Sachen essen, ehe sie kalt werden.«

»Gute Idee.« Frank war wahrscheinlich daran gewöhnt, betrunkene Ausbrüche zu ignorieren. »Ich habe Monica gerade an eine Reise nach Puerto Rico erinnert, die wir vor ein paar Jahren unternommen haben. Sie haben eine Art von Salsa, die sich von der brasilianischen Samba unterscheidet.«

Sara spielte mit. »Aha, wodurch?«

»Verdammt«, zischte Mercy. Sie hatte sich mit einer Scherbe in den Daumen geschnitten, Blut tropfte auf den Boden. Sara konnte selbst von Weitem sehen, dass die Wunde tief ging.

Sie stand automatisch auf, um zu helfen. »Gibt es einen Erste-Hilfe-Kasten in der Küche?«

»Alles in Ordnung, ich …« Mercy hielt sich die unverletzte Hand vor den Mund. Ihr war übel geworden.

»Herrgott noch mal«, murmelte Cecil.

Sara wickelte ihre Stoffserviette fest um Mercys Daumen, um die Blutung zu stoppen. Sie überließ Will den Rest der Scherben und führte Mercy in die Küche.

Eine der jungen Bedienungen sah auf und widmete sich dann sofort wieder der Vorbereitung der Teller. Die zweite räumte entschlossen die Geschirrspülmaschine ein. Der Koch war der Einzige, der sich für Mercy zu interessieren schien. Er blickte vom Herd auf, und seine Augen folgten ihr durch den Raum. Seine Stirn war besorgt gerunzelt, aber er blieb stumm.

»Alles in Ordnung«, sagte Mercy zu ihm. Dann wandte sie sich an Sara. »Es ist da hinten.«

Sara folgte ihr zu einer Toilette, die auch als Durchgang zu einem engen Büro diente. Auf einem Metalltisch stand eine elektrische Schreibmaschine. Überall auf dem Boden war Papier gestapelt. Es gab kein Telefon. Der einzige Verweis auf moderne Zeiten war ein geschlossener Laptop auf einem Stapel Kassenbücher.

»Tut mir leid wegen des Schlamassels.« Mercy griff unter eine Reihe von Wandhaken, an denen Mäntel für kühlere Witterung hingen. »Ich will Ihnen den Abend nicht verderben. Sie können mir einfach diesen Erste-Hilfe-Kasten herunterreichen und zum Essen zurückgehen.«

Sara hatte nicht vor, die arme Frau blutend in dieser Toilette zurückzulassen. Sie griff nach dem Kasten an der Wand, als sie Mercy würgen hörte. Der Klodeckel wurde hochgeklappt, und Mercy war auf den Knien, bevor ein Strom Erbrochenes hochkam. Sie würgte noch ein paarmal, bevor sie sich erschöpft auf die Fersen kauerte.

»Scheiße.« Mercy wischte sich mit dem Rücken der gesunden Hand über den Mund. »Tut mir leid.«

»Darf ich mir Ihren Daumen ansehen?«, fragte Sara.

»Alles in Ordnung. Bitte genießen Sie Ihr Abendessen. Ich komme zurecht.«

Als wollte sie es beweisen, griff sie nach dem Erste-Hilfe-Kasten und setzte sich auf die Toilette. Sara schaute zu, wie sie den Kasten mit einer Hand zu öffnen versuchte. Es war offensichtlich, dass sie es gewöhnt war, alles allein zu machen. Es war ebenso offensichtlich, dass sie mit dieser konkreten Situation nicht allein fertigwurde.

»Darf ich?« Sara wartete, bis Mercy widerwillig nickte, bevor sie den Kasten nahm und auf dem Boden aufspringen ließ. Er enthielt das übliche Sortiment an Verbandsmaterial, dazu Flüssigkeiten für Notfälle, drei Sets, um Wunden zu nähen, und zwei Sets zum Stoppen von Blutungen – eine Aderpresse, Gaze, blutstillende Verbände. Es gab auch eine Ampulle Lidocain, was streng genommen für Erste-Hilfe-Kästen in Küchen nicht erlaubt war, aber Sara nahm an, dass sie so fernab der Zivilisation daran gewöhnt waren, ihre eigene Triage vorzunehmen.

»Lassen Sie mich Ihren Daumen sehen«, sagte sie.

Mercy rührte sich nicht. Sie starrte mit leerem Gesicht auf die Erste-Hilfe-Ausrüstung, als hätte sie sich in einer Erinnerung verloren. »Mein Vater war immer derjenige, der die Leute genäht hat, wenn es nötig war.«

Sara hörte die Traurigkeit in ihrer Stimme. Die Zeiten, da Cecil McAlpine die Geschicklichkeit besaß, um jemanden zusammenzuflicken, waren vorbei. Dennoch war es schwer, Mitleid mit dem Mann zu empfinden. Sara konnte sich nicht vorstellen, dass ihr eigener Vater je so mit ihr reden würde, wie Cecil mit Mercy geredet hatte. Besonders nicht vor Fremden. Und ihre Mutter hätte jedem bei lebendigem Leib das Herz herausgerissen, der es wagte, schlecht von einer ihrer Töchter zu sprechen.

»Es tut mir leid«, sagte sie zu Mercy.

»Nicht Ihre Schuld«, sagte Mercy knapp. »Würden Sie mir diese Rolle Verband aufmachen? Ich weiß nicht, wie er funktioniert, aber er stoppt die Blutung.«

»Er ist mit einem blutstillenden Wirkstoff beschichtet, der den Wassergehalt des Blutes aufnimmt und die Gerinnung fördert.«

»Ich habe vergessen, dass Sie Chemielehrerin sind.«

»Was das angeht.« Sara spürte, wie sie wieder errötete. Sie gab sich höchst ungern als Lügnerin zu erkennen, aber sie würde Mercy nicht einer Wundversorgung wie auf dem Schlachtfeld aussetzen. »Ich bin Ärztin. Will und ich haben beschlossen, unsere Berufe für uns zu behalten.«

Die Unaufrichtigkeit schien Mercy nicht zu stören. »Was macht er? Basketballprofi? Footballstürmer?«

»Nein, er ist Agent beim Georgia Bureau of Investigation.« Sara wusch sich die Hände im Waschbecken, während Mercy die Neuigkeit verdaute. »Es tut mir leid, dass wir gelogen haben. Wir wollten nicht …«

»Zerbrechen Sie sich nicht den Kopf darüber«, sagte Mercy. »Wenn man bedenkt, was gerade passiert ist, bin ich nicht in der Position, mir ein Urteil anzumaßen.«

Sara passte die Wassertemperatur an. In dem harten Neonlicht sah sie drei rote Male auf der rechten Seite von Mercys Hals. Sie waren frisch, wahrscheinlich nur wenige Stunden alt. In einigen Tagen würden die Blutergüsse deutlicher zu sehen sein.

»Lassen Sie uns Ihre Wunde ausspülen, falls noch Glassplitter drin sind.«

Mercy hielt die Hand unter den Hahn. Sie zuckte nicht einmal, obwohl der Schmerz beträchtlich sein musste. Sie war es offenbar gewöhnt, Schmerzen zu erleiden.

Sara benutzte die Gelegenheit, die roten Male an Mercys Kehle zu studieren. Beide Seiten wiesen Spuren auf. Sara stellte sich vor, wenn sie die Hände um den Hals der Frau legte, würden sie zu ihren Fingern passen. Sie hatte es viele Male bei Patientinnen auf dem Obduktionstisch getan. Würgemale waren ein verbreitetes Merkmal bei Tötungsdelikten im Zusammenhang mit häuslicher Gewalt.

»Hören Sie«, sagte Mercy. »Bevor Sie mir weiter helfen, sollten Sie wissen, dass Dave mein Ex ist. Er ist Jons Vater. Und er ist offensichtlich das Arschloch, das Jon erzählt hat, dass Ihr Mann vor tausend Jahren Trash genannt wurde. Dave macht ständig so miese Sachen.«

Sara steckte die Information locker weg. »War es Dave, der Sie gewürgt hat?«

Mercy drehte langsam den Wasserhahn zu und antwortete nicht.

»Das könnte Ihre Übelkeit erklären. Sind Sie ohnmächtig geworden?«

Mercy schüttelte den Kopf.

»Haben Sie Schwierigkeiten beim Atmen?« Mercy schüttelte immer weiter den Kopf. »Sehstörungen? Schwindelgefühl? Probleme, sich zu erinnern?«

»Ich wünschte, die hätte ich.«

»Haben Sie etwas dagegen, wenn ich Ihren Hals untersuche?«

Mercy setzte sich wieder auf die Toilette und hob das Kinn, zum Zeichen, dass sie einverstanden war. Der Knorpel lag an. Das Zungenbein war intakt. Die roten Male traten hervor und waren geschwollen. Der Druck auf ihre Halsschlagadern hätte in Kombination mit dem Zudrücken der Luftröhre leicht zum Tod führen können. Noch gefährlicher war nur ein Würgegriff.

Sara vermutete, dass Mercy wusste, wie nah sie dem Tod gewesen war, und sie wusste, dass es keinen zukünftigen Akt häuslicher Gewalt verhinderte, wenn man ein Opfer häuslicher Gewalt belehrte. Sara konnte nichts weiter tun, als die Frau wissen zu lassen, dass sie nicht allein war.

»Alles scheint in Ordnung zu sein«, sagte sie. »Sie werden einen bösen Bluterguss haben. Ich möchte, dass Sie jederzeit zu mir kommen, wenn Sie den Eindruck haben, dass etwas nicht stimmt. Tag und Nacht, okay? Es ist mir egal, was ich gerade tue. Es könnte ernst sein.«

Mercy schaute skeptisch drein. »Hat Ihr Mann Ihnen die wahre Geschichte über Dave erzählt?«

»Ja.«

»Dave hat ihm den Spitznamen verpasst.«

»Ich weiß.«

»Es gibt wahrscheinlich noch anderes Zeug, das …«

»Es interessiert mich wirklich nicht«, sagte Sara. »Sie sind nicht Ihr Ex-Mann.«

»Nein«, sagte Mercy und blickte zu Boden. »Aber ich bin die dumme Nuss, die ihn ständig wieder aufnimmt.«

Sara ließ ihr einen Moment Zeit, sich zu sammeln. Sie öffnete das Nähset. Legte die Gaze bereit, das Lidocain, eine kleine Spritze. Als sie zu Mercy aufblickte, konnte sie sehen, dass die Frau bereit war.

»Halten Sie die Hand über das Spülbecken«, sagte Sara.

Wieder verzog Mercy keine Miene, als Sara Jod in die Wunde träufelte. Der Schnitt war tief. Mercy hatte mit Essen hantiert. Die Glasscherbe hatte auf dem Boden gelegen. All das konnte zu einer Infektion führen. Normalerweise hätte Sara Mercy für alle Fälle ein Antibiotikum verschrieben, aber sie würde sich mit einer Mahnung begnügen müssen. »Wenn Sie sich fiebrig fühlen oder rote Male auf der Haut sehen oder wenn ungewöhnliche Schmerzen auftreten …«

»Ich weiß«, sagte Mercy. »Es gibt einen Arzt in der Stadt, bei dem ich mich weiterbehandeln lassen kann.«

Sara hörte ihrem Ton an, dass sie nicht die Absicht hatte, sich weiterbehandeln zu lassen. Wieder ersparte sie der Frau eine Belehrung. Eines hatte Sara bei ihrer Arbeit in der Notaufnahme von Atlantas einzigem öffentlichen Krankenhaus gelernt: dass man die Verletzung behandeln konnte, wenn auch nicht die Krankheit.

»Bringen wir es hinter uns«, sagte Mercy.

Sie war fügsam, als Sara Papiertücher über Mercys Schoß legte. Darüber breitete sie ein Tuch aus dem Erste-Hilfe-Kasten. Sara wusch sich noch einmal die Hände und benutzte dann das Handdesinfektionsmittel.

»Er scheint nett zu sein«, sagte Mercy. »Ihr Mann.«

Sara schüttelte ihre Hände aus, um sie zu trocknen. »Das ist er.«

»Sind Sie …« Mercys Stimme versagte, sie musste erst ihre Gedanken sammeln. »Fühlen Sie sich bei ihm sicher?«

»Absolut.« Sara blickte in Mercys Gesicht. Die Frau schien nicht der Typ zu sein, der leicht Gefühle zeigte, aber ihre Miene drückte tiefe Traurigkeit aus.

»Das freut mich für Sie«, sagte Mercy in wehmütigem Tonfall. »Ich glaube nicht, dass ich mich jemals in meinem Leben bei irgendwem sicher gefühlt habe.«

Sara wusste nichts zu erwidern, aber Mercy schien auch nichts zu erwarten.

»Haben Sie Ihren Vater geheiratet?«

Sara hätte beinahe über die Frage gelacht. Es klang wie neofreudianischer Humbug, aber Sara hatte die Formulierung nicht zum ersten Mal gehört. »Ich weiß noch, dass ich als Studentin immer sehr wütend wurde, wenn meine Tante sagte, dass Mädchen immer ihre Väter heiraten.«

»Hatte sie recht?«

Sara dachte darüber nach, während sie die Nitrilhandschuhe überstreifte. Will und ihr Vater waren beide hochgewachsen, allerdings war ihr Vater nicht mehr so schlank. Beide waren sparsam, wenn sparsam bedeutete, minutenlang den letzten Rest Erdnussbutter aus dem Glas zu kratzen. Will stand nicht auf Dad-Witze, aber er besaß den gleichen selbstironischen Humor wie ihr Vater. Er reparierte einen kaputten Stuhl oder besserte ein Loch in der Wand eher selbst aus, als dass er einen Handwerker kommen ließ. Er stand auch eher auf, wenn alle anderen sitzen blieben.

»Ja«, gab Sara zu. »Ich habe meinen Vater geheiratet.«

»Ich ebenfalls.«

Sara nahm an, sie dachte nicht an Cecil McAlpines angenehme Züge, aber dem konnte sie nicht weiter nachgehen. Mercy wurde still und blickte gedankenverloren auf ihren verletzten Daumen. Sara zog das Lidocain in der Spritze auf. Falls Sara den Einstich bemerkte, sagte sie es nicht. Wenn man sich Tag für Tag mit körperlicher Gewalt und Blutergüssen herumschlagen musste, war eine Nadel, die durch die Haut drang, wahrscheinlich eine vergleichsweise kleine Unannehmlichkeit.

Dennoch beeilte sich Sara, die Wunde zu schließen. Sie machte vier Stiche dicht beisammen. Mercy hatte bereits eine

Narbe im Gesicht, die wahrscheinlich als Erinnerung an eine schlechte Zeit diente. Sara wollte nicht, dass sie beim Blick auf ihren Daumen an eine zweite denken musste.

Sara sagte die üblichen Vorsichtsmaßnahmen auf, als sie den Verband anlegte. »Halten Sie den Daumen eine Woche lang trocken. Tylenol nach Bedarf gegen Schmerzen. Ich würde es mir gern noch einmal ansehen, bevor ich abreise.«

»Ich glaube nicht, dass ich dann noch da bin. Meine Mutter hat mich gerade gefeuert.« Mercy lachte plötzlich überrascht auf. »Wissen Sie, ich habe diesen Ort so lange gehasst, aber jetzt liebe ich ihn nur noch. Ich kann mir nicht vorstellen, anderswo zu leben. Er ist tief in mir verankert.«

Sara musste sich ermahnen, sich nicht in die Angelegenheiten der Familie einzumischen. »Ich weiß, es scheint jetzt schlimm zu sein, aber meistens sieht am nächsten Morgen alles besser aus.«

»Ich bezweifle, dass ich es so lange mache.« Mercy lächelte, aber nichts an dem, was sie sagte, war lustig. »Im Moment gibt es nur wenige Menschen auf diesem Berg, die mich nicht umbringen wollen.«

7

Eine Stunde vor dem Mord

Sara drehte sich im Bett um und stellte fest, dass Wills Seite leer war. Sie hielt nach der Uhr Ausschau, aber auf dem Nachttisch lag nur sein Telefon. Sie waren beide von den Geschehnissen beim Abendessen zu verstört gewesen, um etwas Unterhaltsameres zu tun, als bei einem Podcast über das legendäre Fabelwesen Bigfoot in den Bergen North Carolinas einzuschlafen.

»Will?« Sie lauschte, aber nichts war zu hören. Es war so still in der Hütte, dass sie wusste, er war nicht da.

Sara hob das leichte Baumwollkleid, das sie zum Abendessen getragen hatte, vom Boden auf. Sie ging ins Wohnzimmer und stieß sich das Knie an der Ecke der Couch an. Sie fluchte leise in der Dunkelheit, dann ging sie ans Fenster und schaute auf der Veranda nach. Die sanft schaukelnde Hängematte war leer. Die Temperatur war gefallen, und die Vorahnung eines Regengusses lag in der Luft. Sie streckte den Kopf, um auf den Weg zum See hinunterzuspähen, und sah Will im weichen Mondschein auf einer Bank mit Blick auf den Gebirgszug sitzen. Er hatte beide Arme auf der Lehne ausgestreckt und schaute in die Ferne.

Sie schlüpfte in ihre Schuhe, bevor sie sich vorsichtig die steinerne Treppe hinuntertastete. Sandalen waren spätnachts wahrscheinlich keine gute Idee. Sie konnte auf etwas Giftiges treten oder sich den Knöchel verstauchen. Trotzdem machte sie nicht kehrt, um ihre Wanderstiefel zu holen. Es zog sie zu Will, er war nach dem Essen sehr still und nachdenklich gewesen. Sie beide waren von der Szene mit Mercy und ihrer Familie ziemlich schockiert. Sara war einmal mehr dankbar dafür, wie viel Glück sie mit ihrer liebevollen, eng verbundenen Familie hatte. Sie war in dem Glauben aufgewachsen, das sei die Norm, aber das Leben hatte sie gelehrt, dass sie tatsächlich das große Los gezogen hatte.

Will blickte auf, als er Sara kommen hörte.

»Möchtest du eine Weile allein sein?«, fragte sie.

»Nein.«

Er legte den Arm um sie, als sie sich setzte und sich an ihn lehnte. Sein Körper war fest und beruhigend. Sie dachte an Mercys Frage: *Fühlen Sie sich bei ihm sicher?* Abgesehen von ihrem Vater hatte sich Sara in ihrem Leben bei keinem Mann so sicher gefühlt, und sie bedauerte, dass Mercy dieses Gefühl nie vergönnt gewesen war. Für Sara gehörte es zu den grundlegenden menschlichen Bedürfnissen.

»Scheint so, als zieht bald Regen auf«, sagte Will.

»Was sollen wir dann nur mit der vielen freien Zeit anfangen, wenn wir in unserer Hütte festsitzen?«

Will lachte und kitzelte sie am Arm. Aber das Lächeln verschwand rasch, und er starrte wieder in die Nacht. »Ich habe viel an meine Mutter gedacht.«

Sara setzte sich auf, damit sie ihn ansehen konnte. Will hatte den Kopf abgewandt, aber sie erkannte an seinem angespannten Kiefer, dass ihm die Sache naheging.

»Erzähl«, bat sie.

Er holte tief Luft, so als wollte er unter Wasser tauchen. »Als Kind habe ich mich oft gefragt, wie es wäre, wenn sie noch lebte.«

Sie legte ihm die Hand auf die Schulter.

»Ich stellte mir vor, dass wir glücklich wären. Dass das Leben einfacher wäre. Die Schule wäre mir leichter gefallen. Freundschaften. Mädchen. Alles.« Er biss die Zähne wieder zusammen. »Aber jetzt schaue ich zurück, und … sie hat gegen ihre Sucht gekämpft, gegen ihre eigenen Dämonen. Sie hätte an einer Überdosis sterben oder im Gefängnis landen können. Sie wäre eine alleinerziehende Mutter mit einem Ex gewesen, der sie missbraucht hat. Also wäre ich vielleicht trotzdem in der staatlichen Fürsorge gelandet. Aber wenigstens hätte ich sie kennengelernt.«

Sara empfand eine überwältigende Traurigkeit, weil er diese Gelegenheit nie gehabt hatte.

»Es war nett mit Amanda und Faith bei der Hochzeit«, sagte er. Seine Chefin und seine Partnerin beim GBI waren für ihn das, was einer Familie am nächsten kam. »Aber ich frage mich eben.«

Sara konnte nur nicken. Sie hatte keinen Bezugsrahmen für das, was er durchmachte. Sie konnte nur zuhören und ihn wissen lassen, dass sie da war.

»Sie liebt ihn«, sagte Will. »Ich meine Mercy und Jon. Es ist offensichtlich, dass sie ihn liebt.«

»Ja.«

»Dieser verdammte Schakal.«

»Du hast nie erfahren, was aus ihm wurde, nachdem er aus dem Heim weggelaufen war?«

»Nichts.« Will schüttelte den Kopf. »Offenbar hat er den Weg hier herauf gefunden, hat überlebt, geheiratet, ist Vater geworden. Das ist es, was ich nicht kapiere, verstehst du? Dieses Leben, Vater zu sein, Frau und Kind zu haben, das ist genau das Leben, das er sich immer gewünscht hat. Schon als wir noch Kinder waren, hat er immer davon gesprochen, dass es alle seine Probleme lösen würde, wenn er Teil einer Familie wäre. Und hier hat er nun alles, was er wollte, und er hat alles total versaut. Wie er Mercy behandelt, ist unverzeihlich, aber Jon braucht ihn sichtlich. Dave ist trotz allem sein Vater.«

Sara hatte den Mann nie kennengelernt, aber sie glaubte nicht, dass Dave als Partner und Vater viel hermachte. Sie wusste außerdem nicht, ob er sich noch in der Lodge aufhielt. Normalerweise würde Sara ihre ärztliche Schweigepflicht unter keinen Umständen verletzen, aber Mercy war ein Opfer häuslicher Gewalt, und Will war Polizeibeamter. Die Tatsache, dass Mercy redete, als fühlte sie sich mit dem Tode bedroht, hatte Sara zu der Entscheidung geführt, sie sei verpflichtet, es zu melden. Sie hatte nicht bedacht, welche Wirkung die Information auf Will haben würde. Daves gewalttätige Neigungen hatten ihn buchstäblich um den Schlaf gebracht.

»Weißt du, was mich wirklich wütend macht«, sagte Will. »Was Dave durchgemacht hat, war schlimm. Schlimmer als das, was ich durchgemacht habe. Aber der ständige Terror, die gnadenlose Angst – diese Erinnerungen leben in dir fort, egal, wie sehr sich dein Leben zum Besseren wendet. Und Dave tut verdammt noch mal das Gleiche dem Menschen an, den er eigentlich lieben sollte.«

»Muster sind schwer zu durchbrechen.«

»Aber er weiß, was für ein Gefühl das ist. Die ganze Zeit

Angst zu haben. Nicht zu wissen, wann dir wieder wehgetan wird. Du kannst nichts essen. Du kannst nicht schlafen. Du läufst die ganze Zeit mit einem Stein im Magen herum. Und das einzig Positive daran ist, dass du weißt, es wird ein paar Stunden, vielleicht Tage dauern, bis es wieder passiert. Bis dahin hast du Ruhe.«

Sara fühlte die Tränen aufsteigen.

»Stört es dich?«, fragte er.

»Was genau meinst du damit? Was soll mich stören?«

»Dass ich keine Familie habe.«

»Liebster, ich bin deine Familie.« Sie drehte seinen Kopf zu sich, sodass er sie ansah. »Ich werde dorthin gehen, wohin du gehst. Ich werde bleiben, wo du bleibst. Deine Leute sind meine Leute, und meine Leute sind deine.«

»Du hast viel mehr Leute als ich.« Er zwang ein verlegenes Grinsen in sein Gesicht. »Und ein paar von ihnen sind echt schräg.«

Sara grinste zurück. Sie hatte das schon früher erlebt. Bei den seltenen Gelegenheiten, bei denen er über seine Kindheit sprach, bestand sein Bewältigungsmechanismus immer darin, dass er sich in Humor flüchtete. »Wer ist schräg?«

»Die Frau mit dem Federhut, zum Beispiel.«

»Tante Clementine«, sagte Sara. »Gegen die läuft ein Haftbefehl wegen Hühnerdiebstahls.«

Will lachte leise. »Gut, dass du es Amanda nicht erzählt hast. Sie hätte nur zu gern jemanden bei meiner Hochzeit verhaftet.«

Sara hatte die Rührung auf Amandas Gesicht gesehen, als Will sie zum Tanzen aufforderte. Nie im Leben hätte sie den Moment ruiniert. »Ich habe dir erzählt, dass Tante Bellas zweiter Mann durch Selbstmord starb. Er hat sich in den Kopf geschossen. Zwei Mal.«

Die Verlegenheit schwand aus seinem Lächeln. »Ich weiß nie, ob du darüber Witze machst.«

Sara schaute ihm ins Gesicht. Das Mondlicht hob die grauen Sprenkel in seinen blauen Augen hervor. »Ich muss etwas gestehen.«

Er lächelte. »Und was?«

»Ich hätte wirklich gern heißen Sex im See mit dir.«

Er stand auf. »Der See ist da unten.«

Sie hielten sich an den Händen, als sie den Fußpfad entlanggingen, und blieben unterwegs immer wieder stehen, um sich zu küssen. Sara lehnte sich an seine Schulter und stimmte ihr Tempo auf seines ab. Die absolute Stille auf dem Berg vermittelte ihr das Gefühl, sie wären die beiden einzigen Menschen auf der Erde. Wenn Sara an ihre Flitterwochen gedacht hatte, dann hatte sie sich genau das vorgestellt. Der Vollmond leuchtete am Himmel. Die frische Luft. Das beruhigende Gefühl, Will an ihrer Seite zu haben. Die glorreiche Aussicht, einige Zeit ohne Unterbrechung und ohne Termindruck zusammensein zu können.

Sie konnte den See hören, bevor sie ihn erreichten, das sanfte Plätschern der Wellen an dem steinigen Ufer. Aus der Nähe betrachtet waren die Shallows atemberaubend. Das Wasser war beinahe neonblau gefärbt. Die Bäume schmiegten sich wie eine Schutzwand um die Biegung der Uferlinie. Sara konnte einige Meter weit im See eine schwimmende Plattform mit Sprungbrett und einer Fläche zum Sonnenbaden erkennen. Sie war an einem See aufgewachsen, und es machte sie glücklich, nah am Wasser zu sein. Sie schleuderte ihre Sandalen von den Füßen und schlüpfte aus ihrem Kleid.

»Oh«, sagte Will. »Keine Unterwäsche?«

»Es ist schwierig, heißen Sex im See zu haben, wenn man nicht nackt ist.«

Will blickte sich um. Ihm behagte die Vorstellung, sich öffentlich nackt zu zeigen, sichtlich nicht. »Es scheint mir keine gute Idee zu sein, mitten in der Nacht in ein Gewässer zu springen, das man nicht kennt und wenn niemand weiß, wo man ist.«

»Lass uns wild und gefährlich leben.«

»Vielleicht sollten wir …«

Sara legte die Beine um ihn und küsste ihn innig. Dann lief sie ins Wasser. Sie unterdrückte ein Schaudern wegen des plötzlichen Temperaturabfalls. Zwar war es Hochsommer, aber die Schneeschmelze in den Appalachen hatte spät eingesetzt. Sie fand die Kälte jedoch ungemein belebend, als sie auf die Badeplattform zuschwamm.

Sie drehte sich auf den Rücken, um nach Will zu sehen, und sagte: »Kommst du rein?«

Will antwortete nicht, aber er zog seine Socken aus. Dann begann er, die Hose aufzuknöpfen.

»Wow, ein bisschen langsamer bitte!«, rief sie.

Will machte eine Show daraus, die Hose von den Beinen zu streifen, und ließ die Hüften kreisen, während er sein Hemd aufknöpfte. Sara feuerte ihn an und johlte. Das Wasser kam ihr nun gar nicht mehr so kalt vor. Sie vergötterte seinen Körper. Seine Muskeln wirkten wie aus einem Marmorblock gemeißelt, und er hatte die aufregendsten Beine, die ein Mann haben durfte. Ehe sie sich weiter in seinen Anblick vertiefen konnte, tat Will, was auch sie getan hatte, und lief ohne Umschweife ins Wasser. Sara sah ihm an, dass ihn die Temperatur überraschte. Sie würde sich anstrengen müssen, ihn aufzuwärmen. Als er bei ihr angekommen war, zog sie ihn an sich und legte die Hände auf seine starken Schultern.

»Hallo«, sagte er.

»Hallo.« Sara strich ihm das Haar aus der Stirn. »Warst du schon einmal in einem See?«

»Nicht freiwillig. Bist du dir sicher, dass man hier gefahrlos baden kann?«

»Kupferkopfschlangen sind meist nur in der Dämmerung aktiv.«

Er riss erschrocken die Augen auf. In Atlanta, wo er aufgewachsen war, kamen Schlangen hauptsächlich unter der Kuppel des Kapitols vor. »Für Wassermokassinottern sind wir wahrscheinlich zu weit nördlich.«

Er blickte sich nervös um, als könnte er eine Mokassinotter entdecken, bevor es zu spät war.

»Ich muss dir etwas gestehen«, sagte Sara. »Ich habe Mercy erzählt, dass wir wegen unserer Berufe gelogen haben.«

»Dachte ich mir schon. Wird sie zurechtkommen?«

»Wahrscheinlich.« Sara machte sich immer noch Sorgen, dass sich Mercys Daumen entzünden könnte, aber es gab nichts, was sie dagegen tun konnte. »Jon scheint ein guter Junge zu sein. Er hat es nicht leicht als Teenager.«

»Es hat durchaus Vorteile, in einem Waisenhaus aufzuwachsen.«

Sie drückte ihm den Zeigefinger auf die Lippen, dann versuchte sie, ihn abzulenken. »Schau mal nach oben.«

Will blickte hoch. Sara sah, wie die Muskeln an seinem Hals hervortraten, sah sein Jugulum. Worauf sie wieder ans Abendessen dachte. Und damit unglücklicherweise auch wieder an Mercy.

Sie sagte: »An Orten wie diesem kratzt man ein wenig an der Oberfläche, und alle möglichen Abscheulichkeiten kommen zum Vorschein.«

Will sah sie argwöhnisch an.

»Ich weiß, was du denkst: Deshalb haben wir gelogen.«

Will zog eine Augenbraue hoch, aber er ersparte ihr das *Ich hab's dir gleich gesagt*.

»Hey.« Sie wechselte das Thema, denn sie hatten für heute Abend genug über die McAlpines gesprochen. »Ich muss noch etwas gestehen.«

Er lächelte wieder. »Was denn?«

»Ich kriege einfach nicht genug von dir.« Sara fuhr mit der Zunge in die kleine Kuhle an seinem Hals und arbeitete sich nach oben. Sie ließ ihre Zähne über seine Haut gleiten. Die Wassertemperatur war jetzt kein Thema mehr. Will fasste ihr zwischen die Beine, und seine Berührung brachte sie zum Stöhnen. Sie streckte die Hand nach unten aus, um sich zu revanchieren.

Dann hallte ein Schrei über das Wasser, der einem das Blut gerinnen ließ.

»Will?« Sara klammerte sich reflexartig an ihn. »Was war das?«

Er nahm ihre Hand und suchte die Umgebung mit den Augen ab, als sie ans Ufer zurückwateten.

Keiner sprach ein Wort. Will gab Sara ihr Kleid, und sie drehte es in den Händen und suchte nach dem Saum, um es sich über den Kopf zu streifen. Der Schrei hallte immer noch in ihrem Kopf nach, und sie überlegte, woher er gekommen sein mochte. Mercy schien am wahrscheinlichsten, aber sie war nicht die Einzige, die an diesem Abend aufgewühlt gewesen war.

Sara ging die anderen durch und fing mit den Caterern an. »Und das streitende Paar beim Abendessen. Die Zahnärztin war sturzbetrunken. Der IT-Typ war …«

»Was ist mit dem Single?« Will zog seine Hose an. »Der ständig gegen Mercy gestichelt hat?«

»Chuck.« Sara hatte beobachtet, wie der abstoßende Kerl Mercy beim Essen angestarrt hatte. Er schien sich an ihrem Unbehagen zu weiden. »Der Anwalt war ein Ekel. Wie ist er überhaupt an das WLAN-Passwort gekommen?«

»Seine pferdebesessene Frau ist allen auf die Nerven gegangen.« Will schlüpfte in seine Stiefel. »Die verlogenen App-Typen führen auch etwas im Schilde.«

Sara hatte ihm von der seltsamen Namensverwirrung mit Landry/Paul erzählt. »Was ist mit dem Schakal?«

Wills Gesicht versteinerte.

Sara zog ihre Sandalen an. »Baby? Bist du …«

»Fertig?«

Will ließ ihr keine Zeit zu antworten. Er ging vor ihr den Pfad entlang. Sie kamen an der Hütte vorbei und schwenkten dann nach links auf den Rundweg. Er gab sich Mühe, sein Tempo dem ihren anzupassen. Normalerweise wäre Sara jetzt in einen Laufschritt gefallen, aber mit den Sandalen war das nicht möglich.

Er blieb schließlich stehen und drehte sich zu ihr um. »Ist es in Ordnung, wenn ich …«

»Lauf voraus. Ich hole dich später ein.« Sara sah ihn in den dichten Wald rennen. Er kürzte den Rundweg ab und lief in gerader Linie auf das Haupthaus zu, was Sinn ergab, denn nur dort brannte Licht.

Sara wandte sich wieder zum See. Auf der Karte gab es drei Abschnitte, die wie eine Hochzeitstorte nach oben kleiner werdend übereinandergestapelt waren. Sie hätte schwören können, dass der Schrei vom untersten Teil gekommen war, also vom entgegensetzten Ende der Shallows. Oder vielleicht war es gar kein Schrei gewesen. Vielleicht hatte eine Eule ein Kaninchen vom Waldboden gepflückt. Oder ein Puma hatte mit einem Waschbären gekämpft.

Stopp!, schalt sich Sara.

Das war Irrsinn. Sie waren ohne Plan losgerannt. Es war ja nicht so, als könnte Sara herumlaufen und Leute aufwecken, weil sie möglicherweise einen Schrei gehört hatte. Für heute Abend hatte es schon genug Dramen in der Lodge gegeben. Wahrscheinlich waren Will und Sara das Problem – weil sie beide nicht von der Arbeit abschalten konnten. Ihr blieb nichts anderes übrig, als weiter zum Haupthaus zu gehen. Sie würde sich auf die Stufen zur Veranda setzen und auf Will warten. Vielleicht würde ihr eine der Katzen Gesellschaft leisten.

Sara war dankbar für die Niedrigvoltbeleuchtung entlang des Wegs zum Haus. Sie hätte nicht zu sagen gewusst, ob sich die Strecke diesmal länger oder kürzer anfühlte. Es gab keine Orientierungspunkte, sie hatte keine Uhr, die Zeit schien stillzustehen. Sara lauschte den Geräuschen des Waldes. Grillen zirpten. Unbekannte Geschöpfe huschten. Ein leichter Wind raschelte mit ihrem Kleid. Regen lag schwer in der Luft. Sara erhöhte ihr Tempo.

Weitere Minuten vergingen, bis sie das Verandalicht am Haupthaus sah. Sie war noch etwa fünfzig Meter entfernt, als sie eine Gestalt bemerkte, die die Treppe herunterkam. Der Mond versteckte sich hinter Wolken, und das Duell der schwachen Glühbirne mit der pechschwarzen Nacht ließ eine monströse Gestalt entstehen. Sara ärgerte sich, weil sie Angst hatte. Sie sollte lieber aufhören, vor dem Einschlafen Bigfoot-Podcasts zu hören. Die Gestalt war ein Mann mit einem Rucksack.

Sie wollte ihn gerade ansprechen, als er über das Gelände stolperte, auf die Knie fiel und sich übergab.

Saurer Alkoholgeruch kam aus seiner Richtung geweht. Eine Sekunde lang erwog Sara, kehrtzumachen und Will zu suchen, aber sie brachte es dann doch nicht über sich, einfach wegzusehen. Vor allem, da sie den traurigen Verdacht hatte, die monströse Gestalt könnte in Wirklichkeit ein aufgewühlter Teenager sein.

»Jon?«, versuchte sie es.

»Was?« Er stolperte und griff nach seinem Rucksack, als er aufzustehen versuchte. »Gehen Sie weg.«

»Alles in Ordnung mit dir?« Sara konnte ihn kaum sehen, aber er war eindeutig nicht in Ordnung. Er schwankte hin und her wie ein Windsack. »Was hältst du davon, wenn wir uns auf die Veranda setzen?«

»Nein.« Er machte einen Schritt rückwärts. Dann noch einen. »Hauen Sie ab.«

»Das werde ich«, sagte sie. »Aber lass uns erst deine Mom suchen. Sie will sicher …«

»Hilfe!«

Sara gefror fast das Blut in den Adern. Sie drehte sich nach dem Geräusch um, das eindeutig vom hinteren Teil des Sees gekommen war.

»Bitte!«

Die Haustür fiel mit einem lauten Knall ins Schloss, als sie sich wieder zu Jon umdrehen wollte. Sara hatte keine Zeit für einen betrunkenen Teenager. Sie war viel mehr um Will besorgt. Sie wusste, er würde auf schnellstem Weg zu der schreienden Frau laufen.

Sara blieb nichts übrig, als ihre Sandalen auszuziehen. Dann hob sie den Saum ihres Kleides und rannte quer über die Anlage. Sie überlegte fieberhaft, was wohl die beste Route war. Bei der Cocktailrunde hatte Cecil davon gesprochen, dass der Lost Widow Trail zum unteren Teil des Sees führte. Sara erinnerte sich vage, ihn auf der Karte eingezeichnet gesehen zu haben. Sie lief über den Rundweg, vorbei an der Abzweigung zum Speisesaal. Sie fand keine Hinweisschilder für den Lost Widow Trail und konnte nichts weiter tun, als durch den Wald zu laufen.

Kiefernnadeln stachen in ihre nackten Füße. Dornbüsche zerrten an ihrem Kleid. Sara verhinderte das Gröbste, indem sie die Ranken mit den Armen abwehrte. Das war kein Sprint. Sie musste sich das Tempo gut einteilen. Der Karte nach war der untere Teil des Sees ein gutes Stück von der Hotelanlage entfernt. Sie verlangsamte in einen Trab und dachte dabei an all die Dinge, die sie zuerst hätte tun sollen. Einen Erste-Hilfe-Kasten suchen, ihre Wanderstiefel anziehen, die Familie benachrichtigen, denn Jon war ein Kind und betrunken und hatte wahrscheinlich in seinem Zimmer das Bewusstsein verloren.

Arme Mercy. Ihre Familie würde ihr nicht zu Hilfe eilen. Sie waren beim Abendessen einfach schrecklich zu ihr gewesen. Wie ihre Mutter sie angefahren hatte. Der angewiderte Blick ihres Vaters. Das erbärmliche Schweigen des Bruders. Sara hätte noch ausführlicher mit Mercy reden sollen. Sie hätte nachhaken müssen wegen der geäußerten Befürchtung, sie könnte den Morgen nicht mehr erleben.

»Sara?«

Wills Stimme war wie eine Hand, die sich fest auf ihre Brust legte.

»Hol Jon! Beeil dich!«

Sie stoppte abrupt. Er hatte noch nie so verletzlich geklungen. Sie hätte nicht sagen können, wie viel Zeit vergangen war, seit sie vor dem Haus mit Jon geredet hatte. Sie wusste, dass Will in der Nähe war. Sie wusste aber auch, dass es Jon nicht half, wenn sie unüberlegt zum Haus zurücklief.

Mercy musste etwas sehr Schlimmes zugestoßen sein. Will dachte nicht mehr klar; Mercy würde nicht wollen, dass ihr Sohn sie in ihrer Notlage sah. Wenn Dave sie erwischt hatte, wenn er sie schwer verletzt hatte, dann konnte Sara nicht zulassen, dass sich dieses Bild in Jons Gedächtnis einbrannte.

»Sara!«, schrie Will noch einmal.

Seine deutlich herauszuhörende Not bewirkte, dass Sara sich wieder in Bewegung setzte, dieses Mal mit aller Entschlossenheit. Sie legte die Arme an den Körper und rannte so schnell sie konnte. Je mehr sie sich dem See näherte, desto mehr Rauch lag in der Luft. Das Gelände fiel plötzlich jäh ab. Sara ließ sich kontrolliert hinabgleiten, doch im letzten Moment verlor sie das Gleichgewicht und überschlug sich. Ihr blieb die Luft weg, aber sie sah endlich eine Lichtung. Sie stieß sich hoch. Lief weiter. Im Schein des Monds erkannte sie die Umrisse eines Sägebocks, Werkzeug, das über den Boden verstreut war, einen Generator, eine Kreissäge und dann schließlich den See.

Rauch schwärzte das Areal vor ihr. Sara lief geduckt durch felsiges Terrain. Sie sah drei primitive Hütten, die letzte brannte so lichterloh, dass sie die Hitze auf ihrer Haut spürte. Der Rauch wellte sich wie eine Fahne, als der Wind umsprang. Sara ging noch einen Schritt näher. Der Boden war nass. Sara roch das Blut, bevor sie begriff, worin sie stand. Der vertraute Kupfergeruch hatte sie durch fast ihr gesamtes Erwachsenenleben begleitet.

»Bitte«, sagte Will.

Sara drehte sich um. Eine Blutspur führte zum See. Will lag auf den Knien und beugte sich über eine hingestreckte Gestalt im Wasser. Sara erkannte Mercy an ihren lavendelfarbenen Sneakers.

»Mercy«, schluchzte Will.

Sara ging zu ihrem Mann. Sie hatte ihn nie zuvor so weinen sehen. Er war mehr als bestürzt – er war völlig am Boden zerstört.

Sie kniete sich auf die andere Seite des Körpers. Legte sanft die Fingerkuppen an Mercys Handgelenk. Kein Puls. Die Haut war eiskalt vom Wasser. Sara schaute in Mercys Gesicht. Die Narbe war nur mehr eine weiße Linie. Die Augen der Frau starrten leblos zu den Sternen hinauf. Will hatte versucht, sie mit seinem Hemd zuzudecken, aber die Gewalt ließ sich nicht verbergen. Mercy wies zahlreiche Messerstiche auf, manche so tief, dass sie wahrscheinlich Knochen zerschmettert hatten. Der Blutverlust war so gewaltig, dass Saras Kleid tiefrotes Wasser aufsaugte.

Sie musste sich räuspern, ehe sie sprechen konnte. »Will?«

Er schien gar nicht zu registrieren, dass Sara da war.

»Mercy?«, flehte Will. »Bitte!«

Er verschränkte die Finger und legte die Handflächen auf Mercys Brust. Sara brachte es nicht über sich, ihn aufzuhalten. Sie hatte in ihrer ärztlichen Laufbahn so viele Patienten mit Herzstillstand gesehen. Sie wusste, wie der Tod aussah. Sie erkannte es, wenn ein Patient bereits auf der anderen Seite war. Sie wusste aber auch, dass sie es Will trotzdem versuchen lassen musste.

Er beugte sich über Mercy. Legte sein ganzes Gewicht auf ihre Brust.

Sie sah seine Hände abwärts drücken.

Es ging so schnell, dass Sara im ersten Moment nicht verstand, was sie sah. Dann wurde ihr klar, dass ein Stück scharfes Metall sich in Wills Hand gebohrt hatte.

»Stopp!«, schrie sie, packte Wills Hände und hielt sie an Ort und Stelle fest. »Beweg dich nicht. Du durchtrennst sonst die Nerven.«

Will sah mit einem Blick zu Sara auf, als wäre sie eine Fremde.

»Will.« Sara verstärkte ihren Griff. »Das Messer steckt in ihrer Brust. Du darfst deine Hand nicht bewegen, okay?«

»Ist Jon … kommt er?«

»Er ist im Haus. Es geht ihm gut.«

»Mercy wollte, dass ich ihm sage … dass sie ihn liebt. Dass sie ihm wegen des Streits verzeiht.« Will zitterte vor Schmerz. »Sie sagte, er soll wissen, dass alles in Ordnung ist.«

»Du kannst ihm das später erzählen.« Sara hätte gern seine Tränen fortgewischt, aber sie befürchtete, dass er das Messer herausriss, wenn sie ihn losließ. »Aber erst müssen wir dir helfen, okay? In diesem Teil der Hand gibt es wichtige Nerven. Sie helfen dir, Dinge zu spüren. Einen Basketball. Eine Waffe. Oder mich.«

Langsam kam er zu sich. Er sah auf die lange Klinge hinab, die das Gewebe zwischen Daumen und Zeigefinger durchbohrt hatte.

Will geriet nicht in Panik. »Sag mir, was ich tun soll.«

Sara atmete erleichtert durch. »Ich werde jetzt meine Hände wegnehmen, damit ich eine Beurteilung vornehmen kann. In Ordnung?«

Sie sah Will heftig schlucken, aber er nickte.

Sara ließ ihn vorsichtig los und begutachtete die Verletzung. Sie war dankbar für das Mondlicht, aber es genügte nicht. Vorbeiziehender Qualm trübte ihren Blick, Schatten von den Bäumen, von Will, von dem Messer. Sara nahm vorsichtig die Messerspitze zwischen Daumen und Zeigefinger und prüfte, wie fest sie in Mercys Körper steckte. Der starke Widerstand verriet ihr, dass sich das Messer irgendwie zwischen den Wirbeln oder am Brustbein verklemmt hatte. Anders als mit Gewalt würde es sich nicht herausziehen lassen.

Unter anderen Umständen hätte Sara Wills Hand an dem Messer stabilisiert, damit ein Chirurg es kontrolliert herausziehen konnte. Aber dieser Luxus stand ihnen nicht zur Verfügung.

Mercy lag halb im Wasser. Nur Wills Druck verhinderte, dass sich der Körper mit den Wellen bewegte. Sie waren weiß Gott wie weit von einem Krankenhaus entfernt, von einer Notaufnahme gar nicht zu reden. Selbst mit jeglicher denkbaren Hilfe wären sie schlecht beraten, wenn sie versuchten, Mercys Leiche zusammen mit Will aus dem Wald zu tragen. Ganz zu schweigen von den Risiken, die sich ergaben, wenn ein Mensch an einer Leiche fixiert war. Die Bakterien von der Verwesung konnten eine lebensbedrohliche Sepsis auslösen.

Sie würde es hier und jetzt bewerkstelligen müssen.

Will war auf Mercys linker Seite. Das Messer ragte aus der rechten Seite ihrer Brust, andernfalls wäre es in ihrem Herzen gesteckt, was den Versuch einer Herzdruckmassage ausgeschlossen hätte. Wills Finger waren nach wie vor verschränkt, aber der Schaden reduzierte sich auf die rechte Hand. Die abgeschrägte Messerspitze hatte das Gewebe zwischen Daumen und Zeigefinger durchbohrt, etwa sieben oder acht Zentimeter der gezackten Klinge waren zu sehen. Sie war etwa anderthalb Zentimeter breit und rasiermesserscharf. Der Täter hatte es wahrscheinlich aus der Küche oder dem Speisesaal mitgenommen. Sara hoffte, dass die wichtigen Strukturen in Wills Hand verschont geblieben waren – im Thenargewebe spielte sich nicht viel ab –, aber sie wollte kein Risiko eingehen.

Sie sagte sich die anatomischen Details ebenso sehr um ihrer selbst willen auf wie Will zuliebe. »Die Daumenmuskeln werden durch den Mediannerv – hier – mit Reizen versorgt. Der Speichennerv sorgt für Empfindungen am Handrücken vom Daumen bis zum Mittelfinger, hier und hier. Ich muss mich vergewissern, dass sie intakt sind.«

»Okay.« Wills Miene war stoisch. Er wollte es hinter sich bringen. »Wie stellst du das fest?«

»Ich werde deine Finger abtasten, und du musst mir sagen, ob es sich normal anfühlt oder ob etwas nicht stimmt.«

Sie sah die Besorgnis in seinem Gesicht, als er nickte.

Sara fuhr mit dem Zeigefinger leicht außen um Wills Daumen herum. Dann machte sie das Gleiche bei seinem Zeigefinger. Von Will kam kein Kommentar. Sein Schweigen machte sie rasend. »Will?«

»Es ist normal. Glaube ich.«

Saras Angst ließ ein wenig nach. »Ich bekomme die Klinge nicht aus der Leiche heraus. Also werde ich deine Hand von der Klinge ziehen, aber du musst die Muskeln in deinen Armen entspannen, die Ellbogen locker halten und mich die ganze Arbeit tun lassen. Versuch nicht, mir zu helfen, okay?«

Er nickte. »Okay.«

Sara hielt seinen Daumen fest und schob die Fingerspitzen unter seine Handfläche. So sachte sie konnte begann sie, nach oben zu drücken.

Will sog zischend die Luft zwischen den Zähnen ein.

Sara hob seine Hand gleichmäßig weiter an, bis sie sie schließlich von der Klinge gelöst hatte.

Will hatte den Atem angehalten und atmete nun ganz langsam aus. Obwohl seine Hand jetzt frei war, beließ er sie in derselben Stellung, mit gespreizten Fingern, über der Toten. Er betrachtete seine Handfläche. Der Schock war abgeklungen, er spürte jetzt alles und begriff, was geschehen war. Er bewegte den Daumen. Beugte und streckte den Zeigefinger. Blut kam aus der Wunde, aber es war eher ein Tröpfeln als ein Spritzen, was darauf schließen ließ, dass die Arterien intakt waren.

»Gott sei Dank«, sagte Sara. »Wir sollten ins Krankenhaus fahren und es anschauen lassen. Es könnte Schäden geben, die wir nicht sehen. Deine Tetanusimpfung ist gerade aufgefrischt worden, aber die Wunde muss gründlich gesäubert werden. Wir finden sicher jemanden, der uns zur Straße hinunterbringt, und dann fahren wir nach Atlanta zurück.«

»Nein«, sagte Will. »Dafür habe ich keine Zeit. Mercy wurde nicht einfach erstochen – sie wurde abgeschlachtet. Wer das getan hat, war außer sich, rasend, hatte keine Kontrolle mehr. Man kann jemanden nur so sehr hassen, wenn man ihn kennt.«

»Will, du musst ins Krankenhaus.«

»Ich muss Dave finden.«

8

Will folgte Sara in den Speisesaal. Das Licht war aus, aber irgendjemand hatte die Musik laufen lassen. Will hielt Sara davon ab, in die Küche zu gehen. Dave konnte sich dort versteckt halten. Und er hatte womöglich noch ein Messer.

Will ging zuerst hinein. Er hoffte geradezu, dass Dave noch ein Messer hatte. Will nahm es auch einhändig mit dem Arschloch auf. Er hatte sich im Kinderheim fast zehn Jahre lang zurückgehalten, aber sie waren jetzt keine Kinder mehr. Er stieß die Küchentür mit dem Fuß auf. Schaltete das Deckenlicht ein. Er konnte bis zu der Toilette und dem Büro dahinter sehen.

Leer.

Er ließ den Blick über die Messer schweifen, die teils an der Wand hingen, teils aus dem Messerblock ragten. »Sieht nicht so aus, als fehlen welche.«

Sara schien nicht daran interessiert, die Tatwaffe zu identifizieren, sondern ging zu der Toilette.

»Gibt es ein Telefon im Büro?«, fragte Will.

»Nein.« Sie holte den Erste-Hilfe-Kasten von der Wand. »Wasch dir beide Hände in der Spüle. Du bist voller Blut.«

Will blickte nach unten. Er hatte vergessen, dass er sein Hemd benutzt hatte, um Mercy abzudecken. Seine nackte Brust war mit einem rotbraunen Belag überzogen. Blutrotes Seewasser hatte auf seiner blauen Cargoshorts dunkle Flecken hinterlassen. Er drehte den Wasserhahn in der Küche auf und sagte: »Wir müssen die örtliche Polizei verständigen, einen Suchtrupp zusammenstellen. Wenn Dave zu Fuß unterwegs ist, könnte er inzwischen schon halb den Berg runter sein. Wir vergeuden Zeit.«

»Wir werden gar nichts tun, bis ich die Blutung gestillt habe.« Sara öffnete den Erste-Hilfe-Kasten auf der Arbeitsfläche. Sie spritzte sich großzügig Geschirrspülmittel in die Hände und rieb Wills Unterarme damit ein, um sie sauberzubekommen. »Verrate mit, warum du so sicher bist, dass Dave Mercy getötet hat.«

Will hatte die Frage nicht erwartet, denn es erschien ihm offensichtlich, dass Dave so schuldig war, wie man nur sein konnte. »Du hast mir erzählt, dass er Mercy heute schon einmal erwürgen wollte.«

»Aber er war nicht beim Abendessen. Wir haben ihn nirgendwo im Wald oder auf den Wegen gesehen.« Sara nahm ein Geschirrtuch, feuchtete es an und säuberte damit seinen Bauch. »Vor nicht einmal zwei Stunden hat Mercy wortwörtlich gesagt: ›Im Moment gibt es nur wenige Menschen auf diesem Berg, die mich nicht umbringen wollen.‹«

»Du hast mir erzählt, dass sie zurückgerudert ist, was diese Aussage angeht. Dass sie so getan hat, als wäre es nur ein Scherz gewesen.«

»Und dann wurde sie ermordet«, sagte Sara. »Du konzentrierst dich aus naheliegenden Gründen auf Dave, aber es könnte auch jemand anderes gewesen sein.«

»Wer, zum Beispiel?«

»Wie wäre es mit dem Typ, der sich als Landry vorgestellt hat, aber von seinem Partner Paul genannt wird?«

»Was hat das mit Mercy zu tun?«

Anstelle einer Antwort sagte sie: »Das wird jetzt wehtun.«

Will biss die Zähne zusammen, als sie Desinfektionslösung in die offene Wunde goss.

»Der Schmerz wird schlimmer werden, bevor er abklingt«, warnte sie ihn vor. »Was ist mit Chuck? Mercy wollte eindeutig nichts mit ihm zu tun haben. Aber selbst nachdem sie ihm mehr oder weniger um die Ohren gehauen hat, dass er sich verpissen soll, hat er sie weiter angestarrt wie ein Stalker.«

Will wollte gerade antworten, als sie Gaze um das Gewebe zwischen Daumen und Zeigefinger klemmte. Es fühlte sich an, als hätte sie ein Streichholz in Schießpulver geworfen. »Lieber Himmel, was ist das?«

»QuickClot«, sagte sie. »Es kann Hautverbrennungen verursachen, aber es wird die Blutung stoppen. Ich muss es einige Minuten draufgedrückt halten. Du hast vielleicht vierundzwanzig Stunden, bevor es wieder runtermuss. Oder du gehst ins Krankenhaus und lässt die Wunde angemessen versorgen.«

Will erkannte an ihrem kurz angebundenen Ton, welche Entscheidung sie sich wünschte. »Sara, du weißt, ich kann jetzt nicht einfach weggehen.«

»Ich weiß.«

Sie übte einen gleichmäßigen Druck auf den Verband aus. Niemand sprach, aber beide hingen ihren Gedanken nach. Sie ging wahrscheinlich alle Möglichkeiten durch, wie sich seine Hand entzünden oder seine Nerven beschädigt werden konnten. Er dachte so intensiv an Dave, dass er abgelenkt war. Seine Hand fühlte sich nämlich an, als explodierte sie innerlich.

»Nur noch eine Minute.« Sara beobachtete, wie der Sekundenzeiger um die Uhr an der Wand zuckte.

Will beobachtete sie, um sich die Zeit zu vertreiben. Sie war so verschwitzt und zerzaust wie er. Er zupfte einen Zweig aus ihrem Haar. Sie war barfuß, und Mercys Blut im Wasser hatte Saras salbeigrünes Baumwollkleid in eine Batikversion verwandelt, die ihn an das Gewand erinnerte, das Mercys Tante zum Abendessen getragen hatte.

Der Gedanke an die Tante führte ihn unweigerlich zu Mercys restlicher Familie. Will war so darauf fokussiert gewesen, Dave aufzuspüren, dass er nicht bedacht hatte, was zuerst passieren musste. Nach jetzigem Stand hatte er bei der Ermittlung nichts zu bestimmen. Er war bestenfalls ein Zeuge, schlimmstenfalls ein Platzhalter, bis der zuständige Sheriff eintraf.

Es konnte eine Weile dauern, bis der Mann die Lodge erreichte. Will würde die Todesmeldung abgeben müssen. Dann musste man Jon benachrichtigen, dass seine Mutter ermordet worden war. Der Junge würde sie wahrscheinlich sehen wollen. Will und Sara hatten es nicht über sich gebracht, Mercy im Wasser liegen zu lassen. Also hatten sie sie mühsam in die zweite Hütte getragen und die Tür mit ein paar der Balken verbarrikadiert, die überall auf der Baustelle herumlagen, damit kein Tier an sie herankam. Wegen des in Kürze einsetzenden Regens würde der Tatort ohnehin zerstört werden.

»Cecil können wir aufgrund seiner Behinderung wohl streichen.« Sara ging immer noch alternative Verdächtige durch. »Jon war bei mir.«

»Wieso war Jon bei dir?«

»Er war immer noch betrunken. Ich glaube, er wollte weglaufen.« Sara hielt den Verband auf seiner Hand fest, während sie ein weiteres Päckchen Gaze öffnete. »Es gab offensichtlich Spannungen zwischen Mercy und ihrem Bruder. Und ihrer Mutter. Gott, sie waren alle so schrecklich zu ihr beim Abendessen.«

Will wusste, sie versuchte zu helfen, aber das war kein komplizierter Fall. »Die Hütte wurde angezündet, wahrscheinlich, um Spuren am Tatort zu vernichten. Ihre Jeans war heruntergezogen, wahrscheinlich, weil sie sexuell missbraucht wurde. Sie wurde zum Wasser geschleift, wahrscheinlich, damit sie ertrank. Und damit mögliche DNA-Spuren weggespült wurden. Der Angriff war pure Raserei, von einem Täter, der außer Kontrolle war. Manchmal ist das Offensichtliche nicht ohne Grund offensichtlich.«

»Und manchmal entwickelt ein Ermittler zu Beginn eines Falls einen Tunnelblick, der ihn in die falsche Richtung führt.«

»Ich weiß, dass du meine Fähigkeiten nicht infrage stellst.«

»Ich bin immer auf deiner Seite«, sagte sie. »Aber ich will, dass du die Sache überdenkst. Es ist verständlich, dass du Dave hasst.«

»Sag mir, inwiefern er *nicht* der Hauptverdächtige ist.«

Sara wusste nicht sofort eine Antwort. »Sieh uns an. Sieh unsere Kleidung an. Wer immer Mercy getötet hat, muss vor Blut getrieft haben.«

»Genau deshalb tickt die Uhr« sagte Will. »Der Tatort hilft uns praktisch nicht weiter. Wir haben die Klinge in Mercys Brust, aber wir wissen nicht, wo der abgebrochene Griff ist. Ich will Dave keine Sekunde mehr Zeit geben, Beweise zu vernichten, aber ich werde warten müssen, bis der Sheriff hier ist. Er wird eine Fahndung organisieren und die Ermittlung offiziell einleiten müssen. Ich wüsste sowieso nicht, wie ich von hier wegkommen sollte. Ich habe keine rechtliche Handhabe, um ein Fahrzeug zu konfiszieren.«

Sara legte jetzt einen Kompressionsverband an seiner Hand an. »Wir müssen ein Telefon auftreiben. Oder das WLAN-Passwort.«

»Wir brauchen mehr als das. Ich kann einen Notruf von meinem Handy absetzen. Wir müssen nur ein ungehindertes Signal finden. Es sendet über Satellit eine SMS mit unserer Position an Rettungsdienste und ausgewählte Kontakte.«

»Amanda.«

»Sie wird es schaffen, sich in die Ermittlung hineinzuargumentieren«, sagte Will. Das GBI durfte nicht selbst einen Fall übernehmen. Es musste von einer lokalen Polizeibehörde darum gebeten werden oder vom Gouverneur den Befehl erhalten. »Wir sind in Dillon County. Der Sheriff hatte in seinem ganzen Berufsleben wahrscheinlich mit einem einzigen Mordfall zu tun. Wir brauchen Brandstiftungsexperten, Kriminaltechnik, eine vollständige Autopsie. Wenn die Fahndung nicht mehr heute zum Erfolg führt, werden wir sie mit dem Marshall-Dienst koordinieren müssen, für den Fall, dass Dave die Grenze zwischen

Bundesstaaten überquert. Nichts davon wird das Budget des Sheriffs hergeben. Er wird froh sein, wenn Amanda auftaucht.«

»Ich hole dein Telefon aus der Hütte und schicke die Nachricht ab.« Sara verknotete den Verband. »Geh und läute die Glocke beim Haupthaus. Das wird alle ins Freie holen.«

»Außer es war nicht Dave«, räumte er ein. »Dann werden wir sehr schnell wissen, ob jemand anderes damit zu tun hat. Entweder er ist blutverschmiert, oder er zeigt sich gar nicht. Oder jemand hat den Messergriff irgendwo versteckt. Wir müssen alle Hütten und das Haupthaus durchsuchen.«

»Darfst du das?«

»Gefahr in Verzug. Der Täter ist nach der Tat entkommen. Es könnte weitere Opfer geben. Bist du fertig?«

»Warte einen Moment.« Sara ging ins Büro zurück und kam mit einer weißen Jacke wieder, die wahrscheinlich dem Koch gehörte. »Zieh das an. Ich bringe dir aus der Hütte etwas zum Umziehen mit.«

Sie half ihm in die Jacke. Sie saß an den Schultern so eng, dass Sara Mühe hatte, sie zuzuknöpfen. Unten stand sie offen, aber dagegen ließ sich nichts tun. Sara kniete sich hin und band ihm die Stiefel zu. Will fiel ein, dass sie selbst immer noch barfuß war, also zog er seine Socken aus der Tasche und bot sie ihr an.

»Danke.« Sara hielt den Blick auf ihn gerichtet, während sie in die Socken schlüpfte. »Versprich mir, dass du vorsichtig sein wirst.«

Er machte sich um sich selbst keine Sorgen. Will ging vielmehr der Gedanke durch den Kopf, dass er seine Frau zu ihrer Hütte schickte – der Hütte, die am weitesten von der Hauptanlage entfernt war. Sie war allein, es war Nacht, und ein Mörder lief frei herum. »Vielleicht sollte ich dich lieber begleiten.«

»Nein. Erledige du deinen Job.« Sie drückte ihm einen etwas längeren Kuss auf die Wange als sonst. »Die Familie wird wahrscheinlich nicht wollen, dass Mercy die ganze Nacht allein ist.

Sag ihnen, ich werde bei der Leiche wachen, bis sie abgeholt werden kann.«

Will legte ihr die Hand an die Wange. Ihr Mitgefühl war einer der vielen Gründe, warum er sie liebte.

»Gehen wir«, sagte er.

Sie trennten sich an der Stelle, wo der Chow Trail auf den Rundweg traf. Regenwolken waren aufgezogen und verdeckten den Vollmond. Wills Sinne waren aufs Äußerste angespannt. Es war so dunkel, dass Dave drei Meter vor ihm hätte stehen können und er hätte nichts gemerkt. Er erhöhte das Tempo und joggte auf das Haus zu, ohne auf das Zwicken in seinem Knöchel zu achten. Der brennende Schmerz in seiner Hand rutschte auf der Liste der Dinge, über die er sich Sorgen machen musste, immer weiter nach unten.

Sara hatte recht, wenn sie über weitere potenzielle Verdächtige nachsann, aber nicht aus dem Grund, den sie angeführt hatte. Will würde vor einer Jury über diese Nacht aussagen müssen. Er würde sicherstellen, dass er aufrichtig behaupten konnte, andere Verdächtige in Betracht gezogen zu haben. Es würde bei dieser Ermittlung keine Fehler geben, die ein Strafverteidiger dazu benutzen konnte, eine Verurteilung auszuhebeln. Will schuldete es Mercy.

Er schuldete es vor allem Jon.

Der hölzerne Mast mit der altertümlich aussehenden Glocke am oberen Ende stand ein, zwei Meter vom Haupthaus entfernt. Will kam es vor, als wäre ein halbes Leben vergangen, seit er an der Verandatreppe gestanden und Brownies und Kartoffelchips gegessen hatte. Bilder vom Tag tauchten vor seinem inneren Auge auf, aber es waren keine Erinnerungen an seine Flitterwochen, wie er es sich vorgestellt hatte – Saras Lächeln, die Wanderung zur Lodge, wie er sie im Arm gehalten hatte, als sie in der Badewanne eingeschlafen war. Stattdessen dachte er an all das, was an dem Tag, an dem sie brutal ermordet wurde, an Mercy McAlpine gezerrt hatte.

Dave hatte sie gewürgt. Chuck hatte sie wütend gemacht. Keisha hatte sie wegen des Wasserglases verärgert. Jon hatte sie vor Fremden gedemütigt. Cecil war grausam, Bitty eiskalt, und Christopher war feige gewesen. Die pferdeverrückte Frau hatte Mercy erkennbar verärgert, als sie um eine Führung über die Weiden bat. Der Koch war in der Küche geblieben, als Jon eine Szene gemacht hatte. Vielleicht verbargen die verlogenen App-Erfinder etwas vor Mercy. Vielleicht …

Will hatte keine Zeit für Vielleichts. Er griff nach dem Seil und zog. Das Geräusch, das die Glocke machte, war mehr ein Klirren als ein Läuten. Es klang fast obszön in der Stille.

Er zog noch immer an dem Seil, als schon die ersten Lichter angingen. Zunächst im Haupthaus. Der Vorhang zuckte in einem der Fenster im Obergeschoss. Will sah Bitty im Morgenmantel mit finsterer Miene herausschauen. Ein weiteres Licht im ersten Stock ging an, diesmal in der hinteren Ecke. Mit leisem Knall sprangen rings um die Anlage Flutlichter an. Will hatte die Lampen tagsüber in den Bäumen nicht bemerkt, aber er war jetzt dankbar darum, weil er die gesamte Hotelanlage überblicken konnte.

Die Fenster in zwei der Hütten leuchteten, als wären alle Lampen darin eingeschaltet worden. Er sah Gordon auf seine Veranda treten. Der Mann trug einen schwarzen Tanga und sonst nichts. Landry/Paul war nirgendwo zu sehen. Zwei Hütten weiter stolperte Chuck in einem gelben Bademantel mit Gummienten-Muster die Treppe herunter. Er raffte den Frotteestoff mit beiden Händen vor dem Körper zusammen, aber Will erkannte dennoch, dass er darunter nackt war.

Die Lichter in einer weiteren Hütte gingen an. Will rechnete mit Keisha und Drew, aber es war Frank, der die Tür in einem weißen Unterhemd und Boxershorts öffnete. Er rückte seine Brille zurecht, wirkte überrascht, Will draußen vorzufinden, und fragte: »Ist alles okay?«

Will war im Begriff zu antworten, als die Tür des Haupthauses knarrend aufging.

»Wer ist da draußen?« Cecil McAlpines Stuhl rollte auf die Veranda. Er war ohne Hemd, tiefe Narben liefen kreuz und quer über seine Brust. Es waren gerade Schnitte, als wäre er auf scharfen Metallteilen gelegen. »Bitty? Wer hat die Glocke geläutet?«

»Ich habe keine Ahnung.« Bitty stand hinter ihrem Mann, das Gesicht ängstlich verzerrt, während sie den Gürtel ihres dunkelroten Morgenmantels fester zog. »Was ist los, verdammt?«, fragte sie Will.

Will hob die Stimme. »Alle müssen ins Freie kommen.«

»Wieso?«, verlangte Cecil zu wissen. »Wer zum Teufel sind Sie, uns zu sagen, was wir tun sollen?«

»Ich bin Special Agent beim GBI«, verkündete Will. »Ich möchte, dass alle sofort ins Freie kommen.«

»Special Agent, hm?« Gordon warf noch einen Blick in seine Hütte, ehe er lässig die Treppe herunterkam.

Noch immer kein Landry.

»Es tut mir leid.« Frank hatte sich nicht von seiner Veranda gerührt. »Monica ist weggetreten. Sie hat ein bisschen zu viel getrunken und …«

»Bringen Sie sie hier raus.« Will machte sich auf den Weg zu Gordons Hütte. »Wo ist Paul?«

»In der Dusche.« Gordon korrigierte ihn nicht wegen des Namens. »Was …«

Will stieß die Tür auf. Die Hütte war kleiner als seine und Saras, aber im Wesentlichen genauso geschnitten. Will hörte, wie die Dusche abgestellt wurde. »Paul?«, rief er.

Eine Stimme antwortete: »Ja?«

Will fasste es als Bestätigung auf, dass die Männer hinsichtlich des Namens gelogen hatten. Paul griff gerade nach einem Handtuch. Er warf einen Blick auf Will, dann stutzte er, wahrscheinlich wegen der zu kleinen Jacke des Kochs. Er verzog den Mund zu einem spöttischen Grinsen. »Ist Ihnen Ihr Vanilla Girl zu langweilig geworden?«

Will schaute auf seine Armbanduhr. Ein Uhr sechs am Morgen. Nicht gerade die klassische Zeit für eine Dusche. Er sah Pauls Kleidung in einem Haufen auf dem Boden liegen und schob sie mit der Stiefelspitze auseinander. Kein Blut. Kein abgebrochener Messergriff.

»Gibt es einen Grund, warum Sie in meinem Badezimmer stehen und aussehen, als kämen Sie gerade von einem Taylor-Swift-Konzert?« Paul trocknete sich das Haar mit dem Handtuch ab. Will konnte eine Tätowierung auf seiner Brust sehen, ein kunstvolles Blumenmuster um einen verschlungenen Schriftzug. Paul registrierte, dass er es bemerkt hatte. Er legte das Handtuch über die Schulter und bedeckte das Tattoo. »Ich stehe im Allgemeinen ja nicht auf den starken, schweigsamen Typ, aber ich könnte eine Ausnahme machen.«

»Ziehen Sie sich an und kommen Sie nach draußen.«

Das ungute Gefühl, das Will einfach nicht losließ, wurde immer schlimmer. Er warf auf dem Weg zur Tür einen Blick ins Schlafzimmer und sah sich im Wohnzimmer um. Keine blutige Kleidung. Kein abgebrochener Messergriff.

Weitere Leute hatten sich draußen versammelt, während er in der Hütte war. Als Will die Anlage durchquerte, sah er Cecils Rollstuhl am oberen Ende der Haupttreppe. Christopher stand neben Chuck, ebenfalls in einem gelben, gemusterten Bademantel, diesmal mit Fischen. Sie folgten ihm alle mit Blicken, nahmen die dunklen Flecken auf seinen Cargoshorts wahr, die eng sitzende Küchenjacke.

Niemand stellte Fragen. Das einzige Geräusch kam von Frank, der beruhigend auf Monica einredete, als er ihr half, auf der untersten Stufe Platz zu nehmen. Sie trug ein ärmelloses schwarzes Seidennachthemd und war so betrunken, dass ihr Kopf ständig zur Seite fiel. Sydney, die Pferdefrau, war bei ihrem Mann Max. Sie trugen immer noch die gleichen Jeans und T-Shirts wie beim Abendessen, aber Sydney hatte jetzt Flip-Flops an den Füßen anstelle der Reitstiefel. Von allen Versammelten sah das reiche Paar am aufgebrachtesten aus. Will hätte nicht zu sagen gewusst, ob es Schuldgefühle oder ihre privilegierte Stellung waren, die sie misstrauisch machten, wenn sie mitten in der Nacht aus dem Bett geholt wurden.

»Haben Sie vor, sich zu erklären?« Gordon lehnte am Glockenmast, nach wie vor nur mit seinem Slip bekleidet. Paul ging langsam über das Gelände, er hatte Boxershorts und ein weißes T-Shirt angezogen. Das spöttische Grinsen war aus seinem Gesicht verschwunden, er sah nun besorgt aus.

Will drehte sich um, als er Schritte auf der Veranda der Familie hörte. Jon kam die Treppe herunter, von seinem großspurigen Auftreten beim Abendessen war nichts mehr zu sehen. Sein Haar war nass – noch jemand, der nachts duschte, wahrscheinlich, um nüchtern zu werden. Der Junge trug einen Pyjama, aber keine Schuhe. Sein Gesicht war aufgedunsen, die Augen waren glasig.

»Wo sind Keisha und Drew?«, fragte Will.

»Sie wohnen in Nummer drei.« Chuck zeigte auf die Hütte, die auf einer Linie mit der vorderen Veranda lag. Die Fenster waren geschlossen, die Vorhänge zugezogen, und es brannte kein Licht.

Will wandte sich an Chuck. »Gibt es ein Telefon im Haus?«

»Ja, in der Küche.«

»Gehen Sie hinein. Rufen Sie den Sheriff an. Sagen Sie ihm, ein Agent des GBI hat Sie gebeten, einen Code eins-zweiundzwanzig zu melden, es ist unverzüglich Hilfe notwendig.«

Will blieb nicht, um sich zu erklären, sondern joggte hinüber zu Hütte drei. Mit jedem Schritt wuchs sein Unbehagen. Er dachte wieder an sein Gespräch mit Sara in der Küche. Hatte er einen Tunnelblick entwickelt? War der Angriff auf Mercy ein zufälliges Ereignis gewesen? Die Lodge befand sich in den Ausläufern des Appalachian Trails, der sich mehr als dreitausend Kilometer weit an der Ostküste erstreckte, von Georgia bis Maine. Seit Beginn der Aufzeichnungen hatten mindestens zehn Morde auf dem Fernwanderweg stattgefunden. Vergewaltigungen und andere Verbrechen waren selten, aber sie kamen vor. Soweit Will wusste, hatten wenigstens zwei Serienmörder ihren Opfern entlang des Wanderwegs aufgelauert. Der Olympia-Attentäter von Atlanta hatte sich vier Jahre lang in diesen Wäldern versteckt. Es war, wie Sara gesagt hatte: Kratz ein wenig an der Oberfläche und alle möglichen Abscheulichkeiten kommen zum Vorschein.

Will trampelte bewusst laut die Stufen zu Hütte drei hinauf. Wie bei den anderen Hütten gab es kein Schloss. Er stieß die Tür so heftig auf, dass sie gegen die Wand krachte.

»Großer Gott!«, schrie Keisha. Sie setzte sich kerzengerade im Bett auf und streckte die Hand blind nach ihrem Mann aus. Dann schob sie ihre rosa Augenmaske hoch. »Will! Was zum Teufel soll das?«

Drew stöhnte. Er war an ein elektrisches Therapiegerät gegen Schlafapnoe angeschlossen, das sein Gesicht umgab. Die Maske sonderte ein lautes mechanisches Geräusch ab, das auch noch mit einem laufenden Kastenventilator neben dem Bett konkurrierte. Drew schob die Maske vom Gesicht und fragte: »Was ist denn los?«

»Sie müssen beide herauskommen. Sofort.«

Will ging und zählte lautlos durch, ob jemand fehlte. Die Gruppe stand immer noch an der Treppe versammelt. Chuck war im Haus und rief den Sheriff an. Sara befand sich hoffentlich auf dem Rückweg von ihrer beider Hütte. Er fragte Christopher: »Wo ist das Küchenpersonal?«

»Die Leute gehen am Abend nach Hause. Normalerweise sind sie bis halb neun vom Berg runter.«

»Haben Sie gesehen, dass alle gegangen sind?«

»Warum ist das wichtig?«

Will spähte zum Parkplatz. Drei Fahrzeuge. »Wer fährt die …«

»Das reicht jetzt mit Ihren Fragen«, tönte Bitty. »Warum haben Sie uns nicht gesagt, dass Sie Polizeibeamter sind? In Ihrem Anmeldeformular steht, Sie sind Mechaniker. Was nun?«

Will ignorierte sie und wandte sich wieder an Christopher. »Wo ist Delilah?«

»Hier oben.« Sie beugte sich aus einem Fenster im Obergeschoss. »Muss ich wirklich runterkommen?«

»Was soll das, Mann?« Drew stürmte mit einem aggressiven Gesichtsausdruck auf Will zu. Er und Keisha waren mit identischen blauen Pyjamas bekleidet. In dem zuvor freundlichen Gesicht des Mannes brodelte es vor Zorn. »Sie haben kein Recht, meiner Frau solche Angst zu machen.«

»Warte«, sagte Keisha. »Wo ist Sara?«

»Sie ist in Ordnung«, sagte Will. »Es hat einen ...«

»Ich habe den Sheriff angerufen.« Chuck kam die Treppe herunter. »Er sagt, es wird fünfzehn bis zwanzig Minuten dauern, bis er hier ist. Ich konnte ihm keine Einzelheiten erzählen, sondern habe gesagt, dass Sie ein Cop sind, habe den Code genannt und gebeten, er soll sich beeilen.«

»Sie sind ein Cop?« Drews Zorn wuchs noch um einiges an. »Sie haben mir erzählt, Sie arbeiten an Autos, Mann. Was zum Teufel ist da los?«

Will setzte gerade zu einer Antwort an, als Delilah auf die Veranda trat. Sie stellte die einzige Frage, die in diesem Moment eine Rolle spielen sollte.

»Wo ist Mercy?«

Wills Blick ging zu Jon. Er saß ein paar Stufen oberhalb von Monica auf der Treppe. Bitty stand neben ihm. Sie war so klein, dass seine Schultern bis zu ihrer Mitte reichten. Sie drückte seinen Kopf demonstrativ fürsorglich an ihre Hüfte. Mit dem zurückgekämmten Lockenschopf sah Jon sehr jung und verletzlich aus, mehr wie ein Junge als ein Mann. Will hätte ihn gern beiseitegenommen und ihm behutsam erklärt, was passiert war, ihm versichert, dass er das Monster finden würde, das ihm die Mutter genommen hatte.

Aber wie konnte er diesem Kind erklären, dass das Monster wahrscheinlich sein eigener Vater gewesen war?

»Bitte«, sagte Delilah. »Wo ist Mercy?«

Will hielt seine Emotionen zurück. In diesem Augenblick war es das Beste für Jon, wenn Will einfach seinen Job erledigte. »Es gibt keinen einfachen Weg, es zu sagen.«

»O nein!« Delilahs Hand fuhr an ihren Mund. Sie hatte es bereits vermutet. »Nein, nein, nein.«

»Was?«, fragte Cecil. »Spucken Sie es um Himmels willen aus.«

»Mercy ist tot.« Will achtete nicht auf die erschrockenen Laute der Gäste. Er sah nur Jon an, als er die Nachricht überbrachte. Der Junge steckte irgendwo zwischen Schock und Ungläubigkeit fest. So oder so hatte er die Wahrheit noch nicht wirklich erfasst. In einigen Jahren würde sich Jon an diesen Moment erinnern und sich fragen, warum er wie gelähmt gewesen war, als er dort saß, den Kopf an die Hüfte seiner Großmutter gepresst. Dann würden die Selbstvorwürfe über ihn hereinbrechen – er hätte Antworten fordern, schreien und heulen sollen angesichts des Verlusts.

Im Augenblick hatte Will ihm nichts anderes anzubieten als Einzelheiten. »Ich habe Mercy unten am Wasser gefunden. Dort gibt es drei Gebäude …«

»Die Junggesellenhütten.« Christopher drehte sich zum See um. »Was ist das für ein Geruch? Brennt es dort? Ist sie bei einem Brand …«

»Nein«, sagte Will. »Es hat gebrannt, aber das Feuer ist von allein ausgegangen.«

»Ist sie ertrunken?« Christophers Ton war schwer zu entschlüsseln. Er klang seltsam unberührt. »Mercy war eine gute Schwimmerin. Ich habe es ihr in den Shallows beigebracht, als sie vier Jahre alt war.«

»Sie ist nicht ertrunken«, sagte Will. »Sie hat zahlreiche Verletzungen erlitten.«

»Verletzungen?« Christophers Ton war immer noch emotionslos. »Was für Verletzungen?«

»Sei still«, sagte Bitty. »Lass den Mann reden.«

Will war sich unschlüssig, wie viel er vor allen Gästen verraten sollte, aber die Familie hatte ein Recht darauf, es zu erfahren. »Ich habe etliche Stichwunden gesehen. Ihr Tod wird als Tötungsdelikt eingestuft werden.«

»Erstochen …?« Delilah musste sich am Geländer festhalten. »O mein Gott. Arme Mercy.«

»Tötungsdelikt?«, wiederholte Chuck. »Sie meinen, sie wurde ermordet?«

»Ja, du Idiot«, antwortete ihm Cecil. »Man wird nicht aus Versehen mehrfach niedergestochen.«

»Armes Baby.« Bitty redete nicht von Mercy. Sie zog Jon noch fester an sich und drückte ihm einen Kuss auf den Scheitel. Er klammerte sich in seinem Schmerz an sie. Sein Gesicht war im Stoff ihres Morgenmantels verschwunden, aber Will konnte sein ersticktes Weinen hören. »Alles wird gut, mein lieber Junge. Ich bin ja da.«

Will richtete seine Worte weiter an die Familie. »Wir haben ihren Leichnam in einer der Hütten sicher untergebracht. Sara hat angeboten, bei ihr zu bleiben, bis sie abgeholt werden kann.«

»Das ist ja schrecklich.« Keisha hatte zu weinen angefangen. »Warum sollte jemand Mercy etwas tun wollen?«

Drew zog sie an sich, aber er brachte es trotzdem fertig, Will hasserfüllt anzusehen.

Will blendete ihn aus. Er war mehr an der Familie interessiert. Er hatte kollektiven Schmerz und Trauer erwartet, aber als er sie alle der Reihe nach betrachtete, sah er nichts dergleichen. Christopher sah so unberührt aus wie zuvor. Cecils Miene war die eines Mannes, dem man eine fürchterliche Unannehmlichkeit bereitet hatte. Delilah wandte Will den Rücken zu, er konnte ihre Reaktion also nicht einschätzen. Bitty war verständlicherweise auf Jon fokussiert, aber die Frau hatte keine Träne um ihre Tochter vergossen, obwohl es den Enkel an ihrer Seite vor Schmerz schüttelte.

Am meisten verblüffte Will, dass niemand von ihnen eine Frage stellte. Er hatte schon viele Male eine Todesnachricht überbracht. Immer wollten die Angehörigen wissen: *Wer war es? Wie ist es passiert? Hat sie gelitten? Wann können wir den Leichnam sehen? Wusste er, Will, genau, dass sie es war? Konnte es sich um eine Verwechslung handeln? War er sich absolut sicher? Hatte er den Mörder gefasst? Warum war er nicht draußen, um den Mörder zu jagen? Wie ging es jetzt weiter? Wie lange würde es dauern? Würde das Gericht die Todesstrafe fordern? Wann konnten sie sie beerdigen? Warum war das geschehen? Um Himmels willen – warum …?*

»Ihr Arschlöcher.« Delilahs Hausschuhe klatschten dumpf, als sie langsam die Treppe herunterkam. Sie sprach zu ihrer Familie. »Wer von euch war es?«

Will sah, wie sie vor Bitty trat. Der Zorn hatte sich wie ein Blitzschlag in ihr entzündet. Ihre Unterlippe zitterte. Tränen strömten ihr aus den Augen.

»Du.« Sie stieß mit dem Zeigefinger in Bittys Gesicht. »Warst du es? Ich habe gehört, wie du Mercy vor dem Abendessen bedroht hast.«

Chuck lachte nervös.

Delilah ging jetzt auf ihn los. »Halt dein dreckiges Maul, du widerlicher Perversling. Wir haben alle gesehen, wie du Mercy betatscht hast. Worum ging es da? – Und du, du nichtsnutziger Schwächling.«

Christopher schaute nicht hoch, aber es war klar, dass Delilah mit ihm sprach.

»Glaub nicht, dass ich dich nicht durchschaue, *Fischtopher*«, sagte Delilah.

»Verdammt noch mal, Dee, hör auf mit dem Blödsinn«, sagte Cecil. »Wir wissen doch alle, wer es getan hat.«

»Wage es nicht.« Bittys Stimme war leise, aber sie hatte Gewicht. »Wir wissen es absolut nicht.«

»Herrgott noch mal.« Delilah baute sich mit den Händen in

den Hüften vor Bitty auf. »Warum beschützt du dieses wertlose Stück Scheiße immer? Hast du nicht gehört, was der Mann gesagt hat? Deine Tochter wurde ermordet! Mit zahlreichen Messerstichen! Dein eigenes Fleisch und Blut! Kümmert es dich gar nicht?«

»So wie es dich kümmert?«, entgegnete Bitty. »Du warst dreizehn Jahre lang verschwunden, und plötzlich weißt du über alles Bescheid?«

»Ich weiß über dich Bescheid, du gottverdammte …«

»Das reicht jetzt.« Will musste sie trennen, bevor sie sich in Stücke rissen. »Sie sollten alle in Ihre Zimmer zurückkehren. Und die Gäste gehen bitte in ihre Hütten.«

»Wer hat eigentlich Ihnen das Kommando übertragen?«, fragte Cecil.

»Der Staat Georgia. Ich vertrete den Sheriff bis zu seinem Eintreffen.« Will wandte sich an die Gruppe. »Ich werde von Ihnen allen Aussagen aufnehmen müssen.«

»Scheiße, nein.« Drew wandte sich an Bitty. »Ma'am, ich bedaure Ihren Verlust, aber bei Sonnenaufgang sind wir hier weg. Sie können uns unser Gepäck nach Hause schicken. Belasten Sie unsere Kreditkarte. Vergessen Sie diese andere Geschichte. Tun Sie hier oben, was Sie wollen. Es ist uns egal.«

»Drew«, versuchte es Will. »Ich brauche eine Zeugenaussage, das ist alles.«

»Nein, zum Teufel«, sagte Drew. »Ich muss Ihre Fragen nicht beantworten. Ich kenne meine Rechte. Tatsächlich sagen Sie von jetzt an überhaupt nichts mehr zu mir und meiner Frau, Herr Polizeibeamter. Glauben Sie, ich habe es im Nachrichtenmagazin *Dateline* nicht gesehen? Es sind Leute, die so aussehen wie wir, die am Ende für einen Scheißdreck büßen, mit dem sie nichts zu tun hatten.«

Drew zerrte Keisha zu ihrer Hütte zurück, bevor Will ein Grund einfiel, ihn aufzuhalten. Die Tür schlug so laut zu, dass man hätte meinen können, eine Schrotflinte wäre losgegangen.

Niemand sprach ein Wort. Will schaute den Weg entlang, der zu Hütte zehn führte. Kein Mensch war dort zu sehen. Er hätte Sara nicht allein losrennen lassen dürfen. Das dauerte alles zu lang.

»Officer?« Max, der reiche Anwalt aus Buckhead, wartete, bis Will ihn ansah. »Auch wenn Syd und ich die Polizei nach Kräften unterstützen, lehnen wir es ab, uns befragen zu lassen.«

Will musste dem ein Ende machen. »Sie sind alle Zeugen. Niemand wurde für verdächtig erklärt. Ich brauche Aussagen darüber, was beim Abendessen vorgefallen ist und wo Sie alle nach dem Essen waren.«

»Was soll das heißen – ›wo Sie alle waren‹?« Die Frage kam von Paul. Sein Blick ging zu Gordon. »Fragen Sie uns nach einem Alibi?«

Will tat sein Bestes, damit sie nicht alle wegrannten. »Jon hat uns erzählt, dass morgens um acht und abends um zehn jemand die Runde um die Anlage macht. Vielleicht hat die betreffende Person etwas gesehen.«

»Es war Mercy«, sagte Christopher. »Sie war diese Woche mit der Abendrunde dran. Ich bin am Morgen gegangen.«

Will wusste noch, was Jon ihnen darüber erzählt hatte, aber er wollte, dass sie weitersprachen. »Wie sieht das aus? Klopfen Sie an die Türen?«

»Nein«, sagte Christopher. »Die Leute halten uns an, wenn sie etwas brauchen. Oder sie hinterlassen eine Nachricht auf der Treppe. Da ist ein Stein, den man auf das Papier legt, damit es nicht wegfliegt.«

»Schauen Sie.« Monica war vorübergehend zum Leben erwacht. Sie zeigte auf ihre Hütte. »Wir haben gegen neun Uhr eine Nachricht unter einem Stein auf unserer Veranda hinterlassen. Sie ist nicht mehr da.«

»Hat Mercy noch gebracht, worum Sie gebeten haben?«, fragte Will.

»Nein.« Frank warf einen Blick zu Monica.

Will schloss aus dem Blick, dass es eine Bitte um noch mehr Alkohol gewesen war. »Hat jemand Mercy nach zehn Uhr gesehen?«

Niemand antwortete.

»Hat jemand Schreie oder Hilferufe gehört?«

Wieder erntete er nur Schweigen.

»Ich unterbreche Sie nur ungern schon wieder«, sagte Max, obwohl er gar nichts unterbrach. »Aber Syd und ich müssen in die Stadt zurück.«

»Die Pferde müssen gefüttert und getränkt werden«, ergänzte Sydney.

Will hätte eine bessere Ausrede erwartet, aber es hatte keinen Sinn, sich mit ihnen anzulegen. Rein rechtlich konnten sie nicht gezwungen werden, sich zu äußern, geschweige denn zu bleiben.

»Cecil, Bitty.« Max wandte sich an die Familie McAlpine. »Es tut uns beiden sehr leid wegen Ihrer Tochter. Es war ein schöner Abend, der durch eine unaussprechliche Tragödie vergiftet wurde. Wir verstehen, dass Ihre Familie Zeit zu trauern braucht.«

Cecil sah nicht aus, als brauchte er Zeit für irgendetwas. »Wir sind immer noch bereit, die Sache weiterzuverfolgen. Jetzt mehr denn je.«

»Natürlich«, sagte Max, aber er klang nicht so, als meinte er es ernst.

Sydney fügte an: »Wir werden Ihre Familie in unsere Gedanken und Gebete einschließen.«

Das Paar entfernte sich Schulter an Schulter. Will fragte sich, was genau Cecil bereit war, weiterzuverfolgen. Das Paar aus Buckhead hatte von Anfang an eine Sonderbehandlung genossen. Das WLAN-Passwort war noch das Geringste. Will vermutete, der hundertfünfzigtausend Dollar teure Mercedes G550, der zwischen einem uralten Chevy und einem dreckigen Subaru stand, sagte aus, dass den beiden die Wanderung zur Hütte erspart geblieben war.

»Scheiß drauf«, sagte Gordon. »Ich brauche einen Drink.«

Er machte sich auf den Weg zu seiner Hütte. Paul schloss sich ihm an, aber nicht, ohne noch einen Blick auf Will zu werfen. Der Blick brachte bei Will ein Warnlicht zum Blinken. Paul hatte im Badezimmer eindeutig das Blut an Wills Hose bemerkt, aber es hatte ihn nicht beunruhigt. Jetzt war er sichtlich nervös. Offensichtlich hatte die Nachricht von Mercys Tod seine Haltung verändert. Herauszufinden, warum, würde warten müssen, bis Will sich zur Gänze überzeugt hatte, dass auf dem Gelände keine Gefahr mehr drohte.

Sechs von zehn Hütten waren belegt, womit vier leere blieben. Dave konnte sich in jeder von ihnen versteckt halten. Will wog lautlos ab, was dafürsprach, sie zu überprüfen, und was dagegensprach, der Familie Zeit zu geben, sich neu zu formieren. Sein Bauchgefühl sagte ihm, dass er bleiben sollte, wo er war. Etwas an ihrem Verhalten stimmte ganz und gar nicht. Paul war nicht der Einzige, der ihn misstrauisch machte. Vielleicht hatte Sara nicht so unrecht gehabt mit dem Hinweis auf seinen Tunnelblick.

»Verzeihung, Will?« Frank und Monica waren die einzigen verbliebenen Gäste. »Es ist mir egal, ob Sie gelogen haben, dass Sie Polizist sind. Es ist ein Glück, dass Sie da waren. Und Monica und ich haben nichts zu verbergen. Was wollen Sie wissen?«

Will hatte nicht die Absicht, mit Frank und Monica anzufangen. »Könnten Sie beide bitte in Ihre Hütte zurückgehen? Ich muss zuerst mit der Familie reden. Es gibt ein paar persönliche Dinge, die wir ansprechen müssen.«

»Ach so, natürlich.« Frank half Monica aufzustehen. Die Frau konnte kaum allein gehen. »Klopfen Sie einfach, wenn Sie so weit sind. Wir tun, was wir können, um zu helfen.«

Will sah, dass sich niemand von den McAlpines bewegt hatte. Niemand sah ihn an. Niemand hatte vor, Fragen zu stellen. Bis auf Delilah hatte niemand auch nur eine Spur von Trauer zum Ausdruck gebracht. Die Luft war dick vor Berechnung.

»Will?«

Sara war endlich zu ihnen gestoßen. Will war erleichtert, weil sie wohlauf war, aber er war auch erleichtert, ein wenig Beistand zu haben. Er trabte ihr ein Stück entgegen, damit sie sich ungestört von den McAlpines unterhalten konnten. Sie hatte sich in der Zwischenzeit Jeans und ein T-Shirt angezogen und hatte eins seiner Hemden unterm Arm.

Sie gab ihm sein Telefon, dann das Hemd. »Es hat eine Weile gedauert, bis ich ein Signal bekam, aber ich habe die SMS abgeschickt und eine Bestätigung bekommen. Alle sind unterrichtet. Was macht deine Hand?«

Seine Hand fühlte sich an, als wäre sie in eine Bärenfalle geraten. »Du musst mit der Familie ins Haus gehen und auf sie aufpassen, während ich die Hütten überprüfe. Lass sie nicht ihre Aussagen absprechen. Der Sheriff müsste bald hier sein. Sieh bitte nach, ob in der Küche ein Messer fehlt. Und falls sich die Gelegenheit ergibt – Paul hat eine Tätowierung auf der Brust. Ich möchte wissen, welches Wort da steht.«

»Verstanden.« Sara ging vor ihm zum Haus und sprach die Familie in ihrem professionellen Ton an. »Ich bedauere Ihren Verlust sehr. Ich weiß, es ist für Sie alle ein traumatischer Moment. Lassen Sie uns hineingehen. Vielleicht kann ich einige Ihrer Fragen beantworten.«

Bitty war die Erste, die sprach. »Sind Sie ebenfalls Polizistin?«

»Ich bin Ärztin und Gerichtsmedizinerin beim GBI.«

»Zwei Lügner, das sind Sie.« Bitty schien es sogar noch mehr zu beunruhigen als Drew, dass sie beide für die Polizei arbeiten. Will sah, wie sie Jon am Arm packte und ins Haus zurückschleifte. Christopher übernahm es, Cecils Rollstuhl zu schieben. Chuck folgte rasch. Nur Delilah blieb zurück. Will wollte, dass sie auch ins Haus ging. Wenn sich Dave in einer der leeren Hütten versteckte, konnte er mit einem Messer oder einer Pistole bewaffnet sein. Will wollte nicht riskieren, dass Delilah ins Kreuzfeuer geriet. Oder als Geisel genommen wurde.

Er legte das Hemd auf die Treppe, dann ließ er das Handy in seine Hosentasche gleiten. Er presste die Hand an die Brust, weil es gegen den Schmerz von der Verletzung half. Delilah beobachtete ihn aufmerksam. Sie war nicht mit der Familie ins Haus gegangen.

»Haben Sie mir etwas zu sagen?«, fragte er.

Sie hatte erkennbar eine Menge zu sagen, aber sie zog die Prozedur in die Länge, holte erst ein Papiertaschentuch hervor, schniefte, wischte sich über die Augen. Will glaubte nicht, dass es Show war. Sie war aufrichtig erschüttert über Mercys Tod. Wenn man nicht gerade Meryl Streep war, konnte man eine derartige Verzweiflung nicht vortäuschen.

Schließlich fragte sie: »Hat sie gelitten?«

Will hielt sich bei seiner Antwort bedeckt. »Ich kam erst ganz zum Schluss dazu.«

»Sie sind sicher …« Ihre Stimme versagte. »Sie sind sicher, dass sie tot ist?«

Will nickte. »Sara hat sie vor Ort für tot erklärt.«

Delilah betupfte mit dem Papiertuch ihre Augen. »Ich habe mich mehr als ein Jahrzehnt von diesem gottverlassenen Ort und der Familie ferngehalten, und kaum bin ich zurück, stecke ich schon bis zum Hals in ihrem verlogenen Scheißdreck.«

Will hatte den Eindruck, sie bezog sich auf mehr als nur den Mord. Er drückte zweimal auf den kleinen Schalter seitlich an seinem Handy, mit dem er die Aufnahme-App starten konnte. »In welchem verlogenen Scheißdreck stecken Sie denn?«

»In mehr, als sich Eure Schulweisheit träumen lässt, Horatio.«

»Lassen wir den Shakespeare weg«, sagte Will. »Ich bin Ermittler. Ich brauche Fakten.«

»Hier ist einer«, sagte sie. »Jede Person in diesem Haus wird Sie anlügen. Ich bin die Einzige, die Ihnen die Wahrheit sagen wird.«

Nach Wills Erfahrung waren die am wenigsten ehrlichen Menschen diejenigen, die am stärksten ihre Ehrlichkeit betonten, aber er war neugierig, welche Version der Wahrheit die Tante anzubieten hatte. »Fassen Sie es für mich zusammen, Delilah. Wer hat ein Motiv?«

»Wer hat keins?«, fragte Delilah zurück. »Diese reichen Arschlöcher aus Atlanta – sie sind hier, um die Lodge zu kaufen. Die Familie muss dem Verkauf mehrheitlich zustimmen. Zwölf Millionen Dollar geteilt durch sieben. Mercy hat zwei Stimmen, ihre eigene und die von Jon, weil er noch minderjährig ist. Sie hat der Familie unmissverständlich klargemacht, dass sie den Verkauf verhindern möchte.«

Will merkte, wie ein paar seiner Überlegungen ins Rutschen gerieten. »Wann war das?«

»Während des Familientreffens heute Mittag. Ich habe mich im Wohnzimmer versteckt, um zu lauschen, denn ich bin neugierig und ich liebe Dramen. Endlich macht es sich bezahlt.« Delilah zog ein weiteres Papiertuch aus der Tasche, um sich die Nase zu putzen. »Cecil hat versucht, Mercy unter Druck zu setzen, damit sie dem Verkauf zustimmt, aber sie ist auf ihn losgegangen. Sie ist im Grunde auf alle losgegangen. Mercy sagte, sie werde nicht zulassen, dass sie ihr die Lodge wegnehmen. Oder Jon. Dass sie jeden Einzelnen von ihnen ruinieren wird, wenn es sein muss. Sie sagte, wenn sie diesen Ort verliert, wird sie alle mit sich in den Abgrund reißen. Und sie meinte es ernst. Ich habe an ihrem Tonfall gehört, dass sie es ernst meinte.«

Will stellte schon wieder neue Überlegungen an. Finanzielle Motive steckten hinter den meisten Verbrechen. Zwölf Millionen Dollar waren ein gewaltiges Motiv. »Womit hat sie gedroht?«

»Ihre Geheimnisse aufzudecken.«

»Kennen Sie ihre Geheimnisse?«

»Wenn es so wäre, würde ich Ihnen jedes einzelne verraten. Mein Bruder ist ein gewalttätiges Arschloch, so viel steht fest, aber die Zeiten, da er Leuten richtig wehtun konnte, sind vorbei. *Körperlich* wehtun jedenfalls.« Delilah warf einen Blick zum

Haus. »Mercys Drohungen hatten mehr Biss, wenn Sie verstehen, was ich meine. Sie sagte, dass ein paar Familienmitglieder im Gefängnis landen könnten. Manche würden für immer ihren Ruf verlieren. Ich wünschte, ich könnte mich an weitere Einzelheiten erinnern. In meinem Alter bin ich froh, wenn ich noch nach Hause finde, aber das sind die zwei Sachen, die mir im Gedächtnis geblieben sind.«

Will erinnerte sich an etwas, was sie zuvor gesagt hatte. »Sie sagten zu Bitty, dass Sie gehört hätten, wie sie Mercy vor dem Abendessen gedroht hat.«

»Sie hat sie gefeuert, so sieht es aus.« Delilah schüttelte wütend den Kopf. »Dann drohte sie, wenn Mercy nicht für den Verkauf der Lodge stimmte, würde sie mit einem Messer im Rücken enden.«

Das fühlte sich nach einem bemerkenswerten Zufall an. Aber Bitty war klein, sie hätte Mercy nicht zum See schleifen können. Zumindest nicht ohne Hilfe. »Was ist mit Dave?«

»Ein gieriger Schweinehund.« Sie verzog angewidert das Gesicht. »Er hat ebenfalls für den Verkauf gestimmt.«

Das war nicht die Frage, die Will gestellt hatte, aber jetzt wollte er es wissen. »Wieso darf Dave mitabstimmen?«

»Cecil und Bitty haben ihn vor mehr als zwanzig Jahren offiziell adoptiert, was leider bedeutet, dass er zum Familientrust gehört. Wer dazugehört, hat eine Stimme.«

Will brauchte wieder einen Moment, um sich neu zu justieren, aber aus persönlichen Gründen. Dave hatte nicht nur eine Familie gewonnen. Er hatte zwei. »Wie kam es zu der Adoption?«

»Sie haben ihn entdeckt, als er wie eine streunende Wildkatze auf dem Gelände des Campingplatzes herumgeschlichen ist. Cecil wollte ihn dem Sheriff übergeben, aber Bitty fand Gefallen an ihm. Sie ist normalerweise kalt wie ein Fisch, aber sie hat eine sehr ungesunde Beziehung zu diesem Jungen. Sie würgt Mercy eins rein, wo sie nur kann, sie behandelt Christopher wie ein rothaariges Stiefkind, und gleichzeitig kann Dave bei ihr nichts falsch machen. Ich wage zu behaupten, sie verhält sich bei Jon genauso, wahrscheinlich, weil er seinem Vater wie aus dem Gesicht geschnitten ist. Alle tun so, als wäre das vollkommen normal, nebenbei bemerkt.«

Will fragte sie nicht nach dem Umstand, dass Dave quasi ein Halbonkel seines eigenen Sohnes war. Er war in einzigartiger Weise dazu qualifiziert, die merkwürdigen Beziehungen zu verstehen, die sich aus dem System der Pflegefamilien ergaben.

Stattdessen fragte er: »Was ist mit Christopher? Sie haben ihn anders genannt.«

»Fischtopher. Das ist ein Spitzname, den ihm Dave verpasst hat. Ich wollte fies zu ihm sein, weil er den Namen früher gehasst hat, aber anscheinend hat er sich daran gewöhnt. So läuft das bei Dave. Er laugt dich aus, bis du ihn tun lässt, was er will.«

Will versuchte, sie von Dave wegzubringen. »Würde Christopher Mercy etwas antun?«

»Wer weiß?«, sagte sie. »Er war immer eigenbrötlerisch. Nicht exzentrisch eingenbrötlerisch, sondern eher wie ein gebrauchte Damenhöschen sammelnder Serienkiller. Und Chuck – sie scheinen sich wie ein Ei dem anderen zu gleichen, schleichen im Wald herum und treiben Gott weiß was.«

»Sie sagen, Sie waren seit mehr als zehn Jahren nicht mehr hier. Woher wissen Sie, dass sie herumschleichen?«

»Ich habe sie heute Morgen, als ich zum Haus fuhr, in der Nähe des Holzstapels die Köpfe zusammenstecken sehen. Sie haben mein Auto bemerkt, und Chuck ist davongehastet wie ein aufgeschrecktes Eichhörnchen, während Christopher sich geduckt hat, als könnte ihn das hohe Gras unsichtbar machen. Irgendwas war definitiv im Busch.« Sie schniefte wieder. »Nach dem Familientreffen habe ich die beiden dann an derselben Stelle wieder miteinander tuscheln sehen.«

Will würde den Holzstapel auf seine Liste der Dinge setzen, die er durchsuchen musste. »Haben die beiden eine Beziehung?«

»Sie meinen, ob sie so sind wie die beiden Exhibitionisten in Hütte fünf?« Sie lachte hohl. »Schön wär's für Christopher. Er hatte fürchterliches Pech mit Frauen. Seine Highschool-Freundin wurde von einem anderen Jungen schwanger, und dann ist diese schreckliche Geschichte mit Gabbie passiert.«

»Wer ist Gabbie?«

»Nur ein weiteres Mädchen, das er verloren hat. Es ist lange her. Danach hatte er eigentlich keinen Kontakt mehr zu Frauen. Wenigstens nicht, dass ich wüsste. Andererseits ist es natürlich nicht so, als hätte man mich auf dem Laufenden gehalten.«

Will spürte einen Wassertropfen auf seinem Kopf landen. Der Regen ging los, aber er stand weiter ungeschützt im Freien und wartete, bis sie sprach.

»Hören Sie, wahrscheinlich tun Sie gut daran, auf Dave zu setzen. Sie hatten alle einen Grund, sie tot sehen zu wollen, aber Dave hat Mercy früher schon die Scheiße aus dem Leib geprügelt. Knochenbrüche, Blutergüsse. Niemand hat etwas gesagt oder unternommen, um dem ein Ende zu machen. Außer mir, und das hat ja, wie man sieht, wahnsinnig viel genützt. Man kann Leute nicht ändern, indem man ihnen sagt, dass sie falschliegen. Sie müssen von alleine draufkommen. Und das bedeutet dann wohl … es bedeutet, dass sie nie mehr draufkommen wird.«

Will sah sie schwer schlucken. Neue Tränen traten in ihre Augen. Er fragte: »Was ist mit Ihnen? Hatten Sie einen Grund, Mercy den Tod zu wünschen?«

»Fragen Sie nach einem Motiv?« Sie seufzte schwer. »Ich war froh, dass Mercy ihr Leben endlich auf die Reihe brachte. Ich habe ihr sogar angeboten, dabei zu helfen, den Verkauf der Lodge zu blockieren, aber Mercy hat ihren Stolz. *Hatte* ihren Stolz. Mein Gott, sie war so jung. Ich wusste gar nicht, was ich zu Jon sagen sollte. Er hatte nie einen Vater, und jetzt die Mutter auf diese Weise zu verlieren …«

Will stellte ihre Ehrlichkeit auf die Probe. »Was werden die Leute im Haus sagen, wenn ich sie frage, ob Sie ein Motiv hatten?«

»Oh, sie werden mich mit Sicherheit vor den Bus stoßen.« Delilah steckte das gefaltete Papiertuch in die Tasche zurück. »Sie werden sagen, dass ich mich rächen wollte, weil Mercy mir Jon weggenommen hat. Ich habe ihn vom Tag seiner Geburt bis zum Alter von drei, fast vier Jahren aufgezogen. Mercy hat im Januar 2011 darauf geklagt, das ständige Sorgerecht zurückzubekommen. Das war ein Jahr nach dem Autounfall.«

»Daher hat sie die Narbe im Gesicht?«, vermutete Will.

Delilah nickte. »Ich schätze, das hat ihr eine Himmelangst eingejagt. Brachte sie dazu, ihr Leben zu überdenken, ein bisschen erwachsen zu werden. Ich hatte meine Zweifel. Bei einer Heroinsucht sitzt dir ein höllisch großer Affe auf dem Buckel. Ihre Nüchternheit kam mir nicht sehr stabil vor. Der Kampf um das Sorgerecht ähnelte dann einer Straßenschlacht. Zog sich ein halbes Jahr hin. Wir haben uns gegenseitig in Stücke gerissen. Es brach mir das Herz, als sie gewann. Ich habe auf den Stufen des Gerichts zu ihr gesagt, dass ich hoffe, sie stirbt. Sie hat mich vollständig von Jons Leben abgeschnitten. Ich schrieb ihm Briefe, versuchte anzurufen. Bitty hat mich sabotiert, wo sie nur konnte, aber ich bin mir sicher, dass Mercy es wusste. Da haben Sie also mein Motiv. Falls Sie annehmen wollen, dass ich dreizehn Jahre gebraucht habe, um auszurasten.«

»Wo war Dave bei alldem?«

»Mercy war mit ihm zusammen. Dann war sie es nicht. Dann war sie es wieder. Dann war sie im Krankenhaus, und es war vorbei. Sie kam aus dem Krankenhaus, und es ging von vorn los.« Delilah verdrehte wütend die Augen. »Dave ist nie zu einem Besuchstermin unter Aufsicht erschienen. War zu betrunken oder zu bekifft, vermutlich. Oder er hatte zu viel Angst vor mir. Und das zu Recht. Wenn das Dave wäre, der jetzt tot am See liegt, könnten Sie mich ganz oben auf Ihre Liste der Verdächtigen setzen.«

»Was wird jetzt aus Jon werden?«

»Ich habe keine Ahnung. Er kennt mich eigentlich gar nicht mehr. Es ist wahrscheinlich am besten, wenn er bei Cecil und Bitty bleibt. Sie sind das kleinere Übel. Er hat seine Mutter verloren. Er wird seinen Vater verlieren, wenn es so etwas wie Gerechtigkeit gibt. Es wäre gut für Jon, wenn alles so vertraut wie möglich bliebe. Vielleicht kann ich eines Tages eine neue Beziehung zu ihm aufbauen, aber das ist das, was ich mir wünsche. Im Moment geht es darum, was Jon braucht.«

Will fragte sich, ob das ihre ehrliche Antwort war oder eine, von der sie glaubte, sie würde sie gut aussehen lassen. »Wo waren Sie heute Abend zwischen zehn Uhr und Mitternacht?«

Sie zog eine Augenbraue hoch, antwortete aber: »Ich habe bis halb zehn oder zehn in meinem Zimmer gelesen. Kein Alibi. Ich habe in meinem Bett geschlafen, bis die Glocke zu scheppern anfing. Wenn Sie in mein Alter kommen, ist Flüssigkeit am Abend ein Fremdwort. Ich habe eine Blase wie ein Tellereisen.«

Will hörte einen Wagen. Der Sheriff war endlich eingetroffen. Der braune Wagen fuhr auf den Parkplatz, als Sydney und Max gerade ihre Koffer zum Mercedes rollten. Wenn sie den Sheriff bemerkt hatten, reagierten sie jedenfalls nicht. Sie hatten lediglich im Sinn, möglichst schnell von hier wegzukommen. Will fand, es sagte viel über das Paar aus, dass sie nicht angeboten hatten, jemanden in die Stadt mitzunehmen.

Delilah stöhnte angewidert, als der Sheriff ausstieg. Sie sahen ihn einen großen Schirm vom Rücksitz angeln.

»Keine Gefahr, Biscuits ist da«, murmelte Delilah.

»Biscuits?«

»Spitzname.« Sie sah Will an. »Agent Wie-Sie-auch-heißen, ich weiß nicht das Geringste über Sie, aber ich würde diesem Mann nicht weiter trauen, als ich ihn werfen kann. Und ich kann verdammt gut werfen.«

Will spürte weitere Regentropfen auf dem Kopf, während der Sheriff auf sie zukam. Der Mann war etwa eins fünfundsiebzig und ein wenig rundlich unter der braunen Sheriff-Uniform. Ihr

Schnitt war für niemanden schmeichelhaft, aber der Sheriff sah in der engen Hose und dem steifen Kragen besonders unbehaglich aus. Er hatte es außerdem nicht eilig. Er blieb stehen, um seinen Schirm aufzuspannen, als es richtig zu regnen anfing. Will hob sein gefaltetes Hemd auf und lief die Treppe hinauf, wo er es in einen Schaukelstuhl warf. Er wartete mit Delilah unter dem Dach der Veranda.

Der Sheriff stieg langsam die Treppe hinauf, dann stand er oben und blickte über das Gelände, während er seinen Schirm ausschüttelte. Er lehnte ihn neben der Eingangstür an die Hauswand und schaute zu Will auf.

»Sheriff.« Will musste das Prasseln des Regens auf dem Blechdach überschreien. »Ich bin Will Trent vom GBI.«

»Douglas Hartshorne.« Statt Will um einen kurzen Bericht zu bitten, starrte er Delilah finster an. »Du tauchst nach zehn Jahren genau an dem Abend auf, an dem Mercy erstochen wird. Was hat es damit auf sich?«

Will ließ Delilah nicht antworten. »Woher wissen Sie, dass sie erstochen wurde?«

Er lächelte überheblich. »Bitty hat mich unterwegs angerufen.«

»Wie überraschend«, sagte Delilah zu Will. »Sie nennen sie Bitty, weil sie Dummköpfe wie ihn um den kleinen Finger wickelt.«

Der Sheriff ignorierte sie und fragte Will: »Wo ist die Leiche?«

»Unten bei den Junggesellenhütten«, sagte Delilah.

»Habe ich dich gefragt?«

»Herrgott noch mal, Biscuits. Es ist ja nicht so, als wolltest du eine gründliche Ermittlung beginnen.«

»Nenn mich nicht Biscuits!«, rief er. »Und an deiner Stelle würde ich lieber den Mund halten, Delilah. Du bist die Einzige hier oben, die schon mal auf einen Menschen eingestochen hat.«

»Es war eine gottverdammte Gabel«, erklärte sie Will. »Das war, noch bevor Jon zur Welt kam. Mercy wohnte in meiner Garage. Ich habe sie erwischt, als sie mein Auto stehlen wollte.«

»Behauptest du«, konterte der Sheriff.

Will knirschte mit den Zähnen, während die beiden sich weiter zankten. Dieser Unfug kostete Zeit, die sie nicht hatten. Der Sheriff schien mehr darauf fokussiert, Punkte gegen Delilah zu machen, als auf den Umstand, dass er es mit einem Mord zu tun hatte. Will schaute auf seine Uhr. Selbst wenn Amanda aufwachte und die Notfall-SMS las, würde sie mindestens zwei Stunden brauchen, um von Atlanta hier heraufzufahren.

»Du kannst mich mal«, sagte Delilah und ging die Treppe hinunter, ohne auf den strömenden Regen zu achten. »Ich werde bei meiner Nichte wachen.«

»Rühr ja nichts an«, rief ihr der Sheriff nach.

Sie streckte den Mittelfinger in die Höhe, um ihn wissen zu lassen, was sie von der Anordnung hielt.

»Manche Dinge werden mit dem Alter nicht besser«, sagte der Sheriff zu Will.

Will musste den Mann dazu bringen, dass er sich auf das konzentrierte, was wichtig war. »Soll ich Sie Sheriff nennen, oder …«

»Alle nennen mich Biscuits.«

Will knirschte wieder mit den Zähnen. Niemand hier lief unter seinem richtigen Namen.

Trotzdem fasste er die letzten zwei Stunden für den Sheriff zusammen. »Etwa um Mitternacht war ich mit meiner Frau am See. Wir hörten drei Schreie. Der erste kam rund zehn Minuten vor den beiden anderen, die schneller aufeinanderfolgten. Ich rannte durch den Wald und machte den Bereich mit den drei Junggesellenhütten ausfindig. Die letzte brannte. Mercy entdeckte ich am Seeufer. Ihr Körper lag im Wasser, aber ihre Füße waren an Land, im Trockenen. Ich bemerkte, dass sie zahlreiche Messerstiche aufwies. Der Blutverlust war schwerwiegend. Wir sprachen ein paar Worte, aber ihre einzige Sorge galt Jon, ihrem Sohn. Ich konnte keine Informationen über den Angreifer in Erfahrung bringen. Ich versuchte es mit Herzdruckmassage, aber die Messerklinge steckte noch in ihrer Brust. Sie durchbohrte daraufhin meine Hand. Der Griff muss bei dem Angriff abgebrochen sein, ich konnte ihn jedenfalls am Tatort nicht entdecken. In der Gastroküche scheinen keine Messer zu fehlen. Wir sollten die Küche der Familie im Haus und alle Hütten durchsuchen. Sobald die Sonne aufgeht, können wir eine Rastersuche starten. Ich empfehle, bei der Hauptanlage zu beginnen und sich in Richtung des Tatorts zu bewegen. Haben Sie Fragen?«

»Nein, Sie haben alles abgedeckt. Das war ein verdammt gutes Briefing. Der Coroner wird es noch mal hören wollen, wenn er eintrifft. Die Straßenlage wird langsam riskant. Sollte eine halbe Stunde dauern, bis er hier ist.« Biscuits schaute auf Wills bandagierte Hand hinunter. »Hab mich schon gefragt, was mit Ihrer Pfote los ist.«

Will hätte gern ein wenig Dringlichkeit in den Mann geschüttelt. Mercy war tot. Ihr Sohn war im Haus und trauerte. »Ich kann Ihnen die Leiche zeigen.«

»Sie wird immer noch tot sein, wenn der Regen vorbei ist und die Sonne rauskommt.« Biscuits schaute wieder über das Gelände. »Delilah liegt nicht falsch damit, dass es nichts zu ermitteln gibt. Mercy hat einen Ex. Dave McAlpine. Lange Geschichte, warum sie alle denselben Namen haben, aber die beiden prügeln sich schon gegenseitig, seit sie Teenager waren. Meine kleine Schwester hat sie in der Highschool immer aufeinander einschlagen sehen. Was diesmal passiert ist: Sie haben es zu weit getrieben, und am Ende war sie tot.«

Will musste einmal tief Luft holen, bevor er reagierte. Es hörte sich stark danach an, als würde der Sheriff Mercy die Schuld daran geben, dass sie ermordet worden war. »Meine Vorgesetzte …«

»Wagner? Heißt sie so?« Er wartete nicht auf eine Bestätigung. »Sie hat angeboten, ein paar von ihren Agents zu schicken, aber ich habe gesagt, sie soll einen Gang runterschalten. Dave wird früher oder später schon auftauchen.«

Amanda wusste nicht, wie man herunterschaltete. »Wir sollten Mercys Zimmer durchsuchen.«

»Wen meinen Sie mit ›wir‹, mein Freund?« Biscuits lächelte, aber eigentlich nicht. »Mein County, mein Fall.«

Will wusste, dass er Recht hatte. »Ich möchte mich freiwillig melden, um bei der Suche nach Dave zu helfen.«

»Vergeuden Sie nicht Ihre Zeit. Ich habe meinen Deputy bereits bei seinem Trailer und in allen Bars vorbeischauen lassen, in denen er herumhängt. Fehlanzeige. Schläft wahrscheinlich irgendwo in einem Graben.«

»Er könnte sich in einer der leer stehenden Hütten verstecken«, versuchte es Will. »Ich habe meine Waffe nicht dabei, aber ich kann Sie bei der Suche unterstützen.«

»Sparen Sie sich die Mühe«, sagte Biscuits. »Dave darf nach achtzehn Uhr nicht mehr hier oben sein. Papa hat ihn schon vor einiger Zeit von der Anlage verbannt. Er war im letzten Monat nur hier, um an den Junggesellenhütten zu arbeiten.«

Will fragte sich, ob der Mann eigentlich begriff, was er da redete. Dave stand unter Mordverdacht. Er hielt sich nicht an eine Sperrstunde. Will versuchte es noch einmal. »Was für ein Fahrzeug fährt er?«

»Er darf nicht fahren. Den Führerschein hat man ihm wegen Trunkenheit abgenommen. Ich glaube, eine Frau bringt ihn hier rauf und holt ihn abends wieder ab. Dave beherrscht es, Leute dazu zu überreden, dass sie etwas für ihn tun.«

Will wartete darauf, dass der Mann vorschlug, mit dieser Frau zu reden, oder zu überlegen, wo sie sonst noch suchen könnten, oder auch nur in Erwägung zu ziehen, dass Dave möglicherweise ohne Führerschein fuhr, aber Biscuits schien damit zufrieden zu sein, den Regen zu beobachten.

»Na dann.« Der Mann drehte Will den Rücken zu. »Ich sollte besser hineingehen und nach Bitty sehen. Waren ein paar harte Jahre für das arme kleine Mädel.«

Will hielt den Mund und zwang sich, zu akzeptieren, was offensichtlich war: Der Sheriff stand der Familie zu nahe. Er war von derselben Missachtung für Mercys Leben geblendet wie sie alle. Er war nicht daran interessiert, nach dem Hauptverdächtigen zu suchen, Beweise zu sammeln oder auch nur mit Zeugen zu reden.

Nicht dass die potenziellen Zeugen helfen würden. Zwei waren bereits mit ihrem Mercedes abgereist. Zwei weitere hatten sich geweigert, Fragen zu beantworten. Zwei benahmen sich verdächtig, während sie in Unterwäsche herumspazierten. Zwei der am wenigsten wichtigen wollten unbedingt helfen. Einer war ein Rätsel in einem Entchen-Bademantel. Die engere Familie des Opfers benahm sich, als wäre eine Fremde gestorben. Dazu kam, dass ein Teil der Mordwaffe verschwunden war. Ihr Hauptverdächtiger lag auf der Hand. Die Leiche hatte teilweise im Wasser gelegen. Die Hütte war abgebrannt. Der Rest des Tatorts wurde in diesem Moment vom Regen fortgespült.

Vielleicht hatte Biscuits recht damit, dass Dave früher oder später auftauchen würde. Der Sheriff verließ sich sichtbar darauf, dass eine ländliche Jury überzeugt sein würde, die Polizei gehöre zu den Guten, die nur jemanden verhafteten, der schuldig war. Aber Dave war kein typischer Angeklagter. Er würde wissen, wie er die Jury manipulieren konnte. Er würde eine kraftvolle Verteidigung aufbauen.

Will würde nicht zulassen, dass Dave wegen eines Kerls namens Biscuits ungeschoren mit Mord davonkam. Noch würde er mit den Händen in der Tasche herumstehen und darauf warten, dass die nächste schlimme Sache passierte.

»Will?« Sara öffnete die Haustür. »Jon hat eine Nachricht auf seinem Bett hinterlassen. Er ist wegelaufen.«

16. Januar 2011

Lieber Jon,

es ist wahrscheinlich bescheuert, dir einen Brief zu schreiben, von dem ich nicht mal weiß, ob du ihn je lesen wirst, aber ich mache es trotzdem. Bei den Anonymen Alkoholikern sagen sie, es ist gut, seine Gedanken zu Papier zu bringen. Ich habe mit zwölf angefangen, es zu tun, aber ich habe aufgehört, weil Dave mein Tagebuch in die Finger gekriegt und sich darüber lustig gemacht hat. Ich hätte mir das nicht von ihm wegnehmen lassen dürfen, aber mir hat man mein ganzes Leben lang alles Mögliche weggenommen. Dass ich wieder anfange zu schreiben, dient vermutlich dem Zweck, dass es eine Art Aufzeichnung geben soll, für den Fall, dass mir etwas Schlimmes zustößt. Was ich dir als Erstes sagen will, ist Folgendes: Heute habe ich beim Gericht Unterlagen eingereicht, um dich zurückzubekommen, damit ich werden kann, was ich von Anfang an hätte sein sollen: deine Mama.

Delilah hat nicht viel Geld, aber sie hat mir ins Gesicht gesagt, dass sie jeden Cent, den sie hat, dafür ausgeben würde, dich zu behalten. Sie hat ihre Gründe, und auf die werde ich nicht eingehen. Eines Tages wirst du die Geschichte von meinem hässlichen Gesicht erfahren und verstehen, warum sie mich so hasst. Warum mich alle hassen, schätze ich. Und hier hast du es schriftlich, dass ich nie gesagt hab, es gab keinen Grund.

Ich hab so ziemlich jeden Tag von meinen achtzehn Lebensjahren auf diesem Planeten nur Scheiße gebaut, bis auf einen, und das war der, an dem ich dich zur Welt gebracht habe. Jetzt versuch ich, die Scheiße aus meinem Leben wegzuräumen, indem ich dich zurückhole. Tut mir leid wegen meiner Ausdrucksweise. Deine Großmutter Bitty würde mir dafür in den Arsch treten, aber ich spreche zu dir wie zu einem Mann, weil du kein Junge mehr sein wirst, wenn du das liest.

Ich habe dich aufgegeben. Das ist die Wahrheit. Ich hab einen Entzug durchgemacht und war an ein Krankenhausbett gekettet, weil ich wieder betrunken Auto gefahren bin. Delilah war da, und es kostet mich nichts, wenn ich zugebe, dass ich froh war, sie zu sehen. Der Doktor hat mir keine Schmerzmittel gegeben, weil ich ein Junkie war. Der Cop wollte mir die Handschellen nicht losmachen, er war die Art von Arschloch. Es war ja nicht so, als hätte ich weglaufen können, während ein Baby aus mir kam, aber das war die Welt, in die du hineingeboren wurdest.

Ich schätze, man könnte sagen, es war eine Welt, die ich mir selbst geschaffen hab, und da würde man nicht falschliegen. Deshalb hab ich dich an diesem Tag Delilah überlassen. Ich habe nicht an dich gedacht, oder wie einsam ich ohne dich sein würde. Ich habe daran gedacht, wo ich was zu trinken herkriegen und ein paar Pillen auftreiben könnte, die mich über Wasser halten, bis ich an Stoff rankomme, und das ist die ehrliche Wahrheit. Ich hab als Jugendliche angefangen zu trinken, um meine Dämonen zu ersäufen, aber in Wirklichkeit hab ich mir ein Gefängnis erschaffen, in dem ich mitsamt meinen Dämonen festsaß.

Aber das ist jetzt ehrlich vorbei. Ich lebe seit einem halben Jahr, ohne irgendwas zu nehmen, und das ist eine Tatsache. Ich hab aufgehört, Partys zu feiern, und ich geh sogar in Abendkurse, um meinen allgemeinen Schulabschluss zu machen, damit du es, wenn du später in die Schule gehst, nicht als Ausrede benutzen kannst, dass ich keinen hab. Dein Daddy macht mir die Hölle heiß, weil ich so viel Zeit mit Lernen verbringe, statt mich um ihn zu kümmern, aber ich versuche, mein Leben zu ändern. Ich versuche, für dich alles besser zu machen, weil du es wert bist. Eines

Tages wird er es verstehen. Er kennt dich nur nicht so gut wie ich.

Dieser Brief wirkt vielleicht so, als würde ich hart ins Gericht gehen mit deinem Daddy. Ich werde nichts Schlechtes über ihn sagen, bis auf eine Sache. Ich weiß in meinem Innersten, dass er Geld von Delilah annehmen wird, damit er in dem Sorgerechtsstreit gegen mich aussagt. Das ist einfach seine Art, denn es wird nie genug Geld oder genug Liebe auf der Welt geben, damit es genug für ihn ist. Und ich bin mir ziemlich sicher, der Rest von meiner Familie wird sich auch gegen mich wenden, aber nicht wegen Geld, sondern nur, um es sich selbst leicht zu machen. Es ist nicht so, dass sie mich wirklich hassen. Wenigstens glaube ich das. Es ist nur so, dass sie alle dazu neigen, sich zu verkriechen, wenn es kompliziert wird, wie Karnickel, die sich tief in einem Loch vergraben. Sie tun es, um zu überleben, nicht, weil sie bösartig sind. Zumindest klammere ich mich an diese Vorstellung, denn ich glaube nicht, dass ich jeden Morgen aus dem Bett käme, wenn ich es persönlich nehmen würde.

Genau das tu ich jetzt nämlich – ich steh jeden Morgen auf und geh Zimmer saubermachen in dem Motel unten im Tal. Das Gleiche, was ich in der Lodge gemacht hab, solange ich zurückdenken kann, aber hier peitscht mich niemand aus, wenn ich zu langsam bin. Und niemand erklärt mir, dass das Dach über meinem Kopf und das Essen auf dem Tisch der einzige Lohn für meine schwere Arbeit sind.

Das Motel zahlt nicht viel, aber wenn ich es schaffe, weiter zu sparen, wird es eines Tages für eine kleine Wohnung reichen, in der wir leben können. Ich werde dich nicht in dem Wohnwagen von deinem Daddy unten in der Senke großziehen, wo jeden Abend die halbe Gegend zum Feiern vorbeischaut. Du und ich, wir werden in der Stadt wohnen, und du wirst die Welt sehen. Oder zumindest mehr davon, als ich gesehen hab.

Das ist das erste Mal in meinem Leben, dass ich Geld in der Tasche habe, das mir gehört. Ich musste immer bei Papa oder Bitty um Kleingeld betteln, damit ich mir ein Päckchen Kaugummi kaufen oder ins Kino gehen konnte. Und später dann hat mich dein Daddy betteln lassen. Aber jetzt muss ich niemanden anbetteln. Ich arbeite einfach in dem Motel, und sie bezahlen mich, und das ist ein ehrliches Leben. Selbst dein Daddy kann es mir nicht wegnehmen. Er versucht es, weiß Gott. Wenn er wüsste, wie viel ich wirklich verdiene, hätte ich keinen Cent.

Wie gesagt, ich behaupte nicht, dass dein Daddy ein schlechter Mensch ist, aber er ist ein echter McAlpine, obwohl er nicht in unsere Familie hineingeboren wurde. Vielleicht ist er sogar noch schlimmer, denn er schlüpft in verschiedene Häute, je nachdem, was er von einem will. Du musst für dich selbst entscheiden, ob das ein Problem ist, wenn du erwachsen bist. Du bist ebenfalls ein McAlpine, also wer weiß? Vielleicht wirst du am Ende genauso wie der Rest von ihnen.

Wenn das passiert, Baby, werde ich dich trotzdem noch lieben. Egal, was du tust, oder wenn Delilah gewinnt und ich akzeptieren muss, dass alle paar Wochenenden zwei Stunden mit dir im Gemeindezentrum alles sind, was ich je kriege, ich werde immer da sein. Es ist mir sogar egal, wenn du der schlimmste McAlpine von dem ganzen Haufen wirst. Sogar noch schlimmer als ich, ein Mensch mit Blut an den Händen. Ich werde dir immer verzeihen, und ich werde immer für dich eintreten. Ich werde nie ein Kaninchen sein, das sich in einem Loch versteckt. Zumindest nicht, was dich angeht. Die Haut, die du an mir siehst, auch die hässlichen Teile, vielleicht sogar vor allem die hässlichen Teile – so bin ich durch und durch bis an mein Herz.

Ich liebe dich für immer –
deine Mama

9

Sara las laut die kurze Notiz vor, die Jon auf seinem Bett hinterlassen hatte. »Ich brauche Zeit. Sucht mich nicht.«

»Ja, verdammt«, sagte der Sheriff. »Vielleicht findet er Dave und erspart uns die Mühe.«

Sie sah Wills Kinn scharf wie eine Glasscherbe aus dem Gesicht ragen. Sara nahm an, seine Begegnung mit dem Sheriff auf der Veranda war genauso bizarr gewesen wie ihre mit Mercys kalter, berechnender Familie im Haus. Niemanden schien ihr Tod zu berühren. Alles, wovon sie gesprochen, weswegen sie herumgeschrien und getobt hatten, war Geld gewesen.

Sara fragte den Sheriff: »Glauben Sie, Jon hat sich auf den Weg gemacht, Mercy zu sehen?«

»Davon war in seiner Notiz nicht die Rede«, sagte der Mann, als könnte man sich darauf verlassen, dass ein Sechzehnjähriger seine Absichten zu Papier bringt. »Der alte Truck steht noch da hinten. Jon wäre hier durchgekommen, wenn er zu Fuß unterwegs wäre. Der Weg zu den Junggesellenhütten ist weit da unten.«

»Hat er eine Freundin?«, versuchte es Sara. »Jemanden in der Stadt, wo er vielleicht …«

»Der Junge ist ungefähr so beliebt wie eine Schlange im Schlafsack. Wir werden es früh genug erfahren, wenn ihn jemand in der Stadt sieht. Er wird ein paar Stunden für die Wanderung brauchen, und zwar erst, wenn der Regen aufgehört hat. Ausgeschlossen, dass er bei diesem Wetter ein Fahrrad nimmt. Würde enden wie Papa und von einer Felswand stürzen.«

Nichts, was er sagte, brachte Sara Erleichterung, aber sie hatte das Gefühl, sie könnte ebenso gut den Regen anschreien, wie versuchen, den Sheriff zu ein wenig Sorge um ein vermisstes Kind zu bewegen.

»Wenn er gegangen ist, um Mercy zu sehen, wird Delilah dort sein«, sagte Will. »Sie wollte bei dem Leichnam wachen.«

Saras Augen brannten, es fehlte nicht viel, und sie hätte geweint. Wenigstens ein Mensch, der Anteil nahm.

»Ma'am, ich bin übrigens Douglas Hartshorne.« Der Sheriff streckte die Hand aus. »Sie können mich Biscuits nennen.«

»Sara Linton.« Seine Hand fühlte sich schlaff und feucht an, als Sara sie schüttelte. Sie warf einen Blick zu Will, der aussah, als würde er den Mann am liebsten von der Veranda schmeißen. Es ergab keinen Sinn, dass die beiden Polizeibeamten hier oben standen und sich unterhielten, während Mercy brutal ermordet unten am See lag. Sie sollten nach Dave suchen, Zeugenaussagen aufnehmen, dafür sorgen, dass sich jemand um Mercys Leiche kümmerte. Sara sah an der Art, wie Will die linke Hand ballte, dass ihm der fehlende Elan mehr Schmerzen bereitete als die Wunde in seiner rechten Hand.

Sie durfte nicht aufgeben. »Kann es sein, dass Jon versuchen wird, sich an Dave zu rächen?«

Biscuits zuckte mit den Achseln. »In der Nachricht steht nichts von Rache.«

Sara versuchte es noch einmal. »Er ist immer noch minderjährig, und er hat seine Mutter durch einen brutalen Mord verloren. Wir sollten nach ihm suchen.«

»Ich kann bei der Suche helfen«, sagte Will.

»Ach was, der Junge ist in diesen Wäldern aufgewachsen. Der kommt schon klar. Aber jedenfalls vielen Dank für das Angebot. Ab jetzt übernehme ich die Sache.« Biscuits machte sich auf den Weg zur Tür, aber dann schien ihm Sara einzufallen. Er tippte sich an den Hut. »Ma'am.«

Will und Sara waren sprachlos, als Biscuits die Tür sachte hinter sich schloss. Will machte ihr ein Zeichen, zur Ecke der Veranda zu gehen. Sie konnten einander nur ansehen. Beide konnten ihre Gefühle nicht artikulieren.

»Komm her«, sagte Will schließlich.

Sara vergrub das Gesicht an seiner Brust, und er legte die Arme um sie. Sie spürte, wie sich ein wenig von der Seelenqual löste, die sie seit Stunden mit sich herumschleppte. Sie hätte gern um Mercy geweint, ihre Familie angebrüllt, Dave gesucht, Jon zurückgeholt, um das Gefühl zu haben, etwas für die tote Frau zu tun, die in einer verlassenen alten Hütte lag.

»Es tut mir leid«, sagte Will. »Das ist kein so toller Honeymoon für dich.«

»Für uns«, berichtigte sie, denn es hätte ja für beide eine besondere Woche sein sollen. »Was können wir jetzt tun? Sag mir, wie ich helfen kann.«

Will schien sie nur widerstrebend loszulassen. Sara lehnte sich an einen der Pfosten. Die fortgeschrittene Uhrzeit setzte ihr plötzlich zu. Sie sahen einander wieder an. Man hörte nichts als den Regen, der vom Dach rauschte und auf den harten Boden klatschte.

»Was ist da drin passiert?«, fragte Will.

»Ich habe angeboten, Kaffee zu machen, damit ich die Küche durchsuchen konnte. Falls ein Messer fehlt, konnte ich es jedenfalls nicht feststellen. Es wirkt so, als hätten sie Besteck gehortet, seit die Lodge eröffnet hat. Wir werden den abgebrochenen Griff finden müssen, bevor wir nachschauen können, wozu er passt.«

»Ich bin überzeugt, Biscuits wird sich sofort an die Arbeit machen.« Er drückte die verletzte Hand an die Brust. Nachdem sich das Adrenalin verbraucht hatte, machte sich der Schmerz wahrscheinlich bemerkbar.

»Wann hat Bitty mit dem Sheriff gesprochen?«, fragte er.

Sara war die Verblüffung anzusehen. »Ich habe sie nicht telefonieren sehen. Wahrscheinlich, als ich in der Küche war.«

»Du hättest ohnehin nichts dagegen tun können.« Will schob seine Hand ein Stück höher, als würde sie an einer anderen Stelle nicht so brennen. »Ich muss Dave finden. Er könnte immer noch auf dem Anwesen sein.«

Der Gedanke, dass Will verletzt und ohne Unterstützung Jagd auf Dave machte, brachte Sara zum Frösteln. »Er hat vielleicht noch eine andere Waffe.«

»Wenn er sich immer noch hier oben herumtreibt, dann will er gefasst werden.«

»Nicht von dir.«

»Wie sagst du immer? Das Leben lässt dich für deine Persönlichkeit bezahlen?«

Sara spürte, wie es ihr die Kehle zuschnürte. »Der Sheriff …«

»Wird keine Hilfe sein«, sagte Will. »Er hat zu mir gesagt, der Coroner müsste in einer halben Stunde hier sein. Vielleicht wird der diesen Mord mit ein wenig Dringlichkeit behandeln. Hast du aus der Familie überhaupt irgendetwas herausbekommen?«

»Sie haben sich Sorgen wegen der Gäste gemacht, die abreisen, und wegen der Gäste, die am Donnerstag eintreffen sollen. Können sie die Anzahlung behalten? Werden die Leute trotzdem kommen? Wer wird die Lebensmittel bestellen, sich um das Personal kümmern, die Guides buchen?« Sara konnte immer noch nicht glauben, dass niemand von ihnen ein Wort über Mercy gesagt hatte. »Dann wurde es ziemlich hitzig, als sie anfingen, über die Investoren zu reden.«

»Du weißt Bescheid über den Verkauf?«

»Ich habe mir die Einzelheiten aus der lautstarken Auseinandersetzung zusammengereimt, wer Jon bei der Abstimmung vertreten darf, vor allem, falls Dave verhaftet wird.« Sie verschränkte die Arme. Sie fühlte sich seltsam verwundbar. »Irgendwann mittendrin ist Jon nach oben verschwunden. Ich wollte ihm folgen, aber Bitty sagte, ich soll ihm Zeit geben.«

»Genau das steht in seiner Nachricht. Dass er Zeit braucht.«

Sara fiel etwas ein. »Ich bin ins WLAN gekommen. Entriegle dein Handy, damit ich dir die Verbindung schicken kann.«

Will tippte mit dem Daumen seine PIN ein. Zum Glück war er Linkshänder und hatte nicht an Geschicklichkeit eingebüßt. Sara wartete, bis er im Netz war, bevor sie sein Hemd von dem Schaukelstuhl aufhob. Sie fing an, die lachhaft enge Jacke des Kochs aufzuknöpfen.

»Du weißt, ich kann das selber«, sagte Will.

»Ich weiß.« Sara half ihm aus der Jacke. Er ließ Sara ihren Willen und streckte die Arme seitwärts aus, damit sie ihn anziehen konnte. Ihre Hände kamen ihr ungeschickt vor mit den Knöpfen. Die Ereignisse der Nacht hatten sie deutlich mitgenommen. Sie schloss den letzten Knopf, dann legte sie die Hand auf sein Herz. Sie hätte vieles sagen können, damit er nicht wegging, aber Sara wusste, dass Will mehr als alles andere an die Arbeit gehen wollte.

Genau wie sie selbst.

Nicht viele Leute hatten sich für Mercy interessiert, als sie noch lebte, aber es gab wenigstens zwei Menschen, die es sehr stark interessierte, dass sie tot war.

»Du wirst die hier brauchen.« Sie nahm seine Knopfhörer aus ihrer Hosentasche und steckte sie in seine. Will konnte lesen, aber nicht sehr schnell. Es war leichter für ihn, wenn er die App auf seinem Handy benutzte, die geschriebenen Text in Sprache umwandelte. »Ich habe dir die Namen des Küchenpersonals zusammen mit ihren Telefonnummern geschickt. Ich habe sie auf einer Liste entdeckt, die an der Küchentür hing. Sie müssten durchkommen, wenn deine Nachrichten laden.«

Er war startklar und blickte hinaus zu den Parkplätzen. »Ich werde mit den Hütten anfangen, dann möchte ich mir diesen Holzstoß ansehen. Delilah hat mir erzählt, dass sich Christopher und Chuck früher am Tag dort herumgetrieben haben. Vielleicht gibt es dort ein Versteck.«

»Ich kann mit Gordon und Landry reden und herauszufinden versuchen, was es mit dieser Tätowierung auf sich hat.«

»Landry hat auf den Namen Paul reagiert, deshalb solltest du ihn so nennen, bis er dir eine bessere Erklärung liefert.« Will zeigte auf eine der Hütten, die hell erleuchtet war. »Die beiden sind da drüben. Drew und Keisha sind ebenfalls da, aber sie weigern sich, zu reden. Nicht dass ich glaubte, sie hätten etwas zu sagen. Ich bezweifle, dass sie in ihrer Hütte viel hören konnten, sie liegt größtenteils im Windkanal. Die beiden sind sehr verärgert, weil wir sie in Bezug auf unserer Arbeit angelogen haben.«

Sara tat es furchtbar leid um ihre verlorene Woche. Sie wusste, Will hatte Drew gemocht, und sie hatte sich darauf gefreut, ein wenig Zeit mit Keisha zu verbringen.

»Drew hat noch etwas Merkwürdiges zu Bitty gesagt, bevor sie davongestürmt sind«, fuhr Will fort. »Etwas wie: ›Vergesst diese andere Geschichte. Macht, was ihr wollt hier oben.‹«

»Vielleicht hatte er eine Beschwerde wegen ihrer Hütte.«

»Möglich.« Er setzte seinen Überblick fort und deutete auf die entsprechenden Hütten. »Monica und Frank sind dort, Chuck ist da drüben rausgekommen, Max und Sydney waren daneben. Sie sind schon abgereist.«

»Na großartig«, sagte Sara. Den Tatort hatte es weggespült, und die Zeugen verschwanden gleich mit ihm zusammen. »Was für eine Scheiße. Kümmert es irgendwen, dass Mercy tot ist?«

»Delilah kümmert es. Glaube ich jedenfalls.« Will blickte auf sein Handy. Seine Nachrichten luden langsam hoch. »Delilah zufolge hatte Christopher einige gescheiterte Beziehungen. Eine Frau wurde von einem anderen Kerl schwanger und hat ihn verlassen, und eine weitere Frau ist ebenfalls weg. Ich weiß nicht, ob das bedeutet, dass sie tot ist oder dass sie verschwand, und ob es überhaupt eine Rolle spielt. Die Leute verheimlichen alles Mögliche aus ganz eigenen Gründen.«

In Saras Kopf sprang plötzlich eine Glühbirne an, aber es hatte nichts mit Christophers Liebesleben zu tun. »Der Streit zwischen den App-Entwicklern, auf dem Weg vor unserer Hütte.«

»Was ist damit?«

»Paul sagte: ›Es ist mir egal, was du denkst. Es ist das Richtige.‹ Dann sagte Gordon: ›Seit wann interessiert es dich, was richtig ist?‹, und Paul antwortete: ›Seit ich verdammt noch mal gesehen habe, wie sie lebt.‹«

Will schenkte ihr seine ungeteilte Aufmerksamkeit. »Mit *sie* war Mercy gemeint?«

»Es gibt nur zwei Frauen, die hier leben, und die andere ist Bitty.«

Er kratzte sich am Kinn. »Hat Gordon etwas darauf erwidert?«

Sara schloss die Augen und versuchte, sich zu erinnern. Die beiden Männer hatten vielleicht fünfzehn Sekunden lang vor der Hütte gestritten, bevor sie weitergingen. »Ich glaube, Gordon sagte schließlich: ›Du musst es auf sich beruhen lassen.‹ Dann ging Paul hinunter in Richtung See, und ich habe nichts mehr gehört.«

»Warum sollte es Paul interessieren, wie Mercy lebt?«

»Es klang, als würde er es ihr verübeln.«

Das Display von Wills Telefon leuchtete auf. »Faith hat mir vor einer halben Stunde ihren Standort geschickt. Sie ist auf der 75, kurz vor der 575.«

Sara konnte keinerlei Verbindung zwischen der glücklichen Flitterwöchnerin herstellen, die einen Tag zuvor dieselbe Strecke gefahren war, und der Frau, die sich jetzt mitten in einer Mordermittlung befand. »Sie braucht wahrscheinlich noch zwei Stunden, bis sie hier ist.«

»Mein Plan ist, Dave bis dahin in Gewahrsam zu haben, damit sie die Vernehmung führen kann.«

»Du glaubst immer noch, dass er es war?«

»Wir können darüber diskutieren, wer sonst noch infrage kommt, oder ich kann Dave suchen gehen und es ein für allemal klären.«

Sara gewann den Eindruck, dass Will mehr Dinge zu klären hatte, als er zugab. »Was ist mit dem Sheriff? Er hat deutlich gemacht, dass er unsere Hilfe nicht will.«

»Amanda würde Faith nicht schicken, wenn sie keinen Plan hätte.« Will ließ das Handy wieder in der Tasche verschwinden. »Ich möchte, dass du im Haus bist, wenn ich die leer stehenden Hütten überprüfe.«

Sara wollte nicht in das deprimierende Haus zurückgehen. »Ich werde mit Gordon und Paul reden. Vielleicht finde ich heraus, was da los ist. Erinnerst du dich an ein irgendein Detail von der Tätowierung?«

»Viele Blumen, ein Schmetterling, eine schnörkelige Schrift, definitiv ein einzelnes Wort. Im Bogen hier über seiner Brust gestochen.« Er strich mit der Hand über sein Herz. »Er hat ein T-Shirt angezogen, bevor er herauskam. Ich weiß nicht, ob er nicht wollte, dass es noch jemand sieht, oder ob er es angezogen hat, weil man das eben tut, wenn man aus der Dusche kommt.«

Das war das Frustrierende an einer Ermittlung. Die Leute logen. Sie verbargen Dinge. Sie wahrten ihre Geheimnisse. Sie plauderten andere aus. Und oft hatte es nicht das Geringste mit dem Verbrechen zu tun, das man aufzuklären versuchte.

»Ich sehe zu, was ich herausfinden kann«, sagte Sara.

Will nickte, aber er rührte sich nicht. Er würde tatsächlich warten, bis sie wohlbehalten in Hütte fünf war.

Sara lieh sich den großen Schirm aus, der am Haus lehnte. Ihre Wanderstiefel waren wasserdicht, aber nichts verhinderte, dass der Regen ihre Beine nass spritzte. Bis sie die kleine überdachte Veranda erreicht hatte, war ihre Hose vom Knie abwärts durchnässt. So viel zum wasserabweisenden Stoff. Sie klappte den Schirm zusammen, dann klopfte sie an die Tür.

Es war bei dem Hintergrundrauschen des Regens schwer zu sagen, ob aus der Hütte Geräusche kamen. Zum Glück musste Sara nicht lange warten, bis Gordon an die Tür ging. Er trug einen schwarzen Slip und flauschige Hausschuhe.

Er fragte Sara nicht, was sie wollte oder warum sie hier war, sondern riss die Tür auf und sagte: »Geteiltes Leid ist halbes Leid.«

»Willkommen bei unserer traurigen kleinen Party«, rief Paul von seinem Platz auf der Couch. Er trug Boxershorts und ein weißes T-Shirt. Seine nackten Füße lagen auf dem Kaffeetisch. »Wir sitzen nur in unserer Unterwäsche herum und lassen uns volllaufen.«

Sara bemühte sich, mitzuspielen. »Erinnert mich ans College.«

Gordon lachte, als er in die Küche ging. »Setzen Sie sich doch.«

Sara entschied sich für einen der tiefen Clubsessel. Die Hütte war kleiner als ihre und Wills, aber im selben Stil eingerichtet. Sie konnte bis ins Schlafzimmer sehen. Auf dem Bett lagen keine Koffer, was sie als Zeichen auffasste, dass das Paar nicht vorhatte, abzureisen. Oder vielleicht hatten sie andere Prioritäten. Auf dem Kaffeetisch stand eine offene Flasche Bourbon, daneben zwei Gläser. Die Flasche war halb voll.

Gordon stellte ein drittes Glas auf den Tisch. »Was für eine beschissene Nacht. Vielmehr ein beschissener Morgen. Scheiße, die Sonne geht ja bald auf.«

Sara spürte, wie Paul sie aufmerksam musterte.

»Mit einem Cop verheiratet, hm?«, fragte er.

»Ja.« Sara würde nicht mehr lügen. »Ich arbeite ebenfalls für den Staat. Ich bin Gerichtsmedizinerin.«

»Ich könnte keine Leiche anrühren.« Gordon nahm den Bourbon vom Kaffeetisch. »Dieses Zeug schmeckt wie Terpentin, möchte man gar nicht glauben bei dem Preis.«

Sara erkannte das teure Label. Sie konnte sich nicht erinnern, wann sie zuletzt etwas Hochprozentiges getrunken hatte. Will hatte eine Abneigung gegen Alkohol, die in seine Kindheit zurückreichte. Sara war fast zwangsläufig zur Abstinenzlerin geworden.

»Es liegt an der Höhe, oder«, sagte Paul. »Sie verändert deine Geschmacksknospen.«

»Das passiert in Flugzeugen, Süßer.« Gordon schenkte großzügig Doppelte in alle drei Gläser ein. »Wir können nicht auf zehntausend Meter Höhe sein.«

»Auf welcher Höhe sind wir dann hier?«, fragte Paul.

Er sah Sara an, als er die Frage stellte, deshalb antwortete sie. »Die Lodge liegt auf rund siebenhundert Metern über Meereshöhe.«

»Gott sei Dank wird uns kein Flugzeug treffen. Das wäre die Krönung dieses beschissenen Tages.« Gordon gab Sara ihr Glas. »Was macht eine Rechtsmedizinerin eigentlich? Ist das wie bei … wie heißt diese Sendung gleich noch?«

»Welche Sendung?«, fragte Paul.

»Die Frau mit dem Haar. Wir haben sie auf *Mountain Stage* gehört. Und dann hat sie bei *Madam Secretary* mitgemacht.«

Paul schnippte mit den Fingern. »*Crossing Jordan*.«

»Genau die.« Gordon schüttete sein halbes Glas hinunter. »Kathryn Hahn hat darin mitgespielt. Wir lieben sie.«

Sara nahm an, sie hatten ihre ursprüngliche Frage vergessen. Sie trank einen Schluck Bourbon und bemühte sich, nicht zu erbleichen. Terpentin war noch ein Kompliment.

»Stimmt, oder?« Paul hatte ihre Reaktion bemerkt. »Sie müssen ihn im Mund behalten, um den Würgereiz zu überwinden.«

Gordon machte ein verächtliches Geräusch über die zweideutige Bemerkung. »Ich schätze, das gibt es heute Nacht nicht für die Flitterwöchner.«

»Was treibt denn Agent McSexy?«, fragte Paul. »Sieht nicht so aus, als wäre jemand daran interessiert, eine Aussage zu machen.«

Sara spürte, wie ihr schlecht wurde bei der Vorstellung, dass Will allein nach Dave suchte. »Hat einer von Ihnen beiden Mercy nach dem Abendessen noch gesehen?«

»Aha, Polizeifragen«, sagte Gordon. »Müssten Sie uns nicht zuerst unsere Rechte vorlesen?«

Sara war nicht verpflichtet, ihnen etwas vorzulesen. »Ich bin keine Polizistin. Ich kann Sie nicht verhaften.«

Sie ließ weg, dass sie sehr wohl als Zeugin über alles aussagen konnte, was sie ihr erzählten.

»Paul hat sie gesehen«, sagte Gordon.

Sara nahm an, dass es mit dem Landry-Verwirrspiel nun endgültig vorbei war. »Wo war sie?«

»Genau vor unserer Hütte. Das war ungefähr um halb elf. Ich habe zufällig gerade aus dem Fenster gesehen.« Paul setzte das Glas an den Mund, trank aber nicht. »Mercy spazierte ein bisschen herum, dann ging sie die Treppe zu Frank und Monica hinauf.«

»Monica hat wahrscheinlich um mehr Schnaps gebeten«, sagte Gordon. »Frank sagt, sie hat eine Nachricht auf der Veranda hinterlassen.«

»Ich weiß nicht, wie sie es fertigbrachte, einen Kugelschreiber zu halten«, bemerkte Paul. »Die Frau war sternhagelvoll.«

»Auf Monicas Leber.« Gordon hob sein Glas und trank ihnen zu.

Sara tat, als nähme sie noch einen Schluck. Sie fand es interessant, dass Paul wusste, wohin Mercy gegangen war. Man konnte Franks und Monicas Hütte von ihrem Fenster aus nicht sehen. Man musste auf die Veranda hinausgehen, und das hieß, er hatte bewusst nachgeschaut, wohin sie ging.

»Und«, fragte Gordon. »Wie hat sie ausgesehen?«

Sara schüttelte den Kopf. »Wer?«

»Mercy«, sagte Gordon. »Sie wurde erstochen, oder?«

»Ziemlich grausig«, sagte Paul. »Sie hatte sicher schreckliche Angst.«

Sara blickte in ihr Glas. Die beiden Männer behandelten die Sache wie eine Realityshow.

»Wissen Sie, ob unsere Wanderung morgen noch stattfindet?«, fragte Paul.

»Schatz«, sagte Gordon. »Das ist jetzt ein bisschen gefühllos.«

»Es ist außerdem legitim. Wir haben einen Batzen Geld bezahlt, um herzukommen.« Er sah Sara an. »Wissen Sie was?«

»Sie werden die Familie fragen müssen.« Sara konnte sich nicht länger verstellen. Sie setzte ihr Glas wieder auf dem Tisch ab. »Paul, Will hat mir erzählt, dass er die Tätowierung auf Ihrer Brust gesehen hat.«

Pauls Lachen klang gezwungen. »Keine Sorge, Schätzchen. Er steht voll und ganz auf Sie.«

Sara machte sich diesbezüglich keine Sorgen. »Ich habe in meinem Job gelernt, dass jede Tätowierung eine Geschichte hat. Was ist Ihre?«

»Ach, es ist eine dumme Geschichte«, sagte er. »Ein bisschen zu viel Tequila. Ein bisschen zu viel Melancholie.«

Sara sah Gordon an. Er zuckte mit den Achseln. »Ich bin kein Tattoo-Fan. Ich hasse Nadeln. Wie sieht es bei Ihnen aus? Irgendwelche Arschgeweihe, von denen Sie uns erzählen möchten?«

»Nein.« Sie versuchte es auf einem anderen Weg. »Waren Sie beide schon einmal hier in der Lodge?«

»Es ist unser erstes Mal«, sagte Gordon. »Bin mir nicht sicher, ob wir noch mal kommen werden.«

»Ich weiß nicht, Schatz. Wenn wir jetzt sofort buchen, könnten wir wahrscheinlich einen guten Rabatt herausschlagen.« Paul setzte sich gerade und griff nach dem Bourbon. Er goss sich noch einen Doppelten ein, dann fragte er Sara: »Wollen Sie auch noch einen?«

»Sie hat den ersten kaum angerührt.« Gordon streckte die Hand aus. »Darf ich?«

Er schüttete den Inhalt ihres Glases in seins.

»Was ist mit Mercy?«, fragte sie.

Paul lehnte sich langsam zurück.

»Was meinen Sie?«, fragte Gordon.

»Es schien mir, als würden Sie sie kennen. Oder hätten zumindest von ihr gehört.« Sie sagte es zu Paul. »Und als wären Sie nicht allzu glücklich darüber, dass sie hier oben in der Lodge ein angenehmes Leben führt.«

In Pauls Augen blitzte etwas auf, aber Sara konnte nicht sagen, ob es Zorn oder Angst war.

»Sie war ein seltsamer Vogel, finden Sie nicht?«, sagte Gordon. »Sie hatte etwas Schroffes an sich.«

»Und was ist mit dieser Narbe in ihrem Gesicht?«, fragte Paul. »Ich wette, die könnte einem auch eine Geschichte erzählen.«

»Eine, die ich nicht hören wollte«, erwiderte Gordon. »Die ganze Familie ist ein bisschen suspekt, wenn ihr mich fragt. Die Mutter erinnert mich an das Mädchen aus diesem Film, aber deren Haar war dunkel, nicht strähnig und weiß wie die Schamhaare einer Hexe.«

»Samara Morgan in *The Ring*?«, fragte Gordon.

»Ja, aber mit der Stimme eines bösen Kindes.« Gordon blickte Sara an. »Haben Sie ihn gesehen?«

Sara würde sich nicht von ihnen ablenken lassen. »Sie sind Mercy also nie begegnet, bevor Sie hier eingecheckt haben?«

Gordon antwortete: »Ich kann aufrichtig sagen, dass ich die arme Frau heute zum ersten Mal zu Gesicht bekommen habe.«

»Das war gestern«, sagte Paul. »Es ist bereits morgen.«

Sara erhöhte den Druck. »Warum haben Sie wegen Ihres Namens gelogen?«

»Wir haben uns nur einen kleinen Spaß gemacht«, sagte Gordon. »Wie Sie und Will, nicht wahr? Sie haben ebenfalls gelogen.«

Dem konnte Sara nicht widersprechen. Es war einer der vielen Gründe, warum sie es hasste, zu lügen.

»Lasst uns trinken«, sagte Paul und hob sein Glas. »Auf alle Lügner auf diesem Berg. Mögen Sie nicht alle dasselbe Schicksal teilen.«

Sara wusste, es war sinnlos, zu fragen, ob er Mercy in seinen Lügner-Club miteinschloss. Sie sah Pauls Adamsapfel zucken, als er den ganzen Inhalt seines Glases austrank. Er knallte es auf den Kaffeetisch, das Geräusch hallte in der Stille. Niemand sagte etwas. Draußen war nur mehr ein Tropfen zu hören, der Regen war fürs Erste abgezogen. Sie hoffte, dass Wills Verband trocken geblieben war. Und dass er nicht irgendwo mit einem Messer in der Brust lag.

Sie wollte sich gerade verabschieden, als Gordon die Stille mit einem lauten Gähnen brach.

»Ich gehe besser ins Bett, bevor ich mich in einen Kürbis verwandle.«

Sara stand auf. »Danke für den Drink.«

Es gab keine freundlichen Abschiedsworte, nur ein vielsagendes Schweigen, als Sara die Hütte verließ. Sie blickte zum Himmel empor. Der Vollmond hatte sich auf den Bergkamm zubewegt. Nur wenige Wolken waren übrig. Sara ließ den Schirm auf der Veranda und stieg die Treppe hinunter. Sie hielt nach Will Ausschau. Die Flutlichter brannten noch, aber ihr Schein reichte nicht überallhin.

Nicht weit vom Parkplatz fiel ihr Bewegung auf. Keine falsche Bigfoot-Sichtung diesmal. Sie erkannte Will an seiner Silhouette. Er wandte ihr den Rücken zu, seine Hände lagen seitlich am Körper. Sie nahm an, dass sein Verband klatschnass war. Von Dave war nichts zu sehen, was eigentlich kein Grund zur Erleichterung war, aber sie war dennoch froh. Will musste sich den Holzstapel angesehen haben, von dem er gesprochen hatte, dachte sie, aber dann durchdrang ein Scheinwerferpaar die Dunkelheit.

Sara hob die Hand vor die Augen zum Schutz vor dem Licht. Kein Auto, sondern ein dunkler Sprinter-Van. Vermutlich war der Coroner eingetroffen. Sie hoffte, der Mann würde froh sein, dass eine staatliche Rechtsmedizinerin bereits vor Ort war, aber eingedenk der unerwarteten Reaktionen, die sie heute Abend schon erlebt hatte, nahm sie nichts für selbstverständlich. Hoffentlich kannte der Coroner wenigstens die Grenzen seiner Aufgabe.

Die Rolle einer Gerichtsmedizinerin wurde oft mit der eines County Coroners verwechselt. Nur für Erstere war ein Medizinstudium nötig. Letztere konnten alles Mögliche sein, und meistens waren sie es auch. Was bedauerlich war, denn Coroner waren die Torwächter des Todes. Sie beaufsichtigten das Sammeln von Beweisen und entschieden offiziell, ob ein Todesfall verdächtig genug war, um die Gerichtsmedizin des Staates um eine Obduktion zu bitten.

Der Staat Georgia war der erste gewesen, der das Amt des Coroners in seiner Verfassung von 1777 auswies. Es war ein Wahlamt, und es gab nur wenige Anforderungen, wenn man sich darum bewerben wollte: Die Kandidaten mussten mindestens fünfundzwanzig Jahre alt sein, sie mussten im Wählerverzeichnis des County stehen, in dem sie sich bewarben, durften nicht vorbestraft sein und mussten einen Highschool-Abschluss vorweisen.

Genau ein einziger Coroner von den einhundertvierundfünfzig Countys des Staats war tatsächlich Arzt. Die Übrigen waren Bestatter, Farmer, Pensionisten, Pastoren und in einem Fall ein Motorbootmechaniker. Die Position brachte zwölfhundert Dollar im Jahr ein, wofür der Coroner rund um die Uhr in Bereitschaft sein musste. Manchmal bekam man eben, wofür man bezahlte. Und so kam es, dass ein Selbstmord als Mord eingestuft werden konnte und ein Akt häuslicher Gewalt als Unfall.

Saras Wanderstiefel kerbten sich in den Schlamm, als sie zum Parkplatz ging. Die Fahrertür ging auf. Zu ihrer Überraschung sah Sara eine Frau aussteigen. Die Überraschung wurde sogar noch größer, als sie feststellte, dass die Frau einen Overall und einer Truckerkappe trug. Sara hatte wegen des Vans einen Bestatter erwartet. Im Schein des Flutlichts konnte Sara jetzt das Logo auf der Heckklappe lesen, Moushey Heizung und Klima. Saras Magen ballte sich zu einer Faust.

»Ja«, sagte die Frau gerade zu Will. »Biscuits hat mir erzählt, dass ihr versucht, euch in den Fall zu drängen.«

Sara musste sich auf die Unterlippe beißen, um sich nicht einzumischen.

»Keine Sorge.« Die Frau hatte Saras Gesichtsausdruck registriert. »Zahlreiche Stichwunden, richtig? Würde sagen, Mord ist in diesem Fall keine schwere Entscheidung. Der Staat kriegt die Leiche früher oder später sowieso. Dann kann es nicht schaden, wenn wir hier gleich zusammen anfangen. Ich bin Nadine Moushey, Coroner von Dillon County. Sie sind Dr. Linton?«

»Sara.« Die Frau hatte einen unangenehm festen Händedruck. »Was hat man Ihnen erzählt?«

»Mercy wurde erstochen, wahrscheinlich hat Dave es getan. Hab außerdem gehört, es ist euer Honeymoon?«

Sara konnte Wills Verblüffung förmlich spüren. Er verstand noch immer nicht, wie Kleinstädte funktionierten. Wahrscheinlich wussten mittlerweile alle Leute im Umkreis von fünfzig Meilen von dem Mord.

»Das ist natürlich total beschissen«, sagte Nadine. »Obwohl, wenn ich an meinen eigenen Honeymoon zurückdenke, wäre es wahrscheinlich ein Glück gewesen, wenn jemand den Schweinehund umgebracht hätte.«

Will sagte: »Es scheint, als kennen Sie das Opfer und den Hauptverdächtigen.«

»Mein kleiner Bruder ist mit Mercy zur Schule gegangen. Dave kenne ich noch aus der Zeit, als wir in der Eisdiele abhingen. Er war immer ein gewalttätiges Arschloch. Mercy hatte ihre Schwierigkeiten, aber sie war okay. Nicht gemein wie der Rest der Familie. Was vermutlich zu ihrem Schaden war. Du willst nicht in eine Schlangengrube geworfen werden, wenn du nicht die schärfsten Fangzähne hast.«

»Gibt es außer Dave noch jemanden, der Mercy gern tot sehen würde?«, fragte Will.

»Darüber habe ich auf der ganzen Fahrt nachgedacht«, sagte Nadine. »Ich bin Mercy seit Papas Unfall vor eineinhalb Jahren nicht mehr über den Weg gelaufen, und damals habe ich sie nur einmal im Krankenhaus gesehen. Die Stadt ist ein schwieriger Ort für sie. Sie bleibt hauptsächlich oben auf dem Berg. Die

Lodge liegt sehr abgelegen. Gibt nicht viel, worüber die Leute tratschen können, wenn man sich nicht ein bisschen in der Stadt herumtreibt.«

»Was ist mit der Narbe in ihrem Gesicht?«, fragte Sara.

»Autounfall. Trunkenheitsfahrt. Sie ist an eine Leitplanke gedonnert, das Metall hat es in der Mitte auseinandergerissen, und es hat ihr so ziemlich das halbe Gesicht weggeschnitten. Dahinter steckt eine lange, traurige Geschichte, aber die Einzelheiten kann Ihnen Biscuits erzählen. Es war sein Pa, Sheriff Hartshorne, der die Sache bearbeitet hat, aber Biscuits war auch vor Ort. Die Familien standen sich immer nahe.«

Sara war nicht überrascht. Es erklärte, warum es Biscuits nicht eilig hatte.

»Der Sheriff hat mir erzählt, dass Dave der Führerschein wegen Trunkenheit im Straßenverkehr entzogen wurde«, sagte Will. »Er sagte etwas von einer Frau, die ihn zur Lodge hinauf- und wieder zurückfährt, damit er dort arbeiten kann.«

Nadine lachte schallend. »Diese Frau ist Bitty. Dave hat so ziemlich jede Frau in der weiteren Umgebung verbrannt. Keine kriecht seinetwegen aus dem Bett. Oder ins Bett, wenn Sie mich fragen. Ich habe schon zwei Jungs großgezogen. Muss mich nicht um noch einen kümmern. Was ist mit Ihrer Hand passiert, wenn ich fragen darf?«

Will sah auf seine bandagierte Hand. »Sie haben nicht von der Mordwaffe gehört?«

»Will hat Herzdruckmassage versucht«, erklärte Sara. »Er wusste nicht, dass die Messerklinge in Mercys Brust abgebrochen war.«

»Den Messergriff zu finden, sollte Priorität haben«, sagte Will. »Ich habe nichts herumliegen sehen, als ich die Hütten nach Dave durchsucht habe, aber es ist eine gründlichere Suche wert.«

»Scheiße, das ist hart. Lassen Sie uns hinuntergehen, während wir reden.« Nadine langte in ihren Van und holte eine Taschenlampe und einen Werkzeugkasten heraus. »Bis zum ersten Tageslicht sind es noch etwa drei Stunden. Für Mitte des Vormittags ist neuer Regen angekündigt, aber ich werde nicht versuchen, sie wegzubringen, bis die Sonne aufgeht. Jetzt wollen wir erst einmal schauen, wie es aussieht.«

Nadine ging mit der Taschenlampe voraus. Sie hielt den Strahl auf den Boden gerichtet und leuchtete immer nur einige Meter aus. Will wartete, bis sie den unteren Teil des Loop Trails erreicht hatten, ehe er für sie die Ereignisse des Abends rekapitulierte. Der Streit beim Abendessen. Die Schreie in der Nacht. Wie er Mercy gefunden hatte, die sich am Seeufer an die letzten Augenblicke ihres Lebens klammerte.

Sara fühlte sich hautnah wieder in die Szene versetzt, als sie alles noch einmal hörte. Sie fügte lautlos ihre eigene Perspektive hinzu. Wie sie durch den Wald gerannt war. Verzweifelt nach Will gesucht hatte. Wie sie ihn über Mercy kniend fand. Die Qual auf seinem Gesicht. Er war so von Schmerz überwältigt gewesen, dass er Sara nicht einmal bemerkt hatte, geschweige denn das Messer in seiner Hand.

Bei der Erinnerung drohten neue Tränen. Als sie beide allein auf der Veranda der McAlpines standen, war sie so erleichtert gewesen, seine Umarmung zu spüren, aber jetzt wurde ihr bewusst, dass Will wahrscheinlich ebenfalls Trost gebraucht hatte.

Sie griff nach seiner linken Hand, als sie den kurvenreichen Weg hinuntergingen. Sara hatte den Lost Widow Trail auf der Karte deutlich eingezeichnet gesehen, aber ihr logischer Verstand hatte sie im Stich gelassen, als sie barfuß und in Panik wegen Wills Hilferufen in den Wald gerannt war.

Das Gelände fiel jetzt steil ab, und der gewundene Pfad war nicht so gut in Schuss gehalten wie der Rundweg. Nadine murmelte einen Fluch, als ein tief hängender Ast ihr die Kappe fast vom Kopf schlug. Sie hielt die Taschenlampe höher, damit es nicht noch einmal passierte. Einzeln hintereinander stiegen sie im Zickzack in die Schlucht unterhalb des Speisesaals hinab. Die

Lichterkette am Geländer brannte nicht; Sara nahm an, das Personal war kurz nach dem Abendessen gegangen. Sie versuchte, nicht daran zu denken, wie sie mit Will auf dem Freideck gestanden hatte. Es schien in einem anderen Leben gewesen zu sein.

Will ging langsamer, als der Weg breiter wurde. Sara ließ sich ebenfalls zurückfallen. Sie wusste, er wollte hören, wie es mit den App-Typen gelaufen war. Ob sie überhaupt App-Entwickler waren. Beide Männer hatten sich als geschickte Lügner erwiesen.

Will und Sara allerdings auch.

Mit leiser Stimme sagte sie: »Paul hat Mercy gegen halb elf zur Veranda von Frank und Monica gehen sehen.«

»Es ist ihm nicht eingefallen, das früher zu erwähnen?«

»Er hat vieles nicht erwähnt«, sagte Sara. »Ich habe nichts über die Tätowierung aus ihm herausbekommen, warum er einen falschen Namen angegeben hat, ob sie Mercy kannten oder worum sich der Streit auf dem Weg gedreht hat. Ich glaube, es lag nicht nur am Alkohol. Sie kamen mir in allem unglaublich blasiert vor.«

»Das passt zum Thema des Abends.« Will legte die Hand unter ihren Ellbogen, als sie ein besonders steiles Stück hinuntergingen. »Ich habe in dem Holzstapel nichts entdeckt. Keine Spur von Dave in den Hütten. Kein abgebrochener Messergriff. Keine blutige Kleidung. Inzwischen sind drei Stunden vergangen. Dave ist wahrscheinlich schon in einem anderen Bundesstaat.«

»Hast du mit Amanda gesprochen?«

»Sie ist nicht ans Telefon gegangen.«

Sara sah beunruhigt zu ihm auf. Amanda meldete sich immer, wenn Will anrief. »Was ist mit Faith?«

»Sie steckt in einem Stau auf der Interstate. Es dauert mindestens noch eine Stunde, bis sie die Unfallstelle geräumt haben und die Straße wieder freigeben.«

Sara biss sich so heftig auf die Lippe, dass sie Blut schmeckte. Sie würde Will jetzt unmöglich dazu überreden können, auf Faith zu warten. Sobald sie Mercys Leiche an Nadine übergeben hatten, würde er sich irgendwie einen Wagen organisieren und losfahren, um Dave zu suchen.

»Nadine!«, rief Sara. Sie konnte Will nicht umstimmen, aber sie konnte wenigstens ihren Job erledigen. »Wie lange sind Sie schon County Coroner?«

»Drei Jahre«, sagte Nadine. »Mein Dad hat es früher gemacht, aber dann haben ihn typische Altersbeschwerden ereilt. Herzinsuffizienz, Nierenversagen, COPD.«

Sara war das Trio der Begleiterkrankungen wohlbekannt. »Es tut mir leid.«

»Das braucht es nicht. Er hatte seinen Spaß dabei, sich das alles einzuhandeln.« Nadine blieb stehen und sah sie an. »Ihr seid da unten in Atlanta wahrscheinlich ein wenig mehr Anonymität gewöhnt, aber hier oben, solltet ihr wissen, weiß jeder über jeden Bescheid.«

Weder Will noch Sara verrieten ihr, dass zumindest eine von ihnen sich sehr gut mit Kleinstädten auskannte.

»Die Sache ist die, es ist scheißlangweilig hier oben, und wenn man jung ist, gerät man in alles Mögliche hinein.« Nadine stützte sich an einen Baum. Sie hatte offenbar auf dem Weg hier herunter darüber nachgedacht. »Bei Mercy war es so, dass sie wilder war als wir alle zusammen. Hat Schnaps gesoffen, Pillen eingeworfen, Dope gespritzt. Ladendiebstahl, Autos aufgebrochen. Häuser mit Klopapier eingewickelt, das Schulgebäude mit Eiern beworfen. Kein Scheiß, bei dem sie nicht dabei war.«

Es fiel Sara schwer, die sorgenvolle Frau, mit der sie in der Küchentoilette gesprochen hatte, mit dem wilden Bild in Einklang zu bringen, das Nadine von ihr zeichnete.

»Ihr kennt diesen Spruch von Eltern, dass ihr Kind brav ist, sich aber mit den falschen Leuten herumtreibt? Das war Mercy. Sie war ›die falschen Leute‹ für alle Jugendlichen in der Stadt.«

Nadine zuckte mit den Achseln. »Vielleicht hatten sie damals recht, aber so war es jetzt nicht mehr. Die Sache mit Kleinstädten ist die, dass du praktisch bei der Geburt in Alleskleber getunkt wirst. Den Ruf, den du dir als Kind und Jugendliche erwirbst, den wirst du nicht mehr los, die Leute werden dich dein ganzes Leben lang so sehen. Obwohl sich Mercy also von ihren Abhängigkeiten befreit hat, eine anständige Mutter für Jon war und die Lodge auf einen guten Weg gebracht hat, als ihr Daddy über eine Felswand fuhr, steckte sie immer noch in diesem Klebstoff fest. Könnt ihr mir folgen?«

Sara nickte. Sie wusste genau, was die Frau meinte. Ihre eigene kleine Schwester hatte sich in der Highschool sexuell ausgetobt, was ihr immer noch schiefe Blicke einbrachte, obwohl Tessa inzwischen geheiratet hatte, eine wunderbare Tochter zur Welt gebracht hatte und als Missionarin in Übersee tätig war.

»Jedenfalls dachte ich, dass ihr euch vielleicht fragt, warum die Leute von dem Mord an Mercy nicht stärker erschüttert sind«, schloss Nadine. »Sie glauben, dass sie es verdient hat.«

»Genau so habe ich den Sheriff verstanden«, sagte Will.

»Tja, man sollte meinen, ein Mann, der bald zwanzig Jahre lang in seinem erbärmlichen Leben Biscuits genannt wird, würde begreifen, dass Menschen sich ändern können.« Nadine hörte sich nicht nach einem Fan des Sheriffs an. »Dave hat ihm den Spitznamen in der Highschool verpasst. Der arme Kerl war ein richtiges Fettklößchen damals. Dave sagte, dass sein Bauch wie eine Keksdose aus dem Hosenbund ragt.«

Nadine ließ ihre Taschenlampe wieder über die Bäume huschen. Sie gingen weitere fünf Minuten schweigend, bis sie ein terrassenförmig angelegtes Areal erreichten. Nadine lief voraus und leuchtete den beiden anderen.

»Vorsicht«, sagte sie. »Hier ist es ein bisschen heikel zu gehen.«

Sara spürte Wills Hand im Rücken, als sie vorsichtig hinunterstieg. Der Wind hatte gedreht, es roch immer noch nach

Rauch von der ausgebrannten Hütte. Ein Dunstschleier lag auf ihrer Haut. Die Temperatur war nach dem Regen gefallen, und in der kühleren Luft kondensierte die Feuchtigkeit, die vom See aufstieg.

»Ich habe gehört, dass Dave die alten Hütten renoviert«, sagte Nadine. »Sieht aus, als würde er wieder erstklassige Arbeit leisten.«

Nadines Lichtstrahl wanderte über die Sägeböcke und herumliegenden Werkzeuge, über die leeren Bierdosen, heruntergebrannten Joints und Zigarettenkippen. Nachdem Sara schon einiges über Dave McAlpine gehört hatte, war sie nicht überrascht, dass an seinem Arbeitsplatz reines Chaos herrschte. Männer wie er nahmen immer nur. Sie bedachten nie, was sie für andere zurückließen.

»Hallo?«, rief eine angespannte Stimme. »Wer ist da?«

»Delilah«, sagte Will. »Hier ist Agent Trent. Ich bin mit dem Coroner hier und …«

»Nadine!« Delilah hatte auf der Treppe zur zweiten Hütte gesessen. Sie stand nun auf, als sie näher kamen, und wischte Erde von ihrer Pyjamahose. »Du hast für deinen Paps übernommen?«

»Ich bin sowieso zu allen Tages- und Nachtzeiten unterwegs und repariere kaputte Kompressoren«, sagte Nadine. »Es tut mir wirklich leid wegen Mercy.«

»Mir auch.« Delilah putzte sich mit einem Tuch die Nase und fragte Will: »Haben Sie Dave schon gefunden?«

»Ich habe die leer stehenden Hütten durchsucht. Dort ist er nicht.« Will blickte sich um. »Haben Sie Jon gesehen? Er ist weggelaufen.«

»Lieber Himmel«, stieß Delilah hervor. »Kann es denn immer noch schlimmer werden? Warum ist er weggelaufen? Hat er eine Nachricht hinterlassen?«

»Ja«, sagte Sara. »Er schrieb, er braucht Zeit und wir sollen nicht nach ihm suchen.«

Delilah schüttelte den Kopf. »Ich habe keine Ahnung, wohin er gegangen sein könnte. Wohnt Dave noch in diesem Wohnwagenpark?«

»Ja«, antwortete Nadine. »Meine Granny wohnt gegenüber. Ich habe zu ihr gesagt, sie soll nach Dave Ausschau halten. Sie sitzt bestimmt in ihrem Sessel beim Fenster und beobachtet seine Bude, als wär es eine von ihren Fernsehsendungen. Wenn sie Jon sieht, ruft sie mich an.«

»Danke.« Delilah zupfte am Kragen ihrer Pyjamajacke. »Ich hatte gehofft, Dave würde hier auftauchen. Ich hätte ihn mit Freuden im See ertränkt.«

»Wäre kein großer Verlust, aber wahrscheinlich wirst du keine Gelegenheit dazu kriegen. Diese fiesen Tyrannentypen bringen ihre Frauen um, und dann bringen Sie sich normalerweise selbst um. Hab ich recht, Doktor?«

Sie lag nicht völlig falsch damit. »Es kommt vor.«

Will schien über die Aussicht, dass Dave Selbstmord begehen könnte, nicht allzu glücklich. Er hätte ihn eindeutig gern in Handschellen weggeschleift. Vielleicht hatte er recht. Alle behandelten es als beschlossene Sache, dass Dave Mercy getötet hatte.

»Na gut«, sagte Nadine. »Vielleicht keine gute Idee, vor einem Cop herumzulabern, dass man jemanden gern umbringen würde, wenn der Betreffende womöglich schon tot ist. Sollen wir anfangen?«

Will führte sie ans Ufer hinunter. Sara blieb mit Delilah zurück, denn sie konnten kein zweites Paar Fußabdrücke an einem ohnehin schon kontaminierten Tatort gebrauchen. Sie versuchte, eine Erinnerung daran heraufzubeschwören, wie das Gelände bei ihrem Eintreffen ausgesehen hatte. Der Mond war teilweise hinter Wolken verschwunden, hatte aber immer noch ein wenig Licht geboten.

Am Fuß der Treppe war eine große Blutlache gewesen. Weiteres Blut hatte sich in den Schleifspuren gesammelt, die in gerader Linie zum See hinunterführten. Blut hatte auch das Wasser rot gefärbt, als Mercy ihr Leben ausgehaucht hatte. Jeans und Unterwäsche waren heruntergezogen gewesen. Sie war vermutlich vergewaltigt worden, ehe man sie erstach. Es hatte mehr Wunden gegeben, als man zählen konnte.

Sara bereitete sich innerlich auf die Obduktion vor. Mercy war früher am Tag bereits von Dave gewürgt worden. Sie hatte sich beim Abendessen versehentlich den Daumen an einer Glasscherbe aufgeschnitten. Sara stellte sich vor, es würde zahlreiche Spuren früherer und aktueller Verletzungen geben. Mercy hatte Sara erzählt, dass sie quasi ihren Vater geheiratet hatte. Sara schloss daraus, dass Dave nicht der erste Mann in ihrem Leben gewesen war, der sie missbrauchte.

Sie drehte sich um und blickte zu der geschlossenen Tür der Hütte. Am Leichnam hatte bereits die Verwesung eingesetzt. Es gab die vertrauten Gerüche von Bakterien, die Fleisch zersetzten. Die Tür war noch mit dem Balken versperrt, den Will von dem Holzvorrat an der Hüttenbaustelle geholt hatte. Sie hatte Mercys Leiche in die Mitte des Raums gelegt. Nichts außer Wills Hemd bedeckte sie. Sara hatte dem Drang widerstanden, sie vorzeigbarer herzurichten: das wirre, nasse Haar zurückzustreichen, die Augenlider zu schließen, das zerrissene Höschen und die Jeans nach oben zu ziehen. Mercy McAlpine war eine komplizierte, schwierige und energiegeladene Frau gewesen. Sie verdiente Respekt, selbst wenn er ihr erst im Tod zuteilwerden sollte. Aber jeder Quadratzentimeter ihres Körpers konnte Aufschluss darüber geben, wer sie getötet hatte.

»Ich hätte mich mehr anstrengen sollen, in ihrem Leben zu bleiben«, sagte Delilah.

Sara drehte sich um und sah die Frau an. Delilah zerknüllte ein Papiertuch in der Hand. Ihre Tränen flossen ungehindert.

»Nachdem ich das Sorgerecht für Jon verloren hatte, sagte ich mir, ich halte mich besser fern, weil er Stabilität braucht. Ich wollte nicht, dass er sich zwischen mir und Mercy hin und her gerissen fühlte.« Delilah blickte auf den See hinaus. »In Wahrheit war es mein Stolz. Die Sorgerechtsschlacht hatte zutiefst persönliche Züge angenommen. Es ging nicht mehr um Jon, es ging darum, zu gewinnen. Mein Ego konnte die Niederlage nicht akzeptieren. Nicht gegen Mercy. Ich betrachtete sie als wertlosen Junkie. Hätte ich ihr nur die Zeit gegeben, zu beweisen, dass sie mehr als das war. Ich hätte ihr Hafen im Sturm sein können. Mercy brauchte das. Sie hat es immer gebraucht.«

»Es tut mir leid, dass es so schlimm geendet hat.« Sara formulierte vorsichtig, sie wollte nicht an eine frische Wunde rühren. »Man nimmt sehr viel auf sich, wenn man das Kind von jemand anderem großzieht. Sie müssen Mercy nahegestanden haben, als Jon zur Welt kam.«

»Ich war der erste Mensch, der ihn im Arm hielt«, sagte sie. »Mercy wurde am Tag nach seiner Geburt ins Gefängnis gebracht. Die Schwester legte ihn mir in die Arme, und ich … ich hatte keine Ahnung, was ich tun sollte.«

Sara hörte keine Bitterkeit in ihrem trockenen Lachen.

»Ich musste auf dem Heimweg in einem Walmart halten. Ich hatte einen Säugling in der einen Hand und einen Einkaufswagen in der anderen. Gott sei Dank hat eine andere Frau meine Verwirrung bemerkt und mir geholfen, alles zusammenzusuchen, was ich brauchte. Ich habe die ganze erste Nacht damit verbracht, in Internetforen darüber zu lesen, wie man ein Baby versorgt. Ich hatte nie die Absicht gehabt, ein Kind aufzuziehen. Ich wollte es nicht. Jon war … er war ein Geschenk. Ich habe nie jemanden so sehr geliebt wie diesen Jungen. Im Grunde tue ich es immer noch. Ich habe ihn seit dreizehn Jahren nicht gesehen, aber dort, wo sein Platz ist, ist ein riesiges Loch in meinem Herzen.«

Sara merkte Delilah an, dass der Verlust schwer auf ihr lastete, aber sie hatte dennoch Fragen. »Jons Großeltern wollten ihn nicht haben?«

Delilah lachte beißend. »Bitty sagte, ich solle ihn vor eine Feuerwache legen. Was etwas heißen will, wenn man bedenkt, dass Dave von seiner Mutter vor einer Feuerwache abgelegt wurde.«

Sara war Zeugin von Bittys Kälte gegenüber ihrer eigenen Tochter geworden, aber es war unfassbar, wie man so etwas über einen Säugling sagen konnte.

»Es ist seltsam, nicht wahr?«, sagte Delilah. »Man hört immer dieses Gerede über die Heiligkeit der Mutterschaft, aber Bitty hat Babys immer gehasst. Vor allem ihre eigenen. Sie ließ Mercy und Christopher in ihrer eigenen Kacke und Pisse herumliegen. Ich habe versucht, einzugreifen, aber Cecil hat deutlich gemacht, dass ich mich nicht einzumischen hatte.«

Sara hätte nicht gedacht, dass sie noch angewiderter von Mercys Familie sein könnte. »Sie haben hier gelebt, als Christopher und Mercy kleine Kinder waren?«

»Bis Cecil mich verjagt hat«, sagte Delilah. »Zu den vielen Dingen, die ich bereue, gehört, dass ich Mercy nicht mitgenommen habe, als Gelegenheit dazu war. Bitty hätte sie mir mit Freuden überlassen. Sie ist eine von den Frauen, die behaupten, dass sie besser mit Männern auskommen, weil sie andere Frauen nicht mögen, aber die Wahrheit ist, dass es andere Frauen in ihrer Nähe nicht aushalten.«

Sara war dieser Nimm-mich-Typ wohlbekannt. »Sie scheinen von Daves Schuld überzeugt zu sein.«

»Wie sagte Drew noch? Er hatte diese Folge von *Dateline* gesehen. Es ist immer der Ehemann. Oder der Ex-Mann. Oder der Freund. Und im Fall von Dave überrascht mich nur, dass er so lange gebraucht hat, um an diesen Punkt zu kommen. Er war immer ein aggressiver, brutaler kleiner Schläger. Er gab Mercy die Schuld an allem, was schlecht lief in seinem Leben, aber tatsächlich war sie das einzig Gute darin.« Sie faltete das Papiertuch, ehe sie sich wieder die Nase abwischte. »Davon abgesehen, wer sollte es sonst gewesen sein?«

Sara wusste es nicht, aber sie musste fragen: »Kommen Ihnen von den Gästen welche bekannt vor?«

»Nein, aber ich war wirklich eine ganze Weile nicht hier oben«, sagte Delilah. »Wenn Sie meine Meinung hören wollen, waren die beiden Caterer nett, aber nicht so entspannt, wie ich es mag. Mit den App-Typen habe ich nicht viel gesprochen. Nicht mein Typ Schwule. Die Investoren, nun ja, nicht mein Typ Arschlöcher. Aber Frank und Monica waren nett. Wir haben uns über Reisen, Musik und Wein unterhalten.«

Sara musste überrascht dreingeschaut haben, denn Delilah lachte.

»Man sollte nachsichtig mit Monica sein, weil sie so tief ins Glas schaut. Die beiden haben letztes Jahr ein Kind verloren.«

Sara fühlte sich ein wenig schuldbewusst wegen ihrer kleinlichen Gedanken. »Wie schrecklich.«

»Ja, es ist herzzerreißend, wenn man ein Kind verliert«, sagte Delilah. »Es war nicht das Gleiche, als ich Jon verlor, aber wenn einem etwas so Kostbares genommen wird …«

Sara hörte, wie sich ihre Stimme verlor. Sie sah Will mit Nadine zu der ausgebrannten Hütte gehen. Die beiden waren ins Gespräch vertieft. Sara sah mit Erleichterung, dass wenigstens der Coroner diese Ermittlung ernst nahm.

Delilah machte an der Stelle weiter, wo sie aufgehört hatte. »Die Sache ist die, wenn man ein Kind verliert, dass es einen als Paar entweder zerreißt oder zusammenschweißt. Ich habe eine sechsundzwanzig Jahre dauernde Beziehung in den Sand gesetzt, als mir Jon genommen wurde. Sie war die Liebe meines Lebens. Es war meine eigene Schuld, aber ich wünschte weiß Gott, ich könnte in der Zeit zurückreisen und alles anders machen.«

»Sara?« Will winkte sie zu sich. »Komm und schau dir das an.«

Sara fiel nichts ein, wie sie Delilah davon abhalten konnte, ihr zu folgen, aber wenigstens hielt die Frau Abstand. Nadine leuchtete mit der Taschenlampe in die verkohlten Überreste der dritten Hütte. Eine Wand stand noch, aber der größte Teil des Dachs war nicht mehr da. Rauchfahnen wehten von den geschwärzten Holztrümmern, die durch die Reste des ehemaligen Bodens gefallen waren. Sara nahm wahr, dass der Schutt trotz des Regengusses noch Wärme ausstrahlte.

Will zeigte auf einen Haufen Trümmer in der hintersten Ecke. »Siehst du das?«

Sara sah es.

Es gab diverse Sorten Rucksäcke auf dem Markt, von der Art, mit denen sämtliche Kinder zur Schule gingen, bis zu denen, die für ernsthafte Wanderer gedacht waren. In der zweiten Kategorie gab es Merkmale, die speziell für den Outdoor-Gebrauch konstruiert waren. Manche waren besonders leicht für Tagestouren oder Kletterpartien. Andere hatten eingebaute Rahmen, damit sie für schwerere Lasten stabil blieben. Andere wiederum hatten einen äußeren Metallrahmen, den man ausziehen konnte, um größere Gegenstände wie Zelte oder Schlafsäcke zu transportieren.

Alle waren sie aus Nylon gefertigt, einem Material, das in der Maßeinheit Denier bewertet wird. Diese Einheit gibt die Dichte des verarbeiteten Materials an. Eine ungefähre Entsprechung wäre die Fadenzahl bei Tuch. Je höher der Denier-Wert, desto haltbarer das Material. Dazu gibt es verschiedene Beschichtungen, die das Material wetterfest, wasserdicht und manchmal, wenn eine Silikon- und Fiberglasmischung verwendet wird, sogar feuerfest machen.

Was ganz offensichtlich bei dem Rucksack in der Ecke der ausgebrannten Hütte der Fall war.

10

Will dokumentierte mit seiner Handykamera Lage und Art des Rucksacks. Er sah funktional und teuer aus, die Sorte Ausrüstung, die ein passionierter Wanderer mit sich führen würde. Es gab drei Reißverschlüsse, die alle geschlossen waren: einen für das Hauptfach, einen für einen kleineren Abschnitt auf der Vorderseite und einen für eine Tasche am Boden. Das Material wirkte prall, als wäre es bis zum Äußersten gespannt. Will sah zwei Ecken in den Nylonstoff drücken, was auf einen Behälter oder ein schweres Buch schließen ließ. Der Regen hatte den Ruß vom Feuer teilweise weggespült. Das Nylon war lavendelblau, beinahe identisch mit dem Farbton von Mercys Sneakers.

Delilah kam näher. »Genau den gleichen Rucksack habe ich vorhin im Haus gesehen.«

»Wo war er?«, fragte Will.

»Im zweiten Stock. Mercys Schlafzimmertür war auf. Er lehnte an ihrer Kommode. Er sah allerdings nicht so voll aus. Alle Reißverschlüsse waren offen.«

Will schaut Sara an. Sie wussten, was sie tun sollten. Der Rucksack war ein wertvolles Beweisstück, aber er stand inmitten anderer wertvoller Spuren. Der Brandermittler würde Fotos machen und den Schutt durchkämmen wollen. Er würde Proben einsammeln, Tests durchführen, nach einem Brandbeschleuniger suchen, denn etwas war eindeutig benutzt worden, um sicherzustellen, dass die Hütte brannte. Will war dabei gewesen, als sie in Flammen stand. Feuer breitete sich nicht von allein so stark aus.

Nadine hielt Will ihre Taschenlampe hin und sagte: »Können Sie die für mich halten?«

Er richtete den Lichtstrahl abwärts, während Nadine die schwer aussehende Werkzeugkiste öffnete, die sie zum Tatort mitgenommen hatte. Sie entnahm ihr ein Paar Handschuhe. Dann holte sie eine Spitzzange aus der Gesäßtasche ihres Overalls.

Will folgte ihr mit der Lampe. Zum Glück trampelte sie nicht durch die schwelenden Reste des Feuers, sondern ging außen herum. Sie beugte sich vor und streckte die Hand nach dem lavendelblauen Rucksack aus. Mit feinfühliger Präzision bekam sie den metallenen Anhänger des Reißverschlusses mit der Zange zu fassen und zog sachte daran. Er ließ sich etwa fünf Zentimeter weit aufziehen, bevor die Zähne klemmten.

Will veränderte den Winkel des Lichtstrahls so, dass sie besser hineinsehen konnte.

»Sieht nach einem Notizbuch aus, Kleidung, Toilettenartikel für eine Frau«, sagte Nadine. »Sie wollte irgendwohin gehen.«

»Welche Art Notizbuch?«, fragte Sara.

»Wie Kinder sie in der Schule für Aufsätze benutzen.« Sie schaute aus einem anderen Winkel. »Der Einband sieht aus, als wäre er aus Plastik. Durch die Hitze geschmolzen. Der untere Teil ist voll Wasser. Der Regen ist anscheinend durch den Reißverschluss eingedrungen. Die durchweichten Seiten kleben zusammen.«

»Können Sie etwas lesen?«, fragte Will.

»Nein, und ich werde es auch nicht versuchen. Wir brauchen jemanden, der schlauer ist als ich und weiß, wie man mit dem Ding umgeht, ohne die Seiten zu zerstören.«

Will hatte mit dieser Art von Beweismitteln schon früher zu tun gehabt. Das Labor würde Tage brauchen, um das Notizbuch zu bearbeiten. Und damit nicht genug: Im Schein der Lampe war neben dem Rucksack ein Gehäuse aus verbranntem Kunststoff und Metall zu sehen.

Nadine hatte es ebenfalls bemerkt. »Sieht aus wie ein älteres iPhone-Modell. Das Ding ist Toast. Leuchten Sie mal da drunter.«

Will ging zu der Stelle, auf die sie zeigte. Er sah die Reste eines verkohlten Benzinkanisters aus Metall. Dave hatte wahrscheinlich den Generator damit betankt und dann den Tatort nach der Ermordung seiner Frau damit in Brand gesteckt.

Sara fragte Delilah: »Wissen Sie, ob Mercy etwas davon gesagt hat, dass sie weggehen wollte?«

»Bitty hat ihr bis Sonntag Zeit gegeben, um den Berg zu verlassen. Ich weiß nicht, wohin sie gehen wollte, vor allem mitten in der Nacht. Mercy war eine erfahrene Wanderin. Um diese Jahreszeit haben wir hier junge männliche Schwarzbären auf der Suche nach einem eigenen Revier. So einem will man nicht versehentlich in die Quere kommen.«

»Nichts für ungut, Dee, aber Mercy war nicht dafür bekannt, dass sie logisch dachte«, sagte Nadine. »Die meiste Zeit war sie vor allem deshalb in der Bredouille, weil sie aus der Haut gefahren ist und etwas Dummes gemacht hat.«

»Mercy war nach dem Streit mit Jon nicht wütend«, gab Sara zu bedenken. »Sie war besorgt. Laut Paul hat sie die Zehn-Uhr-Runde gemacht und gegen halb elf den Zettel mit Monicas Bestellung von der Veranda aufgehoben. Er hat nichts davon gesagt, dass sie sich merkwürdig benommen hätte. Aber ich glaube ohnehin nicht, dass Mercy mitten in der Nacht losziehen und Jon mit dieser nicht bereinigten Geschichte zurücklassen würde.«

»Nein«, sagte Delilah. »Ich glaube auch nicht, dass sie das tun würde. Aber warum kommt sie hierher? Es gibt weder Wasser noch Elektrizität. Sie hätte ebenso gut im Haus bleiben können. Diese Leute verstehen sich weiß Gott darauf, einander in wütendem Schweigen niederzustarren.«

Alle schauten auf den Rucksack, als könnte der eine Erklärung liefern.

Nadine sagte das Offensichtliche. »Das ist ein Hotel hier, Leute. Wenn Mercy ihre Familie satthatte, wäre sie in einer der Gästehütten geblieben.«

»Als ich die leer stehenden Hütten durchsucht habe, waren einige Betten nicht gemacht«, sagte Will. »Ich dachte, sie wären nach den abgereisten Gästen noch nicht saubergemacht worden.«

»Penny ist die Reinigungsfrau. Sie ist außerdem die Barkeeperin. Könnte sich lohnen, ihr diese Frage zu stellen.« Nadine sah Will an. »Sie haben die Hütten wegen Dave durchsucht?«

»Ich hätte Ihnen sagen können, dass es Zeitverschwendung ist«, sagte Delilah. »Dave würde sich nie trauen, in einer Hütte zu bleiben. Mein Bruder würde ihm den Arsch versohlen.«

Will wies nicht darauf hin, dass ihr Bruder ohne Hilfe noch nicht einmal sein Haus verlassen konnte. »Wenn Dave schnell von hier wegwollte, ohne gesehen zu werden, würde er nicht zurück zur Hauptanlage gehen. Er würde dem Bach folgen und schließlich auf den McAlpine Trail stoßen, oder?«

»Theoretisch ja«, sagte Delilah. »Der Lost-Widow-Bach ist beim See zu tief, um ihn zu durchqueren. Man muss am großen Wasserfall vorbei, und dann ist es immer noch anstrengend. Man kann genauso gut noch zweihundert Meter weiterlaufen und über die steinerne Fußbrücke bei dem Miniwasserfall übersetzen. Der ist eher eine Stromschnelle als ein Niagarafall. Von dort kann man geradewegs durch den Wald abwärtsmarschieren, bis man auf den McAlpine Trail trifft. Man wäre in drei, vier Stunden vom Berg runter. Falls einen vorher kein Bär aufhält.«

»Ich weiß nicht recht«, sagte Nadine. »Ich sehe Dave keine Wanderung machen, wenn der Truck der Familie direkt beim Haus steht. Er hat sich schon früher das eine oder andere Fahrzeug unter den Nagel gerissen, wenn es ihm gepasst hat.«

Will war sich bei seinem Bild von Dave als Jugendlichem so sicher gewesen, dass ihm gar nicht eingefallen war, nach seinem Vorstrafenregister als Erwachsener zu fragen. »Hat er mal gesessen?«

»Früh und oft«, sagte Nadine. »Dave war immer wieder mal wegen Diebstahls, Fahrens unter Alkoholeinfluss und dergleichen im County-Knast, aber er ist nie in einem richtigen Gefängnis gelandet, soviel ich weiß.«

Will konnte sich denken, warum Dave nie zu einer Strafe in einem Staatsgefängnis verurteilt worden war, aber er war lieber vorsichtig. »Die McAlpines stehen der Familie des Sheriffs nahe?«

»Bingo«, sagte Nadine. »Falls Sie wissen wollen, worüber Sie sich den Kopf zerbrechen müssen: Daves Spezialität sind Kneipenstreitereien. Er besäuft sich, dann fängt er an, Leute zu provozieren, aber wenn sie aus der Haut fahren, hat er ein Schnappmesser zur Hand.«

»Ein Schnappmesser?« Saras Stimme wurde vor Schreck ganz hoch. »Hat er schon früher jemanden niedergestochen?«

»Einmal hat er jemandem ins Bein gestochen, mal ein paar Schnitte in die Arme verpasst. Einem Kerl hat er die Brust bis zum Knochen aufgeschlitzt«, sagte Nadine. »Die Leute hier regen sich nicht groß auf, wenn es in einer Kneipe zum Streit kommt. Dave hat eingesteckt, er hat ausgeteilt. Niemand ist gestorben. Niemand hat Anzeige erstattet. Gehört hier zu einem Samstagabend.«

Delilah sagte: »Ich dachte, Dave vergreift sich immer nur an Frauen.«

»Du siehst ihn immer noch als diesen herrenlosen Welpen auf der Suche nach einem Zuhause«, sagte Nadine. »Dave ist in seine Schlechtigkeit hineingewachsen. Alle Dämonen, die er aus Atlanta hier heraufgeschleppt hat, sind älter und gemeiner geworden. Keine Ahnung, wie er sich aus dieser Sache herauswinden will, falls es ein Trost ist. Mord ist Mord. Das gibt lebenslänglich. Sollte eigentlich die Todesstrafe sein, aber er spielt die Karte des armen misshandelten Waisenkinds besser als die meisten.«

»Ich glaub es erst, wenn er hinter Gittern sitzt«, sagte Delilah. »Er war immer schlüpfrig wie eine Schlange. Schon seit er diesen

Berg heraufgekrochen ist. Cecil hätte ihn auf dem alten Campingplatz verrotten lassen sollen.«

Will wusste, dass alles stimmte, was sie über Dave sagten, aber wenn sie davon sprachen, einen Dreizehnjährigen seinem Schicksal zu überlassen, ergriff er unwillkürlich Partei. Er versuchte, Saras Blick aufzufangen, aber sie studierte immer noch den Rucksack.

»Mein Gott, dort versteckt er sich!«, rief Delilah. »Camp Awinita. Dort hat Dave immer geschlafen, wenn es im Haus richtig übel wurde. Ich bin mir sicher, dass er jetzt auch dort ist.«

Will kam sich wie ein Idiot vor, weil er nicht gleich an den Campingplatz gedacht hatte. »Wie lange werde ich brauchen, dorthin zu kommen?«

»Sie scheinen ein kräftiger Mann zu sein, Sie werden etwa fünfzig Minuten brauchen, vielleicht eine Stunde. Gehen Sie an den Shallows vorbei, dann um den See herum bis zur Rückseite des mittleren Teils. Das Camp liegt ungefähr in einem Fünfundvierzig-Grad-Winkel zur Badeplattform.«

»Wir waren vor dem Abendessen in dieser Gegend«, sagte Will. »Wir haben einen Steinkreis gefunden, so was wie ein altes Lagerfeuer.«

»Der diente für die Lagerfeuer der Pfadfinderinnen. Er liegt rund vierhundert Meter vom Campinggelände entfernt. Zu viele Pfadfinderjungs haben sich in der Nacht rübergeschlichen, deshalb haben sie ihn weiter weg verlegt. Sie müssen nur bei diesem Fünfundvierzig-Grad-Winkel bleiben, dann finden Sie ein paar Schlafbaracken, die seit den 1920ern dort stehen. Ich bin mir sicher, die sind immer noch da. Bestimmt ist Dave in einer davon.« Delilah stemmte die Hände in die Hüfte. »Wenn Sie mir einen Moment Zeit geben, mich umzuziehen, bringe ich Sie hin.«

»Kommt nicht infrage«, sagte Will.

»Das sehe ich auch so«, stimmte Nadine ein. »Eine erstochene Frau reicht.«

»Wenn ich so darüber nachdenke«, sagte Delilah, »ginge es mit einem Kanu eigentlich schneller.«

Will gefiel die Idee, sich vom Wasser aus an Dave heranzupirschen. »Es gibt einen Weg zum Geräteschuppen, oder?«

»Folgen Sie dem Old Bachelor Trail, gleich hinter den Sägeböcken. Gehen Sie links auf den Loop Trail, dann an der Gabelung hinunter zum See. Der Schuppen versteckt sich hinter ein paar Kiefern.«

»Ich komme mit«, sagte Sara.

Will wollte schon widersprechen, aber dann fiel ihm ein, dass er nur eine gesunde Hand hatte. »Du musst aber im Boot bleiben«, sagte er.

»Verstanden.«

Sie wandten sich zum Gehen, aber Nadine versperrte Will plötzlich den Weg.

»Moment mal, großer Mann. Ich habe euch zwei junge Leute bis jetzt gern mitlatschen lassen, aber Biscuits hat sehr deutlich gemacht, dass er die Ermittlung nicht aus der Hand gibt. Sie können die Leiche haben, aber das GBI ist nicht berechtigt, in Dillon County einen Mordverdächtigen zu jagen.«

»Sie haben recht«, sagte Will. »Sagen Sie dem Sheriff, meine Frau und ich sind bereit, unsere Aussagen zu machen, sobald er Zeit dafür findet. In der Zwischenzeit kehren wir zurück in unsere Hütte.«

Nadine wusste, er erzählte nur Blödsinn, aber sie war klug genug, ihm nicht weiter den Weg zu versperren. Sie trat mit einem tiefen Seufzer zur Seite.

»Viel Glück«, sagte Delilah.

Will folgte Sara. Sie verstärkte das wechselhafte Mondlicht mit der Taschenlampe. Statt Delilahs Wegbeschreibung zu folgen, blieb sie am Seeufer, wahrscheinlich, weil es ein direkterer Weg zum Schuppen war. Will überlegte, wie sie das Kanu steuern würden. Er konnte den Ballen der verletzten Hand wahrscheinlich als Stützpunkt verwenden und mit der gesunden

Hand zurückziehen, was bedeutete, Bizeps und Schultern würden die Hauptarbeit leisten müssen. Er testete die bandagierte Hand. Die Finger ließen sich bewegen, wenn er den stechenden Schmerz ignorierte.

»Willst du meine Meinung hören?«, fragte Sara.

Will hatte nicht damit gerechnet, dass sich ihre Meinung von seiner unterschied. »Was ist?«

»Nichts ist«, sagte sie und hörte sich nach dem Gegenteil an. »Meine Meinung, falls es dich interessiert, ist, dass du auf Faith warten solltest.«

Will hatte lange genug gewartet. »Ich habe dir doch erzählt, dass sie im Stau steckt. Wenn Dave auf dem Campingplatz ist …«

»Du bist unbewaffnet. Du bist verletzt. Du bist klatschnass vom Regen. Dein Verband ist schmutzig. Du holst dir wahrscheinlich gerade eine Infektion. Du hast sichtbar höllische Schmerzen. Du bist gar nicht berechtigt, es zu tun, und du hast noch nie in deinem Leben ein Kanu gerudert.«

Will suchte sich den am leichtesten zu entkräftigenden Punkt heraus. »Ich kann herausfinden, wie man ein Kanu rudert.«

Sara leuchtete einen Weg vorbei an den Uferfelsen aus. Will erhaschte einen Blick auf ihr versteinertes Gesicht. Sie war wütender, als er gedacht hatte.

»Sara, was soll ich tun?«

Sie schüttelte den Kopf, während sie durch das flache Wasser planschte. »Nichts.«

Will wusste keine Erwiderung auf *nichts*. Was er wusste, war, dass Sara unglaublich und konsequent logisch dachte. Sie regte sich nicht ohne Grund auf. Er ging lautlos die Unterhaltung am Tatort noch einmal durch. Sara war verstummt, als Nadine ihnen erzählt hatte, dass Dave mit einem Schnappmesser bewaffnet war. Und dass er es schon gegen andere Männer eingesetzt hatte.

Er beobachtete ihren Rücken, als sie sich einen Weg über eine steinige Böschung suchte. Ihre Bewegungen waren ruckartig, als versuchte sich die Angst aus ihrem Körper herauszuboxen.

»Sara.«

»Du brauchst beide Hände, um mit einem Kanu vorwärtszurudern«, belehrte sie ihn. »Deine dominante Hand ist die Führungshand. Sie liegt oben auf dem Griff des Paddels. Die andere Hand liegt am Schaft. Du musst in der Lage sein, mit dem Paddel durch das Wasser zu streichen, während du gleichzeitig nach unten stößt und eine Drehbewegung machst, damit das Kanu geradeaus fährt. Kannst du mit beiden Händen streichen, stoßen und drehen?«

»Ich mag es lieber, wenn du es machst.«

Sara fuhr zu ihm herum. »Ich auch, Baby. Lass uns in die Hütte zurückgehen und es miteinander treiben.«

Er grinste. »Ist das ein Trick?«

Sie murmelte einen Fluch und ging weiter.

Will war nicht der Mensch, der ein langes Schweigen brach. Er hatte außerdem nicht die Absicht, mit ihr zu streiten. Er hielt den Mund, während sie sich durch ein dichtes Gebüsch kämpften. Saras plötzlicher Zornausbruch war nicht das Einzige, was die Wanderung ungemütlich machte. Er schwitzte. Die Blase an seinem Fuß meldete sich wieder. Seine Hand pochte noch immer bei jedem Herzschlag. Er versuchte, den Verband fester zu ziehen. Wasser tropfte aus der Gaze.

»Du musst mir zuhören«, sagte Sara.

»Ich höre dir zu, aber ich weiß nicht, was du mir sagen willst.«

»Ich will dir sagen, dass ich das Boot auf die andere Seite des Sees rudern muss, damit wir nicht bis ans Ende unserer Tage im Kreis fahren.«

»Wenigstens wären wir zusammen.«

Sie blieb wieder stehen und drehte sich zu ihm um. Auf ihrem Gesicht lag nicht die Spur eines Lächelns. »Er hat ein Schnappmesser. Er hat einem Mann die Brust bis zum Knochen aufgeschlitzt. Muss ich dir erzählen, welche Organe sich in deiner Brust befinden?«

Er verzichtete diesmal darauf, einen Witz zu reißen. »Nein.«

»Was du jetzt denkst, dass Dave ein armseliger Loser ist – das stimmt wahrscheinlich. Aber er ist außerdem ein Gewaltverbrecher. Er wird nicht wieder ins Gefängnis gehen wollen. Dir und allen anderen hier oben zufolge hat er bereits einen Mord auf dem Gewissen. Es wird ihn nicht schrecken, noch einen zu begehen.«

Will hörte die nackte Angst in ihrer Stimme. Jetzt kapierte er es. Ihr erster Ehemann war Polizist gewesen. Der Mann hatte einen Verdächtigen unterschätzt und war deshalb ums Leben gekommen. Es gab keine vernünftige Möglichkeit für Will, ihr zu sagen, dass ihn dasselbe Schicksal nicht ereilen würde. Er war aus einem anderen Holz geschnitzt. Er hatte in den ersten achtzehn Jahren seines Lebens jederzeit damit gerechnet, dass Menschen brutal und gewalttätig waren, und die folgenden Jahre hatte er getan, was er konnte, um sie davon abzuhalten.

Sie griff nach seiner gesunden Hand und drückte sie so kräftig, dass sich die Knöchel verschoben.

»Mein Liebster«, sagte sie. »Ich weiß, was dein Job ist, ich weiß, du triffst diese Entscheidungen auf Leben und Tod beinahe täglich, aber du musst begreifen, dass es nicht mehr nur dein Leben ist und dein Tod. Es auch ist *mein* Leben. *Mein* Tod.«

Will fuhr mit dem Daumen über ihren Ehering. Es musste eine Möglichkeit geben, wie sie beide bekamen, was sie wollten. »Sara …«

»Ich versuche nicht, dich zu ändern. Ich teile dir nur mit, dass ich Angst habe.«

Will probierte es mit einem Kompromissvorschlag. »Was hältst du davon: Sobald ich Dave in Gewahrsam genommen habe, gehe ich mit dir in ein Krankenhaus. Eins hier oben, nicht in Atlanta. Du kannst dich um meine Hand kümmern, und

Faith kann Dave inzwischen zu einem Geständnis bewegen, und das war's dann.«

»Was hältst du davon, wenn wir das alles machen, und danach hilfst du mir, nach Jon zu suchen?«

»Klingt vernünftig.« Will ging bereitwillig auf den Handel ein. Er hatte das Versprechen, das er Mercy gegeben hatte, nicht vergessen. Es gab Dinge, die Jon hören musste. »Was jetzt?«

Sara blickte auf das Wasser hinaus. Will folgte ihrem Blick. Sie waren nicht weit vom Schuppen entfernt. Das Sprungbrett auf der Badeplattform schimmerte im Mondlicht.

»Ich weiß nicht, wie lange ich brauchen werde, um uns auf die andere Seite zu bringen«, sagte Sara. »Zwanzig Minuten? Dreißig? Ich habe seit meiner Zeit bei den Pfadfinderinnen kein Kanu mehr gerudert.«

Will nahm an, dass sie damals nicht das tote Gewicht eines erwachsenen Mannes mitgeschleppt hatte, der kein Paddel halten konnte. Auf der Rückfahrt würden es hoffentlich zwei Männer sein. Was wiederum seine eigenen Probleme mit sich brachte. Wills Wasserangriffsfantasie hatte damit geendet, dass er Dave überwältigte. Er würde den Mörder zu Fuß vom Campingplatz schaffen müssen statt über das Wasser. Dave und Sara in einem Boot, das kam nicht infrage.

»Ich möchte in dem Schuppen nachsehen, ob ich ein Seil finde.«

Sara fragte ihn nicht, wofür das Seil gut sein sollte. Sie verfiel wieder in Schweigen, als sie weitergingen, was schlimmer war, als wenn sie ihn angeschrien hätte. Er überlegte, was er sagen könnte, damit sie sich weniger Sorgen machte, aber Will hatte auf die harte Tour gelernt, dass es nicht funktionierte, wenn man einer Frau ein bestimmtes Gefühl ausreden wollte. Das Gefühl blieb, und obendrein war sie noch wütend auf einen.

Zum Glück erreichten sie bald ihr Ziel. Saras Taschenlampe erfasste zuerst die Kanus, die umgedreht auf einer Haltevorrichtung lagerten. Der Geräteschuppen war etwa so groß wie eine Doppelgarage. Die Tür war angesichts der Entfernung zum

Haupthaus massiv gesichert. An dem unter Federspannung stehenden Schieberiegel mit Kettengriff war eine dreißig Zentimeter lange Metallstange, die man umklappen musste, um den Verschluss zu öffnen. Eine Federsicherung war durch das Ende der Stange gezogen und hielt sie in einem Schnappschloss an der Tür fest.

»Bären können Türen ebenfalls öffnen«, sagte Sara zur Erklärung.

Will ließ sie das Schnappschloss aufdrehen, dann drückte er gegen den Metallriegel. Der Mechanismus saß straff. Er musste sich mit der Schulter dagegenstemmen, aber schließlich sprang die Tür auf. Will roch eine seltsame Duftmischung aus Holzrauch und Fisch.

Sara hustete bei dem Geruch und wedelte mit der Hand vor dem Gesicht, als sie den Schuppen betrat. Sie fand den Lichtschalter an der Wand, und die Neonröhren offenbarten eine ordentlich aufgeräumte Werkstatt. Werkzeuge waren mit blauem Klebeband an einer Steckwand konturiert. Angelruten hingen an Haken. Netze und Körbe nahmen eine ganze Wand ein. Es gab eine Arbeitsplatte aus Stein, mit einem Waschbecken und einem viel benutzten Schneidebrett. Zwei Scheren und vier Messer verschiedener Länge hingen an einem Magnetstreifen. Mit einer Ausnahme waren alle Klingen schlank und nicht gezahnt.

Will war ein Schusswaffen-Typ, kein Messer-Typ. »Fehlt etwas?«, fragte er Sara.

»Soweit ich feststellen kann, nicht. Es ist ein Standardset, um Fische auszunehmen.« Sara zeigte der Reihe nach darauf. »Ködermesser. Ausbeinmesser. Filettiermesser. Brockenmesser. Verbandschere. Angelschnurschere.«

Will sah kein Seil. Er zog verschiedene Schubladen auf. Alles war in Fächern geordnet, nichts lag lose herum. Er erkannte einige der Klemmen aus seiner eigenen Werkstatt, wo es ähnliche gab, nahm aber an, dass sie nicht für Autos verwendet wurden. In der letzten Schublade fand er, was er brauchte. Die für den

Schuppen zuständige Person war zu sorgfältig, um die grundlegenden Dinge nicht zu haben: eine Rolle Klebeband und starke Kabelbinder.

Die Kabelbinder wurden von einem Gummiband zusammengehalten. Will konnte sie mit einer Hand nicht wieder zubinden. Er hatte ein schlechtes Gewissen, weil er sie lose in der Schublade liegen ließ, aber es gab wichtigere Dinge, über die er sich den Kopf zerbrechen musste. Er steckte sechs der Kabelbinder in seine Gesäßtasche und verstaute das Klebeband in einer tieferen Tasche am Bein seiner Cargohose.

Als er die Schublade schloss, dachte er wieder an die Messer an der Wand. Will nahm das kleinste davon, das Ködermesser, und schob es seitlich in seinen Stiefel. Er wusste nicht, wie scharf die Klinge war, aber alles konnte eine Lunge durchbohren, wenn man es einem Mann kräftig genug in die Brust rammte.

»Was ist das?«, fragte Sara. Sie hatte die Hand um die Augen gelegt und versuchte, zwischen den Latten auf der Rückseite durchzusehen. »Sieht nach einer Maschine aus. Ein Generator vielleicht?«

»Wir fragen die Familie.« Will entdeckte ein Vorhängeschloss unter einigen aufgehängten Metallkörben. Er zog am Schließband, aber es gab nicht nach. »Bären?«

»Gäste wahrscheinlich. Es gibt kein Internet oder Fernsehen. Ich kann mir vorstellen, dass abends viel getrunken wird. Hilf mir mal damit.« Sara hatte die Paddel ausfindig gemacht. Sie hingen wie Flinten an einer Halterung hoch oben unter der Decke. »Das blaue scheint die richtige Größe zu haben.«

Will war überrascht, wie leicht das Paddel war, als er es vom Haken hob.

»Gib mir zwei, für den Fall, dass eins im Wasser verloren geht. Ich hole die Schwimmwesten.«

Will hielt es für keine gute Idee, sich dem Campingplatz in orange leuchtenden Westen zu nähern, aber diese Auseinandersetzung würde er nicht führen.

Vor dem Schuppen holte er mit Sara nach ihren Anweisungen eins der Kanus aus dem Gestell und drehte es um. Dann sah er zu, wie sie die Paddel im Rumpf verstaute und die Schwimmwesten hineinwarf. Sie zeigte auf die Tragegriffe um das Dollbord und sagte ihm, wo er stehen und wie er heben musste. Sie verstummte wieder, während sie das Kanu zum See trugen. Will bemühte sich, ihre Angst nicht wahrzunehmen. Er musste seine Gedanken auf ein einziges Ziel fokussieren: Dave der Gerechtigkeit zuzuführen.

Sara versuchte, so wenig wie möglich zu spritzen, als sie in das seichte Wasser watete. Will ließ das Boot hinunter, als sie ihm die Anweisung dazu gab. Das hintere Ende verankerte sie im Schlamm. Er war schon im Begriff einzusteigen, als Sara ihn zurückhielt.

»Halt still.« Sie half ihm in eine der Schwimmwesten, dann vergewisserte sie sich, dass die Verschlüsse zu waren. Anschließend hielt sie das Boot ruhig, damit er einsteigen konnte.

Will fühlte sich unnötig bemuttert, aber mit nur einer Hand in das Boot zu klettern war schwieriger, als er gedacht hatte. Er setzte sich auf die Bank am Heck des Boots. Sein Gewicht hob den Bug an. Als Sara einstieg, ließ ihr Gewicht es nur geringfügig absinken. Sie setzte sich nicht auf die andere Bank, sondern ging auf die Knie und stieß das Kanu mit dem Paddel aufs Wasser hinaus. Sie fing mit flachen Paddelschlägen an, bis sie ein Stück vom Ufer entfernt waren.

Noch ehe sie das offene Wasser erreicht hatten, war Sara in einen gleichmäßigen Paddelrhythmus gefallen. Als es Zeit war, die Shallows zu verlassen und in den größeren Teil des Sees zu steuern, wechselte sie von einer Seite des Kanus auf die andere, um die Richtung zu ändern. Will bemühte sich, seine Orientierung zu aktivieren, wo genau die Badeplattform lag, als das Kanu über die weite Wasserfläche glitt. Der Geräteschuppen verschwand aus dem Blickfeld. Dann die Uferlinie. Bald war nur noch Dunkelheit um sie, und er hörte nichts als die Bewegung des Paddels und Saras Atem.

Der Mond spähte um die Wolken, als sie die Mitte des Sees erreichten. Will nutzte die Gelegenheit, um nach dem Verband an seiner Hand zu sehen. Sara hatte recht behalten, dass die Gaze verschmutzt war, und wahrscheinlich hatte sie auch recht mit der Infektion. Hätte man Will erzählt, dass im Gewebe zwischen seinem Daumen und dem Zeigefinger ein weiß glühendes Stück Kohle steckte, er hätte es geglaubt. Das Brennen ließ geringfügig nach, wenn er seine Hand auf Brusthöhe hob und auf dem Rand der Schwimmweste ruhen ließ.

Er streckte die andere Hand zu seinem Stiefel aus und überprüfte den Sitz des Ködermessers. Der Griff war dick genug, damit die Klinge nicht auf seinen Knöchel hinunterrutschte. Er zog das Messer heraus, um die Bewegung auszuprobieren, und hoffte sehr, dass Dave sie auf ihrem Weg über das Wasser nicht beobachtete. Das Messer sollte eine Überraschung sein, falls alles schiefging. Es kam ihm vor, als würden die orangefarbenen Westen leuchten. Er suchte den Horizont nach der Küstenlinie ab. Sie kam nun langsam in Sicht. Erst einige hellere Flecken inmitten der Schwärze, dann konnte er Felsen erkennen und schließlich einen Sandstrand.

Sara warf einen Blick über die Schulter zu ihm. Sie musste es nicht sagen. Ein Sandstrand bedeutete, dass sie das Gelände des Campingplatzes gefunden hatten. Will sah die Reste einer vermoderten Anlegestelle, eine halb im Wasser versunkene Bootsrutsche. Ein Seil baumelte von einer hoch aufragenden Eiche, aber das Brett, das es zu einer Schaukel gemacht hatte, war längst ins Wasser gefallen. Der Ort hatte etwas Spukhaftes an sich. Will glaubte nicht an Geister, aber er hatte immer seinem Bauchgefühl vertraut, und sein Bauch sagte ihm, dass hier Schlimmes passiert war.

Das Kanu wurde langsamer. Sara kehrte die Schlagbewegung um, als sie sich dem Strand näherten. Aus der Nähe sah man Unkraut aus dem Sand wachsen. Zerbrochene Flaschen. Zigarettenkippen. Der Boden des Kanus knirschte, als es auf das

Ufer glitt. Will machte seine Schwimmweste auf und ließ sie fallen. Wieder dachte er an das Messer in seinem Stiefel, aber diesmal in dem Zusammenhang, dass er Sara schutzlos hier zurückließ. Am besten, er schickte sie zu dem Schuppen zurück. Er konnte mit oder ohne Dave zur Lodge zurückwandern.

»Nein.« Sie hatte die schlechte Angewohnheit, seine Gedanken zu lesen. »Ich warte zehn Meter weit auf dem See draußen auf dich.«

Will stieg aus dem Boot, bevor sie ihm noch erzählte, sie würde die Suche überwachen. Niemand hätte seinen Ausstieg als elegant bezeichnet. Er versuchte, das Spritzen auf ein Minimum zu beschränken, als er sich auf festem Grund aufrichtete. Dann stieß er Sara mit der Spitze seines Stiefels auf das Wasser hinaus.

Er wartete, bis sie zu paddeln anfing, ehe er den Blick über den Wald schweifen ließ. Der Tag war noch nicht angebrochen, aber das Terrain war besser zu sehen, als es beim Verlassen des Schuppens der Fall gewesen war. Er drehte sich wieder zu Sara um. Sie paddelte rückwärts und hielt den Blick auf Will gerichtet. Er dachte daran, wie er sie vor wenigen Stunden beobachtet hatte, als sie zu der Badeplattform in den Shallows geschwommen war. Sie war auf dem Rücken geschwommen und hatte ihn zärtlich aufgefordert, zu ihr ins Wasser zu kommen, und Wills Herz hatte sich vor Freude in einen Schmetterling verwandelt.

Und auf der anderen Seite des Wassers hatte Dave die Mutter seines Kindes vergewaltigt und erstochen.

Will drehte sich um und lief in den Wald. Er versuchte, sich zu orientieren. Nichts mehr kam ihm von ihrer früheren Suche nach dem Campingplatz bekannt vor. Und es lag nicht nur an dem Mangel an Licht. Vorhin hatten sie sich vom hinteren Ende der Shallows genähert. Sie hatten angehalten, als sie den Steinkreis erreicht hatten. Will holte sein Handy hervor, öffnete die Kompass-App und ging, wie er hoffte, in die richtige Richtung.

Der Wald war dicht und überwuchert, stärker als in den nicht gerodeten Bereichen rund um die Lodge. Die Taschenlampenfunktion des Handys wäre dem Entzünden eines Signalfeuers gleichgekommen. Er reduzierte daher die Helligkeit seines Bildschirms, während er dem Kompass folgte. Nach einer Weile fiel ihm auf, dass er den Kompass gar nicht brauchte. Der Geruch von Rauch lag in der Luft, frisch wie von einem brennenden Lagerfeuer, aber mit einem ekligen Beigeschmack von Zigarettentabak.

Dave.

Will bewegte sich nicht sofort auf sein Ziel zu. Er stand absolut still und konzentrierte sich darauf, seine Atmung zu regulieren und sich zu beruhigen. Die Sorge um Sara, die Schmerzen in seiner Hand, selbst Dave wurden beiseitegeschoben. Das Einzige, woran er dachte, war die Person, auf die allein es ankam.

Mercy McAlpine.

Vor nur wenigen Stunden hatte Will die Frau gefunden, als sie sich an die letzten Momente ihres Lebens klammerte. Sie hatte gewusst, es war ihr Ende. Hatte Will nicht erlaubt, Hilfe zu holen. Er war im Wasser gekniet und hatte Mercy angefleht, ihm zu sagen, wer für den Angriff verantwortlich war, aber sie hatte nur den Kopf geschüttelt, als würde das alles nicht zählen. Und sie hatte recht behalten. In diesen letzten Augenblicken zählte das alles tatsächlich nicht mehr. Der einzige Mensch, der sie interessierte hatte, war der Mensch gewesen, den sie zur Welt gebracht hatte.

Will wiederholte lautlos die Botschaft, die er Jon überbringen würde:

Deine Mutter will, dass du von hier weggehst. Sie sagte, du darfst nicht bleiben. Sie wollte, dass du weißt, es ist alles in Ordnung. Dass sie dich so sehr liebt. Dass sie dir wegen des Streits vergibt. Ich verspreche dir, dass alles gut werden wird.

Will ging in bedächtigem Tempo weiter und achtete darauf, nicht auf herabgefallene Zweige oder in Blätterhaufen zu treten, die Dave seine Anwesenheit verraten konnten. Als er näher kam, wurde die Stille des Waldes vom leisen Beat des Songs *1979* der Smashing Pumpkins durchbrochen. Die Musik war nicht laut, aber sie lieferte Will genügend Schutz, um sich ungezwungener auf ihre Quelle zubewegen zu können.

Er änderte seine Route und schlich sich von der Seite an Dave heran. Er sah die Umrisse einiger Schlafbaracken. Alle einstöckig, primitiv gezimmert und auf etwas wie Telefonmasten einen halben Meter über dem Boden aufgestellt. Vier der Bauten standen in einem Halbkreis zusammen. Will spähte in die Fenster, um sich zu überzeugen, dass Dave allein war. In der letzten Baracke erkannte er einen Schlafsack, ein paar Schachteln Cerealien, Stangen von Zigaretten und Bierkisten. Dave hatte vor, hier eine Weile zu bleiben. Will überlegte, ob ihm das helfen würde, eine vorsätzliche Tat zu belegen. Es machte einen Unterschied, ob man jemanden aus einem momentanen Affekt heraus ermordet oder ob man vorher seine Flucht sorgfältig geplant hat.

Will ging geduckt und näherte sich vorsichtig seinem Ziel. Daves Feuer loderte nicht, aber es war hell genug, um seine unmittelbare Umgebung zu beleuchten. Er hatte Will außerdem den Gefallen getan, eine Campingleuchte mitzubringen, die bis zu achthundert Lumen erzeugte, das ungefähre Äquivalent einer Sechzig-Watt-Birne.

Dave hatte sich immer im Dunkeln gefürchtet.

Die große kreisrunde Lichtung war nicht so überwuchert wie der Rest des Geländes. Felsblöcke erhoben sich um eine Feuerstelle. Baumstümpfe dienten als Sitzgelegenheiten. Es gab ein schwenkbares Grillgitter über der Feuerstelle. Will wusste, dass es über den Campingplatz verteilt weitere Schlafbaracken, weitere Feuerstellen gab. Damals im Kinderheim hatte er von nächtlichem Marshmallow-Rösten, gemeinsamem Singen und Gruselgeschichten gehört. Diese Tage waren lange vorüber. Die Lichtung wirkte unheimlich, sie war mehr wie eine Opferstätte als wie ein Ort der Freude.

Will fand eine Stelle hinter einer großen Wassereiche, wo er sich hinkauerte. Dave lehnte an einem Holzklotz, der etwa eineinviertel Meter hoch war und einen knappen halben Meter Durchmesser hatte. Er überlegte, wie er vorgehen sollte. Dave von hinten überraschen? Ihn anspringen, bevor er reagieren konnte? Will brauchte weitere Informationen.

Er kroch vorsichtig weiter, alle Muskeln angespannt für den Fall, dass sich Dave umdrehte. Der Rauchgeruch wurde kräftiger. Der letzte Regen ließ das Holz schwelen. Als Will näher kam, hörte er ein vertrautes metallisches Klicken. Ein Daumen, der in schneller Folge ein Reibrad drehte, um einen Funken zu erzeugen, der Butangas entzünden und eine Flamme nähren sollte, die das Ende einer Zigarette in Brand setzte.

Er hörte das metallische Klicken wieder und wieder.

Es sah Dave ähnlich, dass er es immer weiter mit einem Feuerzeug probierte, das eindeutig leer war. Er drehte immer weiter am Rad in der Hoffnung, ihm noch einen letzten Funken zu entlocken.

Schließlich gab er es auf und murmelte: »Scheiße, Mann.«

Die Tatsache, dass er eine Feuerquelle einen Meter vor sich hatte, brachte ihn auf keine Idee. Nicht einmal, nachdem er das Plastikfeuerzeug ins Feuer geworfen hatte. Dann riss er die Arme hoch, um sein Gesicht zu schützen, weil es zu einem kleinen Funkenregen kam. Will nutzte die Ablenkung, um die Entfernung zwischen ihnen zu überbrücken. Dave wischte sich Sprenkel von geschmolzenem Plastik von den Unterarmen. Den Schmerz schien er nicht zu registrieren. Man musste kein Sherlock Holmes sein, um zu erkennen, warum.

Der Boden war übersät von leeren Bierdosen. Will hörte bei zehn zu zählen auf. Bei den verbrauchten Joints und bis auf die Filter heruntergerauchten Zigarettenkippen fing er erst gar nicht an. Eine Angelrute lehnte an einem umgekippten Holzklotz. Der Grill war herausgeschwenkt, Reste von verkohltem Fleisch klebten am Gitter. Dave hatte die Fische auf der Oberfläche eines Baumstumpfs vorbereitet. Abgeschnittene Köpfe, Schwänze und Gräten verrotteten in einer Lache dunklen Bluts. Ein langes, schlankes Ausbeinmesser lag neben einem Sixpack Bier.

Die gebogene, fast zwanzig Zentimeter lange Klinge war für Dave leicht zu erreichen. Wenn der Mann einen Zweig brechen oder Laub rascheln hörte oder wenn er auch nur spürte, dass sich jemand von hinten an ihn heranschlich, brauchte er nur die Hand zu dem Baumstumpf auszustrecken und er verfügte über eine tödliche Waffe.

Die Frage war, begegnete Will ihm mit seinem eigenen Messer? Will hatte das Überraschungselement auf seiner Seite, er war nicht betrunken oder bekifft. Normalerweise wäre Will zuversichtlich gewesen, dass er Dave überwältigen konnte, bevor der Mann wusste, wie ihm geschah.

Normalerweise konnte Will beide Hände gebrauchen.

1979 ging in die lärmende Gitarre von *Tales of a Scorched Earth* über. Will nutzte die Gelegenheit, um sich neu zu positionieren. Er würde sich nicht an Dave heranschleichen. Er würde von vorn kommen, als wäre er dem Weg um die Shallows herum gefolgt und hier gelandet. Dave würde hoffentlich zu betrunken sein, um zu erkennen, dass es kein zufälliges Zusammentreffen war.

Die Zeit der Heimlichkeit war vorbei. Will entdeckte einen Ast auf dem Waldboden, hob den Fuß und trat darauf. Der Stiefel mit seiner Stahlkappe klang, als würde ein Baseballschläger aus Alu einen Kürbis zerschmettern. Obendrein stieß Will einen lauten Fluch aus. Dann tippte er auf sein Handy, um die Taschenlampe zu aktivieren.

Als Will wieder aufblickte, hatte Dave das Messer bereits in der Hand. Er tippte auf sein Smartphone, um den Song anzuhalten. Dann stand er langsam auf und suchte den Wald mit trüben Augen ab.

Will machte einige weitere lautstarke Schritte und schwenkte sein Handy umher, als wäre er ein Höhlenmensch, der nicht verstand, wie Licht funktionierte.

»Wer ist da?« Dave schwang das Messer. Er hatte sich umgezogen, seit Will ihn auf dem Loop Trail gesehen hatte. Seine Jeans war fleckig von Bleiche und zerrissen. Eine blutige Hand hatte quer über sein gelbes T-Shirt gewischt. Er fuchtelte mit der scharfen Klinge herum und sagte: »Zeig dich.«

»Scheiße.« Will ließ seine Stimme angewidert klingen. »Was machst du denn hier draußen, Dave?«

Dave grinste höhnisch, hielt das Messer aber hoch erhoben. »Was machst *du* hier, Trash?«

»Ich suche nach dem Campingplatz. Nicht dass es dich was anginge.«

Dave lachte auf und ließ endlich das Messer sinken. »Du bist so was von erbärmlich, Mann.«

Will trat auf die Lichtung, damit Dave ihn sehen konnte. »Sag mir einfach, wie ich hier rausfinde, und ich bin weg.«

»Geh den Weg zurück, den du gekommen bist, Blödmann.«

»Denkst du, das habe ich nicht schon versucht?« Will ging weiter auf ihn zu. »Ich laufe seit mehr als einer Stunde in diesem gottverdammten Wald herum.«

»Das gäbe es bei mir nicht, dass ich diese kleine sexy Rothaarige allein lassen würde.« Daves feuchte Lippen verzogen sich zu einem Grinsen. »Wie hieß sie gleich noch?«

»Wenn ich dich je ihren Namen sagen höre, schlag ich ihn dir durch den Hinterkopf aus dem Maul.«

»Scheiße«, sagte Dave, aber er gab bereitwillig nach. »Geh einfach nach links zum Steinkreis hinauf, dann rechts um den See und dann wieder links zum Loop Trail rauf.«

Will merkte eine Sekunde zu spät, dass Dave in Wirklichkeit kein bisschen nachgegeben hatte. Wenn man jemandem mit Leseschwäche sagte, er solle links und dann rechts gehen, konnte man genauso gut sagen, er solle sich selber ficken.

Dave lachte leise, als er seinen Platz vor dem Feuer wieder einnahm. Er lehnte sich an den gefällten Stamm und legte das Ausbeinmesser auf den Baumstumpf zurück. Will sah ihm an, dass er dachte: Das war's jetzt. Dave hatte sein Leben lang alles falsch verstanden. Die einzige Frage war, an welchem Punkt Will dem Mann verriet, dass er Special Agent beim GBI war. Rein theoretisch konnte nichts, was Dave bis zu diesem Moment sagte, vor Gericht gegen ihn verwendet werden, selbst wenn er rundheraus gestehen würde, dass er Mercy getötet hatte. Wenn Will es richtig anstellen wollte, musste er eine Verbindung zu Dave herstellen und ihn langsam zur Wahrheit führen.

»Hast du noch ein Bier?«, fragte er.

Dave zog überrascht eine Augenbraue hoch. Der Will, den er aus seiner Kindheit kannte, trank nicht. »Seit wann wachsen dir Haare an den Eiern?«

Will wusste dieses Spiel zu spielen. »Seit deine Mom sie mir trocken gelutscht hat.«

Dave lachte und langte hinter sich, um eine Dose aus dem Sixpack zu winden. »Setz dich.«

Will wollte etwas Abstand zu ihm halten. Anstatt sich neben Dave ans Feuer zu setzen, lehnte er sich an einen Felsen. Er legte das Telefon neben seine verletzte Hand und zog das Bein an, um das Messer in seinem Stiefel nahe an seiner gesunden Hand zu haben. Er musste vorbereitet sein, falls Dave beschloss, sich mit ihm anzulegen.

Dave machte nicht den Eindruck, als wäre ihm nach einer Auseinandersetzung. Er war zu sehr damit beschäftigt, sich wie ein Arschloch zu benehmen. Er hätte die Bierdose einfach Will zuwerfen können, aber er ließ sie rotieren wie einen Football.

Will fing sie mit einer Hand auf. Er öffnete sie auch mit einer Hand und achtete darauf, dass der heraussprühende Schaum ins Feuer ging.

Dave nickte erkennbar beeindruckt. »Was ist mit deiner Hand passiert? Warst du ein bisschen zu grob mit deiner Lady? Sie sieht aus, als könnte sie beißen.«

Will unterdrückte die Antwort, die an die Oberfläche drängte. Er musste alles beiseiteschieben – den Verrat und die Wut, die seit ihrer Kindheit in ihm schwärte. Die Abscheu darüber, zu welchem Mann sich Dave entwickelt hatte. Die brutale Ermordung seiner Frau. Die Tatsache, dass er seinen Sohn im Stich gelassen hatte.

Stattdessen hielt Will die bandagierte Hand in die Höhe und sagte: »Hab mich beim Abendessen an einer Glasscherbe geschnitten.«

»Wer hat dich wieder zusammengeflickt? War es Papa?« Dave hatte eindeutig Spaß an dem grausamen Witz. Er blickte mit einem selbstzufriedenen Grinsen ins Feuer. Seine Hand ging unter das T-Shirt, er kratzte sich am Bauch. Will sah dort tiefe Male von Fingernägeln. Einen weiteren Kratzer hatte Dave am Hals. Allem Anschein nach war er vor Kurzem an einer gewalttätigen Auseinandersetzung beteiligt gewesen.

Will stellte die Bierdose neben seinen Stiefel auf die Erde. Er legte die Hand daneben, damit das Messer in Reichweite war. Im günstigsten Fall würde es bleiben, wo es war. Viele Cops dachten, dass man Gewalt am besten mit Gewalt begegnete. Will gehörte nicht dazu. Er war nicht hier, um Dave zu bestrafen. Er hatte etwas weitaus Schlimmeres im Sinn. Er wollte ihn verhaften. Ins Gefängnis bringen. Ihn den Stress und die Hilflosigkeit eines Angeklagten in einem Strafverfahren durchleiden lassen. Ihn dieses grenzenlose Gefühl der Hoffnung erleben lassen, er würde vielleicht ungeschoren davonkommen. Er wollte seinen verzweifelten Gesichtsausdruck sehen, wenn ihm bewusst wurde, dass er nicht davonkam. Wissen, dass er sich für den Rest seines Lebens jeden Tag abmühen und wehren musste, denn innerhalb von Gefängnismauern bildeten Männer wie Dave immer den Boden der Pyramide.

Und bei alldem war die Todesstrafe nicht berücksichtigt.

Dave seufzte gequält, um die Stille zu füllen. Er hob einen Stock auf und stocherte im Feuer. Er warf ständig rasche Blicke zu Will und wartete darauf, dass er etwas sagte.

Will hatte nicht vor, etwas zu sagen.

Dave hielt es weniger als eine Minute aus, bevor er wieder seufzte. »Hast du von irgendwem von damals noch was gehört?«

Will schüttelte den Kopf, auch wenn er wusste, dass viele der früheren Heiminsassen im Gefängnis oder unter der Erde gelandet waren.

»Was ist aus Angie geworden?«

»Ich weiß es nicht.« Will spürte, wie er um ein Haar die Fäuste geballt hätte, aber er behielt beide Hände auf der Erde. »Wir waren ein paar Jahre lang verheiratet. Es hat nicht funktioniert.«

»Sie hat herumgefickt?«

Will wusste, dass Dave die Antwort bereits kannte. »Was ist mit dir und Mercy?«

»Scheiße.« Dave stocherte im Feuer, bis Funken stoben. »Sie ist nie fremdgegangen. Hatte es zu gut zu Hause.«

Will zwang sich zu einem Lachen. »Klar.«

»Glaub, was du willst, Trash. Ich war derjenige, der sie verlassen hat. Hatte genug von ihrem Bullshit. Die ganze Zeit beschwert sie sich nur über die Lodge hier, dann hat sie die Chance, wegzugehen und …«

Will wartete darauf, dass er mehr sagte, aber Dave ließ den Stock fallen und nahm sich ein neues Bier. Er sprach erst wieder, als die Dose geleert war und zerdrückt auf dem Boden lag.

»Sie mussten das Zeltlager schließen. Zu viele Betreuer haben mit den Kids herumgemacht.«

Will hätte nicht überrascht sein dürfen. Es war nicht das erste Mal, dass die idyllische Umgebung, die er sich als Kind vorgestellt hatte, von einem Raubtier kaputt gemacht wurde.

»Warum bist du hier raufgekommen, Trash?«, fragte Dave. »Als wir Kids waren, wolltest du mit dem Camp nie was zu tun haben. Du hast dir diese Bibelverse viel besser merken können als ich.«

Will zuckte mit den Achseln. Er hatte nicht die Absicht, Dave die Wahrheit zu sagen, aber er musste sich eine glaubhafte Geschichte einfallen lassen. Er erinnerte sich daran, was Delilah über den Steinkreis gesagt hatte. »Meine Frau ist immer hierhergekommen, als sie bei den Pfadfinderinnen war, den ›Lagerfeuermädchen‹. Sie wollte es noch einmal sehen.«

»Du hast ein ›Lagerfeuermädchen‹ geheiratet? Hat sie ihre Uniform noch?« Er lachte. »Himmel noch mal, wie kommt es, dass der verdammte Trash in einem Pornofilm lebt, während ich froh sein kann, wenn ich eine Möse finde, die nicht ausgeleiert ist wie ein Gummibärchen?«

Will lenkte das Gespräch zu Mercy zurück. »Deine Ex hat dir einen Sohn geschenkt. Das ist doch etwas.«

Dave machte sich ein neues Bier auf.

»Jon scheint ein netter Junge zu sein«, fuhr Will fort. »Das hat Mercy gut hinbekommen.«

»War nicht allein ihr Werk.« Dave schlürfte Schaum von der Dose. Er leerte sie nicht in einem Zug wie die letzte. Er teilte sie sich jetzt ein. »Jon wusste immer, wo er mich findet. Er wird mal ein cooler Mann werden. Sieht auch gut aus. Schnappt wahrscheinlich anderen Typen die Bräute weg wie sein Daddy in diesem Alter.«

Will ignorierte den Seitenhieb, der eindeutig auf Angie gemünzt war. »Hättest du gedacht, dass du mal verheiratet sein wirst?«

»Scheiße, nein.« Daves Lachen enthielt eine Spur Bitterkeit. »Ehrlich gesagt war ich überzeugt, dass ich in meinem Alter längst tot bin. War reines Glück, dass ich es von Atlanta bis hier raufgeschafft habe, ohne dass mich irgendein Perverser am Straßenrand aufgegabelt und nach Florida geschmuggelt hat.«

Will wusste, er wollte damit prahlen, dass er weggelaufen war. »Bist du getrampt?«

»Ja, klar.«

»Ist kein schlechter Ort, um sich zu verstecken.« Will schaute sich demonstrativ um. »Als du damals verschwunden bist, habe ich der Heimleitung gesagt, dass du wahrscheinlich hier bist.«

»Ja, schon gut.« Dave schob den Ellbogen auf dem Baumstamm zurück.

Will bemühte sich, keine Reaktion zu zeigen. Dave war es gelungen, seine Hand näher bei dem Messer zu platzieren. Ob das Absicht war oder nicht, blieb abzuwarten.

Dave sagte: »Ich wusste, wer ich bin, als ich zum ersten Mal mit diesem Bus der Kirche hier heraufkam, verstehst du? Ich meine, ich konnte fischen, jagen, mich selbst ernähren. Brauchte niemanden, der sich um mich kümmerte. Ich war nicht dafür geschaffen, in einer Stadt zu leben. Dort unten war ich eine Ratte. Hier oben bin ich ein Berglöwe. Mache, was ich will. Sage, was ich will. Rauche, was ich will. Trinke, was ich will. Niemand kann mich verarschen.«

Es klang großartig, bis einem klar wurde, dass seine Freiheit ihren Preis und dass Mercy ihn bezahlt hatte. »Dein Glück, dass dich die McAlpines aufgenommen haben.«

»Es gab gute Tage und schlechte Tage«, sagte Dave, der immer gern eine schlimme Geschichte zum Besten gab. »Bitty ist ein Engel. Aber Papa? Scheiße, der ist ein fieser Schweinehund. Hat mich mit seinem Ledergürtel immer windelweich geprügelt.«

Es überraschte Will nicht, dass Cecil McAlpine gewalttätig gegen Kinder gewesen war.

»Es war ihm egal, wenn der Gürtel verrutscht ist und er mich mit der Schnalle verdroschen hat. Ich hatte immer diese großen Schwellungen am ganzen Arsch und die Beine hinunter. Konnte keine Shorts tragen, weil ich nicht wollte, dass es die Lehrer sehen. Hätte mir gerade noch gefehlt, dass sie mich wieder nach Atlanta hinunterschleifen.«

»Sie hätten dich irgendwo hier oben an eine Pflegefamilie vermitteln können.«

»Das wollte ich nicht«, sagte er. »Bitty brauchte das Geld vom Staat, damit etwas zu essen auf den Tisch kam. Ich konnte sie nicht im Stich lassen. Vor allem nicht ihm überlassen.«

Will kannte dieses Bedürfnis missbrauchter Kinder, allen zu helfen, nur nicht sich selbst.

»Wie auch immer.« Dave zuckte routiniert mit den Achseln. »Was ist mit dir, Trash. Wie ging es weiter, nachdem ich deinen traurigen Arsch zurückgelassen habe?«

»Ich bin altersbedingt aus dem System ausgeschieden. Als ich achtzehn wurde, haben sie mir hundert Dollar und einen Busfahrschein in die Hand gedrückt. Bin bei der Heilsarmee gelandet.«

Dave saugte zischend Luft zwischen den Zähnen ein. Er glaubte wahrscheinlich zu wissen, wie schlimm es für einen unbegleiteten Teenager werden konnte, der in einer Obdachlosenunterkunft schläft.

Er wusste es nicht.

»Und dann?«, fragte Dave.

Will umging die Wahrheit, nämlich dass er schließlich auf der Straße und dann in einer Gefängniszelle geschlafen hatte. »Ich hab die Kurve gekriegt. Bin aufs College gegangen. Hab einen Job bekommen.«

»College?« Dave lachte tonlos. »Wie hast du denn das geschafft, wo du doch kaum lesen kannst?«

»Harte Arbeit«, sagte Will. »Vogel friss oder stirb, oder?«

»Da hast du verdammt recht. Diese ganze üble Scheiße, die wir durchgemacht haben, als wir klein waren, hat uns zu Überlebenskünstlern gemacht.«

Will gefiel sein kameradschaftlicher Ton nicht, aber Dave stand unter Mordverdacht. Er durfte in jedem Ton sprechen, solange er am Ende ein Geständnis ablegte. »Hatten die McAlpines kein Problem damit, dass du mit Mercy rumgemacht hast?«

»Himmel, und ob sie das hatten. Papa hat es mir mit einer gottverdammten Kette gegeben, als sie schwanger wurde. Hat mich rausgeschmissen. Ich musste den Berg verlassen. Sie auch.« Daves heiseres Lachen verwandelte sich in Husten. »Ich habe mich aber um Mercy gekümmert. Hab dafür gesorgt, dass sie clean war, als Jon zur Welt kam. Ich hab Delilah geholfen, ihn zu versorgen, hab ihr jeden Cent gegeben, den ich entbehren konnte.«

Will wusste mit Bestimmtheit, dass er log. »Du wolltest ihn nicht selbst großziehen?«

»Scheiße. Woher sollte ich wissen, wie man für ein Baby sorgt?«

Will dachte, wenn man Manns genug war, ein Baby zu machen, sollte man Manns genug sein, herauszufinden, wie man für eines sorgt.

»Hast du Kinder?«, fragte Dave.

»Nein.« Sara konnte keine bekommen, und Will kannte zu viele schreckliche Dinge, die einem Kind zustoßen konnten. »Scheint, als gäbe es immer noch viel böses Blut zwischen Mercy und ihrer Familie.«

»Findest du?« Dave trank das Bier aus. Er knickte die Dose zusammen und warf sie zu den anderen. »Es ist hart, so hoch oben auf dem Berg. Du bist isoliert, es gibt nicht viel zu tun. Du hast es mit reichen, arroganten Miststücken zu tun, die erwarten, dass du ihnen ihren dürren, verklemmten Arsch abwischst. Papa kommandiert dich herum. Prügelt dich in der Scheune halb tot, weil du die Handtücher nicht an die richtige Stelle gelegt hast.«

Will wusste, Dave ließ nicht nur Dampf ab. Er wollte eine Goldmedaille in der Olympiade für missbrauchte Kinder. »Klingt ziemlich übel.«

»Das war es verdammt noch mal«, sagte Dave. »Du und ich, wir haben gelernt, dass du nur die Minuten zählen musst, bis es vorbei ist, richtig? Früher oder später werden sie müde.«

Will blickte ins Feuer. Er kam ihm ein wenig zu nahe.

»Deshalb lügen wir«, sagte Dave. »Wenn du diese Scheiße einem normalen Menschen erzählst, erträgt er es nicht.«

Will hielt den Blick auf die Flammen gerichtet. Er konnte die Worte nicht finden, um das Thema zu wechseln.

»Hast du deiner Frau den ganzen Mist erzählt, den du durchgemacht hast?«

Will schüttelte den Kopf, aber es stimmte nicht ganz. Er hatte Sara einiges erzählt, aber er würde ihr nie alles erzählen.

»Wie ist das?« Dave wartete, bis Will aufblickte. »Deine Frau, die ist normal, oder? Wie ist das?«

Sara hatte in diesem Gespräch nichts verloren.

»Ich glaube nicht, dass ich mit einer normalen Frau zusammen sein könnte«, gab Dave zu. »Mercy, die kam schon angeknackst zu mir. Damit konnte ich umgehen. Aber scheiße, ein ›Lagerfeuermädchen‹? Und dann noch Lehrerin? Wie zum Teufel schaffst du es, dass das funktioniert?«

Will schüttelte den Kopf, aber in Wahrheit war es am Anfang schwierig gewesen mit Sara. Er hatte immer auf die Psychospielchen gewartet, auf die Manipulation seiner Gefühle. Er konnte nicht glauben, dass sie ihm zuhörte und ihn zu verstehen versuchte, statt seine Geheimnisse wie Rasierklingen zu sammeln, mit denen sie ihn später verletzen konnte.

»Sie ist verdammt heiß, das muss ich dir lassen. Aber Himmel, ich könnte mit niemandem zusammen sein, der so perfekt ist. Furzt sie überhaupt?«

Will konnte sich ein Lachen nicht verkneifen, aber er antwortete nicht.

»Musst ein Gentleman sein, was?« Dave griff nach seiner Zigarettenpackung. »Das ist die andere Sache, die ich nicht hinkriegen würde. Ich brauch eine Kleine, die zu schreien versteht, wenn ich sie an den Haaren packe.«

Will tat, als würde er einen Schluck aus seiner Bierdose trinken. Daves Worte hatten ihn an das Seeufer bei den Junggesellenhütten zurückversetzt. Wie sich Mercys Haar im Wasser ausgebreitet hatte. Blut war wie ein Färbemittel in Schlieren um ihren Körper geflossen. Sie hatte Wills Hemdkragen gepackt und ihn an ihrer Seite gehalten, anstatt ihn Hilfe holen zu lassen.

Jon.

Will legte beide Hände auf die Erde, um sich zu stabilisieren. »Warum hast du mich gestern auf dem Weg angesprochen?«

Dave zuckte mit den Achseln und kramte in seiner Tasche nach einem anderen Feuerzeug. »Keine Ahnung, Mann. Ich mach irgendwelches Zeug, und dann schau ich zurück und kann dir nicht sagen, warum.«

»Du hast mich gefragt, ob ich immer noch einen Groll gegen dich hege.«

»Und?«

»Ich habe ehrlich gesagt nie mehr an dich gedacht, nachdem du weggelaufen warst.«

»Das ist gut, Trash, denn ich hab auch nicht an dich gedacht.«

»Um ehrlich zu sein, ich hätte dich auch jetzt wieder total vergessen.« Will startete einen Versuchsballon. »Wenn da nicht das wäre, was du Mercy angetan hast.«

Dave reagierte nicht sofort.

»Bist du mir gefolgt?«, fragte er dann.

Will hatte Dave vor Mercys Tod nur ein Mal gesehen. Er hatte auf dem Loop Trail auf Will gewartet. Will hatte ihm zehn Sekunden Zeit gegeben, zu verschwinden. »Du meinst, ob ich dir gefolgt bin, nachdem du den Schwanz eingeklemmt hast und davongerannt bist?«

»Ich bin nicht davongerannt, du Dumpfbacke. Ich hab mich entschieden, zu gehen.«

Will sagte nichts, aber es klang einleuchtend, dass Dave seine Wut an Mercy ausgelassen hatte, nachdem er sich von Will weggeschlichen hatte.

»Scheiße, ich weiß, dass du mir gefolgt bist, du armseliges Arschloch«, sagte Dave. »Ich weiß, dass es Mercy todsicher niemandem erzählt hat. Sie ist alles Mögliche, aber sie ist keine Verräterin.«

Will fiel auf, dass er immer noch in der Gegenwartsform von Mercy sprach. »Bist du dir da sicher?«

»Ja, verdammt, ich bin mir sicher.« Dave war nervös. »Was glaubst du denn, was du gesehen hast?«

Will nahm an, er machte sich wegen der Würgeattacke Sorgen. »Ich habe gesehen, wie du sie gewürgt hast.«

»Sie ist nicht ohnmächtig geworden«, betonte er, als würde es für ihn sprechen. »Sie ist gegen einen Baum gestolpert und dann mit dem Hintern auf dem Boden gelandet. Damit hatte ich nichts zu tun. Ihre Beine haben nachgegeben. Das war alles.«

Will starrte ihn ungläubig an.

»Hör zu, Alter, was du auch glaubst, gesehen zu haben, das ist was zwischen ihr und mir.« Dave fuchtelte mit der Hand herum und legte sie dann in seinen Schoß. »Wieso fragst du das überhaupt? Du hörst dich wie ein scheiß Cop an.«

Will fand, dass dieser Moment ebenso gut wie jeder andere war, um ihm die Neuigkeit zu überbringen: »Tatsächlich bin ich einer.«

»Du bist *was*?«

»Ich bin Special Agent beim Georgia Bureau of Investigation.«

Dave prustete los, dann hörte er auf zu lachen. »Im Ernst?«

»Ja«, sagte Will. »Das war mein Antrieb, das College zu schaffen. Ich wollte Leuten helfen. Kids wie uns. Frauen wie Mercy.«

»Das ist Quatsch, Mann.« Dave zeigte mit dem Finger auf ihn. »Kein Cop hat Kids wie uns je geholfen. Schau dir an, was du jetzt machst, quetschst mich wegen privatem Kram aus, der vor Stunden passiert ist. Nie im Leben hat Mercy Anzeige erstattet. Du mischst dich hier nur in meine Angelegenheiten ein, weil ihr Scheißtypen nichts anderes könnt.«

Will bewegte langsam die verletzte Hand über die Erde, bis er sein Handy ertastete. »Das ist richtig. Mercy hat nicht Anzeige erstattet. Ich kann dich nicht dafür verhaften, dass du sie gewürgt hast.«

»Da hast du verdammt recht.«

»Aber wenn du den Missbrauch an deiner Frau zugeben willst, nehme ich gern dein Geständnis auf.«

Dave lachte wieder. »Na klar, Mann. Versuchen kannst du es ja.«

Will zwang seinen Daumen zu einem Doppelklick auf den kleinen Schalter an der Seite seines Handys, mit dem er die Aufnahme-App startete. »Dave McAlpine, Sie haben das Recht zu schweigen. Alles, was Sie sagen oder tun, kann vor Gericht gegen Sie verwendet werden.«

Wieder lachte Dave. »O ja, ich werde schweigen.«

»Sie haben das Recht auf einen Anwalt.«

»Kann mir keinen Anwalt leisten.«

»Wenn Sie sich keinen Anwalt leisten können, wird Ihnen vom Gericht einer gestellt werden.«

»Oder das Gericht kann meinen Schwanz lutschen.«

»Bist du eingedenk dieser Rechte bereit, mit mir zu reden?«

»Klar, Alter, lass uns über das Wetter reden. Der Regen ist ziemlich schnell abgezogen, aber wir kriegen noch mehr. Lass uns über die guten alten Zeiten im Kinderheim reden. Lass uns über diese enge kleine Möse reden, die du da oben in deiner Hütte hast. Was musst du hier den guten alten Dave ficken, wenn du ihr deinen Schwanz in den Rachen schieben könntest?«

»Ich weiß, du hast Mercy heute Nachmittag auf dem Weg gewürgt.«

»Na und? Mercy mag es ab und zu ein bisschen härter. Und sie wird mich nie und nimmer dafür hinhängen. Ausgeschlossen.« Dave klang auf eine selbstzufriedene Art zuversichtlich. »Misch dich verdammt noch mal nicht in meine Angelegenheiten, oder du findest sehr schnell heraus, zu welcher Sorte Mann ich herangewachsen bin.«

Will gab sich nicht damit zufrieden, dass er Dave dazu gebracht hatte, die häusliche Gewalt einzuräumen. Er wollte mehr. »Erzähl mir, was heute Abend passiert ist.«

»Was soll das mit heute Abend?«

»Wo warst du?«

Etwas hatte sich verändert. Dave hatte mit genügend Cops zu tun gehabt, um zu wissen, wann er nach einem Alibi gefragt wurde.

»Wo warst du, Dave?«

»Wieso? Was ist heute Abend passiert?«

»Sag du es mir.«

»Scheiße. Irgendwas Schlimmes ist passiert, oder? Du bist nicht einfach wie ein Idiot hier draußen herumgestolpert. Wovon reden wir? Muss was für die Staatspolizei sein, richtig? Ist ein Drogendeal schlecht ausgegangen? Bist du hinter Rauschgifthändlern her?«

Will sagte nichts.

»Deshalb also kommst du und nicht der verfluchte Biscuits. Verdammter Bockmist, Mann.«

Will sagte noch immer nichts.

»Und jetzt?«, sagte Dave. »Glaubst du, du kannst mich hopsnehmen, Arschloch? Mit nur einer Hand und deinem Scheißgelaber von wegen, du hast mich meine Frau würgen sehen?«

»Mercy ist nicht mehr deine Frau.«

»Sie gehört mir, du verdammtes Stück Scheiße. Mercy gehört zu mir. Ich kann verdammt noch mal mit ihr machen, was ich will.«

»Was hast du mit ihr gemacht, Dave?«

»Geht dich einen Scheißdreck an. Was für ein Bockmist.« Er riss kein neues Bier aus der Packung. Er legte die Hand nicht in den Schoß. Er lehnte sich wieder zurück und ließ den Arm auf dem Baumstamm ruhen, sodass er das Ausbeinmesser mühelos erreichen konnte.

Diesmal war es eindeutig Absicht.

Dave versuchte, so zu tun, als wäre es keine. »Verschwinde von hier mit deinem ganzen Blödsinn.«

»Wie wär's, wenn du mit mir kommst.«

Dave atmete geräuschvoll aus und wischte sich mit dem Arm über die Nase, aber es war nur ein Vorwand, um sich näher bei dem Messer zu positionieren.

Will ignorierte den brennenden Schmerz in seiner verwundeten Hand, als er sie zur Faust ballte. Mit der gesunden Hand schob er sein Hosenbein hoch, sodass das Messer zu sehen war.

Dave sagte nichts. Er fuhr sich nur mit der Zunge über die Lippen, begierig darauf, dass es losging. Genau das hatte er von dem Moment an gewollt, als er Will auf dem Loop Trail entdeckt hatte. In Wahrheit hatte es Will vielleicht ebenfalls gewollt.

Beide standen gleichzeitig auf.

Der erste Fehler, den Leute bei einem Messerkampf begehen, ist, dass sie sich zu sehr den Kopf über das Messer zerbrechen. Was verständlich ist. Ein Messerstich tut höllisch weh. Eine Bauchwunde kann dein letztes Stündchen einläuten. Ein Stich ins Herz bringt dich noch schneller ins Grab.

Der zweite Fehler bei einem Messerkampf ist derselbe, der Leuten bei jeder Art von Kampf unterläuft. Sie gehen davon aus, dass es fair zugeht. Oder zumindest, dass der andere fair sein wird.

Dave hatte seinen Teil an Messerkämpfen hinter sich. Er kannte die beiden Fehler eindeutig. Er hielt das Ausbeinmesser vor sich gestreckt, während er nach dem Schnappmesser in seiner Gesäßtasche griff. Sein Plan war durchaus clever. Will mit dem einen Messer ablenken, während er mit dem anderen zustach.

Zum Glück verfolgte Will seinen eigenen cleveren Plan. Er wusste, Daves Aufmerksamkeit würde sich hauptsächlich auf Wills Ködermesser richten. Er dachte nicht an Wills verletzte Hand. Er hatte nicht bemerkt, dass Will eine Handvoll Erde zusammengekratzt hatte. Weshalb er auch so überrascht war, als Will sie ihm ins Gesicht schleuderte.

»Scheiße!« Dave taumelte rückwärts. Er ließ das Ausbeinmesser fallen, aber das Muskelgedächtnis sorgte dafür, dass seine dominante Hand weiter funktionierte.

Nadine hatte sich geirrt, was das Schnappmesser anging, bei dem man nur auf einen Knopf drücken musste, um die Klinge herausspringen zu lassen. Dave führte ein Butterflymesser mit sich. Es diente als tödliche Waffe und Ablenkung zugleich. Zwei Metallgriffe waren wie Muschelschalen um die scharfe, schmale Klinge geklappt. Um es mit einer Hand zu öffnen, musste man aus dem Handgelenk heraus eine schnelle Bewegung wie eine Acht vollführen. Man klemmte den Griff zur Rückseite der Klinge zwischen Daumen und Zeigefinger ein, während man den Griff, der zur Schneide schloss, über die Fingerknöchel fallen ließ. Dann drehte man den ersten Griff, schwang den Schneidengriff wieder über die Knöchel, klappte ihn zurück und hatte ein fünfundzwanzig Zentimeter langes Messer in der Hand.

Will kümmerte sich einen Dreck um das Messer.

Er holte mit dem Fuß aus und rammte seinen Stiefel mit der Stahlkappe genau in Daves Leiste.

16. Januar 2014

Lieber Jon,

ich habe dich jetzt seit drei Jahren wieder bei mir, und das bedeutet, bald werden wir länger zusammen sein, als wir getrennt waren. Ich weiß, es ist lange her, seit ich dir einen Brief geschrieben habe, aber vielleicht ist es leichter, wenn ich mir nur einen im Jahr vornehme, vor allem, da der Januar anscheinend immer der Monat ist, in dem mein Leben auf den Kopf gestellt wird. Ich suche mir den 16. Januar aus, weil das für mich dein Willkommenstag *ist. Ich will ehrlich sein und zugeben, dass ich den Ausdruck von Tante Delilah habe. Sie hat einen Haufen Hunde, und keiner weiß, wann ihr richtiger Geburtstag ist, aber sie nennt den Tag, an dem sie zu ihr kommen, immer ihren* Willkommenstag. *Heute vor drei Jahren war also dein* Willkommenstag *– der Tag, an* *dem ich dich zu mir auf den Berg zurückgeholt habe, damit ich deine Vollzeitmutter sein kann.*

Nicht dass du ein streunender Hund wärst, es ist mir nur eingefallen, weil ich heute Morgen an Delilah gedacht und sie vermisst habe. Ich weiß, es ist dumm, das zu schreiben, nachdem sie diejenige war, die dich mir weggenommen hat, und ich wie verrückt kämpfen musste, um dich zurückzubekommen, aber Delilah war immer auch diejenige, zu der ich gerannt bin, wenn es schlimm wurde. Und im Moment ist es richtig schlimm.

Die Wahrheit ist, es vergeht kein Tag, ab dem ich nicht danach lechze, zu trinken oder Drogen zu nehmen, aber dann denke ich an dich, und ich lasse es bleiben. Die Sache ist die, dass über die Feiertage etwas Schlimmes mit deinem Daddy passiert ist, und bevor ich wusste, was ich tat, war ich im Schnapsladen und hab mir eine Flasche Whiskey gekauft. Konnte nicht mal abwarten, bis ich zu Hause war. Ich hab sie einfach auf dem Parkplatz aufgemacht und das halbe Ding in mich reingeschüttet. Es ist komisch, wie man es mit der Zeit gar nicht mehr schmeckt. Du spürst nur das Brennen, und dann schwimmt dein Kopf, und ich schäme mich nicht, zuzugeben, dass ich es auf der Stelle wieder ausgekotzt habe, weil ich so lange nichts getrunken habe.

Es gab Zeiten, da hätte ich vielleicht versucht, diesen Alkohol auf irgendeine Art wieder in mich reinzubekommen, wenn es schlimm genug um mich stand, aber so war es diesmal nicht. Ich hab die Flasche in den Müll geworfen. Dann bin ich sehr lange im Auto sitzen geblieben und habe darüber nachgedacht, was mich dahin gebracht hat.

Dein Daddy hätte mich fast umgebracht, um es rundheraus zu sagen. Es war der Silvesterabend, und er hat eine große Party für sich selbst geschmissen und eine Menge Meth geraucht, was er früher schon getan hat, aber diesmal muss es eine schlechte Charge gewesen sein. Er war wie von tausend Teufeln besessen, und es hat mir eine Höllenangst eingejagt. Er hat im Wohnwagen herumgetobt und alles demoliert, und ich hab ihn angeschrien, was ich wahrscheinlich nicht hätte tun sollen, aber Baby, ich hab es so verdammt satt.

Dein Daddy ist kein schlechter Mensch, aber er kann schlimme Dinge tun. Wenn er ein bisschen Geld in der Tasche hat, verwettet er es auf einen hoffnungslosen Gaul oder feiert eine Woche lang, und dann ist es weg. Dann gibt er mir die Schuld, weil ich ihn nicht davon abgehalten habe, sein ganzes Geld durchzubringen. Danach piesackt er mich dann so lange, bis ich alles rausrücke, was ich noch irgendwo gebunkert habe, selbst wenn es bedeutet, dass wir keine Lebensmittel kaufen können oder der Strom abgestellt wird, und das alles ist noch nicht das Schlimmste, denn obendrein hat er mich noch betrogen.

Ich meine, er hat mich schon früher betrogen, aber diesmal hat er sich ein Mädchen ausgesucht, mit dem ich arbeite. Von dem ich dachte, sie ist meine Freundin. Nicht eine Freundin wie Gabbie, aber trotzdem eine Freundin, mit der ich reden und mir die Zeit vertreiben konnte. Die zwei kamen sich so wahnsinnig schlau vor, weil sie ihre Heimlichkeiten genau vor meiner Nase trieben, aber ich habe gemerkt, dass was im Busch ist. Ich habe den Mund gehalten, weil dein Daddy es bloß gemacht hat, um mir wehzutun, und an diesem Punkt waren wir weiß Gott schon früher, aber ich hatte keine Lust, das Gleiche wieder durchzumachen, wo er mich erst betrügt und dann bettelt, ich soll zurückkommen, und wenn ich wieder da bin, betrügt er mich aufs Neue.

Was er diesmal getan hat, war Folgendes: Er hat sie absichtlich in einem der Motelzimmer gefickt, die ich saubermachen musste. Der Plan hängt an unserem Kühlschrank, und er sieht ihn jedes Mal, wenn er sich ein Bier holt, des-

halb ist mir klar, dass er es wusste. Und sie wusste es auch, denn ihr Name steht auch auf dem verdammten Plan. Und da haben die beiden also gevögelt wie die Wilden, als ich mit einem Stapel Handtücher und Bettzeug im Arm ins Zimmer kam. Ich weiß, dein Daddy hat erwartet, dass ich in die Luft gehe, aber das hab ich nicht getan. Ich hatte es einfach nicht in mir, irgendwas zu sagen. Ich hab ihn nie so schockiert gesehen, als ich einfach wieder rausgegangen bin und die Tür geschlossen habe, als würde es keine Rolle spielen.

Und ehrlich gesagt hat es auch keine gespielt.

Das mit dem Betrügen ist, wie gesagt, schon früher passiert, aber ich habe erst dieses Mal verstanden, dass sich etwas verändert hat. Und wenn ich verändert *sage, dann meine ich* in mir. *Du wirst es erleben, wenn du älter wirst, dass du manchmal zurückschaust und ein Muster erkennst. Das Muster mit deinem Daddy war, er geht fremd, ich finde es heraus, es knallt gehörig und hagelt Schläge, und dann wird er ganz lieb für den Fall, dass ich auf die Idee komme, ihn zu verlassen. Diesmal haben wir den Knall und die Schläge ausgelassen und sind direkt zu dem Teil übergegangen, wo dein Daddy lieb wurde. Hat den Müll rausgebracht, seine Klamotten vom Boden aufgehoben, sogar mein Auto in der Früh angelassen, damit es für mich aufgewärmt war. Einmal bin ich dazugekommen, wie er dir was vorgesungen hat, und es war hübsch, aber es hat aufgehört, sobald ich hinausgegangen bin.*

Verstehst du, ich habe nicht so reagiert, wie er es gerne gehabt hätte, nämlich dass ich mich vor seine Füße geworfen und ihn angefleht hätte zu bleiben. Ich weiß nicht, was das ist mit deinem Daddy, was so kaputt ist in seinem Innern, und es ist schwer zu erklären, aber was er sich am meisten wünscht auf der Welt, ist, dass man so verzweifelt ist, dass einem nichts anderes bleibt, als sich an ihn zu klammern.

Und wenn man sich dann an ihn klammert, hasst er einen dafür.

Was mich diesmal am Laufen hielt, war, dass ich mir versprach, du und ich, wir würden bis Ende Januar aus diesem gottverlassenen Wohnwagen raus sein. Aber ich hatte nicht vor, es heimlich zu tun. Heimlichkeiten sind die Spezialität von deinem Daddy. Ich habe viel darüber nachgedacht und mir in den Kopf gesetzt, dass es richtig ist, ihm zu sagen, dass wir gehen, statt unser ganzes Zeug zusammenzupacken und auszuziehen, während er nicht da war. Ich konnte ja sowieso nicht wirklich weg von ihm, da wir in derselben verdammten Stadt wohnen. Und dann gibt es auch noch dich. Ich halte es nicht mehr mit ihm aus, aber er ist immer noch dein Daddy, und ich werde ihm dich nicht wegnehmen, egal, was für schreckliche Dinge er mir antut.

Jedenfalls wird er dir erzählen, dass ich ein Miststück war, weil ich ihn verlassen habe, aber du sollst wissen, dass ich nicht vorhatte, ein Miststück zu sein. Ich wollte, dass es ordentlich abläuft. Also hab ich ihm ein Bier gebracht und ihn auf der Couch Platz nehmen lassen, und ich sagte, dass er mir zuhören muss, weil ich etwas Wichtiges zu sagen habe.

Er war totenstill, bis ich die Wohnung in der Stadt zur Sprache gebracht habe. Ich schätze, da ist es für ihn real geworden, und im Rückblick würde ich sagen, das war auch der Moment, in dem ihm klargeworden ist, dass ich ihm nicht alles über das Geld gesagt hatte. Er fragte mich, wie hoch die Kaution war, wo ich parken konnte, ob du dein eigenes Zimmer hast, solche Dinge. Was ich damals in meiner Dummheit so verstand, dass er sich vergewissern wollte, ob wir zwei gut aufgehoben waren. Ich versprach ihm ausdrücklich, dass er jederzeit vorbeikommen und dich sehen konnte. Ich betonte ein paarmal, wie wichtig er für dich ist, dass ich immer will, dass es einen Daddy in deinem

Leben gibt. Was stimmt, denn ich sage jetzt das Gleiche in diesem Brief an dich.

Als Nächstes hat er nach Unterhalt und solchen Dingen gefragt, an die ich ehrlich keine Sekunde gedacht hatte. Es gibt keinen Richter auf dieser Welt, der Dave Geld aus der Tasche ziehen kann. Er geht eher ins Gefängnis oder in sein Grab, als dass er sich von einem Penny trennt, auch nicht für jemanden, den er liebt. Nicht mal, wenn du dieser Jemand bist. Jedenfalls war er die ganze Zeit echt ruhig, hat geraucht, genickt und getrunken und kaum was gesagt, außer diese Fragen gestellt, und als ich dann still war, hat er mich gefragt, ob ich fertig bin mit Reden, und ich hab Ja gesagt. Er hat seine Zigarette ausgedrückt. Und dann ist er total durchgedreht.

Ich werde nicht lügen. Ich habe erwartet, dass er mich bestraft, deshalb war ich auf die Prügel vorbereitet, die kamen. Dein Daddy ist nicht einfallsreich, wenn es darum geht, mir wehzutun, aber an diesem Abend hat er ein paar Sachen gemacht, die er nie zuvor gemacht hat. Das eine war, dass er sein Messer gezogen hat. Das andere war, dass er mich gewürgt hat.

Wenn ich es jetzt noch mal durchlese, klingt es, als hätte er sein Messer gegen mich richten wollen. Das stimmt nicht. Er wollte es gegen sich selbst richten. Und auch wenn ich todsicher nicht mehr mit ihm verheiratet sein will, will ich nicht, dass dein Daddy stirbt, besonders nicht von seiner eigenen Hand. Der Herr hat mir schon vor langer Zeit den Rücken gekehrt, aber ich weiß mit Bestimmtheit, dass er Leuten nicht vergibt, die sich das Leben nehmen, und ich würde deinem Daddy niemals ewige Verdammnis wünschen.

Deshalb bin ich total ausgeflippt, als ich das Blut gesehen habe, weil er sich mit dem Messer in den Hals geschnitten hat. Ich war sofort auf den Knien und hab ihn angefleht, es nicht zu tun. Er hat in einer Tour gesagt, dass er mich liebt, dass ich der einzige Mensch auf der Welt bin, der ihm das Gefühl gibt, irgendwohin zu gehören, dass er in dem Kinderheim so viel verloren hat, und niemand außer mir könnte es ihm zurückgeben.

Ich weiß nicht, ob irgendwas davon stimmt, aber was ich weiß, ist, dass wir uns beide die Augen ausgeheult haben, bis er endlich das Messer auf den Kaffeetisch gelegt hat. Eine ganze Weile konnten wir nichts tun, als uns in den Armen halten. Ich hätte alles gesagt, um ihn davon abzuhalten, dass er sich umbringt. Ich sagte immer wieder, dass ich ihn liebe, dass ich ihn nie verlassen werde, dass wir immer eine Familie sein werden.

Nachdem das vorbei war, saßen wir beide auf dem Sofa und haben nur an die Wand gestarrt, total erschöpft von unseren eigenen Gefühlen. Aber dann sagt er zu mir: »Ich bin froh, dass du nicht ausziehst«, und das habe ich nicht ertragen, denn ich war mir nach diesem Seelenstriptease nur umso sicherer, dass ich gehen musste. Ich sagte, dass ich immer für ihn da sein werde. Dass ich ihn immer lieben werde und dass ich nur will, dass er glücklich ist.

Dann habe ich wohl den Fehler gemacht, dass ich es nicht dabei belassen habe, sondern ich musste mein blödes Maul aufmachen und sagen, dass ich ebenfalls glücklich sein will und dass keiner von uns beiden jemals wirklich glücklich sein wird, solange wir zusammen sind.

Ich habe noch nie gesehen, dass sich dein Daddy so schnell bewegt hat. Er hatte beide Hände um meinem Hals. Das Erschreckende war, dass er nicht mal geschrien hat. Ich habe ihn nie so still erlebt. Er hat mich nur angesehen, die Augen total hervorgetreten, als er mich gewürgt hat. Ich hatte das Gefühl, dass er mich umbringen wollte. Und vielleicht dachte er, dass er mich umgebracht hat. Ich will nicht esoterisch klingen, denn ich hab kein zweites Gesicht oder irgendwas, aber ich würde dir auf einen Stoß Bibeln schwören, dass ich sogar dann noch wusste, was passiert, als ich schon ohnmächtig war.

Am ehesten würde ich es so beschreiben, dass ich oben an der Decke geschwebt bin und nach unten geschaut habe, und ich hab mich selbst auf diesem hässlichen grünen Teppich liegen sehen, den ich nie sauberbekommen habe. Ich weiß noch, dass ich mich geschämt habe, weil meine Hose nass war, als hätte ich mich vollgepisst, was seit einer ganzen Weile nicht mehr passiert war. Seit ich den Alkohol und die Drogen aufgegeben hatte. Jedenfalls hat mich dein Daddy immer noch gewürgt, während ich von der Decke aus zusah. Dann hat er mir einen letzten Tritt verpasst und ist aufgestanden. Aber er ist nicht zur Tür hinausgegangen, sondern hat einfach auf mich hinuntergestarrt.

Und gestarrt. Und gestarrt.

Es war sein Gesichtsausdruck, der mir am stärksten aufgefallen ist, denn da war kein Ausdruck. Nur Minuten zuvor war er total aufgewühlt, hat geweint und gedroht, sich umzubringen, und dann war da nichts. Absolut nichts. Und mir kam der Gedanke, dass ich ihn vielleicht zum ersten Mal so gesehen habe, wie er wirklich ist. Dass der weinende oder der lachende Dave, der Dave, der high ist oder sauer, oder selbst der Dave, der so tut, als würde er mich lieben, gar nicht der wirkliche Dave ist.

Der wirkliche Dave ist innen hohl.

Ich weiß nicht, was ihm all diese Pflegeeltern genommen haben oder der Sportlehrer, der ihn missbraucht hat, aber sie haben so tief in seine Seele gegraben, dass nichts übrig geblieben ist. Todsicher nichts für mich, und wenn ich ehrlich bin, weiß ich nicht mal, ob da drin noch was für dich ist.

Ich will offen zu dir sein, es hat mich erschüttert, ihn so zu sehen. Mehr noch, als keine Luft mehr zu kriegen, was etwas ist, wovor ich schreckliche Angst habe, seit ich klein war. Und das hat mich zum Nachdenken gebracht, was Dave sonst noch die ganze Zeit versteckt.

Er liebt weiß Gott deine Großmutter Bitty heiß und innig, aber hat er mich *jemals wirklich geliebt? Hat es ihn je interessiert? Er hat mir auf seine Weise Zeit gegeben, es herauszufinden. Er ist jetzt gerade im Gefängnis, weil er wieder mal in eine Kneipenschlägerei geraten ist, nachdem er mit mir fertig war. Er hat es nicht anders verdient, aber ich mache mir trotzdem Sorgen um ihn. Das Gefängnis ist ein harter Ort für Männer wie deinen Daddy. Er hat die Angewohnheit, dass er Leute gegen sich aufbringt. Und ich habe wirklich Angst davor, dass er wieder rauskommt, wenn du die ganze Wahrheit wissen willst. Ich fürchte mich vor diesem leeren Mann, der auf mich heruntergeschaut hat wie auf eine Fliege, der er gerade die Flügel ausgerissen hat.*

Wegen alldem habe ich Angst um dich, Baby. Du weißt, du könntest nichts tun, was ich dir nicht verzeihen würde, aber dein Daddy ist nicht glücklich, dass er so ist, wie er ist. Niemand könnte damit glücklich sein. Er ist so leer, dass ihn nichts anderes füllt, als wenn er bei anderen Leuten Gefühle provoziert. Manchmal ist das gut, wenn er Runden ausgibt und den großen Mann spielt. Manchmal ist es schlecht, wenn er Meth raucht und seinen Wohnwagen zerlegt. Und manchmal ist es richtig schlecht, wenn er mich so heftig würgt, dass ich glaube, ich werde sterben. Und dann schaue ich in sein Gesicht und sehe, dass er in seinem Leben nie an etwas anderem Freude hatte, als sein Elend auf andere Menschen zu übertragen.

Lieber Himmel, was für eine finstere Erzählung von einem Mann. Vielleicht wirst du diese Seite von ihm nie zu sehen bekommen. Ich hoffe es, denn es ist, als schaut man in den Schlund der Hölle. Dein Daddy kann mit mir machen, was er will, aber er wird nie, nie die Hand gegen dich erheben. Aber ich werde auch nicht die Sorte Ex-Frau sein, die ihr Kind gegen seinen Vater einnimmt. Wenn du ihn am Ende für einen schlechten Menschen hältst, dann deshalb, weil du es mit eigenen Augen gesehen hast.

Deshalb werde ich diesen Brief beenden, indem ich dir drei gute Dinge über deinen Daddy erzähle.

Nummer eins ist, ich weiß, das ist krass und ich sage schon die ganze Zeit, dass es nicht stimmt, aber dein Daddy ist Familie für mich. Er ist es nicht wie dein Onkel Fisch, aber er kommt dem nahe, und ich werde es nicht ausgerechnet vor dir leugnen.

Nummer zwei ist, er kann mich immer noch zum Lachen bringen. Das hört sich vielleicht nicht nach viel an, aber ich hatte nicht viel Freude in meinem Leben, deshalb fällt es mir so schwer, ihn gehen zu lassen. Ich und Dave, wir haben nicht so angefangen. Es gab eine Zeit, da hat mir dein Daddy alles bedeutet. Er war es, zu dem ich gelaufen kam, wenn Papa auf mich losgegangen ist. Er war es, dem ich mich anvertraut habe. Ihm wollte ich gefallen. Er war so viel älter, und er hatte so viel üble Scheiße durchgemacht, dass ich das Gefühl hatte, er versteht mich. Ich wollte ihn eigentlich nie wirklich. Ich wollte nur, dass er mich will. Aber dein Daddy muss dir deshalb nicht leidtun. Er wusste, was los war, und es war in Ordnung für ihn. Er war sogar glücklich damit. Ich hoffe, du musst das nie selber spüren, dass du in einer Lage bist, wo du lieber geduldet als geliebt wirst.

Aber genug damit.

Nummer drei ist, dein Daddy hat mir das Leben gerettet, als ich diesen Autounfall hatte. Ich weiß, das klingt theatralisch, aber er hat mich wirklich gerettet. Hat mich im Krankenhaus besucht. Meine Hand gehalten. Mir gesagt, dass ich immer noch hübsch bin, obwohl wir beide wussten, dass das nie mehr stimmen wird. Er hat gesagt, dass es nicht meine Schuld war, obwohl wir beide wussten, dass auch das nicht stimmte. Ich habe ihn nur eine einzige andere Person jemals so freundlich behandeln sehen, und das ist Bitty. Ehrlich gesagt glaube ich, dass ich dieser Version von Dave seitdem hinterherjage. Wie auch immer, ich will nicht zu tief in diesen Teil meines Elends bohren, aber sagen wir einfach, dein Daddy hat sich gesteigert.

So, das sind die Dinge, die du über ihn wissen sollst, vor allem dieses dritte. Und das ist wahrscheinlich der Grund dafür, dass ein Teil von mir ihn immer lieben wird, obwohl ich mir ziemlich sicher bin, dass er mich eines Tages umbringt.

Ich liebe dich für immer –
deine Mama

11

Faith Mitchell schaute auf die Uhr an der Wand.

Sechs Minuten vor sechs Uhr morgens.

Die Erschöpfung war wie ein brennender Panzer in sie gefahren. Sie hatte sich von einem Gefühl der Dringlichkeit getrieben durch fürchterlichen Verkehr hierhergekämpft, aber das alles war im Wartezimmer des Sheriffbüros von Dillon County zu einem abrupten Stillstand gekommen.

Die Eingangstür war offen gewesen, aber niemand war am Empfang. Niemand hatte reagiert, als sie an die gläserne Trennwand geklopft oder die Glocke geläutet hatte. Kein Streifenwagen stand auf dem leeren Parkplatz. Niemand ging ans Telefon.

Zum tausendsten Mal sah sie auf ihre Armbanduhr, die der Uhr an der Wand um zweiundzwanzig Sekunden voraus war. Faith stellte sich auf den Stuhl, um den Sekundenzeiger vorzurücken. Falls jemand sie mit der Überwachungskamera in der Ecke beobachtete, würde er hoffentlich die Polizei rufen.

Leider nein.

Douglas »Biscuits« Hartshorne hatte Faith angewiesen, ihn in der Polizeistation zu treffen, aber das war vor dreiundzwanzig Minuten gewesen. Er hatte auf zahlreiche Anrufe und SMS nicht reagiert. Wills Handy hatte entweder kein Netz oder sein Akku war leer, bei Saras meldete sich sofort die Mailbox. Niemand ging in der McAlpine Familien-Lodge ans Telefon. Ihrer Website zufolge gelangte man zu ihnen, indem man den Berg hinaufwanderte, was sich nach einer Strafe für die Kinder der berühmten Trapp-Familie anhörte, bevor Maria mit ihrer Gitarre auftauchte.

Alles, was Faith tun konnte, war auf und ab rennen. Sie wusste im Grunde nicht, was ihre Aufgabe im Augenblick war. Bei ihrem Telefongespräch mit Will war die Verbindung wegen eines Sturzregens schlecht gewesen, aber sie hatte genug mitbekommen, um zu wissen, dass wegen eines üblen Kerls etwas Schlimmes passiert war. Faith hatte sich die Audiodateien angehört, die er ihr während der nicht enden wollenden Fahrt in die Berge geschickt hatte, und soweit Faith feststellen konnte, hatte Will den Fall schon so ziemlich in trockenen Tüchern.

Die erste Aufnahme war wie eine Hintergrundgeschichte für die schlimmste Episode aller Zeiten von *Full House*. Delilah hatte Mercy McAlpines beschissene Beziehungen zusammengefasst, von ihrem gewalttätigen Vater über ihre gefühlskalte Mutter zu ihrem verschrobenen Bruder und seinem noch verschrobeneren Freund. Dann diese krasse Sache mit Mercy und Dave, die nicht direkt Inzest war, aber auch nicht direkt *kein* Inzest. Dann war nach der Werbepause Sheriff Biscuits angeschlendert gekommen und hatte null Interesse an einer brutal ermordeten Frau und ihrem verschwundenen minderjährigen Sohn zum Ausdruck gebracht. Die einzige relevante Information, die Faith aus der ganzen Unterhaltung gezogen hatte, war Wills sehr gründlicher Bericht darüber gewesen, wie er dazu gekommen war, Mercy McAlpines Leiche zu entdecken. Und für seine Mühe mit einem Messer in der Hand belohnt wurde.

Die zweite Aufnahme war wie eine Episode aus der Fernsehserie *24*, aber als müsste Jack Bauer tatsächlich der Verfassung treu bleiben, die zu schützen er geschworen hatte. Es ging damit los, dass Will Dave McAlpine seine Rechte verlas, dann gab Dave zu, dass er früher am Tag seine Frau gewürgt hatte, dann kam eine Auseinandersetzung, die zu einem Handgemenge führte, in dessen Verlauf – wenn Faith ihren Partner richtig einschätzte – Will dem anderen so kräftig in die Eier getreten hatte, dass der Mann im Strahl gekotzt hatte.

Eine Vorwarnung bei Letzterem wäre nett gewesen. Faith hatte es in Dolby Digital Surround aus den Lautsprechern in ihrem Mini gehört. Sie hatte bei strömendem Regen und in stockdunkler Nacht irgendwo in der Pampa in einem Stau festgesessen und hatte die Tür öffnen müssen, um ihrerseits auf den Asphalt zu kotzen.

Sie schaute wieder auf die Uhr. Fünf vor sechs.

Eine Minute geschafft. So viele konnten es jetzt nicht mehr sein. Sie wühlte in ihrer Handtasche nach einem Müsliriegel. Ihr Kopf schmerzte wie von einem milden Kater, was Sinn ergab, nachdem sie vor ein paar Stunden noch das selige Leben einer Frau geführt hatte, die nicht damit rechnete, sich in irgendeiner Form angemessen verhalten zu müssen.

Tatsächlich genoss Faith gerade ein kaltes Bier unter der Dusche, als ihr Telefon ein komisches Geräusch von sich gegeben hatte. Das dreifache Zirpen klang wie ein Vogel, der auf ihrem Waschbecken hockte. Ihr erster Gedanke war, dass ihr zweiundzwanzigjähriger Sohn zu alt war, um mit ihren Klingeltönen herumzuspielen. Ihr zweiter Gedanke ließ sie in Schweiß ausbrechen, obwohl sie unter fließendem Wasser stand: Ihre zweijährige Tochter hatte herausgefunden, wie man die Einstellungen des Telefons veränderte. Faiths digitales Leben würde nie wieder sicher sein. Ein virtueller *Walk of Shame* tauchte vor ihrem geistigen Auge auf: die Selfies, das Sexting, die zahllosen Dick Pics, die sie absolut erbeten hatte. Faith hätte fast ihr Duschbier fallen lassen, als sie hinter dem Vorhang hervorschoss.

Die Nachricht war so fremdartig, als hätte sie noch nie Worte gesehen.

NOTFALL SOS MELDUNG

Verbrechen

VERSANDTE INFORMATION

Notfall-Fragebogen

Aktueller Standort

Noch mal von vorne: Ihr erster Gedanke galt Jeremy, der sich auf einer unvernünftigen Autoreise nach Washington, D.C. befand, wenn *unvernünftig* bedeutete, dass seine Mutter nichts davon hielt. Ihr zweiter Gedanke galt Emma, die zum ersten Mal bei einer engen Freundin übernachtete. Deshalb schlug Faith das Herz bis zum Hals, als sie an der Meldung der Satellitenübertragung vorbei zum eigentlichen Text gescrollt hatte. Von einer Schießerei mit zahlreichen Toten über einen katastrophalen Unfall bis zu einem Terrorangriff hatte sie mit allem Möglichen gerechnet, aber was sie dann tatsächlich las, kam so unerwartet, dass sie überlegte, ob es sich vielleicht um eine Art Phishing handelte.

GBI Special Agent Will Trent erbittet unverzüglichen Beistand bei Mordermittlung.

Faith blickte tatsächlich in den Spiegel, um zu sehen, ob sie wieder einmal einen verrückten Traum von der Arbeit hatte. Zwei Tage zuvor hatte sie bei der Hochzeit von Will und Sara getanzt wie eine Irre. Die beiden sollten jetzt in den Flitterwochen sein. Es sollte keinen Mord geben, ganz zu schweigen von einer Ermittlung, ganz zu schweigen von einem Beistandsgesuch per Satellit. Faith war so fassungslos gewesen, dass sie buchstäblich einen Satz gemacht hatte, als ihr Telefon zu läuten anfing. Dann war sie beunruhigt, als die Anrufer-ID ihren Boss auswies, genau die Person, die man sprechen will, wenn man um Viertel nach eins am Morgen mit einem Bier in der Hand auf sein nacktes Spiegelbild starrt.

Amanda hatte sich nicht mit einer Entschuldigung dafür aufgehalten, dass sie Faith in ihrer freien Woche störte, so wie es ein normaler Mensch tun würde, dem andere Menschen etwas bedeuten. Sie hatte Faith nur einen Befehl erteilt.

»Ich will, dass du in zehn Minuten aus dem Haus bist.«

Faith hatte den Mund zu einer Antwort geöffnet, aber Amanda hatte das Gespräch bereits beendet. Es blieb ihr nichts übrig, als sich die Seife abzuspülen und in dem Mount Everest aus Schmutzwäsche, der sich um ihre Waschmaschine türmte, hektisch nach Arbeitskleidung zu suchen.

Und hier war sie nun, fünf Stunden später, und tat rein gar nichts.

Faith blickte wieder auf die Uhr. Noch eine Minute hinter sich gebracht.

Faith dachte daran, was sie jetzt alles tun könnte. Waschen, zum Beispiel, denn ihr Shirt müffelte leicht. Noch ein Bier unter der Dusche trinken. Ihren Gewürzschrank neu sortieren, während sie so laut sie wollte N'SYNC hörte. Das Videospiel *Grand Theft Auto* spielen, ohne dass sie ihr wahlloses Abknallen erklären musste. Sich nicht den Kopf darüber zu zerbrechen, ob Emma Angst hatte, in einem fremden Bett zu schlafen. Sich nicht den Kopf darüber zu zerbrechen, ob es Emma womöglich gefallen würde, in einem fremden Bett zu schlafen. Sich nicht den Kopf darüber zu zerbrechen, dass Jeremy auf einer Fahrt nach Quantico war und hoffte, beim FBI angenommen zu werden. Sich nicht den Kopf darüber zu zerbrechen, dass der Mann, der ihn fuhr, zufällig der Mann war, mit dem Faith schlief, und dass sie es seit acht Monaten gern und oft miteinander trieben und Faith sich immer noch nicht dazu durchringen konnte, ihn anders zu bezeichnen als den Mann, mit dem sie schlief.

Und das waren nur ihre Probleme für den Augenblick. Faith hatte beabsichtigt, ihre Ferienwoche dazu zu benutzen, ihrer geheiligten Mutter eine Pause als Emmys Babysitterin zu verschaffen. Und ihre Tochter daran zu erinnern, dass sie eigentlich eine Mutter hatte. Faith hatte die Zeit so restlos verplant, als würde sie für eine Prüfung büffeln, und hatte unter anderem einen Nachmittagstee im Four Seasons gebucht, sich für einen Kurs in Kinderschminken angemeldet und für einen in Keramikmalerei, sie hatte Eintrittskarten für ein Puppenmuseum gekauft, eine Audiotour für Kinder im Botanischen Garten heruntergeladen, sich einen Trapezkurs angesehen, versucht …

Ihr Telefon läutete.

»Gott sei Dank!«, rief Faith in den leeren Raum. Es war keine gute Zeit, um mit ihren eigenen Gedanken allein gelassen zu werden. »Mitchell.«

»Wieso bist du im Sheriffbüro?«

Faith unterdrückte einen Fluch. Sie war nicht glücklich darüber, dass Amanda ihr Telefon nachverfolgen konnte. »Der Sheriff hat gesagt, ich soll ihn dort treffen.«

»Er ist bei dem Verdächtigen im Krankenhaus.« Amandas Tonfall ließ erkennen, dass es sich dabei um eine allseits bekannte Tatsache handelte. »Es ist genau auf der anderen Straßenseite. Was trödelst du herum?«

Einmal mehr öffnete Faith den Mund zu einer Antwort just in dem Moment, in dem Amanda das Gespräch beendete.

Sie packte ihre Handtasche und verließ den engen Warteraum. Rosa Wolken färbten zart den Himmel. Die Straßenbeleuchtung ging aus. Faith atmete die Morgenluft tief ein und überquerte die Bahngleise, die den kleinen Innenstadtbereich in zwei Hälften teilten. Die Stadt Ridgeville machte nicht viel her. Eine einstöckige Einkaufszeile aus den 1950ern erstreckte sich von einem Ende des Blocks zum andern und war voller Touristenfallen wie Antiquitäten- oder Kerzenläden.

Ridgeville Medical war ein zweistöckiger Bau aus Beton und Glas, das höchste Gebäude, so weit das Auge reichte. Der Parkplatz war voller Pick-ups und Autos, die älter waren als Faiths Sohn. Sie entdeckte den Streifenwagen des Sheriffs vor der Eingangstür.

»Faith.«

»Scheiße!« Faith erschrak so heftig, dass sie fast ihre Handtasche fallen ließ. Amanda war wie aus dem Nichts gekommen.

»Pass auf, wie du redest«, sagte Amanda. »Das ist unprofessionell.«

Faith dachte, das könnte der Ursprung dafür werden, dass sie ihr restliches Leben lang *Scheiße* sagte.

»Wieso hast du so lange gebraucht?«

»Ich habe zwei Stunden lang wegen eines Unfalls im Stau gestanden. Wie bist du durchgekommen?«

»Wie bist du nicht durchgekommen?«

Amandas Telefon summte. Sie ließ Faith ihren Scheitel sehen, als sie auf den Schirm blickte. Ihr perfekt geschnittenes, grau meliertes Haar war zum gewohnten Helm aufgetürmt. Ihr Rock und der dazu passende Blazer waren so gut wie faltenfrei. Ihre Daumen flogen nur so über den Bildschirm, als sie die Nachricht beantwortete – eine von Tausenden, die sie heute erhalten würde. Amanda war Deputy Director beim GBI, verantwortlich für Hunderte von Angestellten, fünfzehn Regionalbüros, sechs Dienststellen zur Drogenbekämpfung und mehr als ein halbes Dutzend Spezialeinheiten, die in allen einhundertneunundfünfzig Countys in Georgia tätig waren.

Was Faith zu einer Frage veranlasste: »Was tust du überhaupt hier? Du weißt, ich werde mit der Sache fertig.«

Amanda ließ das Handy in ihre Jackentasche gleiten. »Der Sheriff heißt Douglas Hartshorne. Sein Vater hatte den Posten fünfzig Jahre lang, bis ihn ein Schlaganfall vor vier Jahren in den Ruhestand zwang. Der Junior bewarb sich ohne Gegenkandidaten um das Amt. Er scheint die Abneigung seines Vaters gegen das GBI geerbt zu haben. Ich bekam ein schroffes Nein zu hören, als ich anbot, den Fall zu übernehmen.«

»Sie nennen ihn Biscuits«, sagte Faith. »Was gut ist, weil ich immer versucht bin, Dougla*th* zu sagen, wie Mr. Dink, diese lispelnde Zeichentrickfigur im Fernsehen.«

»Sehe ich aus wie jemand, der diese Bezugnahme lustig finden könnte?«

Amanda sah aus wie eine Besucherin, als sie das Krankenhaus betrat. Faith folgte ihr in den Warteraum, der dicht gefüllt mit Elend war. Alle Stühle waren besetzt. Menschen lehnten an den Wänden und beteten lautlos darum, dass ihr Name aufgerufen wurde. In Faith blitzte eine Erinnerung an ihre eigenen frühmorgendlichen Ausflüge mit ihren Kindern zur Notaufnahme auf. Jeremy war die Sorte Baby gewesen, das sich selbst in ein hohes Fieber schreien konnte. Zum Glück war Emma ungefähr zu der Zeit zur Welt gekommen, als Will Sara kennenlernte. Es hatte einiges für sich, eng mit einer Kinderärztin befreundet zu sein.

Was Faith an etwas erinnerte: »Wo ist Sara?«

»Sie marschiert im Gleichschritt mit Will, wie immer.«

Nicht direkt eine Antwort, aber den Versuch, diesen Bären zu reizen, hatte Faith längst aufgegeben. Außerdem öffnete Amanda bereits die Tür nach hinten, obwohl ein Schild warnte: NUR FÜR PERSONAL!

Noch mehr Elend erwartete sie. Patienten waren auf Rollbahren entlang des Flurs geparkt, aber Faith sah keine Ärzte oder Schwestern. Sie waren vermutlich hinter den mit Vorhängen abgetrennten Bereichen zugange, die als Zimmer dienten. Über das Stakkato von Herzmonitoren und Beatmungsgeräten hörte sie Amandas kleine Pfennigabsätze in die Laminatfliesen stechen. Faith überlegte angestrengt, warum Amanda mitten in der Nacht wegen eines bereits gelösten Mordfalls, der weit unterhalb ihrer Einkommensstufe lag, zwei Stunden lang zu einem Provinzkaff gefahren war. Himmel, der Fall lag sogar unterhalb von Faiths karger Einkommensstufe. Das GBI griff nur ein, wenn eine Ermittlung schiefging, und selbst dann mussten seine Dienste angefordert werden. Biscuits hatte sehr deutlich gemacht, dass er nicht daran interessiert war.

Amanda blieb an der nicht besetzten Station stehen und läutete. Das Klingeln war über das Stöhnen und den Lärm der Apparate kaum wahrnehmbar.

»Warum bist du wirklich hier?«, fragte Faith.

Amanda war bereits wieder mit ihrem Handy beschäftigt. »Will sollte eigentlich in den Flitterwochen sein. Ich werde nicht zulassen, dass ihn dieser Job völlig auslaugt.«

Faith unterdrückte ein weinerliches *Und was ist mit mir?* Amanda hatte immer eine verborgene Verbindung zu Will gehabt. Sie war beim Atlanta Police Departement Streife gelaufen, als sie das Baby Will in einem Mülleimer fand. Bis vor Kurzem hatte er keine Ahnung gehabt, dass Amandas unsichtbare Hand ihn durch sein ganzes Leben geleitet hatte. Faith wäre gestorben dafür, mehr als die groben Eckpunkte zu erfahren, aber keiner der beiden neigte dazu, tiefe und dunkle Geheimnisse zu verraten, und Sara war ihrem Mann gegenüber ärgerlich loyal.

Amanda blickte von ihrem Handy auf. »Kannst du dir diesen Dave als Täter vorstellen?«

Faith hatte nicht über die Frage nachgedacht, denn es erschien ihr offensichtlich. »Er hat eingeräumt, dass er Mercy gewürgt hat. Er hat kein Alibi. Die Tante gibt eine lange Geschichte häuslicher Gewalt zu Protokoll. Er hat sich im Wald versteckt. Er hat sich der Verhaftung widersetzt. Falls man zehn Sekunden Machogehabe und eine Minute Kotzen als Widerstand werten will.«

»Die Familie scheint von dem Verlust seltsam unberührt zu sein.«

Faith ging davon aus, dass Amanda Wills Audiodateien ebenfalls gehört hatte. Sie selbst hatte im Auto so viel Zeit damit verbracht, sie sich anzuhören, dass sie einige von Delilahs Beobachtungen praktisch auswendig aufsagen konnte. »Die Tante berichtet, es gibt ein massives finanzielles Motiv. Sie hat Mercys Bruder als die Art von *verschlossen* bezeichnet, die einen an gebrauchte Höschen sammelnde Serienmörder denken lässt. Sie nannte ihren eigenen Bruder ein gewalttätiges Arschloch und ihre Schwägerin einen kalten Fisch. Und sie sagte, diese Bitty habe ein paar Stunden vor dem Mord damit gedroht, Mercy ein Messer in den Rücken zu stoßen.«

»Delilah sagte auch etwas über die Exhibitionisten in Hütte fünf.«

Faith hätte darüber ebenfalls gern mehr erfahren, aber nur, weil sie genauso neugierig war wie Delilah. »Hört sich an, als wäre es interessant, mit Chuck zu reden. Er steht dem Bruder nahe und könnte einige Geheimnisse kennen. Dann sind da noch die reichen Arschlöcher, die die Lodge kaufen wollten.«

»An die kommen wir nicht heran. Sie werden Heerscharen von Anwälten beschäftigen«, sagte Amanda. »Wie viele Gäste wohnen in der Lodge?«

»Ich weiß es nicht genau. Auf der Website steht, dass sie nicht mehr als zwanzig Gäste gleichzeitig aufnehmen. Wenn man gern im Freien ist und schwitzt, sieht die Anlage fantastisch aus. Ich habe nicht herausgefunden, was ein Aufenthalt kostet, aber ich vermute, es ist ein Vermögen. Will muss ein Jahresgehalt dafür ausgegeben haben.«

»Ein Grund mehr, ihn aus der Sache herauszuhalten«, sagte Amanda. »Ich möchte, dass du Dave vernimmst. Er wurde mit einem Rettungswagen hierhergebracht. Sara wollte eine Hodentorsion ausschließen.«

Faith wusste, es war nicht komisch, aber ein bisschen komisch fand sie es doch. »Welchen Code soll ich im Bericht dafür verwenden? Achtundachtzig?«

Amanda ging geradewegs an Faith vorbei. Sie hatte Sara am Ende des Flurs entdeckt. Wieder einmal musste Faith hüpfen, um sie einzuholen. Sara trug ein kurzärmliges T-Shirt und eine

Cargohose. Ihr Haar war zu einem Knoten aufgedreht. Sie sah erschöpft aus, als sie Faiths Arm drückte.

»Faith, es tut mir so leid, dass du in diese Geschichte hineingezogen wirst. Ich weiß, du hattest die ganze Woche mit Emma verplant.«

»Die kommt schon klar«, sagte Amanda, denn Kleinkinder blieben bei unerwarteten Veränderungen ja bekanntlich super gelassen. »Wo ist Will?«

»Der wird gerade im Bad gesäubert. Ich habe ihn die Hand in einer Betadine-Lösung einweichen lassen, bevor er genäht wurde. Die Klinge hat zum Glück die Nerven verfehlt, aber ich mache mir Sorgen wegen einer Infektion.«

»Und Dave?«, fragte Amanda.

»Seine Nebenhoden haben die Hauptwucht des Schlags abbekommen. Das ist eine stark gewundene Röhre auf der Rückseite der Hoden, durch die beim Ejakulationsprozess das Sperma fließt.«

Amanda sah genervt aus. Sie hasste Medizinersprache. »Dr. Linton. Einfach ausgedrückt, bitte.«

»Seine Eier sind auf der Rückseite geprellt. Er muss ruhen, die Beine hochlagern und braucht Eis, aber in einer Woche sollte er wieder okay sein.«

Da Faith ihn vernehmen sollte, fragte sie: »Bekommt er Schmerzmittel?«

»Sein Arzt hat ihm Tylenol gegeben. Es ist nicht meine Entscheidung, aber ich hätte Tramadol verschrieben, eine Runde Ibuprofen gegen die Schwellung und etwas gegen Übelkeit. Der Samenstrang windet sich von den Hoden durch den Leistenkanal zum Abdomen, dann hinter der Blase vorbei, um an der Prostatadrüse in die Harnröhre zu münden, die dann schließlich zum Penis hinausgeht. Was eine langatmige Art ist, um auszudrücken, dass Dave ein fürchterliches Trauma erlitten hat. Andererseits …« Sie zuckte mit den Achseln. »Das hat er nun davon, dass er Will mit einem Butterflymesser bedroht hat.«

Faith witterte einen weiteren Anklagepunkt. »Wo ist das Messer?«

»Will hat es dem Sheriff übergeben.« Sara wusste, was Faith dachte. »Die Klinge ist unter zwölf Zoll lang, es ist also legal.«

Amanda sagte: »Nicht, wenn er es verdeckt getragen hat und es für eine Straftat benutzen wollte.«

»Es ist nur eine Ordnungswidrigkeit, aber wenn wir es mit dem Mord verknüpfen können …«, sagte Faith.

»Dr. Linton«, unterbrach Amanda. »Wo ist Dave jetzt?«

»Er wurde zur Beobachtung für heute Nacht aufgenommen. Der Sheriff ist bei ihm im Zimmer. Ich sollte noch anmerken, dass Dave ein Shirt mit einem blutigen Handabdruck auf der Vorderseite trug. Der Sheriff registriert Kleidung und persönliche Gegenstände als Beweismittel. Er sollte außerdem Fotos von den Kratzern an Daves Oberkörper und Hals machen. Der örtliche Coroner heißt Nadine Moushey. Sie hat bereits offiziell eine Obduktion durch das GBI beantragt.« Sara schaute auf ihre Armbanduhr. »Nadine müsste Mercys Leiche in Kürze von der Lodge hierherbringen. Sie sagte, ich soll sie um acht Uhr unten im Leichenschauhaus treffen.«

»Ich habe das für die Region acht zuständige SAC darauf aufmerksam gemacht, dass sie den Transport der Leiche zum Hauptquartier überwachen muss«, sagte Amanda.

»Wollen Sie damit ausdrücken, ich soll den Auftrag abgeben?«

»Ist Ihr Input unbedingt notwendig?«

»Meinen Sie, ob eine zugelassene Gerichtsmedizinerin, die das Opfer *in situ* gesehen hat, ihre Expertenansicht bei einer Voruntersuchung beisteuern sollte?«

»Sie haben die Angewohnheit entwickelt, Fragen zu stellen, statt Antworten zu geben.«

»Tatsächlich?«

Amandas Miene war unergründlich. Sie war theoretisch Saras Boss, aber Sara hatte sie immer eher wie eine Kollegin behandelt.

Und wegen Will war Amanda jetzt in gewisser Weise Saras Schwiegermutter, andererseits aber auch nicht.

Faith beendete das Duell. »Gibt es sonst noch etwas, das wir wissen sollten?«

»Wir haben einen Rucksack am Tatort entdeckt«, sagte Sara. »Will hat ihn als Mercys identifiziert. Das Nylon war zum Glück mit einer feuerfesten Chemikalie beschichtet. Der Inhalt könnte interessant sein. Mercy hat Toilettenartikel und Kleidung eingepackt, dazu ein Notizbuch.«

Faith wurde langsam wieder munter. »Was für eine Art Notizbuch?«

»So eines, das Kinder in der Schule für Aufsätze benutzen.«

»Hast du es gelesen?«

»Die Seiten waren durchnässt, es muss also zur Bearbeitung ins Labor. Mich interessiert mehr, wohin Mercy gehen wollte. Es war mitten in der Nacht. Sie hatte früher am Abend einen sehr öffentlichen Krach mit ihrem Sohn. Warum ging sie weg? Wohin wollte sie? Wie ist sie da unten am See gelandet? Nadine hat darauf hingewiesen, dass es genügend leer stehende Hütten gab, falls Mercy eine Pause von ihrer Familie brauchte.«

»Wie viele?«, fragte Faith.

»Die Zahl ist irrelevant«, sagte Amanda. »Konzentriere dich darauf, ein Geständnis aus Dave herauszubekommen. So bringen wir die Sache schnell unter Dach und Fach. Richtig, Dr. Linton?«

»Zumindest was Dave angeht.« Sara schaute wieder auf ihre Uhr. »Delilah müsste inzwischen vor dem Krankenhaus sein. Wir suchen nach Jon.«

»Halten Sie das für eine angemessene Art, Ihre Flitterwochen zu verbringen?«, fragte Amanda.

»Ja.«

Amanda hielt den Blick noch einen Moment auf Sara gerichtet, dann drehte sie sich um und ging. »Faith?«

Faith fasste es als ihr Stichwort auf, dass sie sich anzuschließen habe. Sie ballte solidarisch die Faust in Richtung Sara, ehe sie losjoggte, um Amanda einzuholen, und sagte: »Du musst wissen, dass Sara einen Teenager, der gerade seine Mutter verloren hat, nicht einfach vom Schirm verschwinden lässt.«

»Jeremy war mit sechzehn selbstständig.«

Jeremy hatte mit sechzehn so viel Käse gegessen, dass Faith ihn zum Arzt schicken musste. »Jungs im Teenageralter sind nicht so robust, wie du denkst.«

Amanda ging am Aufzug vorbei zur Treppe. Ihr Mund war ein gerader Strich. Faith fragte sich, ob sie an Will in diesem Alter dachte, aber dann rief sie sich in Erinnerung, dass es keinen Sinn hatte, erraten zu wollen, was Amanda dachte. Sie versuchte, sich stattdessen auf Daves Vernehmung zu konzentrieren.

Während des langen Staus auf der Interstate hatte sich Faith die Zeit genommen, David Harold McAlpines Strafregister anzusehen. Seine Jugendakte war unter Verschluss, aber es gab jede Menge Anklagen in seiner Erwachsenenakte, alle von der Art, die man bei einem Süchtigen, der seine Frau schlägt, erwarten würde. Dave war immer wieder wegen verschiedener Vergehen im Gefängnis gewesen, von Kneipenschlägereien über Autodiebstähle und Klauen von Babynahrung bis zu Fahren unter Alkoholeinfluss und häuslicher Gewalt. Nur sehr wenige Anklagen waren vor Gericht gelandet, was seltsam war, aber wenig überraschend.

Wie Amanda und Faiths Mutter hatte auch sie selbst ihre Berufslaufbahn als Streifenbeamtin bei der Polizei von Atlanta begonnen. Faith konnte zwischen den Zeilen eines Vorstrafenregisters lesen. Die Erklärung für die wiederholt gescheiterten Versuche, eine Anklage wegen häuslicher Gewalt erfolgreich zu verfolgen, war offensichtlich – Mercy hatte sich geweigert, auszusagen. Der merkwürdige Mangel an ernsthaften Konsequenzen bei den anderen Vergehen ließ auf einen Mann schließen, der seine Mitinsassen unterschiedslos verpfiff, um seinen Arsch vor dem Arrest zu bewahren oder zu verhindern, dass er in ein richtiges Gefängnis kam.

Das war der wenig überraschende Teil. Viele Männer, die ihre Frauen schlugen, waren bemerkenswert schwächliche Feiglinge.

Amanda stieß die Tür am Ende der Treppe auf, Faith folgte ihr mit ein paar Sekunden Abstand. Die Beleuchtung im Flur war schwach. Die Schwesternstation gegenüber dem Aufzug war nicht besetzt. Faith sah eine Tafel an der Wand, auf der die Patientennamen und die zuständigen Pflegekräfte aufgeführt waren. Es gab zehn Zimmer, alle voll belegt, aber nur eine Schwester.

»Dave McAlpine«, las Faith. »Zimmer acht. Wie wahrscheinlich war das?«

Sie drehten sich beide um, als die Aufzugtür aufging. Will trug ein kariertes Hemd und einen Arztkittel, der zu kurz für seine langen Beine war. Faith sah seine schwarzen Socken oben aus den Stiefeln ragen. Er presste die bandagierte rechte Hand mit der linken an die Brust. Im Gesicht und am Hals waren kleine Kratzer zu sehen.

Amanda begrüßte ihn auf ihre typisch herzliche Art. »Wieso sind Sie wie ein Chirurg in einer Ska-Band angezogen?«

»Dave hat mir die ganze Hose vollgekotzt«, erklärte Will.

»O ja.« Faith hob sich den High-five für später auf. »Sara hat uns erzählt, du hast ihm seine Eier in die Harnblase getreten.«

Amanda seufzte kurz. »Ich gehe und informiere den Sheriff darüber, dass er unseren Beistand bei dieser Ermittlung begrüßt.«

»Viel Glück«, sagte Will. »Er war wild entschlossen, den Fall zu behalten.«

»Ich denke, er wird auch wild entschlossen sein, zu verhindern, dass sämtliche Unternehmen in seinem County auf illegale Arbeiter und Kinderarbeit durchforstet werden.«

Faith schaute Amanda beim Davonmarschieren nach, was das Leitmotiv ihres Morgens war. »Ich führe die Vernehmung durch«, sagte sie zu Will. »Gibt es etwas, das ich wissen sollte?«

»Ich habe ihn wegen tätlichen Angriffs und Widerstands gegen Vollstreckungsbeamte verhaftet. Biscuits hat zugestimmt, nichts über den Mord zu sagen, meines Wissens weiß Dave also nicht, dass wir die Leiche gefunden haben. Seine größte Sorge ist, dass ich womöglich gesehen habe, wie er Mercy gestern auf dem Trail gewürgt hat.«

»Der Typ glaubt, du stehst da und schaust zu, wie er eine Frau würgt?« Faith liebte naive Verdächtige. »Klingt, als könnte ich rechtzeitig zu Hause sein, um Emma zum Clown Camp zu bringen.«

»Ich würde mich nicht darauf verlassen«, sagte Will. »Unterschätz Dave nicht. Er gibt den unterbelichteten Hillbilly, aber er ist manipulativ, gerissen und grausam.«

Faith fiel es schwer zu verstehen, was Will ihr sagen wollte. »Seine Akte ist voller idiotischer Straftaten. Das schlimmste Urteil, das er je bekam, waren zweieinhalb Jahre im County-Knast wegen schweren Autodiebstahls. Die er gegen Arbeitsauflagen nicht antreten musste.«

»Er ist ein Spitzel.«

»Genau. Spitzel sind meist keine kriminellen Superhirne, und für jemanden, den du gerissen nennst, ist er ziemlich oft erwischt worden. Was übersehe ich?«

»Dass ich ihn kenne.« Will blickte auf seine bandagierte Hand. »Dave war im Kinderheim, als ich auch dort war. Er ist mit dreizehn weggelaufen und schlug sich bis ins McAlpine Camp durch. Es gibt da einen alten Campingplatz. Ist eine lange Geschichte, aber Dave wird wahrscheinlich zur Sprache bringen, dass wir eine gemeinsame Vergangenheit haben, deshalb solltest du darauf vorbereitet sein.«

Faith schien, als würden ihre Augenbrauen oben an der Stirn im Haaransatz verschwinden. Jetzt ergab alles einen Sinn. »Was noch?«

»Er hat mich immer schikaniert«, sagte Will. »Nichts Körperliches, aber er war ein Arschloch. Wir nannten ihn den Schakal.«

Faith konnte sich nicht vorstellen, dass Will schikaniert wurde. Selbst wenn man außer Acht ließ, dass er ein Hüne war, gab es noch den Altersunterschied. »Dave ist vier Jahre jünger als du. Wie konnte das sein?«

»Er ist nicht vier Jahre jünger als ich. Wo hast du das her?«

»Aus seiner Polizeiakte. Das Geburtsdatum steht überall drauf.«

Will schüttelte angewidert den Kopf. »Er ist zwei Jahre jünger als ich. Die McAlpines müssen ihn jünger gemacht haben.«

»Wie meinst du das?«

»Es ist jetzt nicht mehr so einfach, weil alles digitalisiert ist, aber damals ist nicht jedes Kind mit einer gültigen Geburtsurkunde erschienen. Pflegeeltern konnten gerichtlich beantragen, das Alter eines Kindes zu ändern. Wenn das Kind furchtbar war, haben sie es älter gemacht, damit es früher aus dem System fiel. War es ein angenehmes Kind oder eines, das erweiterte Leistungen erhielt, dann machten sie es jünger, damit das Geld länger floss.«

Faith wurde flau im Magen. »Was ist eine erweiterte Leistung?«

»Mehr Probleme, mehr Geld. Vielleicht ist das Kind emotional gestört, oder es wurde sexuell missbraucht und benötigt eine Therapie, was bedeutet, man muss es zu Terminen fahren, und es ist zu Hause vielleicht schwierig, also gibt dir der Staat mehr Geld für deine Mühe.«

»Großer Gott.« Faith konnte nicht verhindern, dass ihr die Stimme versagte. Sie hatte keine Ahnung, ob Will irgendetwas davon zugestoßen war, aber allein der Gedanke machte sie unfassbar traurig. »Dann war Dave also ein schwieriges Kind?«

»Er wurde in der Grundschule von einem Sportlehrer sexuell missbraucht. Das ging einige Jahre.« Will tat es mit einem Achselzucken ab, aber das Vergehen war widerlich. »Er wird es nutzen, um dein Mitleid zu wecken. Lass ihn reden, aber sei dir bewusst, dass er weiß, wie es ist, hilflos zu sein, und dann wächst er zu einem Mann heran, der seine Frau jahrelang schlägt und schließlich vergewaltigt und ermordet.«

Faith konnte den Zorn in seiner Stimme hören. Er hasste diesen Kerl wirklich. »Weiß Amanda, dass du Dave kennst?«

Will biss die Zähne zusammen, was seine Art war, ja zu sagen. Das erklärte auch, warum Amanda zwei Stunden lang hierhergefahren war. Und warum sie Will möglichst von diesem Fall fernhalten wollte.

Faith hatte weitere Fragen. »Dave ist ein erwachsener Mensch. Warum ist er da oben bei den McAlpines geblieben, wenn sie seine belastete Kindheit für Geld ausgebeutet haben?«

Will zuckte wieder mit den Schultern. »Bevor Dave weglief, hat er einen Selbstmordversuch unternommen, der ihn in eine psychiatrische Anstalt brachte. Wenn du mal in so einer Einrichtung bist, ist es schwer, wieder rauszukommen. Aufseiten der Einrichtung besteht ein finanzieller Anreiz, das Kind weiterhin zu behandeln. Das Kind seinerseits ist tatsächlich sehr wütend und selbstmordgefährdet, weil es in der Psychiatrie eingesperrt ist, womit sich die Katze gewissermaßen in den Schwanz beißt. Sie haben Dave sechs Monate lang festgehalten. Er war erst knapp eine Woche wieder im Heim, als er ausgebüxt ist. Die McAlpines hatten ihre Probleme, aber ich verstehe, warum er glaubte, sie hätten ihn gerettet. Ohne die Adoption wäre er definitiv wieder nach Atlanta geschickt worden.«

Faith verstaute das alles in ihrem Herzen, damit sie später darüber weinen konnte. »Ein dreizehnjähriger Junge weiß, dass er nicht elf ist. Der Richter hat ihn sicher danach gefragt.«

»Ich habe ja gesagt, er ist unehrlich«, sagte Will. »Dave hat ständig wegen idiotischer Dinge gelogen. Hat Zeug von Leuten gestohlen oder kaputt gemacht, weil er neidisch war, dass sie etwas hatten, was er nicht hatte. Er war eins dieser Kinder, die immer Buch geführt haben. So etwa: Du hast zum Mittagessen ein paar Kartoffelbällchen mehr bekommen, also sollte ich zum Abendessen ein paar mehr bekommen.«

Faith kannte den Typ. Sie wusste außerdem, wie schwer es Will fiel, über seine Kindheit zu sprechen. »Kartoffelbällchen sind lecker.«

»Ich habe einen wahnsinnigen Hunger.«

Faith wühlte in ihrer Handtasche nach einem Schokoriegel. »Ich nehme an, du willst etwas mit Nüssen?«

Will grinste, als sie ihm ein Snickers gab. »Übrigens war Sara nicht hundertprozentig davon überzeugt, dass Dave der Täter ist.«

Das war eine neue Information. »Okay. Aber du bist es?«

»Absolut. Aber Saras Bauchgefühl ist normalerweise ziemlich gut. Also …« Will riss die Verpackung mit den Zähnen auf. »Der letzte Zeuge, der Mercy vor ihrem Tod gesehen hat, gibt an, dass sie gegen halb elf Uhr vor Hütte sieben war.«

Faith holte ihren Notizblock und den Kugelschreiber heraus. »Geh die Zeitleiste mit mir durch.«

Will hatte bereits den halben Snickers-Riegel in den Mund geschoben. Er kaute zweimal, dann schluckte er und sagte: »Sara und ich waren am See. Ich habe auf meine Armbanduhr geschaut, bevor ich ins Wasser gegangen bin. Es war sechs Minuten nach elf. Ich würde sagen, es war gegen halb zwölf, als wir den ersten Schrei hörten.«

»Der mehr wie ein Heulen war?«

»Richtig«, bestätigte Will. »Wir konnten nicht sagen, aus welcher Richtung er kam, aber wir dachten, wahrscheinlich von der Anlage. Das ist dort, wo das Haupthaus und die meisten Hütten sind. Sara und ich gingen ein Stück zusammen, dann haben wir uns getrennt, damit ich eine direktere Route nehmen konnte. Ich lief durch den Wald. Dann blieb ich stehen, weil ich dachte, dass es idiotisch war, oder? Wir hatten ein Heulen in den Bergen gehört und liefen in den Wald. Ich beschloss, nach Sara zu suchen. Und genau dann hörte ich den zweiten Schrei. Ich würde die Zeit zwischen dem Heulen und dem ersten Schrei auf etwa zehn Minuten schätzen.«

Faith fing wieder zu schreiben an. »Mercy schrie ein Wort – *Hilfe*.«

»Richtig. Dann schrie sie: *bitte*. Die Lücke zwischen dem zweiten und dem dritten Schrei war viel kürzer, vielleicht ein, zwei Sekunden. Aber es war klar, dass beide aus der Richtung der Junggesellenhütten am See gekommen waren.«

»Junggesellenhütten.« Faith notierte den Begriff. »Ist das dort, wo ihr geschwommen seid?«

»Nein, wir waren am gegenüberliegenden Ende. Es nennt sich Shallows. Der See ist wirklich groß. Du brauchst die Karte. Die Shallows sind an einem Ende, und die Junggesellenhütten am anderen. Die Hotelanlage liegt hoch über beiden, im Wesentlichen bin ich also eine Seite eines Hügels hinaufgegangen und die andere hinunter.«

Faith musste wirklich die Karte sehen. »Wie lange hast du nach dem zweiten und dritten Schrei gebraucht, bis du Mercy erreicht hast?«

Will schüttelte den Kopf und zuckte mit den Achseln. »Das ist schwer zu sagen. Ich war aufgeregt, mitten in der Nacht im Wald, musste aufpassen, nicht auf die Schnauze zu fallen. Ich habe nicht auf die Zeit geachtet. Vielleicht noch einmal zehn Minuten schätzungsweise?«

»Wie lange dauert es, um von der Hotelanlage zu den Junggesellenhütten zu kommen?«

»Wir sind einen der Wege mit dem Coroner gegangen, um ihr den Tatort zu zeigen. Das hat etwa zwanzig Minuten gedauert, aber wir sind als Gruppe gegangen und immer auf dem Weg geblieben.« Wieder ein Achselzucken. »Vielleicht zehn Minuten?«

»Hast du vor, einfach immer *zehn Minuten* zu sagen, wenn ich frage, wie lange etwas gedauert hat?«

Will zog ein weiteres Mal die Schultern hoch, sagte aber: »Sara hat auf meine Uhr geschaut, als sie Mercy für tot erklärt hat. Es war genau Mitternacht.«

Faith schrieb es auf. »Nach dem Heulen auf der Anlage vergingen also geschätzt etwa zwanzig Minuten, bis du Mercy im Wasser gefunden hast, aber zehn davon brauchte Mercy, um vom Heulpunkt zum Schreipunkt zu gelangen, wo sie gestorben ist.«

»Zehn Minuten sind mehr als genug Zeit, um eine Frau zu ermorden und dann die Hütte in Brand zu stecken. Vor allem, wenn du alles vorausgeplant hast«, sagte Will. »Dann spazierst du um den See herum zum alten Campingplatz und wartest darauf, dass der Sheriff die Untersuchung verpfuscht.«

»Bist du dir sicher, dass das Heulen und der Schrei von derselben Person kamen?«

Will dachte darüber nach. »Ja. Dieselbe Stimmlage. Außerdem – wer sollte es sonst gewesen sein.«

»Am Ende werden wir mit Stoppuhren über das ganze Gelände laufen, meinst du nicht?«

»Genau.«

Er schien sehr viel glücklicher über diese Aussicht zu sein als Faith. »Warum glaubt Sara denn, dass Dave nicht unser Mann ist?«

»Ich bin Dave das letzte Mal um etwa drei Uhr nachmittags begegnet. Sara hat rund vier Stunden später mit Mercy gesprochen und hat die Blutergüsse an ihrem Hals gesehen. Mercy sagte, es war Dave, der sie gewürgt hat. Aber sie schien eher zu befürchten, dass ihre Familie auf sie losgehen könnte. Ich nehme an, weil sie den Verkauf der Lodge blockieren wollte. Mercy hat sich keine Sorgen wegen Dave gemacht. Tatsächlich sagte sie, dass so ziemlich alle Leute auf dem Berg sie tot sehen wollten.«

»Einschließlich der Gäste?«

Will zuckte mit den Achseln.

»Ich meine …« Faith bemühte sich, nicht vorschnell zu sein. Sie hatte sich immer gewünscht, einen Kriminalfall, der in einem geschlossenen Raum spielt, im richtigen Leben zu bearbeiten. »Du hast eine begrenzte Anzahl von Verdächtigen, die an einem abgelegenen Ort eingeschlossen sind. Das ist wie bei *Scooby Doo*.«

»Beim Abendessen waren sechs Familienmitglieder anwesend – Papa und Bitty, Mercy und Christopher, Delilah und Chuck, den man wohl dazuzählen kann. Jon ist vor dem ersten Gang aufgetaucht, er war sturzbetrunken und hat Mercy angebrüllt. Dann waren da die Gäste: Sara und ich, Landry und Gordon, Drew und Keisha. Frank und Monica. Dazu die Investoren, Sydney und Max. Wir saßen alle zusammen an einer langen Tafel.«

Faith sah von ihrem Schreibblock auf. »Gab es Kerzenhalter auf dem Tisch?«

Er nickte. »Und einen Koch, eine Barkeeperin und zwei Kellner.«

»Wie bei Agatha Christie.«

Er schob sich den Rest des Snickers in den Mund. »Achtung.«

Amanda kam auf sie zumarschiert, hinter ihr zappelte sich der Sheriff ab. Biscuits sah genau so aus, wie ihn sich Faith nach seiner Stimme in Wills Aufnahme vorgestellt hatte. Ein bisschen rundlich, mindestens zehn Jahre älter als sie und mehrere IQ-Punkte unter ihr. Dem Ausdruck auf seinem teigigen Gesicht nach zu urteilen befand er sich in der dritten Phase einer Verhandlung mit Amanda. Wut und Akzeptanz hatte er offenbar ausgelassen und war direkt zu Schmollen übergegangen.

»Special Agent Faith Mitchell«, stellte Amanda vor. »Das ist Sheriff Douglas Hartshorne. Er hat sich gütigerweise bereit erklärt, uns die Ermittlung zu überlassen.«

Biscuits sah nicht gütig aus. Er sah angefressen aus. »Ich werde dabei sein, wenn Sie mit Dave reden.«

Faith konnte auf seine Gesellschaft verzichten, aber sie folgerte aus Amandas Schweigen, dass sie keine Wahl hatte. »Sheriff, hat der Verdächtige etwas über das Verbrechen gesagt?«

Biscuits schüttelte den Kopf. »Er redet nicht.«

»Hat er um einen Anwalt gebeten?«

»Nein, und er wird Ihnen nichts verraten, es ist auch nicht so, als würden wir es brauchen. Wir haben genügend Beweise, um ihn einzusperren. Blut auf seinem Hemd, Kratzspuren, frühere Gewalttätigkeit. Dave benutzt gern Messer. Hat immer eins in seiner Gesäßtasche.«

»Führt er normalerweise noch andere Waffen außer dem Butterflymesser mit sich?«, fragte Faith.

Biscuits konnte die Frage erkennbar nicht leiden. »Das ist eine lokale Angelegenheit und sollte lokal geklärt werden.«

Faith lächelte. »Würden Sie mich in Zimmer acht begleiten?«

Biscuits lud sie mit großer Geste ein, vorauszugehen. Er folgte Faith so dicht den Flur entlang, dass sie Schweiß und Aftershave an ihm riechen konnte.

»Hören Sie, Schätzchen«, sagte er. »Ich weiß, Sie befolgen nur Ihre Befehle, aber es gibt da etwas, das Sie kapieren müssen.«

Faith blieb stehen und drehte sich zu ihm um. »Nämlich?«

»Ihr GBI-Agenten, ihr wechselt vom Klassenzimmer ins Besprechungszimmer. Ihr kennt keine Polizeiarbeit auf Straßenniveau. Diese Art von Mord, das ist das tägliche Brot von einem echten Polizisten. Ich hätte Ihnen schon vor zwanzig Jahren sagen können, dass einer der beiden unter der Erde landet und der andere auf dem Rücksitz eines Streifenwagens.«

Faith tat, als hätte sie nicht zehn Jahre ihres Lebens auf Streife verbracht, bevor sie sich ihren Platz in der Mordkommission von Atlanta verdient hatte. »Klären Sie mich auf.«

»Die McAlpines sind eine anständige Familie, aber Mercy war immer ein Problem. Ständig in Schwierigkeiten. Alkohol und Drogen. Herumgevögelt. Das Mädchen war mit fünfzehn schwanger.«

Faith war auch mit fünfzehn schwanger gewesen, aber sie sagte: »Wow.«

»*Wow* ist das richtige Wort. Sie hat Daves Leben so ziemlich ruiniert«, sagte Biscuits. »Der arme Kerl hat es nach Jons Geburt nie geschafft, auf den rechten Weg zu kommen. Immer wieder im Gefängnis. Ständig Schlägereien. Dave hatte schon vor der Sache mit Mercy mit seinen eigenen Dämonen zu kämpfen. Hat bei Pflegefamilien viel mitgemacht. Wurde von einem Lehrer sexuell missbraucht. Es ist verdammt noch mal ein Wunder, dass er sich keine Kugel in den Kopf geschossen hat.«

»Hört sich so an«, sagte Faith. »Wollen wir hineingehen und über den Mord mit ihm sprechen?«

Sie wartete seine Antwort nicht ab, sondern stieß die Tür zu einem kurzen Vorraum auf. Toilette rechter Hand. Waschbecken und Schrank links. Das Licht war gedimmt. Sie hörte das leise Murmeln eines Fernsehers. Der schale Geruch eines Gewohnheitsrauchers hing in der Luft. Ein Haufen Kleidung türmte sich im Waschbecken. Sie sah eine leere Papiertüte mit der Aufschrift BEWEISMITTEL auf der Ablage. Der Sheriff war so weit gegangen, ein Paar Handschuhe hervorzuholen, aber er hatte die persönlichen Gegenstände des Verdächtigen gar nicht wirklich eingetütet und aufgelistet: ein Päckchen Zigaretten, eine ausgebeulte Geldbörse mit Klettverschluss, ein Fettstift für die Lippen und ein Android-Handy.

Dave McAlpine stellte den Fernseher auf stumm, als Faith das Licht anmachte. Er wirkte nicht besorgt, weil er unter Arrest stand oder weil zwei Polizeibeamte in seinem Krankenzimmer auftauchten. Er saß zurückgelehnt mit einem Arm über dem Kopf in seinem Bett. Sein linkes Handgelenk war an das Bettgestell gefesselt. Das Krankenhaushemd war ihm von der Schulter gerutscht. Seine untere Hälfte war mit einem Laken bedeckt, aber er saß offenbar auf einem Kissen, denn sein Becken war nach oben geschoben wie bei einem Auftritt von Magic Mike, dem Stripper.

Wenn Biscuits genauso aussah, wie ihn sich Faith nach Wills Audioaufnahme vorgestellt hatte, dann war Dave McAlpine das genaue Gegenteil. Sie hatte ein Bild irgendwo zwischen Professor Moriarty aus *Sherlock Holmes* und der Zeichentrickfigur Wile E. Coyote von den *Looney Tunes* im Kopf gehabt. In natura sah Dave gut aus, aber auf eine heruntergekommene Art, ein in die Jahre gekommener ehemaliger Mädchenschwarm der Highschool. Er hatte wahrscheinlich mit jeder zweiten Frau in der Stadt geschlafen, und in seinem Wohnwagen gab es ein Gaming-Set-up für zwanzigtausend Dollar. In anderen Worten: genau Faiths Typ.

»Wer ist das?«, wollte Dave von Biscuits wissen.

»Special Agent Faith Mitchell.« Faith klappte ihre Brieftasche auf, um ihm ihren Ausweis zu zeigen. »Ich bin vom Georgia Bureau of Investigation. Ich bin hier, um …«

»Sie sind in echt hübscher.« Er wies mit dem Kinn auf Faiths Ausweisfoto. »Mir gefällt ihr Haar besser, wenn es länger ist.«

»Er hat recht.« Biscuits hatte den Hals verdreht, um das Bild anzusehen.

Faith klappte die Brieftasche zu und unterdrückte das Verlangen, sich den Schädel zu rasieren. »Mr. McAlpine, ich weiß, mein Partner hat Ihnen bereits Ihre Rechte vorgelesen.«

»Hat Ihnen Trash erzählt, dass wir uns schon ewig kennen?«

Faith biss sich auf die Zunge. Sie hatte schon früher gehört, dass Will mit diesem Namen gerufen wurde. Die Gemeinheit wurde durch Wiederholung nicht geringer.

»Special Agent Trent hat mir erzählt, dass Sie zusammen im Kinderheim waren.«

Dave schob die Zunge in die Wange und musterte sie. »Warum interessiert sich das GBI überhaupt für das?«

Faith gab die Frage an ihn zurück. »Erzählen Sie mir, was *das* ist.«

Er lachte ein heiseres Raucherlachen. »Haben Sie schon mit Mercy geredet? Weil sie mich nämlich nie im Leben verpfiffen hat.«

Faith überließ ihm die Führung. »Sie haben gestanden, sie gewürgt zu haben.«

»Beweisen Sie es«, sagte er. »Trash ist ein beschissener Zeuge. Er hatte mich immer auf dem Kieker. Warten Sie ab, bis mein Anwalt ihn im Zeugenstand hat.«

Faith lehnte sich an die Wand und verschränkte die Arme. »Erzählen Sie mir von Mercy.«

»Was denn von ihr?«

»Sie war fünfzehn, als sie schwanger wurde. Wie alt waren Sie da?«

Dave warf einen Blick zu Biscuits, dann sah er Faith wieder an. »Achtzehn. Schauen Sie in meine Geburtsurkunde.«

»In welche?«, fragte Faith, denn diese Rechnung ging nicht auf. Dave war zwanzig gewesen, als er eine Fünfzehnjährige geschwängert hatte, und das hieß, er hatte sich des Missbrauchs einer Minderjährigen schuldig gemacht. »Sie wissen, dass heutzutage alles digitalisiert ist, oder? Die ganzen alten Dokumente sind in der Cloud.«

Dave kratzte sich nervös an der Brust. Das Krankenhemd rutschte noch tiefer herunter. Faith sah die tiefen Kratzspuren auf seinem Oberkörper.

»Biscuits, geh und hol diese Schwester für mich«, sagte Dave. »Sag ihr, ich brauche was von dem gottverdammten Schmerzmittel. Meine Eier brennen wie Feuer.«

Biscuits schaute verwirrt drein. »Ich dachte, du wolltest mich dabeihaben.«

»Tja, jetzt will ich es nicht mehr.«

Biscuits schnaubte empört, bevor er ging.

Faith wartete, bis die Tür geschlossen war. »Muss nett sein, wenn man den örtlichen Sheriff nach seiner Pfeife tanzen lassen kann.«

»Auf jeden Fall.« Dave langte unter das Bettlaken. Er sog zischend Luft durch die Zähne, als er einen Eisbeutel hervorholte und auf den Nachttisch warf. »Wonach suchen Sie, Schätzchen?«

»Sagen Sie es mir.«

»Ich habe keine Ahnung, was letzte Nacht passiert ist.« Er schob sein Nachthemd hoch. »Wenn Sie mich rauslassen, kann ich mich umhören. Ich kenne eine Menge Leute. Was es auch war – wenn es groß genug ist, dass sich das GBI dafür interessiert, sollte es etwas wert sein.«

»Was sollte es denn wert sein?«

»Na, zum einen, dass Sie mir diese verdammte Handschelle abnehmen.« Er ließ die Kette am Bettgestell rattern. »Und zweitens, vielleicht schieben Sie ein bisschen Geld rüber. Ich dachte an tausend für den Anfang. Und mehr, wenn ich zu einer fetten Verhaftung beitrage.«

»Was ist mit Mercy?«, fragte Faith.

»Scheiße«, sagte er. »Mercy hat keine Ahnung von irgendetwas, das außerhalb der Lodge vor sich geht, und sie wird ohnehin nicht mit Ihnen reden.«

Faith registrierte seine verbesserte Wortwahl und Aussprache. Der alberne Hillbilly-Slang war verschwunden. »Es ist schwer für eine Frau, zu sprechen, wenn sie gewürgt wird.«

»Geht es darum?«, fragte er. »Ist sie im Krankenhaus?«

»Warum sollte Mercy im Krankenhaus sein?«

Er saugte an seinen Zähnen. »Sind Sie deshalb hier? Trash hat einen Anfall bekommen, nachdem er mich auf dem Weg gesehen hat? Was nämlich passiert ist: Ich habe Mercy genau dort zurückgelassen, wo sie auf dem Hintern gelandet ist. Das war ungefähr um drei Uhr nachmittags. Reden Sie mit Trash. Er kann es bestätigen.«

»Was ist passiert, nachdem Sie Mercy gewürgt haben?«

»Nichts«, sagte er. »Sie war okay. Hat sogar noch gesagt, ich kann sie mal am Arsch lecken. So redet sie nämlich mit mir. Versucht immer, irgendwelche Knöpfe bei mir zu drücken. Aber ich habe sie in Ruhe gelassen. Ich bin nicht mehr zurückgegangen. Was immer also mit Mercy danach passiert ist, sie hat es sich selbst zugefügt.«

»Was glauben Sie denn, was mit ihr passiert ist?«

»Himmel, ich weiß es doch nicht. Vielleicht ist sie gestürzt, als sie den Weg zurückgegangen ist. Das ist ihr früher schon passiert. Gestürzt und im Wald auf die Schnauze gefallen. Hat sich den Hals so heftig an einem Ast angeschlagen, dass sie sich die Speiseröhre geprellt hat. Hat ein paar Stunden gedauert, bis sie angeschwollen ist, aber am Ende ist sie selbst in die Notaufnahme gefahren und hat gesagt, dass sie keine Luft kriegt. Fragen Sie die Ärzte. Die werden Unterlagen darüber haben.«

Faith war nur überrascht, dass ihm keine bessere Geschichte einfiel. »Wann ist das passiert?«

»Schon eine Weile her. Jon war noch klein. Es war, kurz bevor ich mich von ihr scheiden ließ. Mercy wird Ihnen selbst sagen, dass sie überreagiert hat. Sie konnte einwandfrei atmen. Sie hat sich nur in eine Panik hineingesteigert. Die Ärzte sagten, sie hat eine Schwellung im Hals. Wie gesagt, sie ist richtig heftig auf diesen Ast gefallen. Es war ein Unfall. Hatte nichts mit mir zu tun.« Dave zuckte mit den Achseln. »Falls das Gleiche wieder passiert ist, ist es Mercys Schuld. Reden Sie mit ihr. Sie wird Ihnen bestimmt dasselbe sagen.«

Faith war verwirrt. Will hatte sie davor gewarnt, Dave zu unterschätzen, aber das war weder clever noch gerissen. »Sagen Sie mir, wohin Sie gegangen sind, nachdem Sie Mercy auf dem Weg zurückließen.«

»Bitty hatte keine Zeit, mich in die Stadt zurückzufahren. Ich bin zu dem alten Campingplatz hinuntergewandert und hab was getrunken.«

Faith wog lautlos ihre Optionen ab. So kamen sie nicht weiter. Sie musste ihre Taktik ändern. »Mercy ist tot.«

»Ja, klar.« Er lachte.

»Ich sage die Wahrheit«, versicherte ihm Faith. »Sie ist tot.«

Er hielt ihrem Blick noch eine Weile stand, bevor er sich abwandte. Faith sah Tränen in seinen Augen. Seine Hand ging zum Mund.

»Dave?«

»Wa-« Er brachte es nicht gleich heraus. »Wann?«

»Gegen Mitternacht.«

»Ist sie …« Dave schluckte schwer. »Ist sie erstickt?«

Faith studierte sein Profil. Das war jetzt der gerissene Teil. Er beherrschte das wirklich gut.

»Wusste sie, was passiert?«, fragte Dave. »Dass sie stirbt?«

»Ja«, sagte Faith. »Was haben Sie mit ihr gemacht, Dave?«

»Ich …« Seine Stimme versagte. »Ich habe sie gewürgt. Es war meine Schuld. Ich habe sie zu heftig gewürgt. Sie war kurz davor, das Bewusstsein zu verlieren, und ich dachte, ich hätte rechtzeitig aufgehört, aber … mein Gott. O mein Gott.«

Faith zog ein paar Papiertücher aus dem Karton und gab sie ihm.

Dave schnäuzte sich. »Hat sie … hat sie gelitten?«

Faith verschränkte die Arme. »Sie wusste, was geschah.«

»O Scheiße! Scheiße! Was stimmt nicht mit mir?« Dave schlug die Hand vors Gesicht. Die Handschelle ratterte. »Mercy Mac«, weinte er. »Was habe ich dir angetan? Sie hatte schreckliche Angst, zu ersticken. Schon als wir Kinder waren, hatte sie immer diese Träume, keine Luft zu bekommen.«

Faith überlegte, wie sie weitermachen sollte. Sie war an lange Verhandlungen mit Verdächtigen gewöhnt, die stückweise mit der Wahrheit herausrückten. Manchmal gaben sie an, in der Nähe des Tatorts gewesen zu sein, nur nicht genau dort, oder sie gestanden einen Teil des Verbrechens, aber nicht alles.

Dies hier war etwas völlig anderes.

»Jon.« Dave sah Faith an. »Weiß er, was ich getan habe?«

Faith nickte.

»Verdammt. Er wird mir niemals verzeihen.« Er barg das Gesicht wieder in der Hand. »Sie hat versucht, mich anzurufen. Ich habe es nicht gesehen, weil ich oben auf dem Berg kein Netz hatte. Ich hätte sie retten können. Weiß Bitty Bescheid? Ich muss Bitty sehen. Ich muss erklären …«

»Warten Sie«, sagte Faith. »Noch mal zurück. Wann hat Mercy Sie angerufen?«

»Ich weiß es nicht. Ich habe die Anrufe erst gesehen, als Biscuits mir das Handy weggenommen hat. Sie müssen geladen haben, als wir vom Berg runterkamen.«

Faith holte Daves Android von der Waschbeckenablage an der Tür. Sie stieß den Schirm mit der Ecke ihres Notizbuchs an. Es gab ein halbes Dutzend Anrufbenachrichtigungen, alle mit Zeitstempel, alle bis auf eine mit derselben Nachricht.

VERPASSTER ANRUF 22.47 Uhr – Mercy Mac

VERPASSTER ANRUF 23.10 Uhr – Mercy Mac

VERPASSTER ANRUF 23.12 Uhr – Mercy Mac

VERPASSTER ANRUF 23.14 Uhr – Mercy Mac

VERPASSTER ANRUF 23.19 Uhr – Mercy Mac

VERPASSTER ANRUF 23.22 Uhr – Mercy Mac

Faith scrollte zur letzten Meldung auf der Liste.

MAILBOX 23.28 Uhr – Mercy Mac

Faith schlug ihr Notizbuch auf und betrachtete die Zeitleiste.

Nach Wills Schätzung hatte Mercy um halb zwölf Uhr das Heulen ausgestoßen, zwei Minuten nachdem sie eine Nachricht für Dave hinterlassen hatte. Faith steckte ihr Notizbuch in die Tasche. Sie zog die Handschuhe des Sheriffs an, bevor sie Daves Telefon nahm und zurück zu seinem Bett ging.

Sie fragte: »Sie hatten kein Signal für Ihr Handy, aber Mercy hatte eins?«

»Um das Haupthaus und den Speisesaal herum gibt es WLAN, aber ansonsten gibt es erst wieder ein Netz, wenn man halb vom Berg runter ist.« Er wischte sich über die Augen. »Kann ich es mir anhören? Ich möchte ihre Stimme hören.«

Faith hatte angenommen, dass sie einen richterlichen Beschluss brauchte, um das Telefon hacken zu dürfen. »Wie lautet Ihr Passwort?«

»Es ist mein *Willkommenstag*«, sagte er. »Null-acht-null-vier-neun-zwei.«

Faith gab die Zahlen ein. Das Telefon ging an. Ihre Finger zitterten leicht, als sie über dem Mailbox-Icon verharrte. Bevor sie die Nachricht abrief, holte sie ihr eigenes Handy hervor, um sie aufzunehmen. Ihre Hand schwitzte im Handschuh, als sie schließlich auf *Play* drückte.

»Dave!«, schrie Mercy beinahe hysterisch. *»Dave! O mein Gott, wo bist du? Bitte, bitte ruf mich zurück. Ich kann nicht glauben … O Gott, ich kann es nicht … Bitte ruf mich an. Bitte. Ich brauche dich. Ich weiß, du warst noch nie für mich da, aber ich brauche dich jetzt wirklich. Ich brauche deine Hilfe, Baby. Bitte ruf …«*

Man hörte ein ersticktes Geräusch, als hätte Mercy das Telefon an ihre Brust gedrückt. Ihre Stimme war herzzerreißend. Faith wurde die Kehle eng. Die Frau klang so verzweifelt allein.

»Ich habe sie im Stich gelassen«, flüsterte Dave. »Sie hat mich gebraucht, und ich habe sie im Stich gelassen.«

Faith schaute auf den Zeitbalken unter der Nachricht. Noch sieben Sekunden. Sie hörte Mercy leise weinen, während der Balken immer kürzer wurde.

»Was tust du hier?«

Mercys Stimme klang jetzt anders, wütend, ängstlich.

»Nicht!«, schrie sie. *»Dave wird bald hier sein. Ich habe ihm erzählt, was passiert ist. Er ist unter …«*

Mehr kam nicht. Der Balken hatte sein Ende erreicht.

»Was ist passiert?«, fragte Dave. »Hat Mercy gesagt, was passiert ist? Gibt es noch eine Nachricht? Eine SMS?«

Faith blickte auf das Telefon. Es gab keine weiteren Nachrichten. Es gab nur die Benachrichtigungen mit dem Zeitstempel und die Aufzeichnung von Mercys letzten bekannten Worten.

»Bitte«, flehte Dave. »Sagen Sie mir, was das bedeutet.«

Faith dachte an das, was Delilah Will erzählt hatte. Von ihrem Arschlochbruder, ihrer ekelhaften Schwägerin. Mercys Bruder mit der Serienkillerausstrahlung. Sein gruseliger Freund. Die

Gäste, der Koch, die Barkeeperin, die beiden Bedienungen. Das Rätsel im geschlossenen Raum.

Sie antwortete Dave: »Es bedeutet, dass Sie Mercy nicht getötet haben.«

12

Sara stand am Rand der Ladebucht im Bauch des Krankenhauses und sah dem strömenden Regen zu. Die Suche nach Jon hatte nichts ergeben. Sie hatten in seiner Schule nachgeforscht, in dem Wohnwagenpark, wo Dave wohnte, und an ein paar Treffpunkten, an die sich Delilah aus ihrer eigenen Teenagerzeit erinnerte. Sie waren auf dem Rückweg nach oben gewesen, um die Lodge und die alten Schlafbaracken zu durchsuchen, als schwarze Wolken aufzogen. Sara konnte nur hoffen, dass Jon einen trockenen, warmen Platz gefunden hatte, bevor der Himmel seine Schleusen geöffnet hatte. Sie und Delilah waren fest entschlossen gewesen, sich nicht durch das Wetter von der Suche abhalten zu lassen, aber dann war die Sicht gegen null gesunken, Donner hatte die Luft erzittern lassen, und sie hatten beschlossen, in die Stadt zurückzufahren, weil es Jon nichts nützen würde, wenn sie vom Blitz erschlagen wurden.

Die Wetter-App in Saras Handy sagte voraus, dass der Regen für weitere zwei Stunden nicht nachlassen würde. Es schüttete unerbittlich, Bäche traten über die Ufer, das Wasser schoss aus der Kanalisation und verwandelte die Hauptstraße der Stadt in einen Fluss. Delilah war nach Hause gefahren, um ihre Tiere zu füttern, aber niemand konnte vorhersagen, ob sie es noch einmal zurück in die Stadt schaffen würde.

Sara blickte auf ihre Armbanduhr. Mercy würde bald für sie bereit sein. Der Röntgenassistent des Krankenhauses hatte mitgeteilt, es werde mindestens eine Stunde dauern, bis er den Rückstau an lebenden Patienten abgearbeitet hatte. Nadine war losgezogen, um eine Klimaanlage zu reparieren, während Biscuits bei der Leiche blieb. Sara war dankbar gewesen, als der Sheriff ihr Angebot, ihn abzulösen, abgelehnt hatte. Sie brauchte Zeit, um sich seelisch vorzubereiten. Der Gedanke, Mercy McAlpine auf einem Tisch liegen zu sehen, erfüllte sie mit einem wohlbekannten Grauen.

In ihrem früheren Leben hatte Sara die Stelle des County Coroners in ihrer kleinen Heimatstadt innegehabt. Die Leichenhalle hatte sich im Keller des örtlichen Krankenhauses befunden, ganz wie hier in Dillon County. Damals waren Sara die Opfer bekannt gewesen, wenn auch nicht immer persönlich. So funktionierten Kleinstädte eben. Jeder kannte jeden oder zumindest jemanden, der den anderen kannte. Die Aufgabe des Coroners war enorm verantwortungsvoll, aber sie konnte auch sehr belastend sein. Bei der Arbeit für den Staat hatte Sara aus dem Blick verloren, wie es sich anfühlte, einen persönlichen Bezug zu einem Opfer zu haben.

Vor wenigen Stunden noch hatte sie Mercys verletzten Daumen hinter der Küche der Lodge genäht. Die Frau hatte ausgelaugt und niedergeschlagen gewirkt. Sie hatte sich Sorgen wegen des Streits mit ihrem Sohn gemacht. Sie war beunruhigt über die Vorgänge in ihrer Familie gewesen. Das Letzte, was ihr Kopfzerbrechen gemacht hatte, war ihr Ex-Mann gewesen. Was sinnvoll war, wenn man bedachte, was Faith herausgefunden hatte. Sara fragte sich, was Mercy wohl dazu gesagt hätte, dass eine ihrer letzten Handlungen auf Erden darin bestand, ihrem gewalttätigen Ex ein Alibi zu verschaffen.

»Du hattest recht.«

»Ja.« Sara drehte sich zu Will um. Sie erkannte an seinem Gesichtsausdruck, dass er sich selbst schon wegen seines Irrtums ohrfeigte. Sie würde kein Öl ins Feuer gießen. »Es hätte nichts geändert. Du musstest Dave trotzdem suchen. Er war der offensichtlichste Verdächtige. Er hat die meisten Kriterien erfüllt.«

»Du bist sehr viel netter als Amanda, was die Sache angeht«, sagte er. »Die Zufahrtsstraße zur Lodge ist überflutet. Man kommt mit einem Auto weder rein noch raus, bis der Bach wieder in seinem Bett ist. Wir brauchen ein Geländefahrzeug, das es durch den Schlamm schafft.«

Sara bemerkte die Verärgerung in seiner Stimme. Will hasste es, herumzustehen. Sie sah, wie er die Zähne zusammenbiss. Er legte die frisch bandagierte Hand an seine Brust. Sie höher als das Herz zu halten, würde das schlimmste Pochen beenden, aber der Schmerz würde weiter an ihm nagen, weil Will sich weigerte, etwas zu nehmen, was stärker war als Tylenol.

»Wie geht es der Hand?«, fragte sie.

»Besser«, sagte er, auch wenn seine angespannte Haltung ihr etwas anderes verriet. »Faith hat mir ein Snickers gegeben.«

Sara hakte sich bei ihm ein. Ihre Hand strich über die Waffe unter seinem Hemd. Er war wirklich und wahrhaftig wieder im Job. Sie wusste, wie es weitergehen würde. »Wie kommst du in die Lodge zurück?«

»Wir warten darauf, dass die Außenstelle ein paar Geländefahrzeuge bringt. Das ist die einzige Möglichkeit, wie wir da hinaufgelangen.«

Sara bemühte sich, nicht an die vielen Patienten mit Gehirntraumata zu denken, die ihr begegnet waren, weil sie sich mit ihren Quads und Ähnlichem überschlagen hatten. »Telefon und Internet funktionieren noch in der Lodge?«

»Für den Moment, ja«, sagte er. »Wir lassen für alle Fälle Satellitentelefone kommen. Es ist aber gut, dass alle noch da oben festsitzen. Niemand weiß, dass Dave ein Alibi hat. Die Person, die Mercy getötet hat, glaubt, damit durchgekommen zu sein.«

»Wer ist noch in der Lodge?«

»Da ist zum einen Frank. Ich weiß nicht, wieso, aber er hat es übernommen, an das Haupttelefon in der Gastroküche zu gehen.

Drew und Keisha haben es nicht mehr geschafft, vor dem Unwetter wegzukommen. Offenbar sind sie nicht allzu glücklich darüber. Die App-Typen scheinen hingegen nicht an einer Abreise interessiert zu sein. Monica schläft ihren Rausch aus, wie es sich anhört. Chuck und die Familie sind noch da, bis auf Delilah. Der Koch und die beiden Bedienungen sind um fünf Uhr morgens eingetroffen, was ihre normale Zeit ist. Die Barfrau kommt erst mittags. Sie ist außerdem die Reinigungskraft, deshalb möchte ich über diese ungemachten Betten in den leer stehenden Hütten mit ihr reden. Faith ist auf dem Weg zu ihr, während wir auf die Geländefahrzeuge warten. Sie wohnt am Stadtrand.«

Sara war nicht überrascht, dass sich Faith verdrückt hatte. Sie hasste Autopsien. »Du bist nicht mit ihr gefahren?«

»Amanda hat mich angewiesen, hierzubleiben und Hintergrundchecks zu machen.«

»Wie geht es dir damit?«

»Ungefähr so, wie du dir vorstellen kannst.« Er zuckte mit den Achseln, aber er war sichtlich verärgert. Will war niemand, der herumtrödelte, während andere Leute Dinge erledigten. »Wie sieht es mit den forensischen Ergebnissen zu Dave aus?«

»Der vorläufige Test hat ergeben, dass der Blutfleck auf seinem Shirt nicht menschlichen Ursprungs ist. Dem Geruch nach vermute ich, dass sich Dave beim Fischeausnehmen die Hand abgewischt hat. Die Kratzspuren auf seiner Brust könnten von dem früheren Angriff auf Mercy stammen. Er hat zugegeben, sie gewürgt zu haben, und sie wird sich gewehrt haben. Er behauptet, dass er sich den Kratzer am Hals selbst zugefügt hat. Moskitostich. Es lässt sich nicht feststellen, ob er lügt, also gewinnt der Moskitokratzer. Wirst du ihn für irgendetwas verantwortlich machen können?«

»Ich könnte ihm vorwerfen, sich der Verhaftung widersetzt und mich mit einem Messer bedroht zu haben. Er könnte mich der unangemessenen Gewaltanwendung beschuldigen und sagen, dass ich es wegen unserer gemeinsamen Vergangenheit auf ihn abgesehen hatte. Gleichgewicht des Schreckens. Er kann hier rausspazieren, wann es ihm beliebt.« Will tat es mit einem Schulterzucken ab, aber Sara sah ihm an, dass er nicht glücklich damit war. »Es ist einfach ein weiterer Haufen Scheiße, den Dave straflos hinter sich lässt.«

»Falls es ein Trost ist, es dürfte ihm im Moment außerordentlich schwerfallen, irgendwohin zu spazieren.«

Will sah nicht aus, als wäre er getröstet. Er starrte in den Regen hinaus. Sara musste nicht lange warten, bis er ihr erzählte, was ihn wirklich beschäftigte. »Amanda ist nicht glücklich damit, dass wir in diese Sache hineingeraten sind.«

»Das bin ich auch nicht«, gab Sara zu. »Aber es war ja nicht unsere Entscheidung.«

»Wir könnten nach Hause fahren.«

Sie spürte, wie Will sie aufmerksam betrachtete und nach einem Anzeichen forschte, dass sie in ihrer Entschlossenheit wankte.

»Jon ist nach wie vor verschwunden, und du hast Mercy versprochen, ihrem Sohn zu sagen, dass sie ihm verzeiht.«

»Das stimmt, aber Jon wird wahrscheinlich früher oder später wieder auftauchen, und Faith hat sich bereits in den Fall verbissen.«

»Sie wollte schon immer einmal ein Rätsel im geschlossenen Raum lösen.«

Will nickte, aber er sagte nichts weiter. Er wartete auf Saras Entscheidung.

Sie spürte bis hinauf in die Backenzähne, dass dies ein ihre Ehe definierender Moment war. Ihr Mann legte enorm viel Macht in ihre Hände. Sie würde nicht die Sorte Frau sein, die sie missbrauchte. »Bringen wir erst einmal den heutigen Tag hinter uns, danach können wir gemeinsam entscheiden, wie wir morgen weitermachen.«

Er nickte, dann sagte er: »Erzähl mir, warum du nicht geglaubt hast, dass es Dave war.«

Sara war sich nicht sicher, ob es da genau diese eine Sache gab. »Als ich gesehen habe, wie Mercys Familie sie beim Abendessen behandelt hat … Ich weiß nicht. Im Rückblick scheint es mir, als hätten sie es alle auf sie abgesehen. Sie haben auf jeden Fall nicht den Eindruck gemacht, als würde ihre Ermordung sie aus der Fassung bringen. Dann diese Bemerkung von Mercy, dass es einige von den Gästen ebenfalls auf sie abgesehen haben könnten.«

»Von welchen Gästen, glaubst du, hat sie gesprochen?«

»Es ist sonderbar, dass Paul einen falschen Namen angegeben hat, aber wer weiß, ob es dafür einen finsteren Grund gab. Wir beide haben gelogen, was unsere Berufe angeht. Manchmal lügen die Leute, weil sie lügen wollen.«

»Du hast Chucks Nachnamen nicht zufällig mitbekommen, oder?«

Sara schüttelte den Kopf. Sie hatte es möglichst vermieden, mit Chuck zu sprechen.

»Da war etwas, das Drew sagte, bevor er und Keisha nicht mehr ohne Anwalt reden wollten«, sagte Will. »Er hat mit Bitty und Cecil gesprochen und etwas angemerkt wie: ›Vergesst diese andere Geschichte. Macht, was ihr wollt, hier oben.‹«

»Welche andere Geschichte?«

»Keine Ahnung, und er hat sehr deutlich gemacht, dass er nicht mit mir sprechen will.«

Sara konnte sich weder Drew noch Keisha als Mörder vorstellen. Aber das war das Problem mit Mördern. Sie neigten nicht dazu, sich als solche zu erkennen zu geben. »Mercy wurde nicht mit einem Stich getötet. Ihr Körper weist zahlreiche Wunden auf, ein klassisches Beispiel für Overkill. Der Täter muss sie sehr gut gekannt haben.«

»Drew und Keisha waren schon zweimal in der Lodge.« Will zuckte mit den Achseln. »Keisha hat Mercy beim Essen verärgert, weil sie um ein sauberes neues Glas bat.«

»Das ist schwerlich etwas, wofür man einen Mord begeht«,

sagte Sara. »Andererseits gibt es jede Menge Verbrechensdokumentationen über Frauen, die durchdrehen.«

»Ich nehme es als Warnung.« Will scherzte, aber nicht lange. »Dave kam am ehesten als Täter infrage. Es muss etwas gegeben haben, was dich in eine andere Richtung blicken ließ.«

»Ich kann es nicht anders erklären als mit einem Bauchgefühl. Nach meiner Erfahrung wissen Menschen, die über längere Zeit missbraucht wurden, wann ihr Leben am stärksten in Gefahr ist. Als Mercy und ich uns unterhalten haben, tauchte Dave auf ihrem Radar praktisch nicht auf.«

»Bei der Überprüfung seiner Finanzen gab es keine großen Überraschungen. Sein Bankkonto ist um sechzig Dollar überzogen, er hat zwei Kreditkarten, die an einen Inkassodienst übergeben wurden, sein Truck wurde eingezogen, und er ertrinkt in Schulden für medizinische Behandlungen.«

»Ich bin mir sicher, alle hier oben haben Schulden für Behandlungen.«

»Nicht Mercy«, sagte er. »Soweit ich feststellen kann, hatte sie nie auch nur eine Kreditkarte, einen Fahrzeugkredit aufgenommen oder ein eigenes Bankkonto. Es ist nichts darüber bekannt, dass sie je eine Steuererklärung abgegeben hat. Sie besitzt keinen Führerschein. Sie hat nie gewählt. Es gibt keinen Handyvertrag und keine Telefonnummer unter ihrem Namen. Kein Facebook-Account, Instagram, TikTok oder andere soziale Medien. Sie taucht nicht einmal auf der Website der Lodge auf. Ich habe schon einige verrückte Hintergrundchecks gemacht, aber nie etwas wie das. Sie ist ein digitaler Geist.«

»Delilah sagt, sie hatte einen schlimmen Autounfall. Daher stammt ihre Narbe.«

»Ihr Vorstrafenregister ist sauber. Ich schätze, es hilft, wenn eine Familie mit der des Sheriffs befreundet ist«, sagte Will. »Womit wir bei Mercys Eltern wären. Cecil und Imogene McAlpine. Es gab nach Cecils Unfall eine stattliche Auszahlung der Versicherungsgesellschaft. Sie sind beide sozialversichert, haben rund eine Million in einem privaten Rentenfonds, eine weitere halbe Million in einem Geldmarktfonds und eine Viertelmillion in ETFs. Die Kreditkartenrechnungen werden jeden Monat bezahlt. Keine ausstehenden Schulden. Der Bruder steht ebenfalls ganz gut da. Christopher hat sein Studiendarlehen vor einem Jahr zurückgezahlt. Er hat einen Angelschein, einen Führerschein, zwei Kreditkarten und ein Bankkonto mit mehr als zweihunderttausend Dollar.«

»Großer Gott. Er ist nur ein paar Jahre älter als Mercy.«

»Es ist vermutlich leicht, Geld zu sparen, wenn Kost und Logis frei sind, aber dasselbe gilt für Mercy. Warum hat sie nichts?«

»Es sieht nach Absicht aus. Vielleicht haben sie Geldentzug benutzt, um Macht über sie zu haben.« Sara wollte nicht darüber nachdenken, wie hilflos sich Mercy gefühlt haben musste. »War Geld in ihrem Rucksack?«

»Nur Kleidung und dieses Notizbuch«, sagte Will. »Die Brandermittler registrieren es als Beweismittel, dann wird es ans Labor übergeben. Der Plastikeinband des Hefts ist geschmolzen, und die Seiten sind vom Regen durchnässt. Wenn sie nicht vorsichtig sind, könnte das ganze Ding verloren sein. Wir müssen es abwarten, aber ich würde wirklich gern wissen, was Mercy aufgeschrieben hat.«

Sara teilte seine Neugier. Mercy hatte das Notizbuch nicht ohne Grund eingepackt. »Was ist mit ihrem Handy?«

»Das Feuer hat es zerstört, aber wir haben die Nummer über Daves Anruferliste ausfindig gemacht. Sie hat IP-Telefonie benutzt. Wir warten auf einen richterlichen Beschluss für das Konto. Sie hat es wahrscheinlich mit einer Guthabenkarte bezahlt. Wenn wir die Kartennummer bekommen, finden wir vielleicht heraus, ob sie es auch für andere Dinge benutzt hat.«

Sara fühlte sich mit jedem neuen Detail über Mercys klaustrophobisches Leben bedrückter. »Hast du etwas über Delilah in Erfahrung gebracht?«

»Das Haus, in dem sie wohnt, gehört ihr, aber es scheint, als wären ihre Haupteinkommensquelle ein Onlinekerzenhandel und das, was sie an Einkünften aus dem Familientrust bezieht. Ihre Kreditwürdigkeit ist okay. Ihr Wagen ist fast abbezahlt. Sie hat rund dreißigtausend auf einem Sparkonto, was gut ist, aber sie schwimmt nicht in Geld wie der Rest der Familie.«

»Sie ist besser dran als Mercy.«

»Ja.« Will rieb sich das Kinn und sah einem Wagen zu, der langsam um eine fünf Zentimeter tiefe Pfütze kurvte. Er war angespannt, wie bereit zum Sprung. Wenn das Geländefahrzeug nicht bald auftauchte, würde er wahrscheinlich zu Fuß den Berg hinaufwandern. »Beim Koch war alles in Ordnung. Die Bedienungen sind Teenager.«

»Wie sieht der Plan aus?«, fragte Sara.

»Wir müssen diesen abgebrochenen Messergriff finden, aber das ist eine Nadel im Heuhaufen. Oder im Wald. Ich möchte mit jedem Mann sprechen, der gestern Abend in der Lodge war. Mercy wurde vergewaltigt, bevor sie ermordet wurde.«

»Wir wissen nicht mit Bestimmtheit, dass sie vergewaltigt wurde. Ihre Hose könnte während des Kampfs hinuntergerutscht sein.« Sara hatte ebenfalls einen Job zu erledigen. Sie konnte sich nur an die Wissenschaft halten. »Ich werde jedes Anzeichen für Traumata im Sexualbereich bemerken und die Abstriche machen, und wer immer die Obduktion durchführt, wird sich das Scheidengewölbe sicher genau ansehen, aber du weißt, dass sich ein Missbrauch post mortem nicht immer erkennen lässt.«

»Sag das nicht zu Amanda. Sie hasst es, wenn du wie eine Ärztin sprichst.«

»Warum, glaubst du, mache ich es?« Sara hatte gewusst, das würde ihn zum Lächeln bringen.

Unglücklicherweise hielt es auch diesmal nicht lange an.

»Wo bleibt nur dieser Kerl?« Will schaute auf seine Armbanduhr. »Ich muss zurück in die Lodge und anfangen, Fragen zu stellen. Sie hatten zu lange Zeit, ihre Geschichten abzustimmen. Faith muss mir helfen, sie auseinanderzudividieren. Außerdem brauche ich das Gästeregister, damit ich die Nachnamen überprüfen kann.«

»Glaubst du, die McAlpines werden einen richterlichen Beschluss von dir verlangen?«

Er lächelte hinterlistig. »Ich habe zu Frank gesagt, es wäre vielleicht nicht schlecht, wenn er sich ein wenig im Büro umsieht.«

»Bevor das vorbei ist, wird er einen Polizeiausweis erwarten«, sagte Sara. »Arme Mercy. Sie war im Grunde eine Gefangene dort oben. Kein Auto. Kein Geld. Keine Unterstützung. Vollkommen allein.«

»Der Koch steht definitiv ganz oben auf meiner Liste. Er hatte den regelmäßigsten Kontakt mit ihr.«

Sara hatte bemerkt, wie der Koch Mercy auf ihrem Weg durch die Küche mit den Augen gefolgt war. »Du meinst, sie war gar nicht so allein?«

»Möglich«, sagte Will. »Ich werde zuerst mit den Bedienungen reden, vielleicht ist ihnen etwas aufgefallen. Die Barfrau wurde viermal mit Alkohol am Steuer erwischt, aber in den 1990ern. Was ist das nur mit Alkohol und Autos hier oben?«

»Kleinstadt. Man kann nicht viel tun, außer sich betrinken und in Schwierigkeiten bringen.«

»Du bist in einer Kleinstadt aufgewachsen.«

»Allerdings.«

Wills Aufmerksamkeit wurde wieder vom Parkplatz angezogen. Diesmal sah er erleichtert aus.

Der Dieselmotor eines F-150 übertönte den strömenden Regen. Der Truck schleppte zwei Kawasaki Mules mit Geländereifen und GBI-Kennzeichnung. Saras Magen zog sich zusammen bei dem Gedanken, dass Will wieder auf den Berg fuhr. Jemand hatte Mercy McAlpine brutal ermordet. Der Täter fühlte sich im Augenblick wahrscheinlich sicher. Will war im Begriff, das zu ändern.

Sara musste etwas anderes tun, als sich Sorgen zu machen. Sie gab ihm einen Kuss auf die Wange. »Ich gehe hinein. Nadine ist wahrscheinlich bereit für mich.«

»Ruf mich an, wenn sich etwas ergibt.«

Sie sah Will von der Laderampe springen und zu dem Truck joggen. Durch strömenden Regen. Mit seiner bandagierten Hand. Der Verband würde wieder durchweichen.

Sara merkte sich vor, Antibiotika zu besorgen, als sie in das Gebäude zurückging. Die schwere Metalltür schloss das Unwetter aus, die plötzliche Stille klingelte ihr in den Ohren. Sie ging den langen Flur zum Leichenschauhaus entlang. Die Neonlichter flackerten. Wasser war unter den Bodenfliesen durchgesickert. Ausrüstung aus der kürzlich geschlossenen Entbindungsstation säumte die Wände.

Sie nahm an, das Krankenhaus würde eine der vielen ländlichen Gesundheitseinrichtungen sein, die bis zum Ende des Jahres geschlossen wurden. Die Personaldecke war dünn. Für die gesamte Notaufnahme gab es nur einen Arzt und zwei Schwestern. Selbst die doppelte Anzahl wäre zu wenig gewesen. Nach dem Medizinstudium war Sara enorm stolz darauf gewesen, ihrer Heimatgemeinde zu dienen. Jetzt konnten ländliche Krankenhäuser kein Personal finden, geschweige denn halten. Zu viel Politik und zu wenig Vernunft ließen die Leute in Scharen fliehen.

»Dr. Linton?« Amanda wartete vor der geschlossenen Tür des Leichenschauhauses auf sie. Sie hatte ihr Telefon in der Hand und die Stirn gerunzelt. »Wir sollten reden.«

Sara wappnete sich für eine weitere Schlacht. »Wenn Sie nach einer Verbündeten suchen, die Ihnen hilft, Will von diesem Fall wegzubringen, verschwenden Sie meine Zeit.«

»Man muss sich nicht minderwertig fühlen, wenn man auf eine gute Work-Life-Balance achtet.«

Sara ließ ihr Schweigen Antwort sein.

»Nun denn«, sagte Amanda. »Fassen Sie das Opfer für mich zusammen.«

Sara brauchte einen Moment, um ihr Arbeitsgehirn einzuschalten. »Mercy McAlpine, zweiunddreißig Jahre, weiblich, weiß. Wurde mit zahlreichen Stichwunden in der Brust, im Rücken, an den Armen und dem Hals auf dem Anwesen der Familie gefunden. Ihre Hose war heruntergezogen, was auf einen sexuellen Übergriff hinweisen könnte. Die Mordwaffe war in ihrem Oberkörper abgebrochen. Sie lebte noch, als sie gefunden wurde, lieferte jedoch keine Informationen zur Identität ihres Mörders. Sie verstarb etwa um Mitternacht.«

»Trug sie dieselbe Kleidung, die Sie beim Abendessen an ihr gesehen hatten?«

Sara hatte noch nicht darüber nachgedacht, aber sie antwortete: »Ja.«

»Was ist mit den anderen? Wie waren sie nach dem Fund der Leiche gekleidet?«

Sara kam sich ein wenig begriffsstutzig vor. Amanda vernahm sie offenkundig als Zeugin. »Cecil war ohne Hemd, er trug Boxershorts. Bitty trug einen dunkelblauen Frotteemantel. Christopher hatte einen Bademantel an, der mit Fischen bedruckt war. Chuck trug etwas Ähnliches, aber mit Gummienten. Delilah war in einen dunkelgrünen Pyjama gekleidet – Hose und Jacke zum Knöpfen. Frank war in Boxershorts und Unterhemd, Monica in einem schwarzen knielangen Seidennegligé. Drew und Keisha oder Sydney und Max habe ich nicht gesehen. Die App-Typen kamen beide in ihrer Unterwäsche. Will hat Paul abgefangen, als er gerade aus der Dusche kam.«

»Paul ist der, der um ein Uhr morgens geduscht hat?«

»Ja«, antwortete Sara. »Ich glaube, nebenbei bemerkt, nicht, dass sie üblicherweise früh zu Bett gehen.«

»Nichts kam Ihnen verdächtig vor? Niemand fiel irgendwie auf?«

»Ich würde die Reaktion der Familie nicht als normal bezeichnen, aber ansonsten – nein.«

»Erzählen Sie.«

»*Kalt* ist das Wort, das einem sofort in den Sinn kommt, aber ich kann nicht behaupten, dass sie einen guten Eindruck auf mich gemacht haben, bevor sie von Mercys Tod erfuhren.« Sara dachte an das Abendessen zurück. »Die Mutter ist sehr zierlich und unterwirft sich völlig ihrem Mann. Sie hat noch eins draufgesetzt, als ihre Tochter vor aller Augen gedemütigt wurde. Der Bruder ist merkwürdig in dem Sinn, dass manche Männer nicht anders können, als merkwürdig zu sein. Der Vater hat eindeutig eine Show für die Gäste abgezogen, aber ich denke, er hätte mich sehr viel anders behandelt, wenn er gewusst hätte, dass ich Ärztin bin und keine Highschool-Lehrerin. Er wirkt wie der Typ, der Frauen nur in traditionellen Rollen aus dem letzten Jahrhundert gut findet.«

»Mein Vater war genauso«, sagte Amanda. »Er war so stolz auf mich, als ich zur Polizei ging, aber von dem Moment an, in dem ich einen höheren Rang hatte als er, fing er an, mich niederzumachen.«

Sara hätte das kurze Aufblitzen von Traurigkeit übersehen, wenn sie nicht direkt in Amandas Gesicht geblickt hätte. »Das tut mir leid. Das muss hart gewesen sein.«

»Nun ja, er ist inzwischen tot«, sagte Amanda. »Ich brauche alle Ihre Beobachtungen schriftlich und per E-Mail. Was haben Sie mit der Leiche vor?«

»Äh …« Sara war von Will an diese abrupten Themenwechsel gewöhnt, aber Amanda hätte einen Meisterkurs darin geben können. »Nadine wird mir bei der äußerlichen Untersuchung helfen. Wir werden Rückstände unter den Fingernägeln sammeln, Fasern, Haare, Blut, Urin, gegebenenfalls Samenflüssigkeit. Das geht zur sofortigen Analyse ins Labor. Die vollständige Obduktion wird morgen Nachmittag in Atlanta stattfinden. Man hat sie vorgezogen, nachdem ich die Gerichtsmedizin davon in Kenntnis gesetzt habe, dass kein Verdächtiger mehr in Haft ist.«

»Finden Sie mir die Beweise, die dem abhelfen, Dr. Linton.« Amanda öffnete die Tür.

Saras Augen brannten von dem grellen Neonlicht. Das Leichenschauhaus sah aus wie jedes andere in einem Kleinstadt-Krankenhaus, das nach dem Zweiten Weltkrieg errichtet wurde. Niedrige Decke. Gelbe und braune Fliesen auf dem Boden und an den Wänden. Leuchtkästen an der Wand. Verstellbare Lampen über dem Obduktionstisch aus Keramik. Edelstahlspüle mit lang gestreckter Ablage. Ein Computer mit Tastatur auf einem hölzernen Pult. Ein Hocker mit Rollen und ein Arbeitstablett, auf dem verschiedene Instrumente für die Untersuchung lagen. Ein Kühlraum mit zwölf Leichenkühlschränken, vier Reihen breit, drei hoch. Sara vergewisserte sich, dass sie alles hatte, was sie für die äußerliche Untersuchung brauchte: Schutzanzug, Kamera, Probenröhrchen, Sammeltüten, Nagelschaber, Pinzette, Schere, Skalpelle, Objektträger, Vergewaltigungs-Testkit.

»Kein Glück bei der Suche nach dem Sohn?«, fragte Amanda.

Sara schüttelte den Kopf. »Jon ist wahrscheinlich verkatert und schläft irgendwo seinen Rausch aus. Nach der Untersuchung ziehe ich mit der Tante wieder los, um ihn zu suchen.«

»Sagen Sie ihm, er wird irgendwann eine Aussage machen müssen. Er könnte wertvoll sein, wenn es darum geht, den zeitlichen Ablauf zu erhärten oder herauszufinden, wer Mercy zuletzt lebend gesehen hat«, sagte Amanda. »Jon war bei Ihnen, als Sie den zweiten und dritten Schrei hörten, richtig?«

»Korrekt«, sagte Sara. »Ich habe ihn mit einem Rucksack aus dem Haus kommen sehen. Ich denke, er hatte vor, wegzulaufen. Der Streit mit Mercy beim Abendessen war heftig.«

»Sehen Sie zu, was Sie bei Ihrer Suche aus der Tante herausbekommen können«, sagte Amanda. »Delilah weiß etwas.«

»Über den Mord?«

»Über die Familie«, sagte Amanda. »Sie sind nicht die Einzige im Team mit einem Bauchgefühl.«

Bevor Sara nachhaken konnte, begann das Getriebe des Lastenaufzugs, ein unheilvoll knirschendes Geräusch von sich zu geben. Unter der Schiebetür sickerte Wasser hervor.

»Wenn Sie hier und jetzt raten müssten, wer wäre Ihr Hauptverdächtiger?«, fragte Amanda.

Sara musste nicht lange nachdenken. »Jemand aus der Familie. Mercy hat ihren Zahltag durch den Verkauf blockiert.«

»Sie klingen wie Will«, sagte Amanda. »Er steht auf finanzielle Motive.«

»Aus gutem Grund. Außerhalb der Familie würde ich sagen, ist es Chuck. Er ist äußerst verstörend. Der Bruder auch, was das angeht.«

Amanda nickte, ehe sie wieder auf ihr Handy schaute.

Sara erkannte, dass sie schon wieder schwer von Begriff war. Erst jetzt fiel ihr auf, wie seltsam es war, dass ein Deputy Director einer vorläufigen äußerlichen Untersuchung beiwohnte. Die vollständige Autopsie, bei der der Körper zur Untersuchung geöffnet wurde, würde in der GBI-Zentrale stattfinden und von jemand anderem aus ihrem Team durchgeführt werden. Während Saras äußerlicher Untersuchung würde wahrscheinlich nichts von Beweiskraft ans Licht kommen. Sie machte es nur, um einen Vorsprung beim Sammeln von Blut, Urin und Spurenmaterial zu haben, die sie ans Labor schickte. Mercys Körper hatte teilweise im Wasser gelegen. Die Wahrscheinlichkeit, dass Sara heute Morgen Informationen zutage förderte, die ein sofortiges Handeln erforderlich machten, ging gegen null.

Warum also war Amanda hier?

Die Aufzugtür öffnete sich knarrend, bevor sie dazu kam, die Frage zu stellen. Noch mehr Wasser strömte heraus. Nadine stand auf einer Seite einer Rollbahre, Biscuits auf der anderen. Saras Blick ging zum Leichensack. Weißer Kunststoff, verschweißte Ränder, ein verstärkter Reißverschluss mit dicken Plastikzähnen. Der Umriss von Mercys Körper war winzig, als hätte sie im Tod fertiggebracht, was die Leute anscheinend ihr ganzes Leben lang mit ihr versucht hatten: sie verschwinden zu lassen.

Sara blendete alles andere aus. Sie dachte an ihre letzte Begegnung mit Mercy. Die Frau hatte sich geschämt, aber sie war auch stolz gewesen. Sie war es gewöhnt, alles allein zu machen. Mercy hatte Sara erlaubt, sich um ihren verletzten Daumen zu kümmern. Jetzt würde Sara mithelfen, sich um ihren Leichnam zu kümmern.

»Sheriff Hartshorne«, sagte Amanda. »Danke, dass Sie sich uns anschließen.«

Ihr pseudognädiger Tonfall entwaffnete ihn nicht völlig. »Ich habe das Recht, hier zu sein.«

»Und Sie dürfen dieses Recht jederzeit gern wahrnehmen.«

Sara achtete nicht auf den belämmerten Gesichtsausdruck des Sheriffs. Sie übernahm das Fußende der Bahre und half Nadine, sie ins Leichenschauhaus zu steuern. Schweigend hievten sie den Leichensack auf den Keramiktisch und rollten die Bahre beiseite. Dann legten sie ihre Schutzanzüge an, samt Atemmasken, Gesichtsschild, Schutzbrillen und Handschuhen. Sara würde zwar keine vollständige Autopsie durchführen, aber Mercy war stundenlang in Hitze und Feuchtigkeit gelegen. Ihr Körper hatte sich in eine giftige Ansammlung von Krankheitserregern verwandelt.

»Vielleicht sollten wir auch Masken aufsetzen«, sagte Biscuits. »Gibt 'ne Menge Fentanyl hier oben. Mercy hatte eine lange Suchtgeschichte. Wir könnten allein schon daran sterben, dass wir die Dämpfe einatmen.«

Sara sah ihn an. »So funktioniert Fentanyl nicht.«

Er kniff die Augen zusammen. »Ich habe erwachsene Männer gesehen, die das Zeug umgebracht hat.«

»Ich habe Krankenschwestern gesehen, die es sich versehentlich auf die Hände geschüttet und gelacht haben.« Sara sah Nadine an. »Fertig?«

Nadine nickte, bevor sie den Reißverschluss aufzuziehen begann.

In Saras ersten Jahren als Coroner waren Leichensäcke ähnlich gebaut gewesen wie Schlafsäcke, mit einem Zwickel am unteren Ende. Sie waren immer aus schwarzem Kunststoff gewesen und die Reißverschlüsse aus Metall. Jetzt waren die Säcke weiß, und es gab sie in verschiedenen Materialien und Formen, je nach Anwendung. Anders als bei der früheren Version versiegelten die Reißverschlüsse den Sack vollständig. Die Verbesserungen rechtfertigten die zusätzlichen Kosten. Die weiße Farbe half bei der visuellen Identifikation von Beweismaterial. Der dichte Verschluss ließ keine Flüssigkeiten austreten. Beides war im Fall von Mercy McAlpines Leiche nötig. Sie hatte zahlreiche Messerstiche erlitten. Ihre Eingeweide waren perforiert worden. Einige ihrer Hohlorgane waren aufgeplatzt. Der Körper war in einen Zustand der Verwesung eingetreten, bei dem Flüssigkeiten aus allen Öffnungen zu sickern begannen.

»Scheiße!« Biscuits legte beide Hände über Mund und Nase, um sich vor dem Geruch zu schützen. »Großer Gott.«

Sara half Nadine, die obere Hälfte des Sacks freizulegen. Biscuits öffnete die Tür und stand mit dem Fuß auf der Schwelle. Amanda hatte sich nicht vom Fleck gerührt, aber sie fing an, auf ihrem Handy zu tippen.

Sara wappnete sich, bevor sie ihre Aufmerksamkeit der Leiche zuwandte.

Man hatte Mercy für die Röntgenaufnahmen voll bekleidet und im Sack gelassen. Der Umgang mit einem Leichnam konnte gefährlich sein. Die Kleidung konnte Waffen, Nadeln und andere scharfe Gegenstände verbergen. So wie in Mercys Fall ein Messer, das in ihrer Brust steckte.

Wills Hemd lag immer noch über ihren Oberkörper gebreitet. Der Stoff bauschte sich um die Spitze der abgebrochenen Klinge, die wie eine Haifischflosse aus Mercys Brustplatte ragte. Getrocknetes Blut und Sehnen hingen an der gezahnten Schneide. Sara stellte sich vor, die Röntgenaufnahme würde zeigen, dass die Klinge schräg zwischen Brustbein und Schultergürtel saß. Der Täter war wahrscheinlich Rechtshänder gewesen. Auf dem fehlenden Griff würden sie hoffentlich Fingerabdrücke finden.

Sara ließ den Blick an dem Körper auf und ab wandern. Mercys Augen standen einen Schlitz offen, die Hornhäute waren getrübt. Ihr Mund war weit geöffnet. Getrocknetes Blut und Dreck klebten an ihrer blassen Haut. Mehrere flache Stichwunden hatten das Fleisch an ihrem Hals herausgemeißelt. Das Weiß des Schlüsselbeins war sichtbar, wo die Klinge die Haut weggeschabt hatte. Die Wunden in ihrem unteren Rücken und an den Oberschenkeln nässten in den Leichensack. Jeder Zoll ihrer freiliegenden Haut zeugte von der Brutalität ihres Todes.

»Gott sei ihrer Seele gnädig«, flüsterte Nadine. »Das hat niemand verdient.«

»Nein.« Sara würde sich kein Gefühl der Hilflosigkeit erlauben. »Nehmen Sie auf, oder schreiben Sie mit?«

»Ich komme mir immer komisch vor, wenn ich in einen Rekorder spreche«, sagte Nadine. »Normalerweise schreibe ich einfach alles auf.«

Sara sprach es normalerweise ins Aufnahmegerät, aber sie waren hier in Nadines Revier. »Könnten Sie mitschreiben?«

»Kein Problem.« Nadine griff zu Notizblock und Stift. Sie wartete nicht auf Saras Anweisungen, bevor sie zu schreiben anfing. Sara las ihre auf dem Kopf stehende Blockschrift. Nadine hatte Datum, Uhrzeit und Ort notiert, dazu Saras Namen sowie Hartshornes und ihren eigenen. Sie wandte sich an Amanda. »Verzeihung, meine Liebe, aber könnten Sie mir Ihren Namen noch mal sagen?«

Sara registrierte Amandas Antwort kaum, als sie auf Mercys verwüsteten Körper hinuntersah. Ihre Jeans war noch immer bis auf die Knöchel heruntergezogen, aber der purpurne Slip im Bikini-Stil saß auf ihrer Hüfte. Erde war im Hosenbund festgebacken und zog sich an ihren Beinen hinunter bis zu der Jeans. Auf ihrem linken Oberschenkel gab es eine Ansammlung kreisrunder Narben. Sara erkannte sie als Brandmale von Zigaretten. Will hatte ähnliche Narben auf seiner Brust.

Beim Gedanken an ihren Mann musste sie schlucken. Die Erinnerung, wie sie sich auf der Lookout-Bank an ihn geschmiegt hatte, tauchte in ihrem Kopf auf. Da hatte sie noch geglaubt, das Schlimmste, was in ihren Flitterwochen passieren konnte, war, dass Will mit Gedanken an seine fehlende Mutter kämpfen würde.

Mercy war ebenfalls eine Mutter, die fehlen würde. Sie hatte einen sechzehnjährigen Sohn, der es verdient hatte, zu erfahren, wer sie ihm genommen hatte.

»So.« Nadine blätterte auf eine neue Seite in ihrem Block. »Ich bin bereit.«

Sara fuhr mit der äußerlichen Untersuchung fort und nannte laut ihre Befunde. Mercys Leiche war über die stärkste Phase der Totenstarre hinaus, aber die Gliedmaßen waren noch steif. Ihre Gesichtsmuskeln hatten sich zusammengezogen, was nach starken Schmerzen aussah. Ihr Oberkörper hatte nicht lange im See gelegen, aber die Haut im Nacken und auf der Rückseite der Schultern war lose und fleckig vom Wasser. Das Haar war verfilzt. Die blasse Haut wies eine rosa Tönung von dem Blut auf, das in den See geflossen war.

Ein Blitz leuchtete auf. Nadine hatte begonnen, Fotos zu machen. Sara half ihr, Lineale für den Maßstab anzulegen. Unter Mercys Fingernägeln war Erde. Ein langer Kratzer zog sich auf der Rückseite ihres linken Arms nach unten. Auf ihrem linken Daumen saß noch der Verband, wo Sara den Schnitt von dem zerbrochenen Wasserglas genäht hatte. Dunkle Blutflecke ließen erkennen, dass die Naht aufgegangen war, vermutlich bei dem Angriff. Die roten Würgemale, die Sara an ihrem Hals gesehen hatte, waren jetzt ausgeprägter, aber bis zu ihrem Tod war nicht genügend Zeit vergangen, damit sich Blutergüsse zeigten.

Sara drehte ihren rechten Arm und untersuchte die Unterseite. Dann untersuchte sie den linken. Finger und Daumen waren gekrümmt, aber Sara konnte die Handflächen sehen. Keine

Messerhiebe. Kein Ödem. Nicht einmal ein Schnitt. »Sie scheint keine Abwehrwunden zu haben.«

»Es lassen sich nur keine erkennen«, sagte Nadine. »Mercy war eine Kämpfernatur. Ausgeschlossen, dass sie einfach dastand und es über sich ergehen ließ.«

Sara würde ihr das Narrativ nicht ausreden, aber Tatsache war, dass man nicht sagen konnte, wie jemand auf einen Angriff reagierte, bis er angegriffen wurde. »Ihre Schuhe erzählen uns einen Teil der Geschichte. Mercy stand einige Zeit aufrecht während des Angriffs. Der Sprühregen stammt von arteriellem Blut. Die Spritzer könnten davon rühren, dass das Messer in sie gestoßen und wieder herausgezogen wurde. Um die Schuhspitzen ist Erde festgebacken. Wir haben Schleifspuren von der Hütte zum See gesehen. Mercy lag mit dem Gesicht nach unten, als das passiert ist. Es gibt auch Erde im Bund ihres Höschens, an ihren Knien, in den Falten ihrer Jeans.«

»Es sieht nach der Art Erde aus, die es am Seeufer gibt«, sagte Nadine. »Ich gehe später hin und hole Proben zum Vergleich.«

Sara nickte, und Nadine fuhr damit fort, die Befunde zu fotografieren. Mehrere Minuten lang hörte Sara über dem Surren des Kompressors an den Kühlfächern nichts außer dem leisen Plopp des Kamerablitzes und Amanda, die auf ihrem Handy tippte.

Als Nadine schließlich fertig war, half ihr Sara, weißes Metzgerpapier unter dem Tisch auszubreiten. Dann nahm sie das Vergrößerungsglas von dem Tablett. Im Tandem suchten sie jeden Quadratzentimeter von Mercys Kleidung nach Spurenmaterial ab. Sara fand Haarfasern, Krümel von Erde und Dreck und tütete sie ein. Nadine arbeitete still und effizient, sie beschriftete die Beutel und machte einen Eintrag in das Beweismittelverzeichnis, einschließlich des jeweiligen Fundorts.

Der nächste Schritt war sehr viel schwieriger als die vorhergehenden. Sie mussten Mercy entkleiden. Nadine legte frisches Papier auf dem Boden aus und dann weiteres Papier auf der langen Ablage neben dem Spülbecken, damit sie die Kleidung noch einmal durchsuchen konnten, nachdem sie entfernt war.

Einen Leichnam zu entkleiden war zeitraubend und mühsam, vor allem, wenn der Körper noch steif war. Typischerweise enthielt ein Mensch in etwa dieselbe Menge an Bakterien wie an Zellen. Der größte Teil der Bakterien befand sich in den Därmen, wo sie zum Verarbeiten von Nährstoffen eingesetzt wurden. Bei einem lebenden Menschen hielt das Immunsystem ihr Wachstum in Schach. Bei einem Toten übernahmen die Bakterien die Herrschaft, sie nährten sich von Gewebe und setzten Methan und Ammonium frei. Diese Gase blähten den Körper auf, was wiederum die Hautfläche erweiterte.

Mercys T-Shirt spannte sich so eng um ihren Körper, dass ihnen nichts anderes übrig blieb, als es aufzuschneiden. Den Drahtbügel ihres BHs mussten sie von den Rippen meißeln, er hinterließ eine Vertiefung von einem halben Zentimeter unter ihren Brüsten. Sara tastete sich am Saum ihrer Unterhose entlang, um sie aufzuschneiden. Der Hosenbund zeichnete sich auf der Haut ab. Der dünne Stoff musste weggezupft werden. Kleine Stücke Haut gingen mit ab. Sara legte jeden Streifen vorsichtig auf dem Metzgerpapier ab wie die Teile eines Puzzles.

Sie konnten die Jeans nicht entfernen, ohne erst die Schuhe auszuziehen. Nadine löste die Schnürsenkel. Sara half ihr, die Sneakers von den Füßen zu ziehen. Die Gummibänder an Mercys Baumwollsportsocken waren ausgeleiert, was es leichter machte, sie abzustreifen. Dennoch hinterließ der Stoff ein Rillenmuster auf der Haut. Die Jeans auszuziehen war ein noch sehr viel härteres Stück Arbeit. Der Stoff war dick und steif von Blut und anderen getrockneten Flüssigkeiten. Sara schnitt sorgfältig erst die eine und dann die andere Seite auf, um sie wie eine Muschelschale abzunehmen. Nadine trug die Hose zur Arbeitsfläche hinüber. Sie wickelte beide Hälften in Papier, um zu verhindern, dass sie sich gegenseitig kontaminierten.

Alle standen lautlos da, während Nadine arbeitete. Niemand schaute die Leiche an. Sara sah, mit welch grimmigem Gesicht Amanda ihr Telefon bearbeitete. Der Sheriff stand noch in der Tür, aber er hatte den Kopf gedreht, als hätte er etwas am Ende des Flurs gehört.

Sara schnürte es die Kehle zu, als sie den Leichnam genau betrachtete. Sie zählte mindestens zwanzig sichtbare Stiche. Die Mehrzahl war in den Oberkörper gegangen, aber es gab eine klaffende Wunde im linken Oberschenkel und eine außen am rechten Arm. An manchen Stellen war die Klinge bis zum Heft eingedrungen, und auf der Haut zeichnete sich der Abdruck des nun fehlenden Messergriffs ab.

Die frischen Wunden waren nicht die einzigen Zeichen von Schäden.

Mercys Körper offenbarte ein Leben voller Misshandlungen. Die mittlerweile verblasste Narbe in ihrem Gesicht war nichts gegen die übrigen Narben, mit denen sie übersät war. Tiefe, dunkle Male um ihren Bauch, wo sie mit einem schweren, strukturierten Gegenstand ausgepeitscht worden war, wahrscheinlich einem Seil. Sara erkannte ohne Weiteres den Abdruck einer Gürtelschnalle an Mercys Hüfte. Ihr linker Oberschenkel war mit einem Bügeleisen verbrannt worden. Sie hatte zahlreiche Brandmale von Zigaretten um ihre rechte Brustwarze. Ein schmaler, gerader Schnitt ging quer über ihr linkes Handgelenk.

Sie fragte Nadine: »Wissen Sie von Selbstmordversuchen?«

»Da gab es einige«, beantwortete Biscuits die Frage. »Sie hat ein paarmal eine Überdosis genommen. Die Narbe, die Sie da sehen, ist noch aus der Highschool-Zeit. Gab wieder mal eine Schlägerei mit Dave. Hat sich im Geräteraum hinter der Turnhalle das Handgelenk aufgeschnitten. Der Coach hat sie gefunden, sonst wär sie verblutet.«

Sara blickte zur Bestätigung zu Nadine. Die Frau hatte Tränen in den Augen. Sie nickte einmal, dann griff sie zur Kamera, um die Narbe zu dokumentieren.

Wieder legte Sara für den Maßstab das Lineal an. Sie überlegte, wie lange es wohl dauerte, so oft auf eine Frau einzustechen. Zwanzig Sekunden? Dreißig? Es gab weitere Stichwunden im Rücken und an den Beinen. Wer immer Mercy McAlpine ermordet hatte, er hatte wirklich und wahrhaftig gewollt, dass sie starb.

Dass es ihm nicht vollständig gelungen war, dass Mercy immer noch gelebt hatte, nachdem die Hütte in Brand gesteckt worden war, nachdem Will durch den Wald gerannt war, um sie zu suchen, war ein Zeugnis ihres Kampfgeists.

Nadine legte die Kamera beiseite und holte tief Luft, um sich zu wappnen. Sie wusste, was als Nächstes kam.

Das Vergewaltigungs-Testkit.

Nadine riss den Pappkarton auf, der alles enthielt, was man brauchte, um Beweise für einen sexuellen Missbrauch zu sammeln. Sterile Behälter, Tupfer, Spritzen, gläserne Objektträger, selbstschließende Kuverts, Nagelstocher, Etiketten, steriles Wasser und Salzlösung, ein Spekulum aus Plastik, ein Kamm. Sara sah ihre Hände zittern, als sie die einzelnen Gegenstände auf das Tablett legte. Nadine wischte mit dem Arm die Tränen unter ihrer Schutzbrille fort. Sara fühlte mit der Frau. Sie war viele Male in Nadines Lage gewesen.

»Sollen wir eine Pause machen?«, fragte sie.

Nadine schüttelte den Kopf. »Diesmal werde ich sie nicht im Stich lassen.«

Sara hatte ihre eigenen Schuldgefühle in Bezug auf Mercy. Sie ging in Gedanken immer wieder zurück zu diesem Moment in der Toilette hinter der Küche. Mercy hatte Sara erzählt, dass so gut wie jeder auf dem Berg sie töten wollte. Sara hatte versucht, mehr zu erfahren, aber als Mercy blockierte, hatte sich Sara widerstandslos davon abbringen lassen.

»Fangen wir an«, sagte sie zu Nadine.

Da Mercy noch starr war, mussten sie ihre Beine gewaltsam öffnen. Sara nahm ein Bein, Nadine das andere. Sie zogen, bis das Hüftgelenk mit einem grausigen Knall nachgab.

In der Tür räusperte sich Biscuits.

Sara hielt ein weißes Pappkartonquadrat unter Mercys Scham. Sie benutzte zuerst den Kamm und zog ihn vorsichtig durch die Schambehaarung. Lose Haare, Erde und andere Partikel fielen auf das Papier. Sara war froh, Wurzeln an einigen der Haare zu sehen. Wurzeln bedeuteten DNA.

Sie gab Nadine den Karton und den Kamm, die beides in einem Sammelbeutel verschloss.

Als Nächstes verwendete Sara verschieden lange Tupfer für Abstriche, um Sperma nachzuweisen. Erst auf der Innenseite von Mercys Schenkeln. Dann in ihrem Rektum. An den Lippen. Nadine half ihr, den Mund aufzuzwingen. Wieder brach das Gelenk mit einem lauten Krachen. Sara richtete die Untersuchungslampe über dem Tisch in ihren Mund. Sie sah keine Prellungen. Sie nahm Abstriche von der Innenseite der Wangen, von der Zunge, dem Rachen.

Das Plastikspekulum war in Folie verpackt. Nadine zog die Verpackung auf und hielt Sara das Instrument hin. Wieder richtete Sara die Lampe aus. Sie musste das Spekulum gewaltsam in die Scheide einführen. Nadine gab ihr die Tupfer.

»Hier scheint es eine Spurenmenge von Samenflüssigkeit zu geben«, sagte Sara.

Biscuits räusperte sich wieder. »Also wurde sie vergewaltigt.«

»Die Flüssigkeit deutet auf Geschlechtsverkehr hin. Ich sehe keine Anzeichen für Ödeme oder Prellungen.«

Sara gab Nadine die letzten Abstriche zur Bearbeitung. Während sie wartete, zog sie frische Handschuhe an. Sie dachte an die Männer, die am Vorabend in der Lodge gewesen waren. Der Koch. Die beiden jungen Bedienungen. Chuck, Frank, Drew. Gordon und Paul. Max, der Investor. Selbst Mercys Bruder Christopher. Sara war am Esstisch von ihnen umringt gewesen. Jeder von ihnen konnte der Mörder sein.

Nadine kehrte an den Tisch zurück. Sara zog Blut aus dem Herzen auf eine lange Spritze. Mit einer 25er-Kanüle entnahm sie Urin aus der Blase. Sie gab die Spritzen zur Beschriftung an Nadine weiter. Dann hielt sie einen kleinen weißen Pappkarton unter Mercys Finger und säuberte die Unterseite der Nägel mit dem Holzstäbchen.

»Das könnte Haut sein«, sagte Sara. »Sie hat den Angreifer vielleicht gekratzt.«

»Braves Mädchen.« Nadine klang erleichtert. »Ich hoffe, du hast ihn bluten lassen, Mercy.«

Sara hoffte es ebenfalls. Es erhöhte ihre Chancen, DNA zu isolieren.

Sie wollte Nadine gerade bitten, ihr beim Umdrehen der Leiche zu helfen, als ein Telefon läutete.

»Das ist meins«, sagte Nadine. »Die Röntgenaufnahmen sind wahrscheinlich hochgeladen.«

Sara hatte den Eindruck, sie konnten alle eine Pause gebrauchen. »Werfen wir einen Blick darauf.«

Nadine war sichtlich erleichtert. Sie schob auf dem Weg zum Schreibtisch ihre Maske nach unten und zog die Handschuhe aus. Sara wartete, bis sie sich in den Computer eingeloggt hatte, dann stellte sie sich hinter Nadine. Nach einigen Klicks kamen Mercys Röntgenbilder auf den Schirm. Sie waren kaum größer als Thumbnails, doch wiederum stand die Geschichte der Misshandlungen in großen Lettern geschrieben.

Sara war nicht überrascht, dass es alte Frakturen gab, aber die Anzahl war beträchtlich. Mercys rechter Oberschenkelknochen war an zwei verschiedenen Stellen gebrochen, jedoch nicht zur selben Zeit. Einige Knochen der linken Hand sahen aus, als wären sie absichtlich entzweigeschlagen worden. An zahlreichen Stellen gab es Schrauben und Platten. Die Schädeldecke und das Hinterhauptbein waren gebrochen. Ihre Nase. Das Becken. Selbst ihr Zungenbein wies Spuren einer alten Verletzung auf.

Nadine griff Letztere auf und vergrößerte das Bild. »Ein gebrochenes Zungenbein ist ein Zeichen von Strangulation. Ich wusste nicht, dass man damit leben kann.«

»Es ist eine potenziell lebensgefährliche Verletzung«, sagte Sara. Der Knochen war am Kehlkopf befestigt und an vielen Funktionen der Luftröhre beteiligt, von der Erzeugung von Klang über Husten bis zur Atmung. »Das sieht nach einer isolierten Fraktur des Gaumenbogens aus. Sie könnte intubiert worden sein, oder man hat ihr Bettruhe verordnet, je nachdem wie sie sich präsentiert hat.«

Amanda meldete sich zu Wort. »Bei seiner Vernehmung durch Faith hat Dave erzählt, dass sich Mercy nach einer Strangulationsgeschichte selbst ins Krankenhaus gefahren hat. Sie hatte Schwierigkeiten beim Atmen und wurde aufgenommen.«

»Ich habe damals den Bericht geschrieben«, rief Biscuits vom Eingang her. »Ist vor mindestens zehn Jahren passiert. Mercy hat nichts davon gesagt, dass sie gewürgt wurde. Sie hat mir erzählt, sie ist gestolpert und mit dem Hals auf einen Ast gekracht.«

Amanda sah Biscuits durchdringend an. »Warum hat man Sie dann gerufen, damit Sie einen Bericht aufnehmen?«

Biscuits antwortete nicht.

Sara ging zu den Röntgenbildern zurück und fragte: »Können Sie mir diese Fraktur zeigen?«

Nadine wählte das Bild des Oberschenkelknochens aus.

»Ich möchte noch die Meinung eines forensischen Radiologen hören, aber das sieht aus, als wäre es Jahrzehnte alt.« Sie zeigte auf die schwach ausgeprägte Linie, die die untere Hälfte des Knochens in zwei Hälften teilte. »Eine Fraktur im Erwachsenenalter lässt normalerweise scharfe Ränder erkennen, aber wenn sie älter ist, sagen wir: aus der Kindheit stammt, bildet sich der Knochen neu, und die Ränder werden geglättet.«

»Ist das ungewöhnlich?«, fragte Amanda.

»Oberschenkelfrakturen bei Kindern sind meist Schaftbrüche. Der Oberschenkelknochen ist der stärkste Knochen im Körper, deshalb ist eine enorme Einwirkung nötig, um ihn zu brechen.« Sara verwies auf den Röntgenfilm. »Mercy hat eine distale metaphysäre Fraktur erlitten. Es gab zuletzt viele Diskussionen darüber, ob diese Art von Bruch auf eine Misshandlung hinweist, aber die jüngste Forschung ist nicht dispositiv.«

»Was heißt das?«, fragte Biscuits.

»Cecil hat ihr das Bein gebrochen, als sie ein Baby war«, sagte Nadine.

»Mal langsam, sie hat nicht gesagt, wer es war«, konterte Biscuits. »Labere hier nicht Zeug daher, das du nicht beweisen kannst.«

Nadine gab einen langen Seufzer von sich und klickte zwei weiter Thumbnails an. »Diese Metallplatte in ihrem Arm ist von dem Unfall, von dem ich Ihnen erzählt habe. Und das hier – sehen Sie, wie sie ihr Becken wieder neu zusammenbauen mussten? Nur gut, dass sie Jon da schon hatte.«

Sara starrte auf das Röntgenbild des Unterleibs. Mercys Beckenknochen hoben sich grellweiß vom dunklen Hintergrund ab, die Wirbelsäule bildete eine Leiter hinauf zum Brustkasten. Die Organe waren wie Schatten. Die schwachen Umrisse der Därme. Die Leber. Die Milz. Der Magen. Die geisterhaft verschwommene kleine Masse, vielleicht fünf Zentimeter lang, die frühe Anzeichen der Knochenbildung aufwies.

Sara musste sich räuspern, ehe sie sprechen konnte. »Nadine, helfen Sie mir bitte, das Testkit abzuschließen, bevor wir sie umdrehen?«

Nadine sah verwirrt aus, aber sie nahm sich ein neues Paar Handschuhe, bevor sie zu Sara an den Tisch kam. »Was brauchen Sie von mir?«

Sara brauchte gar nichts, außer ihrem beruhigenden Schweigen. Es gab ein Ultraschallgerät im Flur, aber Sara würde nicht darum bitten, solange Biscuits im Raum war. Nadine hatte nachts auf dem Old Bachelor Trail in der Lodge einen kurzen Vortrag über den Klebstoff gehalten, der das Leben in einer Kleinstadt zusammenhielt, aber sie hatte einen sehr wichtigen Aspekt vergessen: Es gab keine Geheimnisse.

Sara würde eine Beckenuntersuchung vornehmen, um zu bestätigen, was sie auf dem Röntgenbild gesehen hatte.

Mercy war schwanger gewesen.

13

»Gottverdammte Scheiße!« Faith hätte am liebsten den Kopf ans Lenkrad ihres Mini gehauen. Das Unwetter war endlich weitergezogen, aber die Schotterstraße hatte sich in einen schlammigen Albtraum verwandelt. Ständig spritzten Steinchen an die Fahrzeugseiten. Die Lenkung fühlte sich schwammig an. Faith schaute zum Himmel hinauf. Die Sonne war brutal, als wollte sie so viel Wasser wie möglich in die Wolken zurücksaugen.

Sie hatte sich sozusagen selbst ins Knie geschossen, als sie anbot, die Vernehmung von Penny Danvers, der Barfrau und Reinigungskraft in der Lodge, zu übernehmen, aber Faith hasste Obduktionen. Sie nahm an ihnen teil, weil es zu ihrer Arbeit gehörte, aber alles an der Untersuchung ekelte sie fürchterlich an. Sie hatte sich nie daran gewöhnt, sich in der Nähe von Leichen aufzuhalten. Und so fuhr sie jetzt über Nebenstraßen durch Käffer im nördlichen Georgia, statt eine Ehrenrunde für ihre exzellente Polizeiarbeit bei der Vernehmung von Dave McAlpine zu drehen.

Sie mahnte sich selbst zu Bescheidenheit. Ein noch besseres Ergebnis wäre ein Geständnis gewesen oder ein nicht zu übersehender Hinweis auf den Mörder, sodass Jon einen Schlussstrich ziehen konnte. Das war kein Spiel der Guten gegen die Bösen. Mercy war eine Mutter gewesen. Und nicht irgendeine Mutter, sondern eine Mutter wie Faith. Sie hatten beide einen Sohn zur Welt gebracht, als sie selbst kaum mehr als Kinder waren. Faith hatte das Glück gehabt, dass ihre Familie sie unterstützte. Ohne ihren tatkräftigen Beistand hätte sie möglicherweise so enden können wie Mercy McAlpine. Oder vielleicht unter den Einfluss eines Gewalttäters wie Dave geraten. Beschissene Männer waren wie die Periode. Nachdem man seine erste hatte, war das Leben beherrscht von Entsetzen oder Panik, wann die nächste kommen würde.

Faith warf einen Blick auf das offene Notizbuch auf dem Beifahrersitz. Bevor sie das Krankenhaus verließ, hatte sie mit Will daran gearbeitet, Mercys Anrufe bei Dave mit Wills Schätzungen abzugleichen, wann er was und von wo gehört hatte. Es war ihnen gelungen, einen wahrscheinlichen Zeitablauf der letzten eineinhalb Stunden im Leben von Mercy McAlpine zu erstellen:

22.30 Uhr: M. wurde auf ihrer Runde gesehen (Zeuge Paul)

22.47, 23.10, 23.12, 23.14, 23.19, 23.22 Uhr: Verpasste Anrufe an Dave

23.28 Uhr: Sprachnachricht an Dave

23.30 Uhr: Erster Schrei von Hotelanlage (Heulen)

23.40 Uhr: Zweiter Schrei von Junggesellenhütten (»Hilfe«)

23.40 Uhr: Dritter Schrei von Junggesellenhütten (»Bitte«)

23.50 Uhr: Entdeckung der Leiche

Mitternacht: Für tot erklärt (Sara)

Faith war noch immer nicht glücklich mit den wiederholten Zehn-Minuten-Abständen. Sie würde zur Lodge hinaufmüssen und sich diese Karte besorgen. Ihr erstes Ziel war, die Bereiche festzustellen, wo das WLAN funktionierte, damit sie herausfinden konnte, wo Mercy sich aufgehalten hatte, als sie Dave angerufen hatte. Von dort konnte sie dann die verschiedenen möglichen Routen erkunden, die Mercy zu den Junggesellenhütten eingeschlagen haben konnte. Will konnte sich um bis zu fünf Minuten hin oder her verschätzt haben, was sich nicht nach viel anhörte, aber wenn man eine Mordanklage vorbereitete, zählte jede Minute.

Wenigstens hatte ihnen Mercy den Gefallen getan, so oft anzurufen. Die Sprachnachricht war bereits zur Analyse ans Labor geschickt worden, aber es würde mindestens eine Woche dauern, bis die Ergebnisse kamen. Faith fischte ihr Handy aus der Becherhalterung. Sie tippte die Aufnahme an, die sie von Mercys letzter Nachricht an Dave gemacht hatte. Die Stimme der Frau klang verzweifelt, als sie durch den Wagen hallte.

»Dave! Dave! O mein Gott, wo bist du? Bitte, bitte ruf mich zurück. Ich kann nicht glauben … O Gott, ich kann es nicht … Bitte ruf mich an. Bitte. Ich brauche dich. Ich weiß, du warst noch nie für mich da, aber ich brauche dich jetzt wirklich. Ich brauche deine Hilfe, Baby. Bitte ruf …«

Faith hatte es bisher nicht bemerkt, aber Mercy hatte zu weinen angefangen, als sie das Telefonmikro abdeckte. Faith zählte im Wagen lautlos die sieben Sekunden ihres leisen Weinens ab.

»Was tust du hier? Nicht! Dave wird bald hier sein. Ich habe ihm erzählt, was passiert ist. Er ist unter …«

Faith blickte auf ihre Zeitleiste. Zweiunddreißig Minuten später war Mercy für tot erklärt worden.

»Was ist mit dir passiert, Mercy?«, fragte Faith in den leeren Wagen hinein. »Was konntest du nicht glauben?«

Die Frau hatte etwas gesehen oder gehört, was ihr solche Angst gemacht hatte, dass sie wahllos Kleidungsstücke und das Notizbuch in den Rucksack gestopft hatte, um zu fliehen. Sie hatte Jon nicht mitgenommen, und das hieß, was immer geschehen war, es stellte nur eine Bedrohung für Mercy dar. Eine Bedrohung, die so groß war, dass sie Dave nach all den Jahren, in denen er nie für sie da gewesen war, zu Hilfe rief.

Faith war überzeugt, der Auslöser für Mercys Flucht hatte sich in den dreizehn Minuten zwischen dem ersten Anruf an Dave und den hektischen fünf Anrufen ereignet, die um 23.10 Uhr einsetzten. Mercy war an irgendeinem Punkt im Haus, um ihren Rucksack zu packen. Faith wusste nicht genau, was sie selbst mitnehmen würde, wenn sie für immer von zu

Hause wegginge, aber weit oben stünde der Brief, den ihr Vater ihr geschrieben hatte, bevor er an Bauchspeicheldrüsenkrebs starb. Das Notizbuch musste unglaublich wertvoll für Mercy gewesen sein, sonst hätte sie sich niemals die Mühe gemacht, es mitzunehmen.

Und das Labor würde wohl kaum in weniger als einer Woche mit der Bearbeitung fertig sein.

Dave wird bald hier sein. Ich habe ihm erzählt, was passiert ist.

Faith dachte an all die Gelegenheiten, da sie einem Mann gesagt hatte, dass ein anderer Mann zu ihr unterwegs sei. Meist kam es dazu, wenn sie an einem Abend gern allein unterwegs war. Irgendein Kerl tauchte prompt auf, um zu flirten, und man wurde ihn nur los, wenn man deutlich machte, dass schon ein anderer Rüde an den Hydranten gepinkelt hatte, den er gerade beschnüffelte.

Was Faith zu dem Rätsel im geschlossenen Raum zurückführte. Ein Grundprinzip des Genres lag darin, dass der Täter immer der war, auf den man nie gekommen wäre. Dave war so offensichtlich, dass praktisch ein Leuchtpfeil auf seinen Kopf zeigte. Die gefährlichste Phase für ein Opfer häuslicher Gewalt begann, wenn sie ihren Peiniger verließ. Die Strangulation war ein Lehrbuchbeispiel für eine Eskalation der Gewalt. Aber ein verachtenswerter Scheißkerl zu sein, machte einen noch nicht zum Mörder. Und Faith kam immer wieder auf die Sprachnachricht zurück. Mercy hätte nicht zu Dave gesagt, dass Dave unterwegs war. Es gab nur eine Handvoll Männer in der Lodge, die sie veranlasst haben konnten, Daves Namen ins Spiel zu bringen.

Chuck, Frank, Drew. Max, der Investor. Alejandro, der Koch. Gregg und Ezra, die beiden Jugendlichen aus der Stadt, die kellnerten. Gordon und Paul, man konnte ja nie wissen. Christopher, weil er und Mercy praktisch in einem V.C.-Andrews-Mysterythriller in den Bergen von North Georgia aufgewachsen waren.

Faith seufzte schwer. Sie brauchte unbedingt weitere Informationen. Hoffentlich war Penny Danvers so gut im Bilde und so gesprächig, wie es Delilah auf Wills Aufnahme gewesen war. Reinigungskräfte in einem Hotel sehen den Charakter der Gäste im härtesten Licht, und Faith hatte in ihrem Leben selbst schon so manche Wahrheitsbombe auf nichts ahnende Barkeeper fallen lassen. Faith konzentrierte sich wieder auf die nicht enden wollende Schotterstraße. Sie warf einen Blick in den Rückspiegel. Dann auf die Straße. Dann durch die Seitenfenster. Alles sah gleich aus.

»Mist.«

Sie hatte sich hoffnungslos verfahren.

Sie bremste herunter, um nach Anzeichen von Zivilisation Ausschau zu halten. Alles, was sie in den letzten fünfzehn Minuten gesehen hatte, waren Wiesen, Kühe und gelegentlich ein tief fliegender Vogel gewesen. Ihr Navi hatte sie angewiesen, bei der Gabelung in der Straße links zu fahren, aber sie glaubte mittlerweile, dass es gelogen hatte. Sie checkte ihr Handy. Kein Signal. Faith wendete das Auto in drei Anläufen und fuhr in die Richtung zurück, aus der sie gekommen war.

Irgendwie sahen Wiesen, Kühe und der gelegentliche Vogel auf dem Rückweg anders aus. Sie ließ beide Fenster herunter und lauschte nach Autos, einem Traktor oder irgendeinem Hinweis darauf, dass sie nicht die letzte Frau auf Erden war. Alles, was sie hörte, war das Krächzen eines blöden Vogels. Sie drehte am Radio und rechnete damit, dass sie entweder die Stimmen von Aliens oder den Landfunk hören würde, wurde jedoch damit belohnt, dass Dolly Parton *Purple Rain* sang.

»Gott sei Dank«, flüsterte Faith. Wenigstens etwas war noch gut auf der Welt. Der Wind blies in den Wagen und trocknete den Schweiß auf ihrem Rücken. Sie hörte ihr Telefon zirpen. Faith schaute auf den Schirm. Das Signal war wieder da. Sie hatte zwei Textnachrichten.

Faith tippte die PIN ein und sagte sich, dass es in Ordnung war, wenn sie gleichzeitig das Handy bediente und lenkte, weil außer ihr weit und breit niemand war, den sie damit umbringen konnte. Was sie dann beinahe tat, als sie die Nachricht von ihrem Sohn sah.

Er war in Quantico. Er fand es großartig dort.

Faith hatte insgeheim gehofft, dass er es grässlich finden würde. Sie wollte nicht, dass ihr Sohn Polizist wurde. Sie wollte nicht, dass er FBI-Agent wurde. Sie wollte nicht, dass er GBI-Agent wurde. Sie wollte, dass er sein tolles Diplom von der Georgia Tech benutzte, um in einem Büro zu arbeiten, einen Anzug zu tragen und einen Haufen Geld zu verdienen, sodass seine Mutter, wenn sie ihr Auto schrottete, weil sie gleichzeitig im Handy las und fuhr, in einer hübschen Klinik landete.

Die andere Nachricht war nur geringfügig besser. Ihre Mutter hatte ein Foto von Emma geschickt, auf dem deren Gesicht wie das von Pennywise bemalt war, dem Clown aus dem Horrorfilm *Es*. Faith würde später herausfinden, ob die Hommage Absicht war. Sie schickte ein paar Herzen zurück, bevor sie das Telefon in die Becherhalterung fallen ließ.

»Verdammt!«, schrie sie. Ein Vogel wäre fast geradewegs in ihre Windschutzscheibe geflogen. Faith riss am Lenkrad und geriet auf das holprige Bankett. Sie korrigierte zu stark, und der Wagen begann zu schlingern. Alles lief wie in Zeitlupe ab. Sie wusste, dass man auf Eis ins Schleudern geriet, aber passierte das auch in Schlamm? Riss man das Lenkrad in die entgegengesetzte Richtung oder katapultierte einen das in einen Graben?

Die Antwort kam früh genug. Der Mini drehte eine Pirouette und schlitterte auf zwei Rädern quer über die Straße, bis er im Graben auf der anderen Straßenseite landete, wo er mit einem heftigen Ruck zum Stilstand kam.

Faith war zu atemlos, um einen Fluch auszustoßen, aber sie schwor sich, es nachzuholen, sobald sich ihr Schließmuskel entkrampft hatte. Viel schlimmer konnte der Tag nicht mehr werden.

Dann stieg sie aus und sah, dass ihr Hinterrad in zwanzig Zentimeter Schlamm versackt war.

»Herrgott noch mal …«

Faith würde mit der Sache fertigwerden. Sie hatte als Streifenbeamtin gearbeitet. Bei ihren Schichten hatte sie regelmäßigen irgendwelchen Blödmännern geholfen, ihre Fahrzeuge aus Straßengräben zu befreien. Sie holte ihre Notfallausrüstung aus dem Kofferraum, die Decken, Essen, Wasser, ein Funkgerät, eine Taschenlampe und einen Klappspaten umfasste.

Purple Rain hatte seinen Höhepunkt erreicht. Dolly Parton würde es sicher begrüßen, wenn sich eine zweifache Mutter mitten in der Pampa aus dem Schlamm grub und dabei ihre Coverversion des Prince-Klassikers hörte. Faiths Hände begannen, beim Schaufeln zu schmerzen. Sie quälte sich durch einen ganzen Song von Nickelback, bis sie einen Pfad freigelegt hatte. Zur Sicherheit packte sie noch mehrere Handvoll Kies unter den Reifen. Sie war voller Schlammspritzer, als sie fertig war, und wischte sich die Hände an der Hose ab, bevor sie in den Wagen stieg.

Sie tippte aufs Gaspedal und betete, dass die Reifen Bodenhaftung hatten. Der Wagen bewegte sich ein Stückchen vorwärts und schaukelte dann zurück. Sie machte genauso weiter und schaukelte langsam vor und zurück, bis die Räder auf dem Schotter griffen.

»Du bist die Größte!«, rief sie sich selber zu.

»Ja, stimmt.«

»Scheiße!« Faith zuckte zusammen und stieß sich den Kopf am Sonnendach. Eine Frau stand auf der anderen Seite des Grabens. Das Gesicht hager, ausgezehrt von der Sonne und einem harten Leben. Ein Bluetick Coonhound saß neben ihr. Mit der Flinte auf den Schultern sah sie aus wie eine bewaffnete Vogelscheuche. Ihre Hände hingen an beiden Enden über das Gewehr.

»Hätte nicht gedacht, dass Sie es schaffen«, sagte die Frau. »Hab noch nie einen von euch Stadtleuten getroffen, der sich auch nur aus einer nassen Papiertüte befreien konnte.«

Faith verschaffte sich einen Moment Zeit, um sich von ihrem Schreck zu erholen, indem sie das Radio ausschaltete. Sie fragte sich, wie lange die Frau schon schweigend dort gestanden hatte. Lange genug jedenfalls, um das Kennzeichen des Mini zu sehen, das sie als Bewohnerin Atlantas auswies.

»Ich bin vom …«, begann sie.

»GBI«, sagte die Frau. »Sie gehören zu diesem großen Burschen … Will, richtig? Der mit Sara verheiratet ist.«

Faith ging davon aus, dass die Frau eine Hexe sein musste. »Ich habe Ihren Namen nicht mitbekommen.«

»Ich habe ihn auch nicht gesagt.« Sie hob trotzig das Kinn. »Wen suchen Sie?«

»Sie«, riet Faith. »Penny Danvers.«

Die Frau nickte einmal. »Sind schlauer, als Sie aussehen.«

Faith fuhr sich mit der Zunge über die Lippen. »Soll ich Sie bis zu Ihrem Haus mitnehmen?«

»Den Hund auch?«

Faith glaubte nicht, dass ihr Wagen noch schmutziger werden konnte. Sie streckte die Hand aus und stieß die Tür auf. »Ich hoffe, er mag Cheerios. Meine Tochter wirft gern damit nach mir.«

Der Hund wartete, bis Penny mit der Zunge schnalzte, dann sprang er mit seinen schlammigen Pfoten zwischen den Vordersitzen durch und fing umgehend an, den Boden zu saugen, was das einzig Gute an diesem Tag war. Penny stieg vorne ein und schlug die Tür krachend zu. Sie klemmte die Schrotflinte zwischen die Beine, die Mündung zeigte zum Dach. Noch eine gute Sache, sie hätte sie auch auf Faith richten können.

»Bis zu mir sind es zwei Meilen links hinauf. Wird ein bisschen holprig, also festhalten«, sagte die Frau mit der geladenen Flinte, die sich nicht anschnallte. »Sie sehen die Scheune, bevor Sie das Haus sehen.«

Faith stellte den Schalthebel auf Drive. Beide Fenster waren noch offen. Sie fuhr nicht schneller als fünfzig, damit sie nicht vom Staub der Schotterstraße erstickten. Und auch weil der Hund wie ein Hund roch.

»Und«, sagte Faith, »waren Sie jagen, oder …«

»Ein Kojote hat sich eins von meinen Hühnern geschnappt.« Penny wies mit einem Kopfnicken auf das Radio. »Haben Sie mal Dollys Coverversion von *Stairway to Heaven* gehört?«

Dolly Parton. Die universelle Eisbrecherin. Und ein deutlicher Hinweis, dass Penny sehr viel länger neben dem Graben gestanden hatte, als es Faith bewusst gewesen war. Sie versuchte, sich ihr Unbehagen nicht anmerken zu lassen, als sie fragte: »Von welchem Album? *Halos and Horns* oder *Rockstar*?«

Penny lachte. »Was glauben Sie denn, von welchem?«

Faith hatte keine Ahnung, und Penny schien nicht damit herausrücken zu wollen. Sie hatte etwas getrockneten Speck aus der Tasche geholt und fütterte den Hund damit. Sie sah, dass Faith ihr zuschaute, und bot ihr ebenfalls welchen an.

»Nein, danke«, sagte Faith.

»Wie Sie wollen.« Penny nahm einen Bissen und schaute schweigend auf die Straße, während sie kaute.

Faith versuchte, sich an irgendwelche beliebigen Fakten über Dolly Parton zu erinnern, um das Eis noch weiter zu brechen, aber dann sagte sie sich, dass es manchmal besser war, den Mund zu halten. Sie ließ die leeren Felder vorbeiziehen. Die Kühe. Den gelegentlichen tief fliegenden Selbstmördervogel.

Wie versprochen wurde die Straße holprig. Faith hatte mit dem Lenkrad zu kämpfen, um nicht wieder im Graben zu landen. Schlaglöcher gab es auch in der Stadt, aber die hier waren mehr wie Gletscherspalten. Sie war dankbar, als sie endlich von Weitem die Scheune sah. Das Ding war riesig, leuchtend rot und wahrscheinlich neu, denn sie hatte es auf Google Earth nicht gesehen. An der Seite zur Straße war eine amerikanische Flagge aufgemalt. Zwei Pferde schwenkten die Köpfe, um den Mini vorbeifahren zu sehen.

»Wir sind Patrioten hier«, sagte Penny. »Mein Vater hat in Nam gedient.«

Faiths Bruder war gegenwärtig bei der Air Force, aber sie sagte: »Ich bin dankbar für seinen Dienst.«

»Wir mögen es nicht, wenn ihr Leute aus Atlanta euch in unsere Angelegenheit mischt«, fuhr Penny fort. »Wir machen hier alles auf unsere eigene Art. Ihr haltet euch aus unserem Leben raus, wir halten uns aus eurem raus.«

Faith wusste, dass die Frau sie auf die Probe stellte. Sie wusste außerdem, dass Georgia ohne die Steuerdollars des Großraums Atlanta wie Mississippi dastünde. Alle romantisierten das Landleben, bis sie Internet und Gesundheitsversorgung brauchten.

»Es geht da rauf.« Penny zeigte auf die einzige Zufahrt auf dreißig Meilen, als wäre sie leicht zu verfehlen. »Links.«

Faith bremste ab, um auf die lange Einfahrt einzubiegen. Sie sah den Namen auf dem Briefkasten, und Pennys Stammesdenken wurde plötzlich sehr viel verständlicher. »*D. Hartshorne*. Ist das nicht der Sheriff?«

»Der frühere«, sagte sie. »Das ist mein Daddy. Er wohnt in dem Wohnwagen hinter dem Haus. Wir haben ihn nach seinem Schlaganfall hergeholt, weil er keine Treppen mehr schafft. Biscuits ist mein Bruder.«

Faith trat vorsichtig auf. »Stehen Sie sich nahe?«

»Sie meinen, ob er mir erzählt hat, dass Dave nicht derjenige war, der Mercy getötet hat?«

Faith nahm an, sie hatte ihre Antwort.

»Falls Sie sich fragen: Biscuits hat zur Lodge hinauftelefoniert, um es den McAlpines zu sagen, aber er ist nicht durchgekommen. Telefon und Internet sind endgültig im Arsch.« Sie warf Faith einen bedeutungsvollen Blick zu. »Er hilft der Highway-Patrouille, einen umgekippten Hühnertransporter unten in Ellijay zu räumen. Hat mich gebeten, denen Bescheid zu geben, wenn ich zur Arbeit hinfahre.«

»Werden Sie es tun?«

»Keine Ahnung.«

Faith hatte keinen Einfluss darauf, was Penny tun würde, aber sie konnte versuchen, möglichst viele Informationen aus ihr herauszuholen. »Biscuits hat meinem Partner erzählt, Sie hätten gesehen, wie Mercy und Dave sich in der Highschool immer gekloppt haben.«

»Nicht gerade ein fairer Kampf.« Penny biss die Zähne so stark zusammen, dass sich ihre Lippen beim Sprechen kaum bewegten. »Mercy konnte was einstecken, das muss man sagen.«

»Bis sie es nicht mehr konnte.«

Penny umklammerte ihre Schrotflinte, aber eindeutig nicht, um sie zu benutzen. Sie legte das Kinn an die Brust, als sie zum Farmhaus rollten. Zum ersten Mal, seit die Frau sich auf der Straße zu erkennen gegeben hatte, wirkte sie verletzlich.

Faith wünschte verzweifelt, dass Will hier wäre. Er konnte ein Schweigen länger ertragen als irgendwer, den sie kannte. Sie musste sich auf die Lippe beißen, um keine Frage zu stellen. Sie hatten das Haus fast erreicht, als sich ihre Mühe bezahlt machte.

»Mercy war ein guter Mensch«, sagte Penny. »Das geht oft unter, aber es ist die Wahrheit.«

Faith hielt neben einem verrosteten Chevrolet-Truck. Das Haus war so abgenutzt wie Penny selbst. Farbe blätterte von ausgebleichtem Holz, eine verwahrloste Eingangsveranda, ein durchhängendes Dach mit fehlenden Schindeln. An der Hausseite war ein weiteres Pferd an einen Pflock gebunden. Es tauchte das Maul in den Wassertrog, aber die Augen blieben auf den Wagen gerichtet. Faith unterdrückte ein Schaudern. Sie fürchtete sich vor Pferden.

»Eins müssen Sie wissen«, sagte Penny. »Hier oben erhält ein Mädchen sehr früh die Botschaft, was immer du bekommst, es ist das, was du verdient hast.«

Faith glaubte nicht, dass diese Botschaft auf eine bestimmte Region beschränkt war.

»Es gab einen Riesenskandal, als Mercy in der Highschool schwanger wurde. Tausend Telefonate und Treffen. Der Pastor schaltete sich ein. Verstehen Sie mich nicht falsch, es ist nicht so, als wäre sie eine brave Schülerin gewesen, aber sie hatte ein Recht, in der Schule zu sein, und sie ließen sie nicht. Sie sagten, sie gibt ein schlechtes Beispiel ab. Und vielleicht hat sie das auch getan, aber es war trotzdem nicht richtig, wie sie behandelt wurde.«

Faith kaute auf ihrer Unterlippe. Man hatte sie nicht davon abgehalten, nach Jeremys Geburt die neunte Klasse weiterhin zu besuchen, aber alle in der Schule hatten ihr zu verstehen gegeben, dass man sie dort nicht haben wollte. Sie hatte ihr Mittagessen in der Bibliothek einnehmen müssen.

»Mercy war immer wild, aber die Art und Weise, wie die Tante ihr das Baby gestohlen hat, war falsch. Sie ist eine Lesbe. Haben Sie das gewusst?«

»Ja.«

»Delilah ist eine bösartige Hexe. Hat nichts damit zu tun, was sie im Schlafzimmer treibt. Sie ist einfach bösartig.« Penny würgte ihre Flinte wieder mit beiden Händen. »Sie hat Mercy allen möglichen Schikanen ausgesetzt, nur weil sie ein Besuchsrecht bei ihrem eigenen Kind haben wollte. Das war nicht richtig. Niemand hielt zu Mercy. Alle dachten, sie würde scheitern, aber sie hat die Finger von Schnaps und Heroin gelassen, damit sie Jon zurückbekam. Dafür war echt Mumm nötig. Man kann sie nur bewundern dafür, dass sie es mit diesen Dämonen aufgenommen hat, vor allem, da sie nicht eine Spur Hilfe bekam.«

»Was war mit Dave?«

»Scheiße«, murmelte Penny. »Er hat in der Jeansfabrik gearbeitet. Das war ein guter Job, bevor sie den ganzen Laden nach Mexiko verlegt haben. Er schwamm in Geld, hat Runden unten in der Bar ausgegeben, die Puppen tanzen lassen.«

»Was hat Mercy getan?«

»An der Straßenecke Schwänze gelutscht, damit sie einen Anwalt bezahlen konnte, um das Sorgerecht für Jon zu bekommen.« Penny studierte Faith aufmerksam und wartete auf eine Reaktion.

Von Faith kam keine. Es gab absolut nichts, was sie für ihre eigenen Kinder nicht tun würde.

»Der einzige Job, den Mercy bekam, war im Motel, und das auch nur, weil der Besitzer Papa eins auswischen wollte. Niemand sonst stellte sie ein. Sie war verbrannt da unten, dafür hat Papa gesorgt.«

»Sie meinen Cecil?«

»Ja, ihr eigener verdammter Daddy. Er hat ihr ganzes verdammtes Leben lang nichts anderes getan, als sie zu bestrafen. Ich habe es mit angesehen, ich putze in der Lodge seit meinem sechzehnten Lebensjahr. Lassen Sie mich eins sagen.« Penny zeigte mit dem Finger auf Faith, als wäre das Folgende wichtig. »Mercy hat den Laden übernommen, nachdem Papa diesen Fahrradunfall hatte, ja? Und soviel ich weiß, sind sie gerade so über die Runden gekommen, bevor sie für alles verantwortlich war. Dann führt sie die Lodge, und sie stellen einen tollen Koch aus Atlanta ein, eine zweite Servicekraft aus dem Ort, und dann sagt Mercy, ich kann Vollzeit arbeiten, weil sie eine Barfrau für die Happy Hour vor dem Abendessen brauchen. Wie finden Sie das?«

»Sagen Sie es mir.«

»Papa hat nie verstanden, dass die Leute was trinken wollen, wenn sie im Urlaub sind. Er hat ein Glas von dem billigen Maulbeerwein pro Person serviert, und wenn die Gäste mehr wollten, mussten sie fünf Dollar in bar berappen.« Sie lachte durch die Nase. »Mercy hat hochwertigen Alkohol eingeführt, spezielle Cocktails angeboten. Sie hat den Leuten erlaubt, eine Rechnung auflaufen zu lassen. Bei diesen Firmenauszeiten zahlen sie nämlich manchmal bar, weil sie nicht wollen, dass ihre Bosse sehen, dass sie praktisch Alkoholiker sind. Rechnen Sie es aus. Voll ausgelastet haben sie zwanzig Erwachsene, die jeden Abend genügend Fusel bestellen, dass sich ein Barkeeper lohnt.«

Faith konnte ausgezeichnet rechnen. Restaurants verdoppelten im Allgemeinen den Ladenpreis für Alkohol, aber sie kauften ihn zu Großhandelspreisen ein. Zwei Cocktails am Abend mal zwanzig Gäste konnten vier- bis sechshundert Dollar an einem einzigen Tag einbringen. Und da waren Weinverkäufe und das, was die Leute in ihre Hütten mitnahmen, noch gar nicht eingerechnet.

»Mercy hat den Zimmerpreis um zwanzig Prozent angehoben, und niemand hat mit der Wimper gezuckte. Sie hat die Bäder renovieren lassen, damit man sich unter der Dusche keinen Pilz holt. Sie hat wohlhabende Gäste aus Atlanta angelockt. Papa hat es nicht ertragen.« Penny warf einen Blick zum Haus. »Jeder andere Vater wäre stolz gewesen, aber Papa hat sie verdammt noch mal gehasst dafür.«

Faith fragte sich, ob Penny gerade einen weiteren Verdächtigen ins Spiel brachte. »Cecil wurde bei dem Unfall schwer verletzt, oder?«

»Ja, er kann nicht mehr herumlaufen, aber sein Schandmaul funktioniert noch.« Pennys Wut hatte sich etwas gelegt. Sie lehnte die Flinte an das Armaturenbrett. »Ich will ehrlich zu Ihnen sein, vor allem, weil Sie mich wahrscheinlich sowieso schon überprüft haben, aber mein Führerschein wurde dauerhaft eingezogen.«

Faith wusste, was sie wirklich sagen wollte. Penny war so oft mit Alkohol am Steuer erwischt worden, dass ein Richter ein lebenslanges Fahrverbot verhängt hatte.

»Ich weiß, was Sie jetzt denken. Ergibt Sinn, dass eine alte Säuferin wie ich Barfrau ist, aber ich bin seit zwölf Jahren trocken, Sie können von Ihrem hohen Ross also wieder runterkommen.«

»Das habe ich gar nicht gedacht«, sagte Faith. »Ihr Vater war vor zwölf Jahren noch Sheriff. Er hatte viel Macht. Es muss ihm schwergefallen sein, keine Strippen zu ziehen, um Ihnen zu helfen.«

»Sollte man meinen, was? Aber er fand es großartig. Es hat sichergestellt, dass ich ohne seine Erlaubnis nirgendwo mehr hinkonnte. Musste betteln, damit er mich zur Arbeit fährt. Zum Laden. Oder zum Arzt. Himmel, ich sollte ihm dankbar sein. So habe ich reiten gelernt.«

Faith las zwischen den Zeilen. »Der einzige Job, den Sie bekommen konnten, war in der Lodge.«

»Sie sagen es«, antwortete Penny. »Daddy hat mich da oben untergebracht, damit er mich weiter unter seiner Fuchtel hatte.«

»Er ist mit Cecil befreundet?«

»Die beiden Schweinehunde sind aus demselben Holz geschnitzt.« Ihr Tonfall war jetzt bitter. »Alles, was ihn und Cecil je interessiert hat, war, dass sie die Arschlöcher waren, die das Sagen hatten. Alle finden sie so großartig. Die Säulen der Gemeinde. Aber ich sage Ihnen was, wenn sie dich erst mal unter ihrer Fuchtel haben, dann ...«

Faith wartete, bis sie den Satz zu Ende sprach.

»Die zwei sehen eine Frau, die gut drauf ist – vielleicht trinkt sie gern was, vielleicht will sie sich ein bisschen amüsieren –, und sie machen sie fertig. Mein Daddy hat meine Mama so gebrochen, dass sie früh gestorben ist. Er hat mich ebenfalls zu brechen versucht. Vielleicht ist es ihm gelungen, ich bin immer noch hier. Wohne in diesem Scheißloch. Koche ihm sein Essen. Wische ihm den dürren Hintern ab.«

Faith sah den gequälten Ausdruck in Pennys Augen, als sie zum Haus blickte. Der Hund regte sich auf dem Rücksitz und legte die Schnauze auf die Mittelkonsole.

Penny griff nach hinten, um ihn zu streicheln, ehe sie fortfuhr: »Wollen Sie wissen, warum die alten Männer in dieser Stadt so wütend sind? Weil sie früher alles bestimmt haben. Wer die Beine breitmachen musste. Wer nicht. Wer die guten Jobs bekam. Wer sich seinen Lebensunterhalt nicht auf ehrliche

Weise verdienen durfte. Wer im besseren Teil der Stadt wohnen durfte, und wer auf der falschen Seite der Bahngleise festsaß. Wer seine Frau schlagen durfte. Wer ins Gefängnis ging, weil er betrunken Auto fuhr, und wer vielleicht im Büro des Bürgermeisters endete.«

»Und jetzt?«

Sie lachte kurz auf. »Jetzt haben sie nur noch Kochsendungen und Windeln für Erwachsene.«

Faith blickte in Pennys verhärmtes Gesicht. Sobald man ihr forsches Gehabe abzog, kam ein deprimierendes Maß an Resignation zum Vorschein.

»Scheiße«, murmelte Penny. »Egal, was ich gemacht habe, es hat immer so geendet. Dasselbe bei Mercy. Ihr Papa hat die erste Seite ihres Lebens geschrieben, bevor sie die Chance hatte, sich ihre eigene Geschichte auszudenken.«

Faith ließ sie weiterschimpfen. Sie war sonst jederzeit für eine anständige Session von *Alle Männer sind Arschlöcher* zu haben, aber sie musste einen Weg finden, wie sie die Unterhaltung wieder auf ihre Ermittlung ausrichtete. Nachdem Dave ausschied, blieben nur noch eine Handvoll Verdächtige in der Lodge übrig, die Mercy vergewaltigt und getötet haben konnten.

Sie wartete, bis sich Penny wieder ein wenig beruhigt hatte, dann fragte sie: »Hat sich Mercy mit irgendwem getroffen?«

»Sie hat kaum je den Berg verlassen. Kann mich gar nicht erinnern, wann sie das letzte Mal in der Stadt war. Sie konnte nicht selbst fahren. Hat sich nicht gern da unten blicken lassen, speziell nach all dem, was sie tun musste, um Jon zurückzubekommen. Die alte Hexe, die den Kerzenladen betreibt, hat ihr mal ins Gesicht gespuckt und sie eine Hure genannt. Die Leute da unten haben ein langes Gedächtnis.«

»Mercy war nicht mit jemandem aus der Stadt liiert?«

»Du lieber Himmel, nein. Das hätte groß in der Zeitung gestanden. Du kannst hier nichts für dich behalten. Alle mischen sich in deine Angelegenheiten ein.«

»Was ist mit dem Personal in der Lodge?«

»Iss nicht dort, wo du scheißt. Alejandro ist ein verklemmter Typ, und diesen beiden Kellnern wachsen noch nicht mal Schamhaare.« Penny zuckte mit den Achseln. »Kann sein, dass sie hin und wieder einem Gast einen Knochen zugeworfen hat.«

Faith konnte ihre Verblüffung nicht verbergen.

Penny lachte. »Viele von diesen Paaren glauben, ein Aufenthalt in einem abgelegenen Luxusresort kann ihre Ehe kitten. Dann werfen dir die Männer einen Blick zu, machen eine Bemerkung, und du weißt, sie sind für ein bisschen Spaß zu haben.«

Faith dachte an Frank und Drew. Von den beiden Männern schien Frank ein erstklassiges Ziel für einen Quickie auf dem Berg zu sein. »Wo gehen sie dann hin?«

»Wo immer sie für fünf Minuten allein sein können.« Sie blies wieder Luft aus. »Zehn, wenn du Glück hast, dann schlüpfen sie wieder zu ihren Frauen ins Bett.«

Faith nahm an, dass sie aus Erfahrung sprach. »Hatte Mercy je was mit Chuck laufen?«

»Großer Gott, nein. Der armselige kleine Spinner ist in Mercy vernarrt, seit Fisch ihn über Weihnachten vom College mitgebracht hat.« Sie erklärte: »Christopher wird Fischtopher genannt, weil er von Fischen besessen ist. Er und Chuck waren zusammen an der UGA. Gleichen einander wie ein Ei dem andern. Beide superdämlich. Nicht viel Glück bei Frauen.«

»Ich habe gehört, dass Mercy gestern vor dem Abendessen Chuck angebrüllt hat.«

»Sie war nervös, das ist alles. Mercy hat mir nicht erzählt, was los war, aber ich habe ihr angemerkt, dass ihr der ganze Familienscheiß mehr zugesetzt hat als sonst. Chuck war einfach im falschen Moment am falschen Ort. Was nebenbei bemerkt seine Spezialität ist. Schleicht sich immer an Leute ran, besonders an Frauen.« Penny kam zu der naheliegenden Frage. »Wenn Chuck ein Vergewaltiger wäre, hätte er Mercy schon vor langer Zeit vergewaltigt. Und sie hätte ihm die Kehle aufgeschlitzt, das kann ich Ihnen garantieren.«

Faith hatte eine Menge Vergewaltigungsfälle bearbeitet. Niemand wusste, wie eine Frau reagieren würde. Ihre Meinung war, was immer ein Opfer tat, um zu überleben, war genau das, was es hätte tun sollen.

»Ich sage Ihnen, wer Mercy Sorgen gemacht hat«, fuhr Penny fort. »Diese Frau, Monica, die war schon sternhagelvoll, als sie zur Cocktailrunde kam. Die Lady hat mir mit ihrem ersten Drink zwanzig Dollar Trinkgeld rübergeschoben. Hat gesagt, ich soll zusehen, dass sie immer was im Glas hat. Aber ich will ehrlich sein, ich hab das Zeug verdünnt. Dann hat Mercy gesagt, ich soll es noch mehr verdünnen.«

»Was hat sie getrunken?«

»Etliche Gläser Old Fashioned mit Uncle Nearest. Zweiundzwanzig Dollar das Glas.«

»Heilige Scheiße.« Faith überdachte ihre Berechnung für die Alkoholeinnahmen. Die Lodge könnte an manchen Abenden beinahe tausend Dollar Umsatz geschafft haben. »Hat sonst noch jemand getrunken?«

»Nur in normalem Maß. Monicas Mann hat allerdings keinen Schluck getrunken.«

»Frank«, sagte Faith. »Hatten er und Mercy irgendwie miteinander zu tun?«

»Nicht, dass ich es bemerkt hätte. Verlassen Sie sich drauf, nach allem, was passiert ist, hätte ich Biscuits Bescheid gesagt, wenn ich gesehen hätte, dass ein Kerl was versucht.«

Blieb nur noch, nach einer speziellen Sache zu fragen. Faith versuchte, sich dem Thema behutsam zu nähern. »Hat sich Fisch mal einen der weiblichen Gäste geangelt?«

Penny lachte schallend. »Das Einzige, was Fisch angeln kann, sind Forellen.«

Faith brachte ein Detail aus Wills Audioaufnahme zur Sprache. »Was hat es mit dieser schrecklichen Geschichte zwischen Christopher und Gabbie auf sich?«

»Gabbie? Wow, da wird die Vergangenheit wach. Ist eine Weile her. Ich habe noch getrunken, als sie starb. Mercy ebenfalls, die gute Seele.«

Faith merkte, wie sich ihre Nackenhaare aufstellten. Delilah hatte es so dargestellt, als wäre es eine gescheiterte Beziehung Christophers gewesen. »Erinnern Sie sich an Gabbies Nachnamen?«

»Verdammt, das ist Jahre her.« Penny schürzte nachdenklich die Lippen. »Fällt mir nicht mehr ein, aber es ist ein erstklassiges Beispiel für das, wovon ich vorhin erzählt habe. Gabbie kam aus Atlanta herauf, um den Sommer über in der Lodge zu arbeiten. Wahnsinnig attraktiv, voller Leben war sie. Alle Männer auf dem Berg waren verknallt in sie.«

»Einschließlich Christopher?«

»Vor allem Christopher.« Sie schüttelte den Kopf. »Er war völlig am Ende, als sie gestorben ist. Ich bin mir gar nicht sicher, ob er überhaupt schon darüber hinweg ist. Kam wochenlang nicht aus dem Bett. Hat nichts gegessen. Konnte nicht schlafen.«

Faith hätte sie gern mit Fragen gelöchert, aber sie hielt sich zurück.

»Das Problem begann damit, dass Gabbie ihn bemerkt hat«, sagte Penny. »Fisch ist in seinem Leben meistens unsichtbar. Vor allem für Frauen. Und dann kommt Gabbie und lächelt und tut, als würde sie sich für Wassermanagement interessieren oder wovon zum Teufel er beim Essen immer faselt. Ich meine, er kann nichts dafür, dass er das Verhalten von anderen Menschen nicht einordnen kann. Gabbie wollte einfach nur nett sein. Sie wissen ja, wie manche Männer Freundlichkeit mit Interesse verwechseln.«

Faith wusste es.

»Mit wem Gabbie wirklich dicke war, das war Mercy. Sie waren etwa im selben Alter. Beste Freundinnen auf den ersten

Blick, würde ich es nennen, einen Tag, nachdem sie sich kennengelernt hatten, waren sie praktisch unzertrennlich. Ich muss zugeben, ich war eifersüchtig. Ich hatte nie wirklich jemanden, der mir so nahestand. Und sie hatten alle möglichen Pläne für die Zeit nach der Sommersaison. Gabbies Vater besaß ein Restaurant in Buckhead. Mercy wollte nach Atlanta ziehen und kellnern, sie wollten sich zusammen eine Wohnung nehmen, richtig Geld verdienen und es krachen lassen.«

Faith konnte den Neid immer noch aus Pennys Stimme heraushören.

»Die zwei haben sich fast jede Nacht aus der Lodge geschlichen. Das war zu der Zeit, als es unten im alten Steinbruch immer Feten gab. Der dümmste Ort im ganzen County, um sich zu betrinken. Die Straße aus dem Steinbruch ist kurvig wie 'ne Nonnenmöse. Fällt zu beiden Seiten steil ab, keine Leitplanke, bis man zur Biegung kommt. Das letzte Stück wird Devil's Bend genannt, weil man einen Hang hinunterfährt und den Wagen um eine enge Kurve reißt, wie bei einer Achterbahn. Ich hab ein paarmal mit ihnen gefeiert, aber irgendwas in meinen alten Knochen hat mir gesagt, dass wir alle unter der Erde landen, wenn das so weitergeht. Ich hab mich auf meinen Weg zur Nüchternheit gemacht, vor allem nach dem, was passiert ist.«

»Was ist denn passiert?«

Penny seufzte schwer. »Mercy ist mit ihrem Wagen aus der Devil's Bend geflogen und ungebremst in die Schlucht gestürzt. Sie wurde durch die Windschutzscheibe geschleudert, hat sich das halbe Gesicht weggeschnitten und die Hälfte ihrer Knochen gebrochen. Gabbie wurde förmlich zermalmt. Daddy sagte, sie hatte ihre Füße auf dem Armaturenbrett, als es passiert ist, und der Coroner hat ihm erzählt, dass die Knochen von ihren Beinen ihr den Schädel nahezu pulverisiert haben. Sie mussten zahnärztliche Unterlagen heranziehen, um sie zu identifizieren. Es sah aus, als hätte ihr jemand mit einem Vorschlaghammer das Gesicht zertrümmert.«

Faith wurde flau im Magen. Sie hatte diese Art von Unfällen schon bearbeitet.

»Man kann über Cecil sagen, was man will, aber er hat verhindert, dass Mercy ins Gefängnis kam. Von Rechts wegen hätte sie mindestens wegen Totschlags angeklagt werden müssen. Die Blutprobe hat ergeben, dass sie vollkommen zugedröhnt war, als es passiert ist. Mercy war immer noch high, als Biscuits mit ihr im Rettungswagen ins Krankenhaus gefahren ist. Die Sanitäter mussten sie festschnallen. Das halbe Gesicht hing ihr vom Schädel, und sie hat gelacht wie eine Hyäne.«

»Gelacht?«

»Gelacht«, bestätigte Penny. »Sie dachte, Biscuits spielt ihr einen Streich. Sie dachte, sie ist immer noch in der Lodge. Dass sie eine Überdosis erwischt hat und dass sie vor dem Haus stehen. Die Sanis haben sie ebenfalls lachen hören, deshalb hat es sich ziemlich schnell rumgesprochen. Es gab niemanden in der Stadt, der sie in einem Prozess als Geschworener nicht verurteilt hätte. Aber es gab keinen Prozess. Mercy ist mehr oder weniger straffrei geblieben. Was ein weiterer Grund ist, warum sie in der Stadt gehasst wird. Die Leute sagen, sie ist mit einem Mord davongekommen.«

Faith verstand nicht, wie es dazu kommen konnte. »Gab es einen Deal mit der Staatsanwaltschaft?«

»Nein, Sie verstehen mich nicht. Da war kein Deal nötig. Mercy wurde nie wegen irgendetwas angeklagt. Sie bekam nicht einmal einen Strafzettel. Sie gab freiwillig ihren Führerschein ab und ist nie wieder gefahren, soviel ich weiß, aber das war ihre Entscheidung, nicht die eines Richters.« Penny nickte, als wollte sie Faiths Schock bekräftigen. »Sie haben nach Machtmissbrauch gefragt? Dafür hat mein Daddy seine Macht genutzt – er hat Mercy für den Rest ihres Lebens unter Cecils Kuratel gestellt.«

Faith war perplex. »Sie kam einfach so davon? Keine Konsequenzen?«

»Na ja, ihr Gesicht war eine Konsequenz. Sie hat mir erzählt, dass die Narbe sie bei jedem Blick in den Spiegel daran erinnert, was für ein schlechter Mensch sie war. Es hat sie nicht losgelassen. Sie hat sich selbst nie verziehen. Hätte sie vielleicht auch gar nicht sollen.«

Faith konnte nicht nachvollziehen, wie das alles möglich gewesen sein sollte. Es mussten so viele Hebel in Bewegung gesetzt werden, damit Mercy der Strafverfolgung wegen eines Tötungsdelikts im Straßenverkehr entgehen konnte. Nicht nur vonseiten der Polizei. Es gab einen Bezirksstaatsanwalt. Einen Bezirksrichter. Einen Bürgermeister. Eine Bezirkskommission.

Vermutlich hatte Pennys Tirade gegen die wütenden Männer, die früher diese Stadt beherrscht hatten, doch ihre Richtigkeit gehabt. Mercy war nicht bestraft worden, weil sie sich alle zusammengetan und beschlossen hatten, dass sie nicht bestraft werden würde.

»Das einzige Gute, was bei der Sache herauskam, war vermutlich, dass Mercy danach versuchte, clean zu werden«, sagte Penny. »Hat ein paar Anläufe gebraucht, aber sobald sie klar im Kopf war, konnte sie an nichts anderes mehr denken als an Jon. Sie hat zu mir gesagt, ohne ihn wäre sie in den See gegangen und nicht mehr herausgekommen.«

Faith wusste nicht, wie sich Mercy davon abgehalten hatte. Das Schuldgefühl, für den Tod der besten Freundin verantwortlich zu sein, musste niederschmetternd gewesen sein.

»Wenn ich ehrlich bin, denke ich manchmal, Mercy wäre besser dran gewesen, wenn sie ihre Zeit im Gefängnis abgesessen hätte. Wie Cecil und Bitty sie behandelt haben, war schlimmer als alles, was ihr im Knast hätte widerfahren können. Es ist schlimm genug, wenn dich ein Fremder jeden Tag deines Lebens fertigmacht, aber die eigenen Eltern?«

Faith war überrascht von ihrer eigenen Traurigkeit, wenn sie an Mercy McAlpine dachte. Etwas, das Penny gesagt hatte, ging ihr nicht aus dem Kopf: *Ihr Papa hat die erste Seite ihres Lebens geschrieben, bevor sie die Chance hatte, sich ihre eigene Geschichte auszudenken.* Es stimmte nicht ganz. Cecil mochte damit angefangen haben, aber Dave hatte die Missbrauchserzählung fortgeführt, und wieder ein anderer Mann hatte sie beendet. Faith glaubte nicht an Schicksal, aber es schien, als hätte die Frau nie eine Chance gehabt.

Ihr Telefon läutete. Auf dem Display erschien GBI SAT.

»Ich muss da drangehen«, sagte sie zu Penny.

Penny nickte, aber sie stieg nicht aus dem Wagen.

Faith stieß die Tür auf, und die Stiefelsohle versank prompt im Schlamm. Sie tippte auf den Schirm. »Mitchell.«

»Faith.« Wills Stimme war leise über die Satellitenverbindung. »Kannst du sprechen?«

»Warte.« Faith schmatzte durch den Schlamm, um sich von dem Wagen zu entfernen. Penny beobachtete sie unverblümt. Das Pferd hob den Kopf, als sie vorbeiging. Seine Augen folgten ihr wie ein Serienkiller. Sie stiefelte noch ein Stück weiter, dann sagte sie: »Schieß los.«

»Mercy war schwanger.«

Faith wurde schwer ums Herz bei der Neuigkeit. Sie konnte nur an Mercy denken. Der Frau war nichts erspart geblieben. Dann übernahm ihr Polizistenverstand die Kontrolle, denn das änderte alles. Es gab keine gefährlichere Zeit für eine Frau als während der Schwangerschaft. Mord war die häufigste Todesursache für Schwangere in den Vereinigten Staaten.

»Faith?«

Faith hörte, wie die Wagentür zufiel. Penny war ausgestiegen. Der Hund saß zu ihren Füßen. Faith fragte Will mit gesenkter Stimme: »Wie weit war sie?«

»Sara schätzt zwölf Wochen.«

Faith hörte das Knistern des Telefons in der Stille. Sie drehte sich mit dem Rücken zum Wagen. »Wusste es Mercy?«

»Das ist nicht klar«, sagte Will. »Sie hat zu Sara jedenfalls nichts davon gesagt.«

»Penny hat mir erzählt, dass Mercy gelegentlich etwas mit Gästen hatte.«

Will ließ das Schweigen einen Moment länger anhalten. »Die Straße hier ist komplett ausgewaschen. Wir haben dir ein Quad unten beim Krankenhaus gelassen. Hol dir Sara und nimm sie mit herauf. Vielleicht bringt sie Drew und Keisha dazu, dass sie mit ihr reden.«

»Du denkst, Drew …«

»Sie waren schon zweimal in der Lodge«, rief er ihr in Erinnerung. »Drew hat heute Morgen etwas Merkwürdiges zu Bitty gesagt. Sara kann es dir erzählen.«

»Ich fahre sofort zum Krankenhaus zurück.«

Faith beendete das Gespräch. Das Pferd schnaubte in ihre Richtung, obwohl sie einen weiten Bogen darum machte. Penny hatte die Schrotflinte wieder umgehängt. Sie blickte zu Boden.

Faith folgte ihrem Blick. Der rechte Hinterreifen des Mini war platt. »So ein Mist!«

»Haben Sie einen Reservereifen?«, fragte Penny.

»Der ist daheim in meiner Garage. Mein Sohn hat ihn rausgeräumt, als er mit seinem Band-Equipment umgezogen ist.« Faith hoffte, beim FBI wusste man, dass Jeremy ein Idiot war. Sie nickte zu dem Truck hinüber. »Können Sie mich zum Krankenhaus fahren? Mein Partner braucht mich in der Lodge.«

»Ich fahre nicht, und dieser Truck läuft sowieso nicht. Aber Rascal ist vollgetankt.«

»Rascal?«

Penny wies auf das Pferd.

14

Will ließ den Blick über den Wald schweifen, als er auf dem Loop Trail zur Hauptanlage ging. Seine verletzte Hand pochte, obwohl er sie wie zu einem permanenten Treueschwur an die Brust gedrückt hielt. Der Verband war wieder nass geworden. Er hatte geduscht und eine frische Hose angezogen, während Kevin Rayman, der Agent, den sie von der GBI-Außenstellte North Georgia ausgeliehen hatten, die Beweismittel aus Mercys Zimmer aufnahm.

Nicht dass es viel aufzunehmen gab. Mercy hatte weder Geld noch irgendwelche nennenswerten Habseligkeiten. Ihr kleiner Kleiderschrank war voller Alltagssachen. Nichts auf Bügeln, nur gefaltete Shirts, Jeans und Outdoor-Kleidung. Sie hatte zwei Paar ausgelatschte Sneaker und hochwertige, aber alte Wanderstiefel. Ein vertrautes Gefühl erfasste Will. Jedes Stück Kleidung, das er als Kind besessen hatte, war von jemandem gespendet worden. Mercys Kleidung war ausgewaschen, abgenutzt und unterschiedlich groß. Er hätte gewettet, dass sie die Sachen nicht neu gekauft hatte.

Tatsächlich schien nichts in dem Raum neu zu sein. An den Wänden hingen verblasste Poster von O-Town, New Kids on the Block und den Jonas Brothers. Neben der Tür einige Kinderzeichnungen von Jon. Fotos dokumentierten die sechzehn Jahre seines Lebens. Schulfotos und ein paar Schnappschüsse im Freien. Jon, wie er zu Weihnachten eine Stoffgiraffe auspackte. Jon, wie er mit Dave vor dem Wohnwagen stand. Jon, schlafend auf der Couch mit dem Handy auf der Brust.

Mercys Zimmer schien das einzige Bücherregal im Haus zu beherbergen. Sie hatte eine Schneekugel aus Gatlinburg,

Tennessee, und mindestens fünfzig zerlesene Taschenbücher mit Liebesromanen. Alles war staubig und schmuddelig, was ihre spärlichen Habseligkeiten irgendwie noch trauriger machte. Unter der Matratze waren keine geheimen Papiere verborgen. In ihrer Nachttischschublade war das, was man erwarten würde. Es gab kein eigenes Bad für ihr Zimmer, sie teilte sich das Bad am Ende des Flurs mit der restlichen Familie. Sie hatte ihr iPad nicht eingepackt, als sie aufgebrochen war. Der Schirm war gesperrt. Sie mussten ihn ans Labor schicken, wo man versuchen würde, den Code zu knacken.

Laut Sara hatte Mercy keine Spirale zur Verhütung benutzt. Niemand konnte sagen, ob Mercy überhaupt von ihrer Schwangerschaft gewusst hatte. Wenn sie verhütete, waren die Pillen wahrscheinlich in ihrem Rucksack. Kondome waren vermutlich nicht das, was eine Frau einpacken würde, die eilig aufbrach. Die großen Fragen blieben: Was hatte sie dazu gebracht, wegzugehen? Wohin wollte sie? Warum hatte sie Dave angerufen?

Will blieb stehen und holte sein iPhone aus der Tasche. Mit den Fingern der verletzten Hand tippte er auf den Schirm und öffnete die Aufnahme von Mercys Sprachnachricht an Dave. Er kam immer wieder auf eine bestimmte Stelle zurück.

Ich kann nicht glauben … O Gott, ich kann es nicht … Bitte ruf mich an. Bitte. Ich brauche dich.

In Mercys Stimme hatte bei aller Verzweiflung etwas wie Hoffnung gelegen, als sie *Ich brauche dich* sagte, als würde sie darum beten, dass Dave sie dieses eine Mal nicht enttäuschte.

Will steckte sein Telefon wieder ein und ging den Rundweg weiter. Er sagte sich die Nachricht im Kopf immer wieder vor. Er verstand nicht, wie Dave an diesen Punkt gelangt war. Keiner von ihnen beiden hatte eine Wahl gehabt, was ihre beschissene Kindheit anging, aber sie hatten beide entschieden, welche Art Mann sie sein würden. Will verurteilte Dave nicht, weil er mit seinen Dämonen kämpfte. Der Konsum von Alkohol und Drogen war in gewisser Weise nachvollziehbar. Aber Dave hatte sich entschieden, seine Frau zu schlagen, zu würgen, zu terrorisieren und permanent zu enttäuschen.

Dieser Teil wollte ihm nicht in den Kopf.

Will tadelte sich insgeheim dafür, dass er sich auf den Falschen konzentriert hatte. Er musste seiner Wut auf Dave Einhalt gebieten. Mercys nutzloser Ex-Mann war an den Rand der Ermittlung gerückt. Den Täter zu identifizieren und Jon zu finden, das waren die beiden einzigen Punkte, über die sich Will im Moment den Kopf zerbrechen musste.

Sonnenlicht empfing ihn, als er die Hotelanlage betrat. Will rückte das schwere Satellitentelefon zurecht, das er hinten an seinen Gürtel geklippt hatte. Er trug ein Paddleholster an der Seite. Amanda hatte ihm ihre Reservewaffe geliehen, eine fünfschüssige Smith & Wesson mit kurzem Lauf, die älter war als Will. Er kam sich vor wie ein Gangster, der in einem alten Spaghetti-Western durch die Stadt läuft. In Drews und Keishas Hütte bewegte sich ein Vorhang. Cecil starrte ihn aus seinem Rollstuhl auf der Veranda böse an. Die beiden Katzen beäugten ihn von ihrer jeweils eigenen Treppenstufe. Paul lag in der Hängematte vor seiner Hütte. Er hatte ein Buch auf der Brust liegen und eine Flasche Whiskey auf dem Tisch stehen. Er verzog den Mund zu einem höhnischen Grinsen, als er Will sah, dann griff er nach der Flasche und trank einen Schluck.

Will würde ihn noch eine Weile schmoren lassen. Paul stand auf seiner Liste der Leute, mit denen er reden wollte, aber er stand nicht ganz oben. Vernehmungen fielen generell in zwei Kategorien: Konfrontation oder Information. Die beiden Servicekräfte, Gregg und Ezra, waren Jugendliche. Sie waren vermutlich eine gute Informationsquelle. Will wusste nicht, in welche Kategorie Alejandro fallen würde. Mercy war in der zwölften Woche schwanger. Gäste kamen und gingen. Wills Fokus galt zunächst den Männern, die ständig in Mercys Nähe waren.

Was nicht hieß, dass er sich die übrigen Männer in der Lodge nicht vorknöpfen würde. Die McAlpines hatten alle Aktivitäten auf Eis gelegt, aber Chuck war mit Christopher zum Angeln gegangen, sobald das Unwetter abgezogen war. Drew hatte sich mit Keisha in Hütte drei verkrochen. Gordon schien damit zufrieden zu sein, mit Paul den Tag durchzusaufen. Frank spielte Detektiv nach Art der *Hardy Boys*.

Will wartete darauf, dass Amanda den richterlichen Beschluss erhielt, damit er das Anwesen nach blutiger Kleidung und dem fehlenden Messergriff durchsuchen konnte. In der Gepäckbox des Geländefahrzeugs gab es einen Thermodrucker, der hoffentlich mit dem Satellitentelefon funktionieren würde, sodass Will das Dokument ausdrucken und den Durchsuchungsbeschluss physisch vorzeigen konnte. Die McAlpines hatten Will und Kevin zwar Zugang zu Mercys Zimmer gewährt, aber ihm schwante, dass sie sich beim Rest der Anlage querlegen würden, zumal sie immer noch versuchten, zahlende Gäste zu behalten.

Bitty hatte Will unmissverständlich klargemacht, dass sie und ihr Mann zu sehr von Schmerz überwältigt waren, um Fragen beantworten zu können. Was im Prinzip verständlich war, aber die Frau hatte vor allem von Wut überwältigt ausgesehen. Sara hatte bereits die Küche nach dem Messergriff durchsucht, weshalb das Haus auf seiner Liste weiter unten rangierte. An irgendeinem Punkt würden sie vielleicht den See durchkämmen müssen, aber diese Entscheidung war oberhalb von Wills Gehaltsstufe angesiedelt. Für den Moment verwendete er seine Zeit am besten, indem er Gespräche führte und herauszufinden versuchte, wer ein Motiv für den Mord an Mercy gehabt hatte.

Will sah sich um und überlegte, auf welchem Weg er sich durch die Anlage bewegen sollte. Gestern Abend waren sie auf dem Hinweg zum Essen der unteren Hälfte des Rundwegs gefolgt. Sara hatte sie auf einen anderen Pfad hinunter zum Speisesaal geführt, aber Will hatte mehr auf Sara geachtet als auf den Weg.

Aus dem Augenwinkel sah er die Tür zu Franks Hütte einen Spalt aufgehen. Eine Hand wurde herausgestreckt und winkte

Will zu sich. Er sah, wie sich Frank im Eingang verbarg, was unter anderen Umständen lustig gewesen wäre. Will war buchstäblich nicht zu übersehen, und alle konnten ihn dabei beobachten, wie er die Anlage in Richtung von Hütte sieben durchquerte. Aber der Zeitpunkt war für eine Befragung von Frank so gut wie jeder andre. Monica war in der Nacht zuvor vollkommen weggetreten gewesen. Frank hätte sich mühelos für ein Stelldichein davonschleichen können. Er hätte sich ebenso mühelos Mercys Blut abwaschen und wieder ins Bett schlüpfen können, ohne dass seine Frau etwas bemerkt hätte.

Frank behielt sein geheimnisvolles Gehabe bei, als Will die Treppe hinaufstieg. Die Tür ging einen Spalt weiter auf. Will brauchte einen Moment, bis seine Augen sich an das Dunkel in der Hütte gewöhnt hatte. Die Vorhänge waren sowohl an den Fenstern als auch an der Terrassentür zugezogen. Die Schlafzimmertür war geschlossen. Ein Hauch von Erbrochenem lag in der Luft.

»Ich habe die Namen, um die Sie gebeten haben.« Frank reichte Will ein gefaltetes Blatt Papier. »Ich habe das Gästeregister in einem Büro hinter der Küche gefunden.«

Will klappte das Blatt auf. Zum Glück hatte Frank in Blockschrift geschrieben, was es ihm leichter machte, die Namen zu lesen. Er steckte den Zettel für später ein. Jetzt war erst einmal Frank auf dem heißen Stuhl dran. »Danke für die Hilfe. Wie sind Sie am Küchenpersonal vorbeigekommen?«

»Ich habe einen auf empörter, reicher Gast gemacht und verlangt, das Telefon benutzen zu dürfen. Niemand hat mir gesagt, dass es nicht funktionierte.« Er klang aufgeregt. »Soll ich sonst noch etwas erledigen, Boss?«

»Ja.« Will würde dem Burschen gleich ein wenig den Wind aus den Segeln nehmen. »Haben Sie letzte Nacht etwas gehört?«

»Nichts, und das ist sonderbar, denn ich habe ein wirklich gutes Gehör. Und es war nicht so, als hätte ich viel Schlaf abbekommen. Ich war die ganze Nacht mit Monica beschäftigt.

Wenn jemand hier in der Nähe geschrien hätte, dann hätte ich es gehört.«

Wills nachfolgende Frage wurde von einem Würgen hinter der geschlossenen Tür abgeschnitten. Frank lauschte angespannt. Das Würgen hörte auf. Die Toilette wurde gespült. Es war wieder still.

»Sie erholt sich wieder.« Franks Stimme hatte den routinierten Tonfall eines Mannes, der daran gewöhnt ist, Entschuldigungen für seine alkoholkranke Frau vorzubringen. »Setzen Sie sich doch.«

Will war froh, dass es ihm Frank so leicht machte. Das Mobiliar der Hütte war das Gleiche wie bei ihm und Sara, aber es sah abgenutzter aus. Auf dem Teppich war ein dunkler Fleck mit einem Papiertuch darauf, das die Flüssigkeit aufsaugte. Daher der Geruch. Will wählte den Sessel, der am weitesten entfernt war.

»Was für ein Tag.« Frank rieb sich das Gesicht und sank auf die Couch. Er schaute verlegen drein. Er sah außerdem erschöpft aus und war weder rasiert noch frisiert. Er hatte erkennbar schon eine harte Nacht gehabt, bevor Will die ganze Anlage aufgeweckt hatte. »Was macht Ihre Hand?«

Wills Hand pochte bei jedem Herzschlag. »Schon besser, danke.«

»Ich muss immer an Mercy gestern Abend denken. Ich wünschte, ich hätte ihr geholfen, aber ich weiß einfach nicht, was ich hätte tun können.«

»Niemand konnte viel tun.«

»Na, vielleicht doch?«, sagte Frank. »Ich hätte zum Beispiel tun können, was Sie getan haben. Stattdessen fing ich an, über das Essen zu reden. Ich wünschte, ich hätte es nicht getan, weil es vermutlich allen ermöglicht hat, zu ignorieren, was gerade vorgefallen war.«

Seine Stimme hatte jetzt keinen routinierten Tonfall, aber Will verstand, dass sein Bedürfnis, ständig die Wogen zu glätten, ein wiederkehrendes Dilemma war.

»Ich möchte jetzt etwas tun«, sagte Frank. »Mercy ist tot, und es scheint niemanden zu interessieren. Sie hätten sie alle beim Frühstück erleben sollen. Gordon und Paul haben ständig finstere Witze gerissen. Drew und Keisha haben kaum etwas gesagt. Christopher und Chuck hätten sich genauso gut in eine Kunststoffbox einschließen können. Ich habe versucht, mit Bitty und Cecil zu sprechen, aber … Empfinden Sie das auch so, dass die beiden eine ungute Ausstrahlung haben?«

Will hatte nicht die Absicht, seine Empfindungen mitzuteilen. Frank stand auf seiner Liste der Verdächtigen zwar weit unten, dennoch stand er auf ihr. »Haben Sie mir erzählt, dass Sie schon einmal in der Lodge waren?«

»Nein, das waren Drew und Keisha. Sie sind zum dritten Mal hier oben, ist das zu glauben? Ich bezweifle allerdings, dass sie noch einmal kommen werden.«

»Sie und Monica reisen viel. Wann war Ihre letzte Reise?«

»Ach, herrje, das muss Italien gewesen sein. Wir sind vor drei Monaten nach Florenz geflogen und zwei Wochen geblieben. Es gab viel Wein. War vielleicht ein Fehler meinerseits, aber wir haben alle nur ein Leben, nicht wahr?«

»Sicher.« Will merkte sich vor, die Zeitangabe zu überprüfen. Frank wäre damit aus dem Schneider, was Mercys Schwangerschaft anging, wenn auch nicht wegen des Mordes. »Welchen Eindruck hat Mercy auf Sie gemacht?«

Frank lehnte sich zurück und seufzte schwer. Er wirkte einen Moment gedankenverloren. »Meine Eltern waren beide Alkoholiker. Ich weiß nicht, was das ist bei mir, aber ich spüre es, wenn jemand Probleme hat. Es ist wie ein sechster Sinn.«

Will verstand, was er meinte. Er war umgeben von Süchtigen aufgewachsen. Seine erste Frau hatte immer noch einen Hang zu Opioiden. Er war hypersensibel, wenn jemand die gleichen Verhaltensmuster erkennen ließ.

»Jedenfalls haben mir das meine Antennen gesagt. Dass Mercy Probleme hatte.«

Monica hustete im Schlafzimmer. Frank wandte den Kopf in die Richtung und lauschte wieder. Der Mann tat Will leid. Es war unglaublich anstrengend, so zu leben. Will wurde immer noch unerklärlich nervös, wenn Saras Lippen ein Weinglas auch nur berührten.

»Vielleicht habe ich deshalb einen Bogen um sie gemacht«, sagte Frank. »Um Mercy, meine ich. Ich wollte mich nicht in ihr Drama verstricken lassen, weil ich schon genug um die Ohren habe. Monica war nicht so, als unser Sohn noch gelebt hat, müssen Sie wissen. Sie war lustig und locker, und sie hat es mit mir ausgehalten, was schon viel sagt. Ich weiß, ich bin schwierig. Nicholas war unser Sonnenschein. Dann hat ihn uns die Leukämie genommen und … Unsere Therapeutin sagt, jeder geht auf seine Weise mit Trauer um. Ich dachte wirklich, hierher in die Lodge zu kommen, könnte etwas wie ein Neustart sein, wissen Sie? Ob Sie es glauben oder nicht, aber bevor Nicholas starb, hat Monica nur selten getrunken. Sie hat sich hin und wieder mal eine Margarita genehmigt, aber sie wusste über meine Eltern Bescheid, deshalb …«

Will wusste, es wäre mitfühlend von ihm, wenn er Frank reden ließe. Der Mann war offenbar allein mit der Sucht seiner Frau. Aber das war eine Mordermittlung, keine Therapie. Er würde Frank ein wenig mit Aufgaben beschäftigen, aber deshalb war er noch nicht von Wills Liste gestrichen.

»Tut mir leid.« Franks Antennen fingen Wills Ungeduld ein. Er stand von der Couch auf. »Ich weiß, ich rede zu viel. Danke, dass Sie zugehört haben. Lassen Sie es mich wissen, wenn ich …«

Monica hustete wieder aus dem anderen Zimmer. Will bemerkte die Sorge auf Franks Gesicht. Das war sicher nicht der erste Kater, den er bei seiner Frau miterlebte, aber etwas sagte Will, dass es diesmal anders war.

»Was ist los, Frank?«, fragte er.

Frank warf einen Blick zur Schlafzimmertür und sprach mit gesenkter Stimme. »Ob sie es glauben oder nicht, aber gestern

Abend war nicht einmal so schlimm. Sie hat eine Menge getrunken, aber weniger als sonst.«

»Und?«

»Ich glaube nicht, dass es ein Notfall ist, aber …« Frank zuckte mit den Achseln. »Sie hört nicht auf, sich zu erbrechen. Ich habe ihr schon die ganze Cola aus dem Kühlschrank gegeben, und ich habe Toast aus der Küche geholt. Sie kann nichts bei sich behalten.«

Will wünschte, diese Unterhaltung hätte zwanzig Minuten früher stattgefunden. Sara war bereits mit dem zweiten Geländefahrzeug auf dem Weg ins Krankenhaus. »Meine Frau ist Ärztin. Ich kümmere mich darum, dass sie nach Monica schaut, sobald sie hier eintrifft.«

»Das würde ich sehr begrüßen.« Frank war zu erleichtert, um wissen zu wollen, wie sich Sara von einer Chemielehrerin in eine Ärztin verwandelt hatte. »Wie gesagt, ich glaube nicht, dass es ein Notfall ist.«

Fast rührte es Will, dass er sein Problem kleinerzureden versuchte. Er legte Frank die Hand auf die Schulter. »Sie bekommt Hilfe, Frank, ich verspreche es Ihnen.«

»Danke.« Frank lächelte verlegen. »Ich weiß, es ist verrückt, aber vielleicht verstehen Sie es. Ich glaube, dass Sie es verstehen. Ich habe Sie und Sara zusammen gesehen, und es hat mich wieder daran erinnert. Monica ist es wert, zu kämpfen. Ich liebe meine Frau wirklich sehr.«

Will sah, wie sich Franks Augen mit Tränen füllten. Es blieb ihm erspart, eine wohlüberlegte Antwort geben zu müssen, weil Monica wieder hustete. Ihre Schritte tappten über den Boden, als sie zur Toilette stürzte.

»Entschuldigen Sie mich.« Frank verschwand im Schlafzimmer.

Will ging nicht. Er sah sich um. Die Couch und die Sessel. Der Beistelltisch. Frank hatte saubergemacht. Alles sah normal aus. Will schaute rasch unter die Kissen, ging die Regale und Schubladen in der Küche durch, denn Frank schien ein netter Kerl zu sein, aber er war auch ein einsamer, trauernder Ehemann, der seine Ehe zu retten versuchte – genau die Art von Gast, mit der sich Mercy wahrscheinlich schon früher eingelassen hatte.

Die Schlafzimmertür war nur angelehnt. Will stieß sie mit der Stiefelspitze auf. Der Raum war leer, Frank war bei Monica im Bad. Will ging hinein. Die Kleidung der beiden lag noch gefaltet in den Koffern. Er fand einen Stapel Bücher, hauptsächlich Thriller. Die üblichen digitalen Geräte. Das Bett war nicht gemacht, das Spannbetttuch war schweißgetränkt. Auf dem Boden neben dem Bett stand ein benutzter Mülleimer.

Keine blutige Kleidung. Kein abgebrochener Messergriff.

Will ging in den Wohnraum zurück und schaute auf die Uhr. Ihm würde erst wohl sein, wenn Sara vor ihm stand. Sie durfte ihn dann auch ruhig ansehen, als wäre er ein Idiot, weil er die Schmerzmittel für seine Hand nicht nahm.

Womit sie recht hatte, was aber nichts ändern würde.

Cecil schaute immer noch böse, als Will die Hütte verließ. Er entdeckte ein Schild mit dem Teller-und-Besteck-Piktogramm neben einem Pfeil. Das musste der Pfad zum Speisesaal sein. Will erkannte die Zickzackform vom Vorabend. Cecils Rollstuhlspur zeichnete sich als parallele Rillen im Schotter ab.

Will entfernte sich eine Stück vom Haus, bevor er auf die Liste der Gäste schaute, die Frank ihm übergeben hatte. Einige Namen konnte er mühelos erkennen, aber nur weil er sie bereits kannte. Die Nachnamen waren eine andere Geschichte. Er suchte sich einen Baumstumpf und setzte sich darauf. Dann breitete er das Papier auf seinen Knien aus und stöpselte seine Kopfhörer ein. Anschließend scannte er die Namen mit der Handykamera und lud den Scan in seine Text-zu-Sprache-App.

Frank und Monica Johnson
Drew Conklin und Keisha Murray
Gordon Wylie und Landry Peterson
Sydney Flynn und Max Brouwer

Will richtete einen Hotspot mit dem Satellitentelefon ein und schickte die Liste an Amanda, damit sie die Namen überprüfen konnte. Die Übertragung dauerte fast eine volle Minute. Er wartete, bis sie den Empfang bestätigt hatte. Dann wartete er weiter, ob sie noch etwas anderes geschrieben hatte. Insgeheim war er erleichtert, als die drei blinkenden Pünktchen verschwanden.

Amanda war im Moment äußerst wütend auf ihn. Mehr als sonst, was etwas heißen mochte. Sie hatte versucht, Will den Fall wegzunehmen. Will hatte gesagt, er werde trotzdem daran arbeiten. Es hatte sich zu einer größeren Sache ausgewachsen. Er konnte nichts anderes tun, als auf den nicht allzu fernen Moment warten, in dem sie ihre rasiermesserscharfen Krallen ausfahren und ihm die Eingeweide herausreißen würde.

Für den Augenblick hatte er einen Koch und zwei Servicekräfte zu vernehmen. Will faltete die Liste und steckte sie in seine Hemdtasche. Das Handy und die Kopfhörer verstaute er in der Hosentasche. Er befestigte das Satellitentelefon an seinem Gürtel, drückte die verletzte Hand an die Brust und marschierte weiter.

Der Chow Trail machte eine weitere leichte Biegung, bevor er im Zickzack auf den Speisesaal zuführte. Es ergab Sinn, ihn so anzulegen, da Cecils Rollstuhl einen steilen Hang nicht bewältigen konnte, aber Will würde Faith darauf hinweisen müssen, dass sie ihre Zeitleiste anpasste. Mercy hätte sich nicht damit aufgehalten, den Kurven zu folgen, vor allem dann nicht, wenn sie um ihr Leben rannte.

Will wartete, bis er auf dem Aussichtsdeck stand, ehe er den Weg zurückschaute. Er glaubte, das Dach des Haupthauses zu sehen, und ging an den Rand des Decks, von wo er einen Blick auf den See hatte. Die Baumwipfel verdeckten das Ufer, aber die Junggesellenhütten waren irgendwo da unten. Er beugte sich über das Geländer und schaute hinab. Es war steil, aber er stellte sich vor, dass jemand, der hier aufgewachsen war, sicher wusste, wie man schnell hinunterkam. Will hatte eine Ahnung, dass er derjenige sein würde, der eine Steilwand hinunterrutschte, während Faith die Stoppuhr in der Hand hielt.

Er ging um das Gebäude herum zur Küche und warf unterwegs einen Blick durchs Fenster. Der Koch arbeitete an einer professionellen Küchenmaschine. Die beiden Helfer trugen große schwarze Plastiksäcke mit Müll zur Hintertür hinaus.

Will wollte gerade hineingehen, als das Satellitentelefon an seinem Gürtel vibrierte.

Er entfernte sich einige Schritte vom Gebäude, ehe er sich meldete. »Trent.«

»Sind Sie immer noch an der Sache dran?«, fragte Amanda.

Er hörte eine deutliche Warnung in ihrem gereizten Ton. »Ja. Ma'am.«

»Nun denn«, sagte sie. »Ich habe versucht, einen Bezirksrichter hier oben zu erwischen, der Telefonbereitschaft hat. Offenbar hat das Unwetter die Haupttransformatoren für den nordwestlichen Teil des Staats lahmgelegt, aber ich werde für diesen Durchsuchungsbeschluss sorgen. Das Tauchteam sucht gerade nach einer Leiche im Lake Rayburn. Lassen Sie uns das als letzte Möglichkeit in der Hinterhand behalten. Wie Sie wissen, ist es sehr teuer, einen See abzusuchen, vor allem, wenn er so tief ist, deshalb müssen Sie diesen Messergriff schnell finden, und zwar an Land.«

»Verstanden.«

»Ich habe Gordon Wylies Heiratsurkunde aufgetrieben. Er ist mit einem Mann namens Paul Ponticello verheiratet.«

»Irgendwelche Vorstrafen?«

»Nichts. Wylie gehört eine Firma, die eine Aktienmarkt-App entwickelt hat. Ponticello ist Schönheitschirurg mit einer Praxis in Buckhead.«

Will nahm an, die beiden Männer würden niemandem etwas des Geldes wegen antun. »Was ist mit den anderen?«

»Monica Johnson wurde vor einem halben Jahr mit Alkohol am Steuer erwischt.«

»Keine Überraschung. Und Frank?«

»Ich habe eine Sterbeurkunde für ihr Kind gefunden, zwanzig Jahre alt. Solide Finanzen bei beiden«, sagte Amanda. »Das Gleiche bei allen anderen. Wohlhabende, gebildete Berufstätige, mit einer Ausnahme. Drew Conklin wurde vor fünfzehn Jahren wegen schwerer Körperverletzung angeklagt.«

Die Information überraschte ihn. »Wissen Sie Genaueres?«

»Ich bin wegen der Einzelheiten auf der Jagd nach dem Bericht über die Verhaftung. Conklin war nicht im Gefängnis, offenbar gab es also einen Deal.«

»Wissen Sie, ob eine Waffe im Spiel war?«

»Jedenfalls keine Feuerwaffe, sonst wäre eine Gefängnisstrafe obligatorisch gewesen«, sagte Amanda.

»Könnte ein Messer gewesen sein.«

»Trauen Sie ihm das zu?«

Will bemühte sich, seine persönlichen Gefühle beiseitezuschieben, aber es war schwer. Er musste wissen, über welche *andere Geschichte* Drew mit Bitty hatte reden wollen. »Damit rückt er auf meiner Liste jedenfalls weit nach oben, aber ich weiß nicht.«

»Kevin Rayman ist ein äußerst fähiger und hochdekorierter Agent.«

Sie sprach von dem GBI-Agenten des Außenbüros. »Er leistet großartige Arbeit hier oben.«

»Faith ist eine verbissene Ermittlerin.«

»Klingt nicht nach einem Kompliment. Wilbur, Sie sollten eigentlich in den Flitterwochen sein. Es wird immer Mordfälle geben. Sie können sie nicht alle bearbeiten. Ich lasse nicht zu, dass dieser Job Ihr Leben auffrisst.«

Er hatte es satt, ständig den gleichen Vortrag zu hören. »Es interessiert niemanden, dass Mercy tot ist, Amanda. Sie haben sie alle im Stich gelassen. Ihre Eltern haben keine einzige Frage gestellt. Ihr Bruder ist fischen gegangen.«

»Sie hat einen Sohn, der sie liebt.«

»Den hatte meine Mutter auch.«

Untypischerweise wusste Amanda nicht sofort eine Antwort.

In der Zwischenzeit beobachtete Will, wie einer der Kellner eine mit Müllsäcken beladene Schubkarre einen Weg hinaufschob, den er noch nicht kannte. Er nahm an, es war eine Abkürzung zum Haus. Faith würde definitiv die Karte brauchen. Und ihre Laufschuhe. Wills Schrittlänge war doppelt so groß wie Mercys. Faith würde diejenige sein, die durch den Wald laufen musste.

»Also gut«, sagte Amanda schließlich. »Lassen Sie uns die Sache schnell zum Abschluss bringen, Wilbur. Und erwarten Sie keinen Freizeitausgleich. Sie haben sehr deutlich gemacht, dass Sie Ihren Urlaub auf diese Weise verbringen wollen.«

»Ja, Ma'am.« Will beendete das Gespräch und klippte das Telefon wieder an den Gürtel.

Er warf einen Blick durch das Küchenfenster. Der Koch stand inzwischen am Herd. Will ging um das Achteck herum auf die Rückseite. Der Weg hinauf zum Haus ging ebenfalls hinunter zu dem Bach, der den See speiste. Bis der Tag vorüber war, würde Faith ihm ein paar Dinge zu sagen haben.

Ein Gefrierschrank stand unter einem Anbau mit Pultdach auf der anderen Seite des Wegs. Die Tür zur Küche war geschlossen. Der zweite Kellner war noch draußen. Er stapelte Dosen in eine Lebensmitteltüte aus Papier. Die Haare hingen ihm ins Gesicht. Er sah jünger als Jon aus, vielleicht vierzehn Jahre alt.

»Scheiße.« Der Junge hatte Will gesehen und die Tüte fallen lassen. Dosen rollten in alle Richtungen. Er sammelte sie hastig ein und warf Will flüchtige Blicke zu, wie ein auf frischer Tat ertappter Verbrecher, was offenbar genau zutraf. »Mister, ich habe nicht …«

»Schon gut.« Will half ihm mit den Dosen. Der Junge hatte nicht viel genommen. Grüne Bohnen, gezuckerte Kondensmilch, Mais, Schwarzaugenbohnen. Will wusste, wie es war, verzweifelt und hungrig zu sein. Er würde nie jemanden davon abhalten, Essen zu stehlen.

»Werden Sie mich verhaften?«, fragte der Junge.

Will fragte sich, wer ihm erzählt hatte, dass Will ein Cop war. Wahrscheinlich alle. »Nein, ich werde dich nicht verhaften.«

Der Junge wirkte nicht überzeugt, während er die Dosen wieder in die Tüte packte.

»Gute Sachen hast du hier.«

»Die Milch ist für meine kleine Schwester. Sie ist eine Naschkatze.«

»Bist du Ezra oder Gregg?«

»Gregg, Sir.«

»Gregg«, Will gab ihm die letzte Dose, »hast du Jon gesehen?«

»Nein, Sir. Ich habe gehört, er ist weggelaufen. Delilah hat mich schon gefragt, wohin er gegangen sein könnte. Ich habe mit Ezra darüber gesprochen, und keiner von uns weiß, wohin er sich verziehen würde. Ich würde es Ihnen ganz bestimmt sagen, wenn ich es wüsste. Jon ist okay. Er wird fix und fertig sein wegen seiner Mama.«

Will sah, wie der Junge die Lebensmitteltüte an die Brust drückte. Er machte sich mehr Sorgen darum, das Essen zu verlieren, als mit einem Cop sprechen zu müssen.

»Behalte es«, sagte Will. »Ich werde es niemandem sagen.«

Erleichterung zeichnete sich auf dem Gesicht des Jungen ab. Er ging um den Kühlschrank herum, kniete nieder und versteckte die Tüte an einem Platz, wo er sie offenbar immer versteckte. Will sah, dass sich ein dunkler Ölfleck auf dem hölzernen Verdeck ausgebreitet hatte. Es schien keinen Recyclingtank zu geben, was bedeutete, das Öl lief über den Abfluss ins Abwassersystem und konnte ins Grundwasser gelangen. Das war etwas, was die Umweltschutzbehörde nicht gern sah. Will behielt die Information im Hinterkopf für den Fall, dass er Bitty und Cecil unter Druck setzen musste.

»Danke, Mister.« Gregg wischte sich die Hände an der Schürze ab. »Ich muss wieder an die Arbeit gehen.«

»Einen Moment noch.«

Gregg schaute wieder ängstlich drein.

»Du bist nicht in Schwierigkeiten, sei unbesorgt. Ich versuche nur, einen Eindruck davon zu gewinnen, wie Mercys Leben aussah, bevor sie starb. Kannst du mir von ihr erzählen?«

»Was denn?«

»Was dir so einfällt. Alles.«

»Sie war fair«, begann er vorsichtig. »Ich meine, sie konnte einem manchmal gewaltig in den Hintern treten, aber nie aus heiterem Himmel. Man wusste, wie man mit ihr dran war. Nicht wie beim Rest von denen.«

»Wie ist der Rest von denen?«

»Cecil ist eine hinterhältige Schlange. Er tut dir weh, bevor er dich richtig ansieht. Jetzt kann er sich zwar nicht mehr so bewegen, aber vor dem Unfall konnte er einem echt Angst einjagen.« Gregg lehnte sich an den Gefrierschrank. »Fisch redet nicht viel. Ich schätze, er ist okay, aber er ist sehr merkwürdig. Bitty, die hat mich total verarscht. Hat getan, als wär sie meine Freundin, dann habe ich etwas, was sie angeordnet hat, nicht schnell genug erledigt, und sie hat sich voll gegen mich gestellt.«

»Inwiefern hat sie sich gegen dich gestellt?«

»Sie schneidet mich«, sagte er. »Sie hat Ezra und mir manchmal geholfen, wenn man zum Beispiel nett zu ihr war, hat sie einem einen Zehner oder Zwanziger zugesteckt. Aber jetzt sieht sie mich nicht einmal mehr an, wenn wir uns begegnen. Ehrlich gesagt, jetzt, wo Mercy nicht mehr da ist, werde ich mir Arbeit in der Stadt suchen. Sie haben sowieso schon gesagt, dass sie unsere Löhne kürzen wollen, weil sie nicht wissen, wie es weitergeht.«

Das deckte sich mit dem, was Will über das Thema McAlpines und Geld in Erfahrung gebracht hatte. »Hast du mal gesehen, wie Mercy mit einem männlichen Gast gesprochen hat?«

Er schnaubte. »Das ist eine komische Art zu fragen.«

»Was frage ich denn?«

Er wurde rot.

»Schon in Ordnung«, sagte Will. »Wir sind unter uns. Hast du Mercy mal mit einem Gast gesehen?«

»Wenn sie mit einem Gast redet, dann nur, weil er sie um etwas bittet oder weil er sich beschwert.« Er zuckte mit den Achseln. »Wir kommen jeden Morgen um sechs Uhr hier rauf und sind bis neun Uhr abends wieder unten. Zwischen den Mahlzeiten gibt es viel zu tun. Abwaschen, Essen vorbereiten, saubermachen. Wir haben nicht viel Zeit, uns anzuschauen, was die Leute so treiben.«

»Will fragte nicht, wann er Zeit fand, zur Schule zu gehen. Der Junge half wahrscheinlich mit, seine Familie zu ernähren.«

»Wann hast du Mercy das letzte Mal gesehen?«

»Das muss so um halb neun gestern Abend gewesen sein. Sie hat uns früher gehen lassen. Hat gesagt, sie macht selber alles fertig.«

»War noch jemand in der Küche, als du gegangen bist?«

»Nein, Sir. Sie war allein.«

»Was ist mit dem Koch?«

»Alejandro ist mit uns gegangen.«

Will hatte kein weiteres Auto auf dem Parkplatz gesehen. »Was fährt er?«

»Wir kommen alle mit Pferden hier herauf. Ein Stück hinter dem Parkplatz ist eine Koppel. Ich und Ezra sitzen zu zweit auf, weil es sein Pferd ist. Alejandro ist in die entgegengesetzte Richtung geritten, weil er auf der anderen Seite des Bergs wohnt.«

Will würde es überprüfen. »Was hältst du von Alejandro?«

»Er ist okay. Nimmt seine Arbeit sehr ernst. Scherzt nicht viel rum.« Er zuckte wieder mit den Achseln. »Er ist auf jeden Fall besser als der Typ, der vorher da war. Der hat uns immer so komisch angeschaut.«

»Hat Alejandro Zeit mit Mercy verbracht?«

»Klar, sie musste ein paarmal am Tag was mit ihm besprechen, weil die Gäste echt wählerisch sind, was ihr Essen angeht.«

»Haben Mercy und Alejandro diese Gespräche vor euren Augen geführt?«

Greggs Augenbrauen gingen nach oben, als hätte er es sich soeben zusammengereimt. »Sie sind immer nach hinten in Mercys Büro gegangen und haben die Tür geschlossen. Hab nie daran gedacht, dass die zwei was miteinander haben könnten. Ich meine, Mercy war irgendwie schon alt.«

Will nahm an, für einen Vierzehnjährigen war zweiunddreißig uralt.

»Mister«, sagte Gregg. »Sorry, aber war's das? Ich muss die Spülmaschine anwerfen, sonst krieg ich das Fell gegerbt.«

»Das war's schon. Danke.«

Will wartete, bis die Tür geschlossen war, ehe er zu dem Gefrierschrank ging. Er war nicht abgesperrt. Er zog die Tür auf und schaute hinein. Nichts als Fleisch. Er ging um das Gerät herum und entdeckte Greggs Versteck an der Wand des überdachten Verschlags. Die Mülleimer waren leer. Der ganze Bereich war sauber.

Keine blutige Kleidung. Kein abgebrochener Messergriff.

Will kniete nieder und leuchtete mit dem Handy unter den Gefrierschrank.

Er hörte Stimmen aus dem Wald und blieb auf dem Boden hinter dem Gefrierschrank in Deckung. Die Latten an der Seite des Verschlags verbargen ihn. Christopher und Chuck gingen auf dem unteren Teil des Wegs, unterhalb des Speisesaals. Sie trugen Angelruten und Köderboxen. Chuck hatte dieselbe große Wasserflasche bei sich wie am Abend zuvor beim Essen. Er trank so lautstark aus dem durchsichtigen Plastikbehälter, dass Will ihn noch aus zwanzig Meter Entfernung schlucken hörte.

»Mist«, sagte Christopher. »Ich habe mein blödes Gaff vergessen.«

Chuck wischte sich mit dem Hemdsärmel über den Mund. »Du hast es an den Baum gelehnt.«

»Scheiße.« Christopher schaute auf seine Armbanduhr. »Wir haben gleich ein Familientreffen. Kannst du …«

»Familientreffen weswegen?«

»Wenn ich das wüsste. Wahrscheinlich geht es um den Verkauf.«

»Glaubst du, die Investoren sind noch interessiert?«

»Gib mir dein Zeug.« Christopher klemmte sich Chucks Box und seine Angel unter den Arm. »Selbst wenn sie nicht mehr interessiert sind, ist es vorbei. Ich bin raus aus dem Geschäft. Ich wollte es von Anfang an nicht. Und ohne Mercy wird es schlicht nicht funktionieren. Wir haben sie gebraucht.«

»Red nicht so, Fisch. Uns fällt schon was ein. Wir können das hier nicht aufgeben.« Chuck streckte beide Arme aus, um die Umgebung einzuschließen. »Komm schon, Alter. Wir haben da eine gute Sache laufen. Eine Menge Leute verlassen sich auf uns.«

»Die können sich auf jemand anderen verlassen.« Christopher machte kehrt und ging den Weg hinauf. »Mein Entschluss steht fest.«

»Fisch!«

Will duckte sich, damit ihn Christopher im Vorbeigehen nicht sah.

»Fischtopher McAlpine. Komm sofort zurück. Du kannst mich nicht im Stich lassen.« Chuck blieb viel zu lange stumm, bis er begriff, dass Christopher nicht zurückkam. »Verdammt.«

Will streckte den Kopf hinter dem Gefrierschrank hervor. Er sah Christopher zum Haupthaus gehen. Chuck lief zum Bach hinunter.

Er musste eine Entscheidung treffen.

Alejandro würde wahrscheinlich noch den ganzen Tag in der Küche sein. Anders als die übrigen Männer auf dem Anwesen war Chuck ein komplettes Rätsel. Sie kannten seinen Nachnamen nicht. Sie hatten ihn nicht überprüfen können. Wichtiger noch war, dass Mercy den Mann vor einer Gruppe von Menschen gedemütigt hatte. Rund achtzig Prozent der Morde, die Will untersuchte, wurden von Männern begangen, die wütend über ihr Unvermögen waren, Frauen zu beherrschen.

Will schlug den Weg nach unten ein. Wenn man es denn einen Weg nennen wollte. Der schmale Pfad zum Bach war nicht geschottert wie die übrigen Wege. Will verstand, warum er nicht für Gäste gedacht war. Der gefährlich steile Abstieg hätte leicht zu Zivilprozessen führen können. Will musste sich konzentrieren und aufpassen, wohin er trat, bis er den schlimmsten Teil hinter sich hatte. Chuck hatte es leichter. Er schwang seinen Wasserkanister, während er durch den Wald latschte. Der Mann hatte eine merkwürdige Art zu gehen, als würden seine deformierten Füße nach imaginären Fußbällen treten, was entfernt wie bei *Mr. Bean* wirkte. Sein Rücken war krumm. Er trug einen Fischerhut und eine Anglerweste. Die braune Cargoshorts hing ihm bis unter die Knie. Schwarze Socken schauten aus den gelben Wanderstiefeln.

Der Weg wurde noch steiler. Will hielt sich an einem Ast fest, damit er nicht auf dem Hintern rutschte. Dann packte er ein Seil, das wie ein Geländer an einem Baum befestigt war. Er hörte das Wildwasser, noch bevor er den Bach sah. Das Geräusch war leise, mehr wie ein Hintergrundrauschen. Das musste der Bereich sein, den Delilah als Wasserfall bezeichnet hatte, der eigentlich kein Wasserfall war. Das Gelände fiel auf ein Dutzend Meter um gut drei Meter ab. Einige flache Steine im Wasser bildeten am oberen Ende der Minifälle eine Art Brücke.

Will erinnerte sich an ein Foto auf der Website der Lodge, das in dieser Gegend aufgenommen worden war. Es zeigte Christopher McAlpine, der in der Mitte des Bachs stand und eine Angelleine auswarf. Das Wasser reichte ihm bis zur Mitte. Will schätzte, dass der Bach durch den Regen jetzt zweimal so tief war. Das Ufer auf der anderen Seite war größtenteils überschwemmt. Das Blätterdach war hier dichter. Er hatte klare Sicht, aber sie war nicht so klar, wie er es sich gewünscht hätte.

Chuck hatte dieselbe Aussicht, aber von einem tiefer gelegenen Punkt. Er knetete sich mit der Faust den Rücken, während er über den Bach schaute. Will ging die Möglichkeiten durch, wie Chuck ihn verletzen konnte, falls es zu einer Art Kampf kam. Die Haken und Köder an der Weste des Mannes würden höllisch wehtun, aber zum Glück hatte Will nur eine Hand, die zerfetzt werden konnte. Er wusste nicht, was ein Gaff war, allerdings war ihm aufgefallen, dass sich die meisten Angelgeräte mühelos in Waffen verwandeln ließen. Die Plastikflasche mit dem Henkel war halb voll mit Wasser, aber sie würde sich wie ein Hammer anfühlen, wenn Chuck sie kräftig genug schwang.

Will hielt Abstand und rief: »Chuck?«

Chuck fuhr erschrocken herum. Seine Brille war an den Rändern beschlagen, aber sein Blick fand sofort den Revolver an Wills Hüfte. »Sie sind Will, oder?«, fragte er.

»Das stimmt.« Will stieg vorsichtig das letzte Stück des Wegs hinunter.

»Es ist ekelhaft schwül heute.« Chuck putzte seine Brille mit dem Hemdzipfel. »Wir sind knapp an einer weiteren Regenfront vorbeigeschrammt.«

Will hielt ein paar Meter Abstand. »Tut mir leid, dass wir gestern beim Essen keine Gelegenheit hatten, uns zu unterhalten.«

Chuck schob sich die Brille auf der Nase nach oben. »Verlassen Sie sich darauf, wenn ich eine so heiße Frau hätte, würde ich mich auch mit niemandem sonst unterhalten.«

Will zwang sich zu einem Lächeln. »Danke. Ich habe Ihren Namen nicht mitbekommen.«

»Bryce Weller.« Er streckte die Hand aus, dann sah er den Verband an Wills Hand und winkte stattdessen. »Man nennt mich Chuck. Den Spitznamen hat mir Dave verpasst, aber niemand weiß mehr, warum.« Chuck lächelte, aber er sah nicht glücklich aus. »Vor dreizehn Jahren stieg ich als ein Bryce den Berg hinauf und kam als ein Chuck wieder herunter.«

Will fragte sich, warum der Bursche plötzlich mit einem Akzent sprach, verfolgte es jedoch nicht weiter. »Ich sollte Ihnen sagen, dass ich dienstlich hier bin. Hätten Sie etwas dagegen, über Dave mit mir zu reden?«

»Hat er nicht gestanden?«

Will schüttelte den Kopf, froh, dass sich die Nachricht noch nicht herumgesprochen hatte.

»Das überrascht mich nicht, Inspektor«, sagte Chuck in einem anderen komischen Tonfall. »Er ist ein verschlagenes Ungeziefer. Lassen Sie ihn nicht davonkommen. Er sollte auf dem elektrischen Stuhl landen.«

Will sagte ihm nicht, dass es mit einer Giftspritze vollzogen wurde. »Was können Sie mir über Dave erzählen?«

Chuck antwortete nicht sofort. Er schraubte den Verschluss von der Flasche und schüttete die Hälfte von dem hinunter, was noch drin war. Er schmatzte mit den Lippen und schraubte den Deckel wieder auf. Dann rülpste er laut, und Will konnte den fauligen Geschmack aus vier Metern Entfernung riechen.

»Dave ist ein typischer Chad, ein harter Kerl.« Chucks Stimme klang jetzt ernst. »Fragen Sie mich nicht warum, aber Frauen können ihm nicht widerstehen. Je schrecklicher er sich benimmt, desto mehr wollen sie ihn. Er hat keinen richtigen Job. Er wurstelt sich mit dem durch, was ihm Bitty als Brocken hinwirft. Er raucht wie ein Schlot. Er ist drogensüchtig. Er lügt, betrügt und stiehlt. Er lebt in einem Wohnwagen. Besitzt kein Auto. Wie sollte man ihn nicht lieben, oder? In der Zwischenzeit werden all die netten Jungs in die Freundeszone verbannt.«

Will war nicht überrascht, dass Chuck ein Incel, ein sexloser Frauenfeind, war, aber es überraschte ihn, dass der Mann so offen damit umging. »Hat Mercy Sie in die Freundeszone eingeordnet?«

»In die habe ich mich selbst eingeordnet, mein Freund.« Chuck schien es tatsächlich zu glauben. »Sie durfte sich ein paarmal an meiner Schulter ausweinen, aber dann wurde mir klar, dass sich nie etwas ändern würde. Egal, wie weh ihr Dave tat, sie ging immer zu ihm zurück.«

»Sie wussten von den Misshandlungen?«

»Alle wussten es.« Chuck nahm den Hut ab und wischte sich den Schweiß von der Stirn. »Dave hat sich keine Mühe gegeben, es zu verheimlichen. Manchmal schlug er Mercy direkt vor unseren Augen. Eine Ohrfeige, nie ein Faustschlag, aber wir haben es alle gesehen.«

Will hielt sich mit einem Urteil zurück. »Es muss schwer gewesen sein, das mit anzusehen.«

»Ich habe am Anfang deutlich meine Meinung gesagt, aber Bitty hat mich zur Seite genommen und mir klargemacht, dass sich ein Gentleman nicht in die Ehe eines anderen Gentleman einmischt.« Die alberne Stimme war wieder da. Chuck beugte sich zu Will und tat, als würde er ihm etwas anvertrauen. »Selbst der raueste Grobian kann nicht Nein sagen, wenn solch ein zierliches Geschöpf ihn bittet.«

Will verstand endlich, was Sara meinte, wenn sie Chuck als sonderbar bezeichnete. »Mercy hat sich vor mehr als zehn Jahren von ihm scheiden lassen. Wieso war Dave überhaupt hier oben?«

»Wegen Bitty.«

Statt sich zu erklären, beschloss Chuck, noch einen Schluck aus der Flasche zu nehmen. Will begann sich zu fragen, ob da wirklich nur Wasser drin war. Chuck trank das ganze Ding leer, seine Kehle gab Geräusche wie eine träge Toilettenspülung von sich.

Chuck rülpste wieder, ehe er fortfuhr. »Bitty ist faktisch Daves Mutter. Er hat ein Recht, sie zu sehen. Und natürlich hat Bitty das Recht, ihn zu allen Feiertagen einzuladen. Weihnachten, Thanksgiving, 4. Juli, Muttertag, Kwanzaa. Dave ist jedes Mal dabei. Sie schnippt mit den Fingern, und er springt.«

Will verstand das so, dass Chuck ebenfalls jedes Mal dabei war. »Wie ging es Mercy damit, dass Dave bei jedem Familienfest anwesend war?«

Chuck schwang die leere Henkelflasche. »Manchmal war sie froh, manchmal nicht. Ich glaube, sie wollte es Jon leicht machen.«

»Sie war eine gute Mutter?«

»Ja.« Chuck nickte knapp. »Sie war eine gute Mutter.«

Das Eingeständnis schien ihm einiges abzuverlangen. Er nahm den Hut wieder vom Kopf und warf ihn neben eine schwarze Fiberglasrute auf die Erde, die an einem Baum lehnte.

Und so lernte Will, dass ein Gaff im Grunde eine Stange von einem Meter zwanzig Länge mit einem großen, fiesen Haken am Ende ist.

»Das Anwesen ist riesig«, sagte Chuck. »Mercy hätte Dave aus dem Weg gehen können. Sich in ihrem Zimmer verstecken. Aber sie hat es nie getan. Bei jeder Mahlzeit saß sie am Tisch. Bei jeder Familienzusammenkunft war sie dabei. Und unweigerlich haben sie und Dave sich am Ende angeschrien oder geprügelt, und ehrlich gesagt wurde es mit der Zeit langweilig.«

»Kann ich mir denken«, sagte Will.

Chuck stellte die leere Flasche neben seinen Hut. Will hatte ein Gefühl von Déjà-vu, er dachte an die Situation mit Dave und dem Ausbeinmesser. Sorgte Chuck dafür, dass er die Hände frei hatte, oder hatte er nur genug davon, Zeug zu schleppen?

»Das Schlimmste war, zu beobachten, welche Auswirkungen das alles auf Fischtopher hatte.« Chuck fing wieder an, seinen Rücken mit der Faust zu kneten. »Er hasste es, wie Dave Mercy behandelte. Er sagte immer, dass er etwas dagegen unternehmen werde. Daves Bremsleitung durchschneiden oder ihn in die Shallows werfen. Dave ist ein miserabler Schwimmer. Ein Wunder, dass er nicht längst ertrunken ist. Aber Fisch hat nie etwas getan, und jetzt ist Mercy tot. Man sieht, wie es auf ihm lastet.«

Will sah nichts dergleichen. »Christopher ist schwer einzuschätzen.«

»Er ist am Boden zerstört«, erklärte Chuck. »Er hat Mercy geliebt. Er hat sie wirklich geliebt.«

Will dachte, dass er eine komische Art hatte, es zu zeigen. »Sind Sie nach dem Abendessen gestern in Ihre Hütte zurückgegangen?«

»Fisch und ich haben noch einen Absacker getrunken, dann habe ich mich zum Lesen in meine Hütte zurückgezogen.«

»Haben Sie zwischen zehn Uhr und Mitternacht etwas gehört?«

»Ich bin mit meinem Buch eingeschlafen. Das erklärt das Zwicken in meinem Rücken. Es fühlt sich an, als hätte mir jemand in die Nieren geboxt.«

»Sie haben keinen Schrei oder ein Heulen oder etwas in der Art gehört?«

Chuck schüttelte den Kopf.

»Wann haben Sie Mercy zum letzten Mal lebend gesehen?«

»Beim Abendessen.« Gereiztheit klang aus seiner Stimme. »Sie haben mitbekommen, was bei den Cocktails zwischen uns vorgefallen ist. Das ist ein erstklassiges Beispiel dafür, wie sie mich behandelt hat. Ich wollte mich nur vergewissern, dass sie okay ist, und sie hat mich angebrüllt, als hätte ich sie vergewaltigt.«

Will bemerkte eine Veränderung seines Gesichtsausdrucks, als würde er den Gebrauch des Wortes *vergewaltigen* sofort bedauern. Bevor Will nachhaken konnte, bückte sich Chuck nach seinem Hut auf dem Boden. Er sog zischend die Luft zwischen den Zähnen ein.

»Himmel, mein Rücken.« Er ließ den Hut auf dem Boden liegen und richtete sich langsam auf. »Der Körper sagt dir Bescheid, wenn du eine Pause brauchst, was?«

»Ja.« Will dachte an den Umstand, dass Mercy keine Abwehrverletzungen hatte. Vielleicht hatte sie ein paar Treffer gelandet, bevor das Messer sie gefügig machte.

»Soll ich es mir mal ansehen?«

»Meinen Rücken?« Chuck klang alarmiert. »Was würden Sie denn da sehen?«

Blutergüsse. Bissspuren. Kratzer.

»Ich habe im College als Physiotherapeut gearbeitet«, log Will. »Ich könnte …«

»Es geht schon«, sagte Chuck. »Tut mir leid, dass ich nicht hilfreicher war. Das ist alles, was ich Ihnen sagen kann.«

Chuck wollte sichtlich, dass Will ging, was dazu führte, dass Will erst recht nicht gehen wollte. »Wenn Ihnen noch etwas einfällt …«

»Sind Sie der Erste, der es erfährt.« Chuck deutete den Hang hinauf. »Der Weg bringt Sie direkt zum Haupthaus zurück. Gehen Sie einfach rechts am Speisesaal vorbei.«

»Danke.« Will ging nicht. Er war noch nicht fertig damit, Chuck nervös zu machen. »Meine Partnerin wird später noch einmal auf Sie zukommen.«

»Wieso?«

»Sie sind ein Zeuge. Wir brauchen eine schriftliche Aussage von Ihnen.« Will machte eine Pause. »Gibt es etwas, was dagegenspricht?«

»Nein, überhaupt nicht. Ich helfe gern. Auch wenn ich nichts gehört oder gesehen habe.«

»Danke.« Will zeigte mit einem Kopfnicken auf den Weg. »Gehen Sie zum Haus?«

»Ich glaube, ich bleibe noch eine Weile hier draußen.« Chuck begann wieder, seinen Rücken zu reiben, dann überlegte er es sich anders. »Ich brauche Zeit, um nachzudenken. Trotz aller Parodie ist mir plötzlich klar geworden, wie sehr mich ihr Tod ebenfalls berührt.«

Will fragte sich, ob Chucks Gehirn vergessen hatte, seinem Gesicht diese Neuigkeit mitzuteilen, denn er sah kein bisschen so aus, als wollte er Zeit zum Nachdenken haben. Er schwitzte stark. Seine Haut war blass.

»Sind Sie sicher, dass Sie keine Gesellschaft wünschen?«, fragte Will. »Ich bin ein guter Zuhörer.«

Chuck schluckte schwer. Schweiß lief ihm in die Augen, aber er wischte ihn nicht fort. »Nein, danke.«

»Okay. Danke, dass Sie mit mir gesprochen haben.«

Chuck biss die Zähne zusammen.

Will zögerte. »Ich bin im Haupthaus, wenn Sie mich brauchen.«

Chuck sagte nichts, aber alles an ihm brachte zum Ausdruck, dass Will unbedingt gehen sollte.

Will blieb nichts übrig, als Folge zu leisten. Er machte sich auf den Weg nach oben. Die ersten Schritte waren knifflig, nicht, weil er keinen Halt für die Füße gefunden hätte, sondern weil er überlegte, wie weit das Gaff reichen würde. Dann lauschte er auf das Geräusch rennender Schritte und fragte sich anschließend, ob er paranoid war. Es war statistisch gesehen glaubhaft, aber nicht alle Statistiken stimmten für rücksichtsloses Verhalten.

Will ließ die gesunde Hand locker an der Seite baumeln, nahe an der Waffe. Zwanzig Meter vor sich sah er einen umgestürzten Baumstamm. Das andere Ende des Seils, das als Handlauf diente, war dort an einer großen Ringschraube befestigt. Will nahm sich vor, sich umzudrehen und nach Chuck zu sehen, sobald er den Baumstamm erreichte. Er horchte angestrengt, ob er etwas anderes als das Rauschen des Wassers über den Felsen wahrnahm. Den Weg hinaufzugehen war schwieriger als hinunter. Sein Fuß rutschte wieder weg, und er fluchte, als er sich mit der verletzten Hand abstützte. Er stieß sich nach oben. Wahrscheinlich war Chuck verschwunden, bis er es zu dem Baumstamm geschafft hatte.

Er irrte sich.

Chuck lag mit dem Gesicht nach unten mitten im Bach.

»Chuck!« Will begann zu rennen. »Chuck!«

Chucks Hand war zwischen zwei Steinen eingeklemmt. Das Wasser rauschte um seinen Körper. Er versuchte nicht, den Kopf zu heben, er bewegte sich überhaupt nicht. Will lief weiter, löste seine Waffe und das Satellitentelefon vom Gürtel und leerte seine Taschen, denn er wusste, er würde in den Bach müssen. Seine Stiefel rutschten im Schlamm. Er legte das letzte Stück auf dem Hintern zurück, aber er kam eine Sekunde zu spät.

Die Strömung befreite Chucks Hand aus den Steinen, und er trieb kreiselnd den Bach hinunter. Will hatte keine andere Wahl, als ihm zu folgen. Er sprang flach ins Wasser und kam mit einem Armzug über Kopf wieder hoch. Es war so kalt, als würde er sich durch Eiswasser bewegen. Will zwang sich weiter. Er hielt gerade mal mit der Strömung mit. Er schwamm schneller. Chuck war fünf Meter entfernt, dann drei, dann griff Will nach seinem Arm.

Er verfehlte ihn.

Die Strömung war stärker geworden. Das Wasser schäumte und wirbelte um eine Biegung im Bachlauf. Er prallte gegen Chucks Körper, sein Kopf wurde nach hinten gerissen. Will griff wieder nach ihm, aber plötzlich wurden beide in Stromschnellen herumgeworfen. Will suchte nach dem Ufer, aber er drehte sich zu schnell. Vergeblich versuchte er, mit den Füßen Halt zu finden. Er hörte ein lautes Donnern, ruderte wild mit den Armen und tat sein Bestes, um den Kopf über Wasser zu halten, aber er ging ein ums andere Mal wieder unter. Er stieß sich mit aller Kraft hoch und war für einen Moment wie gelähmt von dem, was er sah. Fünfzig Meter vor ihm. Die Wasseroberfläche war glatt und eben, und dahinter war nur noch der Himmel.

Verdammt.

Das war der richtige Wasserfall, von dem Delilah gesprochen hatte.

Vierzig Meter.

Dreißig.

Will unternahm einen letzten verzweifelten Satz auf Chuck zu, und seine Finger blieben in der Weste hängen. Er strampelte mit den Beinen und versuchte, sich irgendwo einzuspreizen.

Die Strömung schlang sich um seine Beine wie ein riesiger Tintenfisch, der ihn flussabwärts riss. Sein Kopf wurde unter Wasser gezogen. Er würde Chuck loslassen müssen. Will wollte seine Hand freimachen, aber er hing an der Weste fest. Seine Lungen schrien nach Luft. Er strampelte mit den Beinen.

Sein Fuß landete an etwas Massivem.

Will stieß sich mit letzter Kraft ab, ruderte mit dem Arm quer über die Strömung und streckte blindlings die Hand aus. Seine Finger berührten eine feste, raue Oberfläche. Er hatte einen großen Felsblock zu fassen bekommen. Drei Versuche waren nötig, bis es ihm gelang, sich an ihm hinaufzuziehen. Er blieb mit der Hüfte auf einem Sims liegen, um erst einmal zu Atem zu kommen. Seine Augen brannten. Seine Lunge. Er hustete und spuckte Galle und Wasser.

Chuck war durch die Anglerweste immer noch an seiner Hand fixiert, aber er zog Will nicht mehr in Richtung Wasserfall. Der Mann trieb in einer flachen Rinne auf dem Rücken. Arme und Beine waren fast rechtwinklig vom Körper gestreckt. Will schaute in sein Gesicht. Die Augen waren starr. Das Wasser floss durch seinen offenen Mund. Chuck war tot.

Will kroch das restliche Stück auf den Felsblock hinauf. Er senkte den Kopf zwischen die Knie und wartete, bis er wieder klar sehen konnte, bis sich sein Magen beruhigt hatte. Mehrere Minuten vergingen, bevor er in der Lage war, den Schaden zu begutachten. Die Anglerweste hing an Chucks Schulter. Ihr anderes Ende war straff um Wills Hand und Handgelenk gewickelt. Dieselbe Hand, die er sich vor zwölf Stunden verletzt hatte. Und die jetzt pulsierte, als würde eine Bombe in ihr ticken.

Ihm blieb nichts übrig, als es hinter sich zu bringen. Will schälte langsam das schwere, nasse Segeltuch ab. Es brauchte Zeit, er musste alles aufdröseln wie ein Puzzle. Haken hatten sich im Stoff verfangen. Sie hatten alle Größen und Formen, mit bunten Enden, die wie Insekten aussehen sollten. Es dauerte eine scheinbare Ewigkeit, bis er seine Hand endlich freigelegt hatte.

Er starrte ungläubig darauf.

Der Verband hatte ihn gerettet. Sechs Haken hatten sich in die dicke Gaze gebohrt. Ein Haken schlang sich wie ein Ring um den unteren Teil seines Zeigefingers. Die Haut blutete ein wenig, als er ihn wegzog, aber es war einem Papierschnitt ähnlicher als einer Amputation. Der letzte Haken hatte die Manschette seines Hemdsärmels durchbohrt. Will dachte nicht daran, mit dem spitzen Ding herumzumachen. Er riss ihn heraus. Dann hielt er die Hand hoch, um zu überprüfen, ob er wirklich unversehrt war. Kein Blut. Kein Knochen zu sehen.

Er hatte Glück gehabt, aber die Erleichterung hielt nicht lange an.

Will hatte den Tag mit einem Todesopfer begonnen. Jetzt hatte er zwei.

16. Januar 2016

Lieber Jon,

ich habe mich hingesetzt, um deinen Willkommenstag-*Brief zu schreiben, aber ich habe nur lange auf das leere Blatt gestarrt, weil ich nicht fand, dass es viel zu erzählen gab. Alles war ruhig in letzter Zeit, wofür ich dankbar bin. Wir haben einen netten, immer gleichen Tagesablauf entwickelt. Ich wecke dich und mache dich für die Schule fertig, Fisch fährt dich hinunter in die Stadt, und dann arbeiten wir alle mit den Gästen in der Lodge.*

Ich weiß, dein Onkel Fisch würde den Tag lieber in einem Bach beginnen, aber er ist eben die Sorte Mann, der seinen Morgen für einen kleinen Jungen opfert. Selbst Bitty hilft mit und holt dich am Nachmittag von der Schule ab. Ich glaube, du musstest nur ein bisschen älter werden. Sie hat Babys nie gemocht. Ihr zwei habt jetzt ein richtig enges

Verhältnis. Sie lässt dich in der Küche dabei sein, wenn sie Kekse für die Gäste bäckt. Manchmal darfst du sogar bei ihr auf der Couch sitzen, wenn sie strickt. Ich bin für den Moment damit einverstanden. Vergiss nur nicht, was ich dir darüber gesagt habe, wie sie sich verwandeln kann. Wenn du erst einmal auf ihrer bösen Seite bist, wirst du diese liebe Seite nie mehr sehen. Du kannst es mir glauben, denn bei mir ist es so lange her, dass ich gar nicht mehr weiß, wie diese Seite aussieht.

Jedenfalls habe ich an das letzte Jahr zurückgedacht und überlegt, was ich dir erzählen kann, aber eigentlich war das das Wichtigste: dass alles eine Zeit lang ohne Probleme lief. Das Leben hier oben ist nicht sehr aufregend, aber es ist ein Leben. Ich spaziere in der Lodge herum und denke daran, dass du sie eines Tages führen wirst, und das macht mich glücklich genug.

Aber an eine Sache erinnere ich mich, die letztes Jahr im Frühling passiert ist. Vielleicht weißt du es teilweise auch noch, weil ich auf dich losgegangen bin, als würde mein Haar in Flammen stehen. Ich habe das nie zuvor gemacht, und ich werde es auch nie wieder tun. Ich weiß, ich kann kurz angebunden sein, und dein Daddy wäre der Erste, der sagt, dass ich etwas von Bittys Eiseskälte geerbt habe, aber du hast nie einen von meinen Wutausbrüchen zu spüren bekommen, deshalb dachte ich, ich sollte dir sagen, warum ich so wütend war.

Was ich vorneweg gleich betonen will, ist, dass dein Onkel Fisch ein guter Mensch ist. Er kann nichts dafür, dass Papa jeden Kampfgeist aus ihm rausgeprügelt hat. Ich weiß, dass er als der Ältere, und weil er ein Mann ist, eigentlich mich beschützen sollte, aber es ist einfach andersherum gekommen in unserem Leben. Was für mich ehrlich gesagt okay ist. Ich liebe meinen Bruder, und das ist eine Tatsache.

Diese nächste Sache, die ich jetzt schreiben werde, sollte immer ein Geheimnis bleiben, weil sie mir gehört und nicht dir. Folgendes ist passiert: Du hast im Bett gelesen, statt einzuschlafen. Ich habe dir befohlen, das Licht auszumachen, dann bin ich in mein Zimmer zurückgegangen und habe mich ins Bett gelegt. Ich dachte, ich warte noch eine Minute, bevor ich wieder nach dir schaue. Dann muss ich eingeschlafen sein, denn das Nächste, was ich weiß, ist, ich bin aufgewacht und Chuck lag auf mir.

Ich weiß, wir beide lachen über Chuck, aber er ist trotzdem ein Mann, und er ist stark. Ich vermute, er hatte immer eine Schwäche für mich. Ich hab mir große Mühe gegeben, ihn nicht zu ermutigen, aber vielleicht habe ich aus Versehen etwas gemacht. Ich war immer dankbar, dass Fisch einen Freund hatte. Dein armer Onkel ist so einsam hier oben. Um die Wahrheit zu sagen, ich glaube, Fisch würde sich wahrscheinlich vom großen Wasserfall stürzen, wenn er Chuck nicht hätte, der ihm hier oben Gesellschaft leistet.

Alle diese Dinge sind mir durch den Kopf gegangen, ob du es glaubst oder nicht. Mein Verstand hat abgeschätzt, wie sehr es Fisch verletzen würde, wenn ich schreie und das ganze Haus aufwecke. Mein Körper hatte sich aufgelöst. Ich habe vor langer Zeit gelernt, wie das geht, und ich hoffe, du findest nie heraus, warum. Du sollst nur wissen, dass ich nicht vorhatte, meinem Bruder das Herz zu brechen.

Aber das alles spielte keine Rolle, weil Fisch hereinkam. Jetzt muss ich sagen, dass Fisch in all den Jahren nie einfach in mein Zimmer spaziert ist. Er hat immer erst geklopft und ist dann vor der Tür stehen geblieben. Er ist sehr respektvoll. Aber vielleicht hat er gehört, wie ich mich gewehrt habe, weil sein Zimmer direkt nebenan ist. Ich weiß nicht, was ihn zu mir geführt hat, und ich werde ihn todsicher nicht fragen, weil wir seitdem nicht mehr darüber gesprochen haben und es nie tun werden, was mich angeht. Aber es war wahrscheinlich das einzige Mal im Leben, wo ich ihn habe schreien hören. Er hebt nie auch nur die Stimme. Aber er schrie: HÖR AUF!

Chuck hat aufgehört. Er war so schnell von mir runter, als wäre es nie passiert, und dann rannte er aus dem Zimmer. Fisch sah mich nur an. Ich dachte, er nennt mich jetzt bestimmt eine Hure, aber was er sagte, war: Soll ich ihm sagen, dass er gehen muss?

In dieser Frage steckte viel drin, denn sie verriet mir, dass Fisch wusste, ich hatte es nicht darauf angelegt. Wenn ich ehrlich bin, war mir das am wichtigsten. Die Leute nehmen immer das Schlechteste von mir an, aber Fisch wusste, dass ich nie in dieser Weise an Chuck interessiert war. Und er war bereit, seinen einzigen Freund auf der Welt aufzugeben, um es zu beweisen.

Also habe ich gesagt, dass Chuck bleiben kann, solange es nicht wieder passiert. Fisch hat nur genickt und ist gegangen. Und ich muss sagen, dass Chuck sich verhalten hat, als wäre es nie passiert, was eine Erleichterung ist. Wir alle ignorieren es einfach. Aber es blieb nicht ohne Konsequenz, und deshalb erzähle ich dir diese Geschichte. Ich war echt durch den Wind, als Fisch dann die Tür von meinem Zimmer zumachte. Meine Sachen waren teilweise zerrissen. Und es ist ja nicht so, als könnte ich einfach in die Stadt fahren und mit meinem vielen Geld neue kaufen. Ich habe nichts hier oben, was nicht aus einer Kleiderspende stammt.

Aber als ich aufgestanden bin, haben meine Knie nachgegeben, und ich bin auf den Boden gesackt. Ich war so wütend auf mich. Worüber regte ich mich so auf. Eigentlich war nichts passiert. Es wäre nur fast *passiert. Und dann habe ich gesehen, dass bei dir noch Licht gebrannt hat.*

Nun hab ich mein Leben lang viel Scheiße auf mich zurollen sehen. Papa wird wütend und lässt es an Bitty aus. Bitty lässt es an mir aus. Oder andersherum, aber ich bin immer diejenige, die es trifft. In dieser Nacht habe ich es an dir ausgelassen, und es tut mir leid. Das ist keine Entschuldigung, nur eine Erklärung. Und vielleicht will ich es einfach aufschreiben, damit jemand weiß, was passiert ist. Denn was ich über Männer wie Chuck gelernt habe, ist Folgendes: Wenn sie einmal mit etwas davonkommen, versuchen sie es immer wieder. Ich hab es bei deinem Daddy so oft erlebt, dass ich die Uhr danach stellen kann.

So, und dabei werde ich es belassen.

Ich liebe dich von ganzem Herzen, und es tut mir leid, dass ich gebrüllt habe.

Deine Mama

15

Penny hatte nicht gelogen darüber, dass Rascal vollgetankt war. Das Pferd war praktisch auf einer Wolke von Blähungen den Berg hinaufgeschwebt. Unglücklicherweise saß Faith der Quelle am nächsten. Sie war hinter Penny aufgesessen und hatte die Arme um die Taille der Frau geschlungen, als hinge ihr Leben davon ab. Faith hatte solche Angst davor gehabt, herunterzufallen und totgetrampelt zu werden, dass sie in eine Art hysterischen Dämmerzustand verfallen war, in dem sie sich existenzielle Fragen stellte, wie: *Was für einen Planeten würden ihre Kinder einmal erben?* Oder: *Wie kann es sein, dass Scooby-Doo, der ein Hund ist, den Unterschied zwischen einem Geist und einem Menschen nicht riecht?*

Penny schnalzte mit der Zunge. Faith hatte das Gesicht an der

Schulter der Frau vergraben. Sie blickte auf und hätte fast geweint vor Erleichterung. An der Straße war ein Schild. McAlpine Familien-Lodge. Sie sah einen Parkplatz mit einem verrosteten Truck und einem Quad des GBI.

»Warten Sie«, sagte Penny. Sie hatte wahrscheinlich gespürt, dass Faith den Griff um ihre erstaunlich kräftigen Bauchmuskeln gelockert hatte. »Eine Sekunde noch.«

Die Sekunde war eher eine halbe Minute, was zu lang war. Penny dirigierte Rascal mit viel *Ho!* neben den Truck. Faith setzte einen Fuß auf den Kotflügel über dem Hinterreifen. Sie stolperte und fiel auf die Ladefläche des Trucks, wo sie seitlich auf ihrer Glock landete. Das Metall schlug an ihren Hüftknochen.

»Scheiße!«, entfuhr es ihr.

Penny sah sie enttäuscht an. Sie schnalzte mit der Zunge, und Rascal entfernte sich.

Faith schaute zu den Bäumen hinauf. Sie war verschwitzt und von Mücken zerstochen, und sie hatte die Natur gründlich satt. Sie rollte sich von ihrer Glock, kletterte von dem Truck herunter und nahm die Handtasche von der Schulter. Dann ging sie zu dem Geländefahrzeug und legte die Hand auf die Plastikabdeckung über dem Motor. Sie war kalt, und das bedeutete, dass das Gefährt schon eine Weile hier stand. Der Ladeaufsatz war verschlossen, was hoffentlich besagte, dass sie Beweismaterial sichergestellt hatten. Sie schaute auf den Rücksitz. Dort lagen eine blaue Kühltasche, ein Erste-Hilfe-Set und ein Rucksack mit dem GBI-Logo darauf. Faith zog den Reißverschluss auf. Sie fand ein Satellitentelefon.

Sie drückte auf den Knopf an der Seite und startete das Kurzwellenfunkgerät. »Will?«

Faith ließ den Knopf los. Sie wartete. Nichts als statisches Rauschen.

Sie versuchte es noch einmal. »Hier ist Faith Mitchell vom GBI. Bitte kommen.«

Faith ließ den Knopf los.

Statisches Rauschen.

Sie versuchte es noch einige Male mit demselben Ergebnis. Schließlich steckte sie das Telefon in ihre Handtasche und ging zur Mitte der Hotelanlage. Sie drehte sich einmal im Kreis. Keine Menschenseele war zu sehen. Selbst Penny und Rascal waren verschwunden. Sie versuchte, das Gelände in den Grundzügen zu erfassen. Acht Hütten lagen in einem Halbkreis um ein großes, kunterbunt zusammengewürfeltes Haus. Überall waren Bäume. Man konnte keinen Stein werfen, ohne einen davon zu treffen. Der Boden war übersät von Pfützen. Die Sonne hämmerte auf ihren Schädel ein. Sie konnte die Zugänge zu einigen Wanderwegen sehen, aber sie wusste nicht, wohin sie führten, denn sie hatte keine Karte.

Sie musste Will finden.

Faith drehte sich andersherum im Kreis und musterte jede einzelne Hütte. Ihre Nackenhaare stellten sich auf, denn sie fühlte sich beobachtet. Warum kam niemand heraus? Es war ja nicht so, als hätte sie sich in die Anlage geschlichen. Das Pferd hatte laut geschnaubt. Sie war in den Truck gekracht wie ein Hammer, der auf einen Gong schlägt. Faith trug ihre Dienstkleidung: braune Cargohose und ein dunkelblaues Shirt, auf dessen Rücken in riesigen gelben Buchstaben GBI stand.

Sie hob die Stimme und rief: »Hallo?«

Eine Hüttentür ging auf. Faith sah einen unrasierten Mann mit schütterem Haar in einem verknitterten T-Shirt und einer ausgebeulten Trainingshose auf sich zutraben. Er war außer Atem, als er endlich nahe genug war, um sprechen zu können. »Hallo, gehören Sie zu Will? Haben Sie Sara mitgebracht? War sie das auf dem Pferd? Hat gar nicht nach ihr ausgesehen. Will sagte, sie ist Ärztin.«

»Frank?«, riet Faith.

»Ja, Entschuldigung. Frank Johnson. Ich bin mit Monica verheiratet. Wir sind Freunde von Will und Sara.«

Faith wagte es zu bezweifeln. »Haben Sie Will gesehen?«

»Eine ganze Weile nicht mehr, aber könnten Sie ihm sagen, dass Monica endlich über den Berg ist?«

Faiths Polizistenverstand schaltete sich ein: »Was war los mit ihr?«

»Sie hat gestern Abend ein bisschen zu viel getrunken. Es geht ihr jetzt besser, aber eine Zeit lang war es hart.« Sein Lachen war schrill, er war erkennbar erleichtert. »Sie konnte endlich ein wenig Ginger Ale bei sich behalten. Ich glaube, sie war dehydriert. Aber es wäre trotzdem gut, wenn Sara Zeit fände, nach ihr zu sehen, ja? Vorsicht ist die Mutter der Porzellankiste. Glauben Sie, es würde ihr etwas ausmachen?«

»Bestimmt nicht. Sie wird bald hier sein.« Faith musste diese Plaudertasche loswerden. »Ist Will im Haus der Familie?«

»Tut mir leid, ich weiß es nicht. Ich habe nicht gesehen, wohin er gegangen ist. Ich kann Ihnen suchen helfen, wenn …«

»Es ist wahrscheinlich besser, Sie bleiben bei Ihrer Frau.«

»Ja, gut. Vielleicht könnte ich …«

»Danke.«

Faith wandte sich dem Haupthaus zu, um deutlich zu machen, dass das Gespräch beendet war. Sie hörte Franks schwere Schritte, als er den Weg zurückging, den er gekommen war. Das mulmige Gefühl kehrte zurück, als Faith über die offene Fläche lief. Das Gelände war malerisch mit den Blumen, Bänken und Pflastersteinen, aber hier war auch ein Mensch gewaltsam ums Leben gekommen, deshalb machte es Faith ein wenig nervös, dass niemand sich zeigte.

Wo war Will? Oder eher noch – wo war Kevin Rayman? Der Agent war für die Außenstelle North Georgia verantwortlich, während sein Boss an einer Konferenz teilnahm. Faith sagte sich, dass Kevin nicht irgendein Anfänger war. Er konnte auf sich aufpassen. Genau wie Will. Selbst mit einer Hand. Warum also war Faith gerade der kalte Schweiß ausgebrochen?

Dieser Ort setzte ihr zu. Sie zwang sich, tief Luft zu holen, und atmete langsam wieder aus. Will und Kevin waren wahrscheinlich im Speisesaal. Es war immer besser, die Leute zu trennen, wenn man sie vernahm. Wie sie Will kannte, hatte er Mercys Mörder bereits gefunden.

Eine braun getigerte Katze versperrte ihr den Weg auf der Treppe zur Veranda. Sie lag verdreht auf dem Rücken, Vorder- und Hinterpfoten zeigten in entgegengesetzte Richtungen, und ein Sonnenstrahl schien auf ihren Bauch. Faith bückte sich, um sie zu streicheln. Sofort spürte sie, wie ihr Stresslevel sank. Sie machte sich eine Liste im Kopf, was sie zu tun hatte. Ganz oben stand, eine Karte der Anlage aufzutreiben. Faith musste herausfinden, woher Mercys Schreie gekommen waren, und eine belastbarere Zeitleiste entwickeln. Dann musste sie die wahrscheinlichste Route ermitteln, die Mercy hinunter zu den Junggesellenhütten genommen hatte. Vielleicht hatte sie Glück und fand unterwegs den abgebrochenen Messergriff.

Die Eingangstür ging auf. Eine ältere Frau mit langem, strähnigem grauem Haar kam heraus. Sie war klein und zierlich, fast puppenhaft. Faith nahm an, es war Mercys Mutter.

Bitty schaute von oben auf sie herab. »Sind Sie Polizistin?«

»Special Agent Faith Mitchell.« Faith versuchte, eine persönliche Beziehung herzustellen. »Ich habe mich gerade mit Ihrem Hercule Schnurrot hier beraten.«

»Wir geben den Katzen keine Namen. Sie sind nur dazu da, um die Nager in Schach zu halten.«

Faith bemühte sich, nicht zusammenzuzucken. Die Stimme der Frau war hoch wie die eines kleinen Mädchens. »Ist mein Partner im Haus? Will Trent?«

»Ich weiß nicht, wo er ist. Ich kann Ihnen sagen, ich schätze es ganz und gar nicht, dass er und seine Frau sich unter falschen Angaben angemeldet haben.«

Faith hatte nicht vor, darauf einzugehen. »Es tut mir sehr leid wegen Ihrer Tochter, Mrs. McAlpine. Haben Sie irgendwelche Fragen an mich?«

»Ja«, sagte sie barsch. »Wann kann ich mit Dave reden?«

Faith würde sich später damit befassen, welche Prioritäten Bitty setzte. Für den Moment musste sie vorsichtig auftreten. Sie wusste nicht, ob die Kommunikation zur Lodge bereits wiederhergestellt war. Penny hatte versprochen, nichts von Daves Freilassung zu sagen, aber andererseits war sie freimütig mit so einigen Leichen im Keller der McAlpines herausgerückt.

»Dave ist noch im Krankenhaus«, sagte sie. »Sie können dort anrufen, wenn Sie möchten.«

»Die Telefone gehen nicht. Internet auch nicht.« Bitty stemmte die Hände in die winzigen Hüften. »Ich werde niemals glauben, dass Dave etwas mit dieser Sache zu tun hat. Der Junge hat seine Schwächen, aber er würde Mercy nicht wehtun. Nicht so.«

»Wer sonst könnte ein Motiv haben?«, fragte Faith.

»Motiv?« Sie wirkte entrüstet. »Was soll das denn heißen? Wir sind ein Familienunternehmen. Unsere Gäste sind gebildete, wohlhabende Leute. Niemand hat ein Motiv. Jemand könnte ohne Weiteres aus der Stadt heraufgekommen sein. Haben Sie darüber einmal nachgedacht?«

Faith hatte darüber nachgedacht, aber es war sehr unwahrscheinlich. Mercy ging selten in die Stadt. Sie hatte Sara erzählt, dass alle ihre Feinde hier oben waren. Und sie war auf dem Anwesen gestorben.

Trotzdem fragte sie: »Wer in der Stadt sollte sie ermorden wollen?«

»Sie hat massenhaft Leute gegen sich aufgebracht, niemand kann wissen, wen alles. In letzter Zeit sind sehr viele Fremde zu uns in die Stadt gekommen, das kann ich Ihnen sagen. Die meisten haben daheim in Guatemala oder Mexiko schon Straftaten begangen. Jeder von denen kann ein verrückter Axtmörder sein.«

Faith dirigierte sie fort von ihrem Rassismus. »Darf ich Sie nach gestern Abend fragen?«

Bitty begann, den Kopf zu schütteln, als spielte es keine Rolle. »Wir hatten eine kleine Auseinandersetzung. Nichts Ungewöhnliches, das passiert ständig. Mercy ist ein verzweifelt unglücklicher Mensch, sie kann niemanden lieben, weil sie sich selbst nicht liebt.«

Offenbar sahen sie hier oben auch *Dr. Phil*, den TV-Psychologen. »Haben Sie etwas Verdächtiges gesehen oder gehört?«

»Natürlich nicht. Was für eine Frage. Ich habe meinem Mann ins Bett geholfen. Ich bin schlafen gegangen. Nichts war anders als sonst.«

»Sie haben kein Tier heulen hören?«

»Hier oben heulen ständig Tiere. Wir sind in den Bergen.«

»Was ist mit dem Bereich, den sie die Junggesellenhütten nennen. Kann man Geräusche von dort bis hierher hören?«

»Woher soll ich das wissen?«

Faith erkannte eine Sackgasse, wenn sie in eine lief. Sie deutete zum Haus hinauf. Es war groß, wahrscheinlich mindestens fünf, sechs Schlafzimmer. Sie wollte wissen, wo jedes einzelne Familienmitglied schlief. »Ist das Mercys Zimmer?«

Bitty schaute nach oben. »Das ist Christophers. Mercys ist in der Mitte, dann das von Jon auf der anderen Seite hinten.«

Es klang trotzdem noch nahe. »Haben Sie gehört, wann Christopher gestern Abend zu Bett ging?«

»Ich habe eine Schlaftablette genommen. Ob Sie es glauben oder nicht, ich streite nicht gern mit Leuten. Ich habe mich sehr über Mercys Verhalten in letzter Zeit geärgert. Sie dachte immer nur an sich selbst. Sie hat nie berücksichtigt, was für den Rest der Familie gut wäre.«

Will hatte Faith auf die Gleichgültigkeit der Familie vorbereitet, aber es war dennoch zu gleichen Teilen deprimierend und beunruhigend. Wäre eins ihrer Kinder ermordet worden, wäre Faith am Boden zerstört.

Bitty schien ihre Missbilligung wahrzunehmen. »Haben Sie Kinder?«

Faith war immer vorsichtig mit persönlichen Informationen. »Ich habe eine Tochter.«

»Tja, tut mir leid für Sie. Söhne sind viel einfacher.« Bitty kam endlich die Treppe herunter. Aus der Nähe wirkte sie noch kleiner. »Christopher hat sich nie beschwert. Er bekam nie einen Tobsuchtsanfall oder hat geschmollt, wenn es nicht nach seinem Willen ging. Dave war ein absoluter Engel. Sie haben ihn da unten in Atlanta verwildern lassen, aber von dem Moment an, in dem er mein Haus betrat, war er süß wie Honig. Dieser Junge ist mein Ein und Alles. Es hat mir nie an etwas gefehlt, wenn er da war. Hat sich um mich gekümmert, wenn ich krank war. Hat mir sogar die Haare gewaschen. Bis heute lässt er es nicht zu, dass ich auch nur einen Finger rühre.«

Faith nahm an, Dave wusste, wie er sich beliebt machte. »Mercy war nicht so?«

»Sie war schrecklich«, sagte Bitty. »Als sie in die Mittelschule kam, war ich jede zweite Woche unten beim Rektor, weil Mercy mit den anderen Mädchen Ärger gemacht hat. Tratschen, raufen und sich dämlich benehmen. Für jeden die Beine breitmachen, der sie auch nur angesehen hat. Wie alt ist Ihr Mädchen?«

Faith log, damit sie weitersprach. »Dreizehn.«

»Dann wissen Sie ja schon, wann es anfängt. Die Pubertät setzt ein, und alles dreht sich nur noch um Jungs. Dann das ganze Theater um ihre *Gefühle*. Ich sage Ihnen, wer ein Recht hatte, sich zu beschweren, und das war Dave. Was er in Atlanta durchgemacht hat, war unvorstellbar. Sie sind nicht zart mit ihm umgegangen, um es höflich auszudrücken. Aber er hat es nie als Krücke benutzt. Jungs jammern nicht wegen ihrer Gefühle herum.«

Faiths Junge hatte es getan, aber nur, weil Faith sehr hart daran gearbeitet hatte, dass er sich dabei sicher fühlte. »Welchen Eindruck hat Mercy in letzter Zeit auf Sie gemacht?«

»Eindruck?«, fragte sie. »Denselben wie immer. Voller Gehässigkeit und Wut auf die Welt.«

Faith wusste nicht, wie sie die Schwangerschaft zur Sprache bringen sollte. Etwas sagte ihr, dass sie sich besser zurückhielt.

Sie bezweifelte, dass sich Mercy ihrer Mutter je anvertraut hatte. »Dave war dreizehn, als Sie und Ihr Mann ihn adoptiert haben?«

»Nein, er war erst elf.«

Faith hatte die Frau bei ihrer Antwort sehr aufmerksam beobachtet, und sie musste zugeben, dass Bitty als Lügnerin Weltklasse war. »Wie haben Mercy und Christopher darauf reagiert, dass sie einen elfjährigen Bruder bekamen?«

»Sie waren begeistert. Wie sollten sie es nicht sein? Christopher hatte einen neuen Freund. Dave hat Mercy wie ein Püppchen behandelt. Am liebsten hätte er sie den ganzen Tag herumgetragen. Wenn es nach ihm gegangen wäre, hätten ihre Füße nie den Boden berührt.«

»Es muss eine Überraschung gewesen sein, als die beiden ein Paar wurden.«

Bitty hob trotzig das Kinn. »Es hat Jon in mein Leben gebracht, und das ist alles, was ich dazu sagen werde.«

»Ist Jon nach Hause gekommen?«

»Nein, und wir suchen auch nicht nach ihm. Wir geben ihm die Zeit, die er sich erbeten hat.« Sie klopfte sich auf die Brust. »Jon ist ein aufmerksamer Junge. Freundlich und rücksichtsvoll, genau wie sein Daddy. Er wird auch ein Herzensbrecher wie sein Daddy werden. Sie sollten sehen, wie hübsch er ist. Alle Gäste sind aus dem Häuschen bei seinem Anblick. Ich beobachte sie, wenn Jon die Treppe herunterkommt. Er liebt es, einen Auftritt hinzulegen. Ihre Kollegin Sara hat ausgesehen, als wollte sie ihn am liebsten auffressen.«

Faith nahm an, dass Sara ihn nach seinen Lieblingsfächern in der Schule gefragt hatte.

»Meine armen kleinen Jungs.« Bitty klopfte sich wieder auf die Brust. »Ich habe getan, was ich konnte, um Dave von Mercy fernzuhalten. Ich wusste, sie würde ihn mit sich hinunterziehen, und schauen Sie sich an, wo er jetzt ist.«

Faith hatte Mühe, einen neutralen Ton zu wahren. »Ich bedaure Ihren Verlust.«

»Glauben Sie bloß nicht, dass ich ihn nicht zurückbekomme. Ich habe mich bereits mit einem Anwalt aus Atlanta in Verbindung gesetzt, also viel Glück dabei, ihn im Gefängnis festzuhalten.« Sie klang sehr überzeugt, dass das Justizsystem funktionieren würde. »Ist das alles?«

»Haben Sie eine Karte von dem Anwesen, die Sie mir überlassen können?«

»Die Karten sind für Gäste.« Sie wandte den Kopf zum Parkplatz. »Wer um alles in der Welt kommt denn jetzt wieder?«

Faith hörte einen Motor rattern. Ein weiteres Quad war vorgefahren. Sara saß am Steuer.

»Noch eine Lügnerin, die hier raufkommt, um Lügen zu verbreiten.« Bitty beendete das Gespräch mit diesen Worten. Sie stieg die Treppe hinauf, ging ins Haus und schloss die Tür hinter sich.

»Großer Gott.« Faith hängte sich die Handtasche über die Schulter und machte sich auf den Weg zum Parkplatz. Das war ja wie in einem Horrorfilm hier.

»Hallo!« Sara hievte eine schwere Reisetasche aus dem Geländefahrzeug und lächelte Faith an. »Bist du gestürzt?«

Faith hatte vergessen, dass sie voller Schlamm und Pferdefürze war. »Ein Vogel hat meinen Wagen angegriffen, und ich bin im Graben gelandet.«

»Das tut mir leid.« Sara sah nicht aus, als würde es ihr leidtun. »Ich habe gesehen, dass du mit Bitty gesprochen hast. Was denkst du?«

»Ich denke, sie macht sich mehr Sorgen um Dave als um ihre ermordete Tochter.« Faith konnte es noch immer nicht fassen. »Was ist das nur mit diesen Jungs-Müttern? Sie hat sich angehört, als wäre sie Daves psychopathische Ex-Freundin. Und von dem, was sie über Jon gesagt hat, will ich gar nicht reden. Ich hasse es, wenn erwachsene Frauen mit dieser atemlosen Girlie-Stimme reden.«

Sara lachte. »Irgendwelche Fortschritte?«

»Nicht bei mir. Ich wollte gerade zum Speisesaal hinuntergehen, um Will zu suchen.« Faith vergewisserte sich, dass sie allein waren. »Glaubst du, Mercy wusste, dass sie schwanger war?«

Sara zuckte mit den Schultern. »Schwer zu sagen. Gestern Abend war ihr übel, aber ich habe angenommen, es sei eine Folge der Strangulation. Mercy hat mich nicht korrigiert, aber sie würde es einer Fremden auch nicht unbedingt erzählen.«

»Meine Periode ist so unregelmäßig, dass ich es kaum schaffe, auf dem Laufenden zu sein.« Faith fragte sich, ob Mercy eine App auf ihrem Handy benutzt oder einen Eintrag im Kalender gemacht hatte. »Wem hast du es erzählt?«

»Nur Amanda und Will. Ich glaube, dass Nadine, der Coroner, es sich zusammengereimt hat, als ich die manuelle Untersuchung des Uterus vorgenommen habe, aber sie hat kein Wort gesagt. Sie weiß, dass Biscuits eng mit der Familie verbandelt ist. Sie wollte wahrscheinlich nicht, dass es bekannt wird.«

»Biscuits hat die Röntgenbilder nicht gesehen?«

»Man muss wissen, wonach man sucht«, sagte Sara. »Normalerweise würde man eine Frau zu keinem Zeitpunkt der Schwangerschaft röntgen. Das Risiko durch die Strahlung ist größer als der diagnostische Nutzen. Und mit zwölf Wochen gibt es noch nicht viel zu sehen. Der Fötus ist rund fünf Zentimeter groß, also etwa die Länge einer AA-Batterie. In den Knochen ist noch nicht so viel Kalk abgelagert, dass sie in den Aufnahmen sichtbar sind. Ich wusste nur, worauf ich blickte, weil ich es schon einmal gesehen hatte.«

Faith wollte nicht darüber nachdenken, bei wem sie es schon gesehen hatte. »Ich weiß nicht mehr, wie es sich angefühlt hat, in der zwölften Woche zu sein.«

»Blähungen, Übelkeit, Stimmungsschwankungen, Kopfweh. Manche Frauen verwechseln es mit dem PMS. Manche erleiden einen Abgang und denken, es ist nur eine besonders schlimme Periode. Acht von zehn Fehlgeburten passieren vor der zwölften Woche.« Sara stellte die Tasche auf das Geländefahrzeug.

»Wenn du nachforschst, wer in der Zeit der Empfängnis in Mercys Nähe war, denk daran, dass es zwölf Wochen nach der letzten Periode sind, nicht nach dem Geschlechtsverkehr. Der Eisprung findet zwei Wochen nach der Periode statt, damit sind war also bei rund zehn Wochen oder zwei bis zweieinhalb Monaten, wenn wir pingelig sind.«

»Wir müssen definitiv pingelig sein.« Faith kam zum schwierigen Teil. »Was ist mit Vergewaltigung?«

»Ich habe Spuren von Samenflüssigkeit gefunden, aber das deutet nur darauf hin, dass sie in den achtundvierzig Stunden vor ihrem Tod sexuellen Kontakt mit einem Mann hatte. Ich kann eine Vergewaltigung nicht ausschließen, ich kann sie aber auch nicht belegen.«

Faith konnte sich nur vorstellen, wie verärgert Amanda über die fehlende Eindeutigkeit gewesen sein musste. »Aber unter uns gesagt?«

»Unter uns gesagt, weiß ich es wirklich nicht«, sagte Sara. »Sie hatte keine Abwehrwunden. Vielleicht hat sie entschieden, dass es sicherer ist, sich nicht zu wehren. Es gibt den klaren Befund, dass Mercy schon früher eine hohe Anzahl von Misshandlungen erlitten hat. Gebrochene Knochen, Brandmale von Zigaretten. Ich vermute, vieles davon ist Dave anzulasten, aber manche Schädigungen gehen bis in die Kindheit zurück. Wenn sie noch Kampfgeist in sich hatte, hat sie ihn mit Bedacht eingesetzt.«

Eine tiefe Traurigkeit überfiel Faith beim Gedanken an Mercys qualvolles Leben. Penny hatte recht. Sie hatte nie eine Chance gehabt. »Gibt es etwas zur Mordwaffe?«

»Was das angeht, kann ich dir helfen«, sagte Sara. »Also, du weißt, dass bei einem Vollerlmesser der Stahl von der Messerspitze bis zum Ende des Griffs in einem Stück durchgeht.«

Faith wusste es nicht, aber sie nickte.

»Die Klinge in Mercy war ein fünf Zoll langes Halberl, was eine billigere, weniger haltbare Konstruktion ist und bei Steakmessern verwendet wird. Bei einem Halberl gibt es ein Gerüst im Griff, im Wesentlichen ein hufeisenförmiges dünnes Stück Stahl, das dazu beiträgt, dass der Griff an der Klinge befestigt bleibt. Kannst du mir folgen?«

»Halberl, Gerüst im Griff, verstanden.«

»Der Mörder hat die Klinge bis zum Heft in sie gestoßen. Ich habe an den Spuren auf ihrer Haut gesehen, dass es keine Scheibe zwischen Erl und Klinge gab. Um einige der tieferen Wunden habe ich Plastikpartikel gefunden. Unter dem Mikroskop drehte die Farbe zu Rot.«

Faith nickte wieder, diesmal allerdings, weil sie verstanden hatte. »Wir suchen nach dem roten Griff eines billigen Steakmessers, aus dem ein schmaler Metallstreifen ragt.«

»Korrekt«, sagte Sara. »In allen Hütten gibt es eine Küche, aber in unserer waren keine Messer. Und ich kann mich nicht erinnern, in der Küche der Familie etwas gesehen zu haben, wozu ein roter Griff passt. Es würde sich lohnen, mit dieser neuen Information noch einmal zu suchen. Ich würde sagen, der Griff ist etwa zehn Zentimeter lang und vielleicht einen Zentimeter stark.«

»Okay. Ich sollte mit Will sprechen und entscheiden, wie wir weitermachen. Du kannst ihm die Einzelheiten über das Messer erklären.« Faith wandte sich zum Gehen, aber dann fiel ihr etwas ein. »Ich bin Frank über den Weg gelaufen. Er macht sich Sorgen um seine Frau. Sie ist anscheinend verkaterter als üblich.«

»Ich schaue gleich nach ihr.« Sara klopfte auf die Tasche. »Ich habe ein bisschen medizinischen Bedarf aus dem Krankenhaus mitgebracht, für den Fall, dass wir etwas brauchen. Cecil sitzt im Rollstuhl, aber ich habe keinen Van gesehen.«

Faith war es bisher nicht aufgefallen. »Wie bekommen sie ihn in den Truck?«

»Es gibt bestimmt jede Menge Helfer hier«, sagte Sara. »Soll ich euch beide im Speisesaal treffen, wenn ich fertig bin?«

»Klingt gut.«

Faith folgte dem Holzschild mit dem Teller und dem Besteck. Sie hielt den Blick auf den Boden gerichtet. Der Weg war frei, aber links und rechts war viel Unterholz, in dem sich Schlangen oder tollwütige Eichhörnchen verbergen konnten. Oder Vögel. Faith blickte auf. Äste hingen wie Finger herab. Eine steife Brise ließ das Laub rascheln. Bestimmt würde eine Eule ihr Haar attackieren. Sie war erleichtert, als der Weg eine Biegung machte, aber dahinter war nur noch mehr Weg.

»Scheiß Natur.«

Sie ging weiter abwärts, ihr Blick wechselte ständig vom Boden zum Himmel, um mögliche Gefahren zu erkennen. Der Weg nahm eine weitere Kurve. Die Bäume über ihr wurden weniger. Sie roch die Küche, bevor sie sie sah. Emmas Vater war ein mexikanischer Amerikaner der zweiten Generation, dessen gehässige Mutter Kochen so sehr liebte, wie sie Faith hasste, was viel aussagte. Koriander, Kreuzkümmel. Basilikum. Faith knurrte der Magen, bis sie das achteckige Gebäude erreicht hatte. Sie ließ das Aussichtsdeck links liegen, das gefährlich über eine Schlucht hing, und ging durch die Tür hinein.

Leer.

Die Lichter waren aus. Zwei lange Tische waren bereits für das Mittagessen gedeckt. Durch riesige Fenster auf der anderen Seite sah man noch mehr Bäume. Sie würde die Farbe Grün nicht mehr ertragen können, wenn sie endlich weg war.

»Will?«, rief sie. »Bist du da drin?«

Sie wartete, aber es kam keine Antwort. Alles, was sie hörte, waren Kochgeräusche hinter der Schwingtür zur Küche.

»Will?«

Noch immer nichts.

Faith zog das Satellitentelefon wieder hervor. »Hier ist Faith Mitchell vom GBI. Ist da draußen jemand?«

Sie zählte lautlos bis zehn. Dann bis zwanzig. Dann stellte sie fest, dass sie sich Sorgen zu machen begann.

Faith ließ das Telefon wieder in ihre Handtasche fallen und ging in die Küche. Die plötzliche Helligkeit blendete sie. Zwei Jungen standen an dem langen Edelstahltisch, der durch die Mitte des Raums lief. Einer schnitt Gemüse, der andere rührte von Hand einen Teig in einer großen Schüssel. Der Koch stand mit dem Rücken zu Faith am Herd. Aus dem Radio tönte der puerto-ricanische Rapper Bad Bunny, was wahrscheinlich der Grund war, warum niemand sie gehört hatte.

»Kann ich Ihnen helfen?«, fragte einer der Jungen.

Faith zog es das Herz zusammen bei seinem Anblick. Er war noch ein Kind.

»Was brauchen Sie, Officer?« Der Koch hatte sich umgedreht. Das musste Alejandro sein. Er sah unglaublich gut aus, aber er schien sich auch unglaublich darüber zu ärgern, Faith hier zu sehen, was sie ebenfalls an Emmas Vater erinnerte. »Tut mir leid, dass ich so kurz angebunden bin, aber wir bereiten gerade das Mittagessen vor.«

Faith musste ihren Partner finden. »Wissen Sie, wo Agent Trent ist?«

»Er ist den Fischtopher Trail hinuntergegangen«, sagte der Junge.

Sie seufzte erleichtert. »Wie lange ist das her?«

Er zuckte übertrieben mit den Schultern, denn er war ein Kind, und Zeit sagte ihm nichts.

Alejandro half aus. »Ich habe ihn vor dem Fenster gesehen, vor etwa einer Stunde, würde ich sagen. Etwa eine halbe Stunde später kam dann ein zweiter Mann vorbei, der so angezogen war wie Sie. Der Weg ist hinter dem Gebäude, ich zeige es Ihnen.«

Faiths Anspannung ließ ein wenig nach, da Will und Kevin gesichtet worden waren. Sie folgte Alejandro zur Rückseite und schaute sich unterwegs die Küche an. Die Messer sahen teuer und professionell aus. Keine roten Plastikgriffe. Sie sah eine Toilette, die mit einem Büro verbunden war. Sie wollte diese

Papiere durchgehen und schauen, ob sie Zugang zum Laptop bekam.

»Das Mittagessen beginnt in einer halben Stunde.« Alejandro öffnete die Tür und ließ Faith vorangehen. »Die Leute schaufeln es in der Regel in zwanzig Minuten in sich hinein. Danach könnte ich mit Ihnen reden.«

Faiths Aufmerksamkeit wurde wie von einem Gummiband zu dem Koch gezogen. »Wieso glauben Sie, dass ich mit Ihnen reden will?«

»Weil ich mit Mercy geschlafen habe.« Er schien zu begreifen, dass dieses Gespräch jetzt stattfand. Er schloss die Tür hinter sich. »Wir haben uns bemüht, diskret zu sein, aber offensichtlich hat es Ihnen jemand erzählt.«

»Offensichtlich«, sagte Faith. »Und?«

»Es war eine zwanglose Angelegenheit. Mercy war nicht verliebt in mich. Ich war nicht verliebt in sie. Aber sie war sehr attraktiv. Es ist einsam hier oben. Der Körper braucht, was er braucht.«

»Wie lange schlafen Sie schon miteinander?«

»Schon seit meiner Ankunft hier.« Er zuckte mit den Achseln. »Es war nicht häufig, vor allem nicht in letzter Zeit. Ich weiß nicht, wieso, aber das war die Natur der Sache bei uns, ein Wechsel von Ebbe und Flut. Sie stand unter großem Druck von ihrem Vater. Er ist ein sehr harter Mann.«

»Wusste Dave über Sie beide Bescheid?«

»Ich habe keine Ahnung. Ich habe selten mit ihm gesprochen. Selbst als er das Aussichtsdeck erweitert hat, habe ich Abstand gehalten. Ich hatte den Verdacht, dass er Mercy wehtut.«

»Wieso das?«

»Solche Blutergüsse bekommt man nicht, weil man gestürzt ist.« Er wischte sich die Hände an seiner Schürze ab. »Sagen wir einfach, wenn Dave ermordet worden wäre, würden Sie jetzt aus ganz anderen Gründen mit mir reden.«

Viele Leute sagten das, aber niemand hatte etwas unternommen, als Mercy noch lebte. »Sie sagen, Sie waren nicht verliebt in sie, aber Sie hätten für sie getötet?«

Sein Lächeln ließ alle Zähne sehen. »Sie machen das sehr gut, Detective, aber nein. Es ist mein Pflichtgefühl.«

»Was hat Mercy gesagt, wenn Sie die Blutergüsse bemerkt haben?«

Das Lächeln verschwand. »Ich habe sie einmal gefragt, und sie meinte, dass wir entweder darüber reden und nie mehr Sex haben können, oder wir belassen es einfach beim Sex.«

»Verzeihen Sie, aber Ihre Entscheidung scheint Ihnen kein Kopfzerbrechen zu machen.«

Er zuckte wieder mit den Achseln. »Es ist anders hier oben. Wie sie die Leute behandeln – sie verbrauchen sie einfach und schmeißen sie weg. Vielleicht habe ich das Gleiche mit Mercy gemacht. Ich bin darüber nicht stolz auf mich.«

»Hat sie sich noch mit jemand anderem getroffen?«

»Vielleicht«, sagte er. »Glauben Sie, Dave ist eifersüchtig geworden? Hat er sie deshalb getötet?«

»Vielleicht«, log Faith. »Wieso denken Sie, Mercy könnte sich mit noch jemandem getroffen haben?«

»Da gibt es einige Dinge. Das Auf und Ab, wie gesagt. Außerdem …« Er zuckte mit den Achseln. »Wer bin ich, ein Urteil über sie zu fällen. Mercy war eine alleinerziehende Mutter mit einem anspruchsvollen Job, einem schwierigen Arbeitgeber und sehr wenigen Möglichkeiten für Vergnügen.«

Faith hatte sich noch nie so wahrgenommen gefühlt. »Hat sie jemanden besonders erwähnt?«

»Sie ist nicht damit herausgerückt, und ich habe nicht gefragt. Wie gesagt, wir haben gevögelt. Wir haben nicht über unser Leben gesprochen.«

Faith hatte selbst einige Beziehungen wie diese genossen. »Aber wenn Sie raten müssten?«

Er atmete kurz durch. »Na ja, es müsste einer der Gäste gewesen sein, nicht? Der Fleischer ist älter als mein Großvater.

Den Gemüsehändler hasst Mercy. Er ist aus der Stadt. Er weiß über ihre Vergangenheit Bescheid.«

»Was gibt es über ihre Vergangenheit zu wissen?«

»Sie war am Anfang sehr ehrlich zu mir«, sagte er. »Sie war mit Anfang zwanzig als Sexarbeiterin tätig.«

»Hat Sie bei Ihnen Sexarbeit verrichtet?«

Er lachte. »Nein, ich habe sie nicht bezahlt. Ich hätte es vielleicht getan, wenn sie darum gebeten hätte. Sie war sehr gut darin, Dinge getrennt zu halten. Arbeit war Arbeit, und Sex war Sex.«

Faith konnte verstehen, inwiefern das das Geld wert war. »Wie war sie gestern?«

»Gestresst«, sagte er. »Wir versorgen hier oben sehr anspruchsvolle Gäste. Die meisten unserer Gespräche waren in der Art wie: ›Denk dran, dass Keisha keine rohen Zwiebeln mag und Sydney keine Milchprodukte zu sich nimmt. Und vergiss Chucks Erdnussallergie nicht.‹«

Faith sah, wie er die Augen verdrehte. »Was halten Sie von Chuck?«

»Er ist mindestens einmal im Monat hier, manchmal öfter. Ich dachte erst, er wäre ein Verwandter.«

»Mochte ihn Mercy?«

»Sie hat ihn toleriert«, sagte Alejandro. »Er ist nicht einfach im Umgang, aber das ist Christopher auch nicht.«

»Sind Christopher und Chuck zusammen?«

»Als Liebespaar, meinen Sie?« Er schüttelte den Kopf. »Nein, bestimmt nicht, so wie sie die Frauen ansehen.«

»Wie sehen sie die Frauen denn an?«

»Verzweifelt?« Er schien nach einem besseren Wort zu suchen, dann schüttelte er den Kopf. »Es ist schwer, das Problem ist nämlich, dass sie beide im Allgemeinen sehr unbeholfen sind. Ich trinke gelegentlich ein Bier mit Christopher, und er ist ganz okay, nur dass sein Verstand anders funktioniert. Dann bringst du eine Frau ins Spiel, und er erstarrt. Chuck hat das genau entgegengesetzte Problem. Kaum ist eine Frau auch nur in seiner Nähe, zitiert er so lange aus *Monty Python*, bis sie schreiend aus dem Zimmer stürzt.«

Unglücklicherweise kannte Mercy den Typus gut. »Ich habe von dem Streit zwischen Mercy und Jon gehört.«

Alejandro verzog gequält das Gesicht. »Er ist ein lieber Junge, aber sehr unreif. Hat nicht viele Freunde in der Stadt. Sie wissen, wer seine Mutter ist. Und sein Vater. Es ist nicht richtig, aber das Stigma ist einfach da.«

»Haben Sie ihn vorher schon einmal so betrunken gesehen?«

»Nie«, sagte Alejandro. »Ehrlich gesagt dachte ich: O nein, lasst diesen Jungen nicht den Weg in die Sucht gehen. Er hat es im Blut. Von beiden Seiten. Es ist einfach nur traurig.«

Faith stimmte ihm stillschweigend zu. Sucht war eine einsame Straße. »Um welche Zeit sind Sie gestern Abend von hier weggegangen?«

»Gegen acht, halb neun. Bei meinem letzten Gespräch mit Mercy ging es um den Abwasch. Sie hat Jon für den Abend freigegeben, deshalb hat sie alles selbst gemacht. Ich habe ihr nicht angeboten, zu helfen. Ich war müde, es war ein langer Tag. Also habe ich Pepe gesattelt und bin zu meinem Haus geritten, das etwa vierzig Minuten entfernt auf der anderen Seite des Kamms liegt. Ich war die ganze Nacht zu Hause, habe mir eine Flasche Wein aufgemacht und einen Krimi angeschaut.«

»Welchen?«

»Den von dem Detective mit dem Hund. Sie können solche Dinge wahrscheinlich überprüfen, oder?«

»Das kann ich.« Faith war mehr an der Tatsache interessiert, dass er alle ihre Fragen vorweggenommen hatte. Es war fast, als hätte er für den Test gebüffelt. »Gibt es noch etwas, was Sie mir über Mercy und ihre Familie erzählen wollen?«

»Nein, aber ich sage Ihnen Bescheid, wenn mir etwas einfällt.« Er zeigte einen steilen Abstieg hinunter. »Das ist der Fischtopher Trail. Er ist sehr schlammig, also seien Sie vorsichtig.«

Er hatte bereits die Tür geöffnet, aber Faith hielt ihn mit einer Frage auf. »Kommt man vom Fischtopher Trail zu den Junggesellenhütten?«

Er sah überrascht aus, als hätte er begriffen, warum sie fragte. »Ja, das geht, wenn Sie dem Bach an den Wasserfällen vorbei folgen und dann am See entlanggehen, aber die schnellere Route verläuft über den Rope Trail abwärts. Er geht in der Schlucht hinunter und heißt Rope Trail, weil es eine Reihe von Seilen gibt, an denen man sich festhalten muss, damit man nicht ausrutscht und sich den Hals bricht. Er wird nur vom Personal benutzt und ist nicht auf der Karte eingezeichnet. Ich bin ihn nur einmal gegangen, weil ich eine Scheißangst hatte. Ich stehe nicht so auf Höhen.«

»Wie lange hat es gedauert?«

»Fünf Minuten?«, riet er. »Sorry, ich muss wirklich zurück an die Arbeit.«

»Danke«, sagte Faith. »Ich werde später eine schriftliche Aussage brauchen.«

»Sie wissen, wo Sie mich finden.«

Alejandro verschwand in der Küche, bevor Faith noch etwas sagen konnte. Sie starrte auf die geschlossene Tür und versuchte, schlau daraus zu werden, wie die Unterhaltung gelaufen war. Nach ihrer Erfahrung gab es vier Möglichkeiten, wie ein Verdächtiger an eine Vernehmung heranging. Er konnte sich defensiv verhalten. Er konnte streitlustig sein. Er konnte desinteressiert sein. Er konnte hilfreich sein.

Der Koch schwankte etwa zwischen die beiden letzten. Sie würde Will mit hinzuziehen müssen. Manchmal waren Verdächtige desinteressiert, weil es sie tatsächlich nicht interessierte. Manchmal waren sie hilfreich, weil sie wollten, dass man sie für unschuldig hielt.

Faith machte sich auf den Weg über den Fischtopher Trail. Alejandro hatte nicht gelogen, was den Schlamm anging. Es war weniger ein Gehen als ein Rutschen, das Gelände war steil. Sie sah große Fußabdrücke, tief eingesunken. Von Männern, die den Weg hinaufgegangen waren. Von Männern, die ihn hinuntergegangen waren.

Sie versuchte ihr Glück und rief: »Will?«

Die einzige Antwort war das Zirpen einer Schar Vögel, die wahrscheinlich einen Angriffsplan besprachen.

Faith ging seufzend weiter abwärts. Kaum waren einige Sekunden vergangen, schon musste sie einen Stiefel mit Gewalt aus dem Morast ziehen. Genau dafür hatte man den Beton erfunden. Menschen waren nicht dafür gedacht, sich einfach der freien Natur auszusetzen. Sie schlug herabhängende Zweige aus dem Weg und tastete sich weiter den steilen Hang hinunter. Widerwillig akzeptierte sie, dass sie früher oder später auf dem Hintern landen würde, aber sie ärgerte sich trotzdem, als es dann passierte. Der Weg war nicht weniger steil, als sie wieder aufstand. Faith musste sich in den Wald verdrücken, um einen gefährlich rutschig aussehenden Abschnitt zu umgehen.

»Scheiße!« Sie machte einen Satz, als sie eine Schlange sah.

Dann fluchte sie, denn es war keine Schlange. Ein Seil lag auf dem Boden. Ein Ende war mit einem Haken an einem Felsblock befestigt, das andere Ende verschwand irgendwo den Weg hinunter. Faith hätte es wahrscheinlich dabei belassen, wenn Alejandro ihr nicht von den anderen Seilen auf dem Rope Trail erzählt hätte. Unter weiteren derben Flüchen packte sie das Seil und setzte ihren Weg nach unten fort. Sie schwitzte wie ein Schwein, bis sie Wasser über Felsen rauschen hörte. Zum Glück war die Temperatur mit der Höhe etwas gefallen. Sie schlug nach einem Moskito, der um ihren Kopf schwirrte, und sehnte sich nach einer Klimaanlage und einem funktionierenden Telefonnetz, und vor allem wollte sie ihren Partner finden.

»Will?«, versuchte sie es wieder. Ihre Stimme hallte hier weniger, sondern konkurrierte mit dem Radau des Waldes. Insekten, Vögel, Giftschlangen. »Will?«

Faith hielt sich an einem Ast fest, damit sie auf dem Weg zum Ufer nicht ausrutschte. Dafür rutschte sie allerdings beim nächsten Schritt und landete wieder auf dem Hintern.

»Himmel noch mal«, keuchte sie außer Atem. Sie hob ihr Satellitentelefon vom Boden auf und drückte auf den Sprechknopf. »Hier ist …«

Faith ließ den Knopf los, als ein fürchterliches Kreischen ihr fast das Trommelfell zerriss. Sie nahm das Telefon und drückte noch einmal auf den Knopf. Das Kreischen war wieder da. Es kam aus ihrer Handtasche. Sie öffnete sie und sah ihr Satellitentelefon.

Sie blickte auf das Telefon in ihrer Hand, dann auf das in ihrer Tasche.

Wieso hatte sie zwei Telefone?

Faith stand auf und rutschte einige Schritte abwärts. Sie konnte jetzt den Bach sehen. Das Wasser wirbelte um große Felsen. Faith tat noch einen Schritt, und ihre Stiefelspitze stieß gegen etwas Schweres. Es war ein Paddelholster samt einem fünfschüssigen Revolver mit kurzem Lauf. Seltsamerweise sah er genau wie Amandas Waffe aus. Sie suchte den Boden ab. Knopfhörer, noch im Etui. Ein Stück weiter lag ein iPhone. Faith tippte es an. Der Schirm leuchtete auf: ein Foto von Sara mit Wills Hund auf dem Arm.

»Nein, nein, nein …«

Faith hatte ihre Glock gezogen, bevor ihr Verstand ganz verarbeiten konnte, was sie gesehen hatte. Sie drehte sich einmal um die eigene Achse, suchte den Wald ab und hatte panische Angst, sie könnte Wills Leiche entdecken. Sie sah nichts Auffälliges außer einer leeren Drei-Liter-Flasche und einer Stange mit einem tödlich aussehenden Haken am Ende. Faith stürzte an den Rand des Wildbachs und schaute nach rechts und links. Ihr Herz schlug erst wieder, als sie seine Leiche nirgendwo im Wasser sah.

»Will!«

Faith lief am Bach entlang. Das Gelände fiel ab, das Wasser floss schneller. Nach weiteren fünfzig Metern bog der Bach scharf nach links, um einige Bäume herum. Faith sah noch mehr Felsen, noch mehr schäumendes Wasser. Etwas konnte von der reißenden Strömung mitgerissen worden sein. Etwas wie ihr Partner. Faith rannte auf die Biegung zu.

»Will!«, schrie sie. »Will!«

»Faith?«

Seine Stimme war schwach. Sie konnte ihn nicht sehen. Faith steckte ihre Glock in den Halfter. Sie sprang ins Wasser, um auf die andere Seite zu gelangen. Es war tiefer, als sie erwartet hatte. Sie wurde von den Füßen gerissen, ihr Kopf ging unter, das Wasser wirbelte um ihr Gesicht. Sie stieß sich hoch und schnappte nach Luft. Das Einzige, was verhinderte, dass sie flussabwärts trieb, war eine riesige Baumwurzel, die aus der Uferböschung ragte.

»Bist du okay?«

Will stand über ihr. Er presste die verbundene Hand an die Brust. Seine Kleidung war klatschnass. Kevin Rayman stand hinter ihm, er trug einen Mann mit einem Feuerwehr-Rettungsgriff über der Schulter. Faith sah ein Paar behaarte Beine, schwarze Socken und gelbe Wanderstiefel.

Sie traute ihrer Stimme noch nicht. An der Wurzel zog sie sich aus dem Wasser. Will streckte die Hand aus und hob sie praktisch ans Ufer. Faith hätte ihn am liebsten gar nicht mehr losgelassen. Sie war außer Atem. Und ihr war schlecht vor Erleichterung, denn sie war überzeugt gewesen, ihn irgendwo tot aufzufinden. »Was ist passiert? Wer ist das?«

»Bryce Weller.« Will half Kevin, den Toten auf die Erde zu legen. Seine Haut war blass, die Lippen waren blau, der Mund stand offen. »Auch bekannt als Chuck.«

»Auch bekannt als schwer«, sagte Kevin.

Faith ging auf Will los. »Was fällt dir ein, hier herunterzulatschen, ohne mir zu sagen, wohin du willst?«

»Ich habe nicht …«

»Halt den Mund, wenn du mit mir redest!«

»Ich glaube nicht, dass das …«

»Wieso finde ich Amandas Waffe und deine Telefone auf dem Boden? Weißt du, wie schockierend das war? Ich dachte, du wärst ermordet worden. Großer Gott, Kevin.«

Kevin hob beschwichtigend beide Hände. »Hey, ganz ruhig.«

»Faith«, sagte Will. »Ich bin okay.«

»Ich nicht.« Ihr Herz schlug wie eine Kuhglocke. »Großer Gott.«

»Ich habe mit Chuck gesprochen«, sagte Will. »Er hat geschwitzt und war blass, aber ich habe mir nichts dabei gedacht, außer dass er sich vielleicht schuldig fühlt. Ich bin den Weg hinaufgeklettert und war vielleicht zehn Meter oberhalb von ihm, und als ich mich umgedreht habe, lag er im Wasser. Ich habe die Waffe und meine elektronischen Geräte abgeworfen, weil ich wusste, ich würde reingehen müssen.«

Faith hasste seinen ruhigen, vernünftigen Ton.

»Die Strömung hat uns beide flussabwärts getragen«, fuhr er fort. »Wir wären fast einen Wasserfall hinuntergestürzt, aber irgendwie ist es mir gelungen, uns beide vorher aus dem Wasser zu ziehen. Ich konnte ihn nicht da unten liegen lassen, deshalb fing ich an, ihn in Richtung der Lodge zu tragen.«

»Da bin ich dann aufgetaucht«, sagte Kevin. »Auf der Suche nach Will. Natürlich habe ich den Toten weiter getragen als er.«

»Ich glaube nicht, dass das stimmt.«

»Da sind wir wohl nicht einer Meinung.«

»Ich war richtig im Wasser.«

Faith war nicht in der Stimmung für ihr Kumpelgeschwätz. Sie versuchte, sich wieder auf den Fall zu konzentrieren statt auf die Tatsache, dass sie tropfnass im Wald stand und sich fast in die Hosen machte, weil sie gedacht hatte, ihr Partner wäre tot.

Sie blickte auf die Leiche hinab. Bryce Wellers Lippen waren dunkelblau, seine Augen wie Glasmurmeln. Die Strömung hatte an seiner Kleidung gezerrt, das Hemd war offen, auch der Gürtel aufgegangen. Relevant war aber, dass ein weiterer Mensch tot war. Sie suchten womöglich nach einem Mörder mit mehr als einem Motiv. Oder Chuck hatte Mercy ermordet und dann sich selbst getötet.

»Was hat Chuck gesagt, als du mit ihm gesprochen hast?«, fragte sie Will.

»Er hat geredet wie ein Incel, verschwurbeltes Zeug gegen Frauen«, antwortete Will. »Er hat sich bedeckt gehalten. Hat so getan, als hätte er sich nichts aus Mercy gemacht, obwohl es eindeutig nicht stimmte. Als das Gespräch zu Ende war, konnte ich ihn mir gut als ihren Mörder vorstellen. Er war in hohem Maß auf Dave fokussiert. Offen eifersüchtig, weil Mercy nicht von ihm loskam. Er hat sich ständig den Rücken gerieben, und ich habe mich gefragt, ob er vielleicht ein paar Fausthiebe abbekommen hatte.«

»Wir können ihn gleich umdrehen und nachschauen«, sagte Kevin. »Ich muss erst zu Atem kommen.«

Will wandte sich wieder an Faith. »Er hat seinen Zusammenstoß mit Mercy vor dem Abendessen auf eine merkwürdige Art beschrieben. Er sagte: ›Sie hat mich angebrüllt, als hätte ich sie vergewaltigt.‹ Und ich habe ihm angemerkt, dass er es schwer bedauert hat, das Wort Vergewaltigung in den Mund genommen zu haben.«

»Hat er deshalb geschwitzt?«, fragte Faith. »Weil er nervös war?«

»Das glaube ich nicht. Das wäre eine Art Angstschweiß gewesen. Er hat aber förmlich getrieft vor Schweiß. Das Haar hat ihm am Schädel geklebt. Wenn ich zurückdenke, glaube ich, dass ihm unwohl war. Er hat gerülpst, als wollte er seinen Magen ausspucken.«

»Selbstmord?«, fragte sie.

»Wenn er sich ertränkt hat, ging es schnell. Kein Kampf, kein Plantschen. Ich bin etwa eine Minute lang bergauf gestiegen. Als ich mich umgedreht habe, trieb er bereits in der Mitte des Bachs.«

Faith blickte in Chucks Gesicht. Sie war bei mehr Obduktionen dabei gewesen, als sie sich gewünscht hätte, aber noch nie hatte sie einen Toten mit so blauen Lippen gesehen. »Hat er etwas gegessen, bevor er in den Bach gegangen ist?«

»Er hat Wasser aus einer großen Flasche getrunken«, sagte Will. »Sie war halb voll, als ich ihn getroffen habe. Er hat sie leergetrunken, während wir uns unterhalten haben. Woran dachtest du?«

»Alejandro erzählte, dass Chuck eine Erdnussallergie hat. Vielleicht hat ihm jemand Erdnusspulver in sein Wasser gemischt.«

»Nein«, sagte Sara.

Alle drei wirbelten herum. Sara stand auf der anderen Seite des Bachs.

»Es waren keine Erdnüsse«, sagte sie. »Er wurde vergiftet.«

16

Sara war nicht glücklich mit der schuldbewussten Miene von Will, mit der er sie von der anderen Seite des Bachs ansah. Genauso schaute er Amanda an, wenn sie im Begriff war, ihn zusammenzustauchen.

Aber Sara war nicht sein Boss.

»Ich schnappe mal nach dem Köder«, sagte Faith. »Woher weißt du, dass er vergiftet wurde?«

Sara würde sich später mit Will beschäftigen. Chuck war nicht ihr Lieblingsmensch gewesen, aber er war tot und verdiente Respekt. »Anaphylaxie ist eine plötzliche schwere allergische Reaktion, sie veranlasst das Immunsystem, Chemikalien freizusetzen, die den Körper in einen Schockzustand versetzen. Es ist kein schneller Tod, wir reden von fünfzehn bis zwanzig Minuten. Chuck hat ziemlich sicher ein Engegefühl in der Brust und Schwindel verspürt, er hat gehustet, sein Gesicht war vermutlich gerötet. Wahrscheinlich ist auch ein Hautausschlag, Übelkeit oder Erbrechen und vor allem Atemprobleme. Hast du eines oder mehrere dieser Symptome an ihm bemerkt, Will?«

Will schüttelte den Kopf. »Seine Atmung war in Ordnung. Mir ist nur aufgefallen, dass er schwitzte und blass war.«

»Seht euch an, wie blau seine Fingernägel und Lippen sind.« Sara zeigte auf den Toten. »Das wird von Zyanose verursacht, einem Sauerstoffmangel im Blut, der in diesem Fall auf eine chemische Vergiftung hinweist. Chuck hat Wasser getrunken, bevor er starb, deshalb können wir davon ausgehen, dass dies die Quelle war. Die Substanz muss farblos, geruchlos und geschmacksneutral gewesen sein. Menschen mit schwerwiegenden Allergien erkennen sehr schnell, ob eine allergische Reaktion ausgelöst wurde. Chuck hat nicht um Hilfe gerufen. Er hat nicht um sich geschlagen, er hat nicht nach Luft geschnappt oder sich am Hals gekratzt. Ich muss mir die Umgebung ansehen, wo er ins Wasser gegangen ist, aber nach meiner Vermutung hat er das Bewusstsein verloren und ist in den Bach gerollt.«

»Was ist mit einem Herzinfarkt?«, fragte Faith.

»Die Lippen und Fingernägel wären nicht so blau«, sagte Sara. »Nicht alle Infarkte führen zum Herzstillstand. Plötzlicher Herztod ist eine elektrische Fehlfunktion. Das Herz schlägt unregelmäßig oder bleibt einfach stehen, es gelangt kein Blut mehr ins Hirn, die Person verliert das Bewusstsein. In einer ruhigen Umgebung wie dieser hätte Will trotz der Wassergeräusche etwas gehört, bevor Chuck das Bewusstsein verlor. Er hätte gerufen, gestöhnt, sich an den Arm gefasst, die klassischen Symptome. Wenn schon nichts anderes, wäre er auf jeden Fall mit lautem Platschen ins Wasser gefallen.«

»Ich habe gelauscht, ob er mir nicht etwa hinterherschleicht«, sagte Will. »Als ich mich umgedreht habe, trieb er einfach im Wasser.«

Faith fragte: »Welche Art von Gift würde seine Fingernägel und Lippen denn so blau färben?«

Sara hatte ein paar Vermutungen, aber die würde sie nicht aus mehr als zehn Metern Entfernung äußern. »Das kann nur die Toxikologie bestätigen, aber ich kann ein paar Möglichkeiten nennen, wenn ich einen genaueren Blick auf ihn geworfen habe.«

»Wir kommen zu dir«, sagte Will. »Wir müssen ihn auf die andere Seite schaffen. Stromaufwärts bei den Miniwasserfällen ist ein steinerner Übergang. Kommt ihr beiden ohne mich klar?«

Will wartete nicht auf eine Antwort von Kevin oder Faith. Er sprang wieder in den Bach, um auf der Stelle hinüberzuwaten. Die Strömung schien ihm nichts anzuhaben. Er kletterte die Uferböschung hinauf und stand schließlich mit einem schicksalsergebenen Gesichtsausdruck vor Sara.

Sie gab ihm sein iPhone und die Knopfhörer und fragte: »Wie war das Wasser?«

»Kalt.«

Sie fragte sich, ob seine Antwort eine doppelte Bedeutung enthielt. »Liebster, ich werde dir keine Standpauke halten, weil du einem Mann das Leben retten wolltest.«

Er sah sie neugierig an. »Du bist nicht böse?«

»Ich habe mir Sorgen gemacht«, sagte sie. Was sie nicht erwähnte, war, dass ihr das Herz stehengeblieben war, als sie Faith mit panischer Stimme seinen Namen rufen hörte. Sie hatte kaum zu atmen gewagt, bis sie gesehen hatte, dass Will am Leben war. »Ich sollte den Verband an deiner Hand wechseln. Er ist vollkommen durchweicht.«

Er blickte auf seine Hand hinunter. »Ob du es glaubst oder nicht, er hat mir das Leben gerettet.«

Sara wusste nicht, ob sie die Einzelheiten jetzt hören wollte. »Wie viel Wasser hast du geschluckt?«

»Irgendetwas zwischen viel und wenig, aber es kam alles wieder raus.«

»Es besteht das geringe Risiko einer Lungenembolie.« Sie strich ihm das nasse Haar aus der Stirn. »Ich möchte, dass du mir sofort Bescheid sagst, wenn du Atembeschwerden hast.«

»Das ist schwer zu beurteilen«, sagte er. »Manchmal sehe ich meine Frau an, und sie raubt mir gewissermaßen den Atem.«

Sara musste unwillkürlich lächeln, aber es gab wichtigere Dinge, um die sie sich kümmern musste. Faith und Kevin trugen Chuck bereits zurück zum Übergang.

Sie ging am Ufer entlang und fragte Will: »Hat dir Faith schon von dem Messer erzählt?«

Er schüttelte den Kopf.

»Roter Plastikgriff. Ich nehme an, ein Steakmesser. Das Rot ist untypisch. Normalerweise werden selbst Plastikgriffe darauf getrimmt, wie Holzmaserung auszusehen.«

»Amanda müsste den Durchsuchungsbeschluss bald haben«, sagte er. »Ich will hier alles auf den Kopf stellen. Ich hoffe, der Griff liegt nicht auf dem Grund des Sees.«

»Hast du eine Ahnung, ob Mercy wusste, dass sie schwanger war?«

Er schüttelte wieder den Kopf. »Und es gibt niemanden, den wir fragen können. Sie hat niemandem hier oben vertraut.«

»Ich kann es ihr nicht verübeln.« Sara dachte an ihre nächsten Schritte. »Nachdem die Straße unterspült ist, müssen wir einen Ort finden, wo wir die Leiche lagern können, bis Nadine sie gefahrlos abtransportieren kann.«

»Hinter der Küche gibt es einen freistehenden Gefrierschrank. In dem ist nicht viel drin. Sie haben in der Küche noch einen Kühlschrank, in den sie wahrscheinlich die Sachen umladen können.« Will hatte die Hand wieder aufs Herz gelegt. Das kalte Wasser und das Adrenalin betäubten den Schmerz offenbar nicht mehr. »Dabei fällt mir ein, ich habe Frank zugesagt, dass du nach Monica siehst.«

»Schon erledigt«, sagte Sara. »Ich habe ihr Flüssigkeit verabreicht, aber mir wäre wohler, wenn sie sich in der Nähe einer medizinischen Einrichtung aufhielte. Sie wird wieder trinken müssen, sonst bekommt sie Entzugserscheinungen. Ihren Symptomen nach zu schließen, stand sie gestern Abend am Rand einer Alkoholvergiftung.«

»Frank hat mir erzählt, er war überrascht, dass es ihr von der Menge, die sie getrunken hat, so schlecht ging.«

»Ich weiß nicht, ob Frank da zuverlässig ist. Er hat mir gestanden, dass er dich angelogen hat.«

Will blieb stehen.

»Gestern Abend hat Monica eine Bestellung für eine weitere Flasche Schnaps ausgefüllt. Frank ist auf die Veranda hinausgegangen, um sie dort für Mercy zu hinterlegen, aber er hat den Zettel stattdessen in die Hosentasche gesteckt.«

»Und dann hat er mir noch erzählt, Mercy hätte die Bestellung abgeholt, worauf letztlich die Zeitleiste beruht, von der wir die ganze Zeit ausgehen.« Will sah verständlicherweise verärgert aus. »Wieso zum Teufel hat er gelogen?«

»Er lügt wahrscheinlich viel, um die Trinkerei seiner Frau zu vertuschen«, rief ihm Sara in Erinnerung. »Paul sagt, er hat Mercy etwa um halb elf gesehen.«

»Ich traue Paul sogar noch weniger als Frank.« Will schaute auf seine Armbanduhr. »Das Mittagessen ist vorbei. Vielleicht kannst du Keisha und Drew ansprechen. Amanda hat bei allen Gästen einen Backgroundcheck gemacht. Drew wurde vor zwölf Jahren wegen schwerer Körperverletzung angeklagt.«

Sara öffnete überrascht den Mund.

»Ich habe genauso reagiert, aber vielleicht hat es mit dem zu tun, wovon Drew gesprochen hat, als er zu Bitty sagte, sie sollte diese andere Geschichte vergessen.«

»Welche Geschichte?«, fragte Faith.

Sie hatten den Miniwasserfall erreicht. Faith lief mit seitlich ausgestreckten Armen über die Trittsteine, um das Gleichgewicht nicht zu verlieren. Will wartete am Bachufer auf sie. Sara blendete einstweilen ihre Unterhaltung aus, keiner von beiden schien daran interessiert, Kevin zu helfen. Sara überlegte, ob sie ihm ihre Hilfe anbieten sollte, aber er überquerte den Bach bereits mit Chucks vollem Gewicht auf der Schulter. Will beobachtete ihn ebenfalls, aber eher neid- als sorgenvoll. Er wäre gern derjenige gewesen, der hundert Kilo auf den Schultern balancieren konnte, während er eine Art Hindernisparcours absolvierte.

»Könnte Monica ebenfalls ein Giftopfer sein?«, fragte Faith.

Sara bemerkte, dass die Frage für sie bestimmt war. »Wenn ja, dann wäre es ein anderer Wirkstoff und auf einem anderen Weg verabreicht. Ich kann Monica um die Erlaubnis bitten, ihr Blut abzunehmen, aber wir müssen …«

»Auf die Toxikologie warten«, sprach Faith zu Ende. »Was ist mit Selbstmord?«

»Bei Chuck?« Sara zuckte mit den Achseln. »Falls er keine Nachricht hinterlassen hat, kann ich es dir nicht sagen.«

»Bis auf das Schwitzen hat er nicht schuldbewusst gewirkt«, sagte Will. »Er schien sich ziemlich sicher zu sein, dass Dave der Mörder war.«

»Das wäre ich auch ohne die Beweise, dass er es *nicht* war«, sagte Faith.

Sara fiel etwas ein. »Hat Chuck nicht eine Brille getragen?«

»Die Strömung ist schnell«, sagte Will. »Sie ist wahrscheinlich irgendwo flussabwärts getrieben.«

»Vielen Dank, Leute.« Kevin hatte es über den Bach geschafft. Er ging auf ein Knie, rollte Chuck auf die Erde und setzte sich, um zu verschnaufen.

»Wir dürfen da drüben nicht das Ufer betreten.« Sara zeigte auf die Stelle, wo Chuck ihrer Annahme nach ins Wasser gegangen war. »Wir werden das Gaff und die Wasserflasche eintüten und dann mit einer Inventur seines Tascheninhalts beginnen müssen.«

»Ich hole, was wir brauchen.« Kevin stieß sich in die Höhe. »Ich brauche außerdem Wasser.«

»Achte darauf, dass es aus einer versiegelten Flasche ist.« Faith hatte ihre Handtasche auf dem Boden gefunden und entnahm ihr das Diabetiker-Set. »Könnt ihr schon mal ohne mich anfangen? Ich muss mein Insulin-Ding machen.«

Sara fing Wills Blick auf, als Faith sich einige Schritte entfernt auf einen Baumstamm setzte. Faith war sehr gut in ihrem Job, aber sie fühlte sich in der Nähe von Toten immer unwohl.

»Fertig?«, sagte Sara zu Will.

Er fischte sein Handy aus der Tasche. »Der Bach war über die Ufer getreten, als ich hier ankam. Wir sollten den Bereich filmen, wo Chuck ins Wasser gegangen ist, bevor es zurückgeht.«

»Dann mal los.« Sara wartete, bis er die Aufnahme gestartet hatte, dann gab sie Datum, Uhrzeit und Ort an. »Ich bin Dr. Sara Linton. Bei mir sind die Special Agents Faith Mitchell und Will Trent. Dieses Video dient dazu, den Schauplatz zu dokumentieren, wo das Opfer Bryce Weller, auch als Chuck bekannt, nach unserer Ansicht in den Bach fiel und in der Folge verstarb.«

Will schwenkte das Handy am Weg beginnend langsam über das Flussufer. Sara entwickelte unterdessen eine Theorie darüber, was passiert war. Es gab drei deutlich unterscheidbare Schuhabdrücke, einer davon stammte von einem Paar Sneakers. Sie betrachtete Chucks Wanderstiefel. Die Sohlen waren an den Außenrändern abgenutzt, da er mit einwärtsgedrehten Füßen gelaufen war. Wie Wills markante Abdrücke von den HAIX-Stiefeln aussahen, wusste sie bereits. Bei Mercys Tatort hatten die Elemente gegen sie gearbeitet, aber hier hatte ihnen der Schlamm einen Gefallen getan. Chucks letzte Augenblicke waren wie in Stein gemeißelt.

»Okay«, sagte Will. »Bereit, wenn du es bist.«

Sara sagte: »Die Sohlen an den Stiefeln des Opfers stimmen mit diesem W-förmigen Muster im Schlamm überein. Man sieht, wo sich das Gewicht des Opfers mit Blick zum Wasser auf die Zehen verlagert hat. Der Fersenabdruck ist flacher als der Zehenabdruck. Diese beiden Vertiefungen hier zeigen an, wo das Opfer auf die Knie gegangen ist. Sie sind nicht tief oder unregelmäßig geformt, was darauf hinweist, dass es eine kontrollierte Aktion war, kein plötzlicher Sturz. Links und rechts sind zwei Handabdrücke, hier und hier, sodass er schließlich auf allen vieren war.«

»Es muss schnell gegangen sein«, sagte Will. »Ich habe ihn nur für eine Minute aus den Augen gelassen. Ich habe ihn nicht um Hilfe rufen, husten, stöhnen oder sonst etwas gehört.«

»Chucks Kräfte waren vermutlich darauf ausgerichtet, bei Bewusstsein zu bleiben, und nicht, um Hilfe zu bitten«, sagte Sara. »Meine Theorie ist, dass sein Blutdruck stark abfiel, was ihn buchstäblich in die Knie zwang, und dann musste er sich mit den Händen abstützen. Der Abdruck rechts ist tiefer als der linke. Diese längliche, ovale Form deutet wahrscheinlich darauf hin, dass sein rechter Ellbogen eingeknickt ist und er auf die rechte Schulter und dann auf die rechte Seite fiel. Von dort hat er sich vermutlich auf den Rücken gedreht, aber er war zu nahe am Ufer. Die Schwerkraft hat das Kommando übernommen und ihn ins Wasser gezogen. Die Strömung hat ihn zu den Felsen hinausgetragen.«

»Seine Hand war eingeklemmt, als ich ihn entdeckt habe«, sagte Will. »Bis ich ins Wasser gesprungen war, trieb er bereits flussabwärts.«

»Hast du ihn zucken oder gestikulieren sehen?«

»Nein, er trieb einfach. Arme und Beine waren weit vom Körper gestreckt. Er hat keine Gegenwehr erkennen lassen.«

»Er muss bewusstlos oder bereits tot gewesen sein. Ich kann mich irren, aber ich glaube, seine Lungen werden zeigen, dass er letztendlich ertrunken ist.« Sara schaute zum Wasser. Eine Brille, die ihr bekannt vorkam, steckte im Bachbett. »Die sieht genauso aus wie die, die Chuck getragen hat.«

Will achtete darauf, die Fußabdrücke nicht zu verwischen, als er sich über das Wasser beugte, um die Lage der Brille mit seinem Handy zu dokumentieren.

Sara wandte sich der Leiche zu. Chuck lag auf dem Rücken. Sie hatte ihn am Abend zuvor kaum angesehen. Jetzt studierte sie seine Züge. Er war unscheinbar, wenn auch nicht unattraktiv, mit gewelltem schwarzem Haar, das er schulterlang trug, olivfarbener Haut und dunkelbraunen Augen.

»Als du mit Chuck gesprochen hast, ist dir da aufgefallen, ob seine Pupillen geweitet waren?«, fragte Sara.

Will schüttelte den Kopf. »Hier unten ist nicht viel Sonnenlicht wegen der Bäume. Ich habe mehr darauf geachtet, ob er zu diesem Gaff greift und auf mich losgeht.«

»Kannst du es nicht feststellen?« Faith hielt Abstand, aber sie hörte offenbar zu. »Wären seine Pupillen nicht noch immer geweitet?«

»Die Iris ist ein Muskel«, erklärte Sara. »Muskeln entspannen sich im Tod.«

Faith sah aus, als wäre ihr flau im Magen. »In meiner Tasche sind Handschuhe.«

Sara fand sie und zog sie an, während Will eine Ganzkörperaufnahme von Chuck machte, von seinem Scheitel bis zu den Sohlen seiner Wanderstiefel. Das Blitzlicht war an. In dem grellen Licht erkannte sie, dass die blaue Färbung nicht auf Chucks Lippen und Fingernägel beschränkt war. Sein ganzes Gesicht hatte eine blaue Tönung angenommen, vor allem im Bereich um die Augenhöhlen.

»Achte darauf, dass du seine Augenlider und die Brauen deutlich ins Bild bekommst«, riet sie.

Sara wartete, bis Will fertig war, bevor sie neben dem Toten niederkniete. Chuck trug ein kurzärmliges Hemd. Sie sah keine Kratzer oder Abwehrspuren an seinen Armen oder dem Hals. Sie knöpfte das Hemd auf. Brust und Bauch waren behaart, wiesen aber nicht das geringste Mal auf. Sie schaute sich seine

Fingernägel genauer an, studierte sein Gesicht. Sie versuchte, sich zu erinnern, wie Chuck am Abend zuvor ausgesehen hatte. Aus naheliegenden Gründen hatte ihre Aufmerksamkeit vor allem Will gegolten.

Sie fragte ihn: »Ist dir an Chucks Aussehen gestern Abend etwas merkwürdig vorgekommen?«

Er schüttelte den Kopf. »Ich habe bei den Cocktails nicht weiter auf ihn geachtet, bis Mercy ihn angeschrien hat. Dann sind wir zum Essen hineingegangen, und die Beleuchtung war gedämpft. Ich kann mich ehrlich gesagt nicht erinnern, ihn noch einmal angesehen zu haben.«

»Ich auch nicht.« Sara hatte nicht viel Zeit für Chuck gehabt. »Wir müssen mit allen reden, die beim Abendessen dabei waren. Ich möchte wissen, ob jemand diese blaue Färbung auf Chucks Haut schon gestern Abend bemerkt hat. Oder sogar früher.«

»Du meinst, Chuck wurde bereits vergiftet, bevor wir zur Lodge gekommen sind?«

»Es ist schwer zu sagen ohne die richtigen Ressourcen. Als er vorhin mit dir gesprochen hat, wie viel hat er da aus der Flasche getrunken?«

»Sie war halb voll, als wir anfingen. Er hat sie während unseres Gesprächs leergetrunken, also fast eineinhalb Liter in rund acht Minuten.«

»Kann einen das nicht umbringen?«, fragte Faith. »Viel Wasser zu trinken?«

»Ja, wenn du genügend trinkst, um das Natrium in deinem Blut zu verdünnen, aber eineinhalb Liter reichen dafür nicht aus. Ein hundert Kilo schwerer Mann sollte mindestens drei Liter am Tag zu sich nehmen. Anderthalb Liter so schnell zu trinken, führt schlimmstenfalls dazu, dass du es wieder erbrichst.«

»Am Boden der Flasche scheint noch ein wenig Wasser zu sein«, sagte Will.

Sara hätte es gern analysieren lassen, aber das würde Wochen dauern. Sie fragte Will: »War sein Gürtel schon offen, als du mit ihm gesprochen hast?«

»Nein. Ich habe angenommen, dass er im Wasser aufgegangen ist.«

Sara zog den Gürtel für die Kamera zurück, um zu zeigen, dass der oberste Knopf von Chucks Cargoshorts ebenfalls geöffnet war. Sie beugte sich hinunter, um an seiner Kleidung zu riechen. »Wie hat er gegen Ende eures Gesprächs gewirkt?«

»Er hat stark geschwitzt«, sagte Will. »Und er konnte es kaum erwarten, dass ich gehe.«

»Er könnte wegen eines Durchfalls besorgt gewesen sein. Vielleicht hat er gerade versucht, seine Hose herunterzuziehen, als die anderen Symptome eingesetzt haben.«

»Das erklärt, warum er nicht um Hilfe gerufen hat«, sagte Faith. »Man kann keine Zuschauer gebrauchen, wenn man Dünnschiss hat.«

»Sind Abwehrwunden zu sehen?«, fragte Will.

»Nein, aber ich will mir seinen Rücken noch ansehen. Ich schaue in seinen Vordertaschen nach, bevor ich ihn umdrehe.« Sara klopfte sachte auf den Stoff, um zu sehen, ob etwas Scharfes darin war, bevor sie mit den Fingern in die oberen und unteren Taschen der Cargoshorts fuhr. Sie zählte ihre Funde auf. »Eine Tube Lippenbalsam. Ein 15-Milliliter-Fläschchen Augentropfen. Ein faltbares Gerät, das verhindert, dass sich Angelleinen verheddern. Ein faltbares Universalwerkzeug für Angler. Eine Rollleine. Ein Taschenmesser.«

»Ist dieses ganze Zeug normal beim Angeln?«, fragte Faith.

»Das meiste.« Sara hatte viel Zeit mit ihrem Vater am See verbracht. Er trug seine Ausrüstung am Gürtel, aber jeder Angler war anders. »Bist du bereit, kann ich ihn umdrehen?«

Will wich ein Stück zurück, dann nickte er.

Sara suchte sich einen festen Griff an Chucks Schulter und Hüfte und drehte ihn dann zur Seite.

Will gab ein Würgegeräusch von sich und presste sich die verletzte Hand an die Nase. Sara fasste es als Bestätigung für den Zustand von Chucks Eingeweiden auf. Sie war froh, dass Faith nicht in der Windrichtung saß.

Sara konnte nur durch die Nase atmen, als sie Chucks Brieftasche aus der Gesäßtasche zog und flach auf den Boden legte, um sie zu öffnen. Das schwarze Leder glänzte. Sie legte eine Visa-Karte heraus, eine von American Express, einen Führerschein und eine Versicherungskarte, alle auf den Namen Bryce Bradley Weller. Im inneren Fach war kein Kleingeld, nur ein einzelnes Kondom in einer ausgeblichenen goldenen Hülle. Magnum XL, gleitfähig und gerippt. Sara drehte die Brieftasche um. Dem runden Abdruck nach war das Kondom schon eine ganze Weile da drin gewesen. Etwas sagte ihr, dass Chuck nicht jeden Abend eines benutzte und durch ein neues ersetzte.

»Die Samenflüssigkeit, die du in Mercy gefunden hast, könnte das auch ein Gleitmittel gewesen sein?«, fragte Will.

»Nein. Unter dem Mikroskop waren Spuren von Spermatozoen zu sehen. Und denk daran, dass das kein Beweis für eine Vergewaltigung ist, sondern nur für Geschlechtsverkehr.« Sie hob den Rücken von Chucks Hemd an. Es gab keine Kratzer oder Anzeichen einer jüngeren Verletzung. Die einzige Überraschung war eine Tätowierung. »Auf dem linken Schulterblatt ist eine große Tätowierung, etwa zehn auf acht Zentimeter. Ein Whiskeyglas, wie es aussieht, mit einer bernsteinfarbenen Flüssigkeit darin, die über den Rand schwappt. Anstelle von Eis ist ein menschlicher Schädel in dem Glas.«

»Wow«, sagte Faith. »Stand er auf Scotch?«

»Ich habe keine Ahnung.« Sara hatte jeden Small Talk absichtlich vermieden. »Will?«

Er zuckte mit den Achseln. »Ich habe ihn den ganzen Abend nur Wasser trinken sehen.«

»Wenn ich ihn vergiften wollte«, sagte Faith, »hätte ich auf jeden Fall etwas in die Wasserflasche getan.«

Sara drehte Chuck behutsam auf den Rücken. »Das sind alle vorläufigen Befunde, wir werden auf die Obduktion und die Toxikologie warten müssen, um ein vollständiges Bild zu erhalten.«

Will stoppte die Aufnahme. »Wie sieht deine Theorie aus?«, fragte er.

Sara bedeutete ihm mit einem Kopfnicken, sich ein Stück von dem Toten mit ihr zu entfernen. Sie mochte es nicht, über Opfer zu sprechen, als wären sie nur ein Problem, das es zu lösen galt, und nicht Menschen.

Sara wartete, bis Faith dazugekommen war, dann sagte sie: »Angesichts unserer Umgebung dachte ich zuerst an etwas Natürliches wie Atropin oder Solanin, die man in Nachtschattengewächsen findet. Das Solanin ist unglaublich giftig, selbst in kleinen Mengen. Dann sind da noch Pferdenessel, Kermesbeere, Traubenkirsche und Lorbeerkirsche.«

»Himmel, die Natur ist so schlecht für uns«, warf Faith ein. »Was war deine zweite Vermutung?«

»Ich habe mir über die Augentropfen Gedanken gemacht. Sie enthalten eine Zutat namens Tetryzolin, das ist ein Alpha-1-Rezeptor, der die Rötung bei sich verengenden Blutgefäßen vermindert. Bei oraler Aufnahme geht es schnell durch den Verdauungstrakt und wird vom Blutkreislauf und dem zentralen Nervensystem absorbiert. In höherer Konzentration kann es Übelkeit, Durchfall, niedrigen Blutdruck, verminderte Herzfrequenz und Bewusstlosigkeit verursachen.«

»Du redest von dem Zeug, das man einfach in der Drogerie kaufen kann?«, sagte Faith.

»Die Dosis macht das Gift«, sagte Sara. »Wenn Tetryzolin der Übeltäter ist, dann reden wir von einigen Flaschen.«

»Der ganze Müll wird nach oben getragen. Wir können die Säcke nach leeren Flaschen durchsuchen, aber wir werden alles, was wir finden, ans Labor schicken müssen, damit sie Fingerabdrücke nehmen können.«

»Moment mal«, sagte Faith. »Es gab einen Fall in Carolina mit dem Zeug, oder? Die Frau hat ihrem Mann heimlich Augentropfen ins Wasser getan. Aber es hat einige Zeit gedauert, bis er gestorben ist.«

Sara hatte ebenfalls von dem Fall gelesen. »Das Tetryzolin könnte zu Chucks Tod beigetragen haben. Die tatsächliche Todesursache könnte Ertrinken gewesen sein.«

»Suizid scheidet wahrscheinlich aus«, sagte Will. »Das hört sich nicht nach etwas an, was man nehmen würde, um sich umzubringen.«

»Es sei denn, man will sich zu Tode scheißen«, ergänzte Faith. »Gab es da nicht einen Film, in dem es ein Typ dem anderen verpasst hat, damit er das Mädchen bekommt?«

»*Die Hochzeits-Crasher*«, sagte Will. »Suchen wir nach einem Täter oder nach zwei? Wer hätte ein Motiv, sowohl Mercy als auch Chuck zu töten?«

»Was wissen wir über Chuck?«, fragte Faith. »Er war merkwürdig. Er mochte Scotch zumindest so sehr, dass er sich eine Tätowierung machen ließ. Er hat geangelt. Er lief mit einem Kanister Wasser herum.«

»Er war Christophers bester Freund«, ergänzte Will. »Er war von Mercy besessen, was nicht erwidert wurde. Er war ein Incel oder zumindest beinahe.«

»Er hatte ein Kondom in der Tasche, also hatte er die Hoffnung noch nicht ganz aufgegeben.« Faith seufzte schwer. »Wer hatte Zugang zu der Wasserflasche?«

Sara sah Will an. »Alle?«

Er nickte. »Chuck hat zur Cocktailzeit nicht darauf aufgepasst. Er hat sie ein paarmal auf dem Geländer abgestellt und ist weggegangen.«

»Es war sicher schwer, sie die ganze Zeit herumzuschleppen. Eine Gallone Wasser wiegt knapp vier Kilo.«

»Emma hat fast vier Kilo gewogen, als sie zur Welt kam«, sagte Faith. »Es war, als würde ich eine Xbox herumtragen.«

»Oder einen Kanister Milch«, sagte Will.

»Also sind wir wieder an dem Punkt, dass alle hier oben zu den Verdächtigen zählen«, fasste Faith zusammen. »Und jeder, der Zugang zu diesen Augentropfen hat, die es in jedem Drogeriemarkt gibt.«

»Und das als giftiger Wirkstoff einigermaßen bekannt ist«, fügte Sara an.

»Nehmen wir Mercy aus der Gleichung«, sagte Faith. »Wer hätte ein Motiv, Chuck zu töten? Er hatte nichts mit dem Verkauf der Lodge zu tun. Und falls ihn jemand töten wollte, weil er gruselig war und einem auf die Nerven ging, wäre es längst passiert.«

»Bevor ich Chuck hier herunter gefolgt bin, habe ich gehört, wie er sich mit Christopher über die Investoren unterhalten hat«, sagte Will. »Sie waren auf dem Teil des Wegs, der hinter der Küche vorbeiführt. Christopher sagte, er werde zu spät zu einem Familientreffen kommen, bei dem es wahrscheinlich um den Verkauf gehe. Chuck fragte, ob die Investoren noch interessiert seien. Christopher sagte, das wisse er nicht, aber er sei raus aus dem Geschäft. Er hätte es von Anfang an nicht gewollt, und ohne Mercy würde es nicht funktionieren. Er sagte, sie bräuchten sie.«

»Das ist merkwürdig«, sagte Sara. »Meinte er die Lodge oder ein anderes Geschäft?«

»Mercy hat die Lodge seit Cecils Unfall geführt«, sagte Faith. »Laut Penny hat sie ihre Sache großartig gemacht, einen satten Gewinn erwirtschaftet und ihn wieder in die Anlage investiert.«

Will wirkte nicht überzeugt. »Zum Ende hin sagte Chuck noch etwas zu Christopher wie: ›Das ist eine gute Sache, die wir da laufen haben. Eine Menge Leute hängen von uns ab.‹«

»War Chuck vielleicht an der Lodge beteiligt?«, fragte Faith. »Als stiller Teilhaber?«

»Es klang nicht so, als würden sie von der Lodge sprechen«, sagte Will.

Beim Geräusch von nahenden Schritten schauten sie den Weg hinauf. Kevin kam mit Beweismittelbeuteln und anderem Zubehör zurück.

»Agent Mädchen-für-alles ist wieder da«, sagte Faith.

Kevin mochte den Scherz nicht, wahrscheinlich, weil er der Wahrheit zu nahe kam. Er sagte: »Ich habe in der Küche vorbeigeschaut und den Koch gebeten, den freistehenden Gefrierschrank auszuräumen, aber ich habe ihm nicht erzählt, wieso.«

»Er ist nicht von allein draufgekommen, als du ihn gebeten hast, einen mannsgroßen Platz freizumachen?«, sagte Faith.

»Ich habe ihm erklärt, wir müssten Beweismittel lagern, wollten aber die Lebensmittel nicht kontaminieren.«

»Okay«, räumte Faith ein. »Das war clever.«

»Wie sieht der Plan bei Chuck aus?«, fragte Kevin. »Sagen wir es den Leuten? Oder halten wir es geheim?«

Sara sagte: »Ich muss Nadine über den Tod informieren, aber sie wird die Leiche erst abtransportieren können, wenn die Straße wieder befahrbar ist. Ich vertraue drauf, dass sie es einstweilen für sich behält.«

»Der Koch und die Servicekräfte werden sehen, wie wir die Leiche in dem Gefrierschrank verstauen«, sagte Will. »Aber wenn sie im Speisebereich bleiben und niemand vom Haus herunterkommt, wird die Information nicht in die Hotelanlage gelangen.«

»Falls die Lodge ihren Tagesablauf beibehält, werden die Gäste erst gegen sechs zum Cocktail anrücken«, sagte Sara.

»Was ist mit der Information, dass es Dave nicht war?«, wollte Kevin wissen. »Halten wir das auch noch unter Verschluss?«

»Ich glaube, das müssen wir«, sagte Faith. »Es ist ja nicht so, als würde die Familie laut nach dem Namen des Mörders rufen.«

»Was ist mit Jon?«, fragte Sara. »Er wird früher oder später wieder auftauchen. Im Moment denkt er, dass sein Vater seine Mutter ermordet hat. Wollen wir ihn in dem Glauben lassen?«

»Das ist ein kompliziertes Gespräch«, sagte Will. »Man kann ihn nicht bitten, es geheim zu halten, und er könnte den wahren Mörder unbeabsichtigt warnen. Wir müssen immer noch diesen Messergriff finden. Der Täter wird vielleicht nachlässig, weil er denkt, er ist ungeschoren davongekommen.«

»Ich bin dafür, wir halten alles unter Verschluss – Chuck und Dave«, sagte Kevin.

»Einverstanden«, antworteten Faith und Will wie aus einem Mund, was Saras Stimme überflüssig machte.

»Lasst uns einen Plan machen«, sagte Faith. »Wir können eine der leer stehenden Hütten für die Vernehmungen benutzen, sodass niemand ein Heimspiel hat. Wir fangen mit Frank und Monica an und schauen uns an, worüber sie sonst noch gelogen haben. Wir brauchen eine verlässliche Zeitleiste. Dann nehmen wir uns die App-Entwickler vor. Ich möchte wissen, wieso sie wegen Paul Petersons Namen gelogen haben.«

»Er heißt Ponticello«, sagte Will. »Amanda hat eine Heiratsurkunde gefunden. Paul Ponticello ist mit Gordon Wylie verheiratet.«

»Wozu lügen die, wenn sie verheiratet sind?«, fragte Faith.

»Das steht auf unserer Frageliste ganz oben«, antwortete Will. »Ich bin mir nicht sicher, was wir mit Christopher machen sollen.«

»Weil er der Letzte war, der Chuck gesehen hat, und weil er Zugang zu dem Wasserkanister hatte?« Faith atmete geräuschvoll aus. »Also wirklich ... Er ist unser Verdächtiger *Numero uno*.«

»Was ist sein Motiv?«

»Der Teufel soll mich holen, wenn ich das weiß.« Faith seufzte lange und gequält. »Wir drehen uns im Kreis. Lasst uns aufhören zu quatschen und etwas tun.«

»Du hast recht«, sagte Will. »Kevin, ich helfe dir, Chuck in dem Gefrierschrank zu verstauen. Dann werde ich den Müll durchsuchen, während du den Schauplatz hier unten bearbeitest.

Faith, frag nach, ob wir eine leere Hütte benutzen dürfen. Wenn du kannst, rüttle ein wenig an Christophers Käfig. Sieh zu, ob er nach Chuck fragt. Sara, in dem Geländefahrzeug gibt es ein weiteres Satellitentelefon, damit kannst du Nadine anrufen. Behalte es für alle Fälle bei dir. Amanda sagte, sie ruft an, wenn der Durchsuchungsbeschluss geschickt wird, aber schau trotzdem nach dem Faxgerät. Würde es dir etwas ausmachen, herauszufinden, ob Drew und Keisha reden wollen?«

»Ich kann es versuchen.« Sara machte sich mehr Sorgen um die Nähte in Wills Hand. Sie hatte für alle Fälle Antibiotika mitgebracht. »Ich habe die Reisetasche mit den Medizinartikeln in unserer Hütte gelassen. Ich möchte deinen Verband wechseln.«

»Damit warten wir am besten gleich noch, bis ich mit dem Müll fertig bin.«

»Klingt gut.« Sara würde die Debatte über eine Infektionsgefahr nicht führen, schon gar nicht vor Publikum. Es blieb ihr nichts übrig, als sich auf den Weg zu machen. Der Anruf bei Nadine war kein Problem, aber sie wusste nicht, wie sie bei Drew und Keisha vorgehen sollte. Die beiden schienen wirklich nette Menschen zu sein. Sie hatten jedes Recht, die Beantwortung von Fragen zu verweigern. Aber Sara konnte nicht ignorieren, dass Drews Anklage wegen Körperverletzung ein grelles Warnsignal war. Er war bereits zweimal in der Lodge gewesen, vielleicht sogar erst vor zehn Wochen.

»Sara?« Will hatte ganz offensichtlich dieselben Überlegungen angestellt. »Faith kommt mit dir. Sie braucht eine Karte von der Anlage.«

Sara setzte ein Lächeln nur für ihn auf. »Ich kann eine mitbringen, wenn ich mit Drew und Keisha gesprochen habe.«

Will setzte ebenfalls ein Lächeln auf. »Oder du könntest Faith zu dem Gespräch mitnehmen.«

»Herrgott noch mal.« Faith hängte sich ihre Handtasche wie einen Futtersack um und machte sich auf den Weg.

Sara ging vor ihr den Weg hinauf. Faith sagte nicht viel, außer dass sie sich über den Schlamm beschwerte, die Bäume, das Unterholz und die Natur im Allgemeinen. Der Pfad war schmal und das Gehen nicht einfach in dem Morast. Statt sich den Kopf über Wills Hand zu zerbrechen, konzentrierte sich Sara auf Bereiche, wo sie mehr bewirken konnte. Nadine würde vielleicht etwas über Chuck wissen. In Kleinstädten war man gegenüber Fremden notorisch argwöhnisch. Davon abgesehen würde ein Mann wie Chuck auffallen. Es musste Geschichten über ihn in der Stadt geben.

»Himmel.« Faith klang eher, als würde sie beten, als sie endlich den Loop Trail erreichten. »Ich habe keine Ahnung, warum Will so begeistert von dieser Lodge ist. Ich bin getränkt mit Schweiß, Schlamm und Pferdefürzen. Etwas hat mich in den Hals gebissen. Mein ganzer Körper ist klebrig. Überall sind Vögel.«

Sara wusste, dass Faith Vögel hasste. »Ich habe Kleidung zum Wechseln für dich.«

»Ich weiß nicht, ob du es bemerkt hast, aber mein Körpertypus gleicht mehr einem kräftigen männlichen Teenager als einem hochgewachsenen, gertenschlanken Supermodel.«

Sara lachte. Sie war groß, aber die beiden anderen Attribute waren weit hergeholt. »Wir finden etwas.«

Faith murmelte leise, als sie den Rundweg entlanggingen. »Hast du mit Amanda gesprochen?«

»Nicht über das, worüber sie sprechen will.«

»Sie hat ja nicht ganz unrecht damit, dass Will seine Nase in alle möglichen Dinge steckt. Er ist in den Flitterwochen, und was macht er? Er rennt in ein brennendes Haus, wird mit einem Messer in die Hand gestochen, und jetzt wäre er fast noch einen Wasserfall hinuntergestürzt.«

Sara musste schlucken, ehe sie weiterreden konnte. Die Sache mit dem Wasserfall war ihr neu. »Ich habe ihn nicht geheiratet, um ihn zu ändern.«

»Dein Maß an gesunder Interaktion kann einem manchmal wirklich auf die Nerven gehen.«

Sara lachte jetzt wieder. »Wie geht es Jeremy?«

»Ach, du weißt ja, er ist bereit, FBI-Agent zu werden und sich auf eine schmutzige Bombe zu werfen.«

Sara warf einen Blick auf sie, Faith war im Allgeneinen leicht zu lesen, nicht zuletzt, weil sie alles bereitwillig ausplauderte, was ihr in den Sinn kam, aber sie hielt sich eisern bedeckt, wenn es um ihre Kinder ging. »Und?«

»Und«, sagte Faith, »ich weiß nicht, was ich tun soll. Bis dahin hat er nie etwas Schockierenderes zu mir gesagt, als dass die Vereinigten Staaten eins Komma vier Milliarden Pfund Käse in einer Höhle in Missouri aufbewahren.«

Sara lächelte. Sie liebte Jeremys unnützes Wissen. »Hast du versucht, mit ihm zu reden?«

»Ich werde noch ein wenig herumbrüllen und sehen, ob das funktioniert, ehe ich es vielleicht mit der Schweigemethode probiere, und dann werde ich eine Weile schmollen und es als Vorwand nehmen, zu viel Eiscreme zu essen.« Faith verschränkte die Arme und sah zum Himmel hinauf. »Es ist abgefahren hier, oder?«

»Du meinst die vielen Vögel?«

»Ja, das auch, aber ich komme nicht von Mercys Mom los«, sagte Faith. »Wie Bitty über ihre eigene Tochter geredet hat …«

Sara teilte ihre Abscheu. »Ich kann mir nicht vorstellen, was für eine Art von Mensch man sein muss, um das eigene Kind zu hassen. Was für eine erbärmliche Frau.«

»Kinder können dich lehren, wer du bist«, sagte Faith. »Bei Jeremy habe ich mich so angestrengt, perfekt zu sein. Ich wollte meinen Eltern beweisen, dass ich erwachsen genug bin, allein für ihn zu sorgen. Ich habe Zeitpläne und Tabellen erstellt und war mit der Wäsche nie im Rückstand, bis ich eines Tages dann begriffen habe, dass es auch okay ist, auf dem Boden zu essen.«

Sara lächelte. Sie hatte ihre Schwester dieselben Überlegungen anstellen sehen.

»Emma lässt mich erkennen, was für eine gute Mutter meine eigene Mutter ist. Ich wünschte, ich hätte mehr auf sie gehört. Nicht, dass ich jetzt noch damit anfangen würde, aber es ist der Gedanke, der zählt.« Faiths Lächeln hielt nicht lange an. »Bei dem Gespräch mit Bitty musste ich nur immer denken, dass sie nichts gelernt hat. Sie hatte dieses wunderschöne kleine Mädchen, und sie hätte die Welt zu einem wundervollen Ort für sie machen können, aber sie hat es nicht getan. Schlimmer noch, sie hat Dave Mercy und Christopher vorgezogen. Und jetzt ist Mercy tot, und Bitty hat auch daraus nichts gelernt. Sie kann nicht aufhören, auf ihre eigene Tochter zu scheißen. Ich weiß, ich habe darüber gewitzelt, dass sie sich wie Daves eifersüchtige psychopathische Freundin benimmt, aber es wirkt krankhaft.«

»Ich würde nicht sagen, dass sie es bei Christopher besser gemacht hat«, sagte Sara. »Sie hat ihn bei den Cocktails mehr oder weniger ignoriert. Nur einmal hat sie auf seine Hand geschlagen, als er noch Brot nehmen wollte.«

»Was ist mit Cecil?«

»Mercy hat gestern Abend etwas zu mir gesagt, das mir heute ständig durch den Kopf gegangen ist«, sagte Sara. »Sie hat mich gefragt, ob ich meinen Vater geheiratet habe.«

Faith sah sie an. »Was hast du gesagt?«

»Dass es tatsächlich so ist. Will ähnelt meinem Vater sehr. Sie haben denselben moralischen Kompass.«

»Mein Vater war ein Heiliger. Kein Mann wird es je mit ihm aufnehmen können, wozu es also überhaupt versuchen?« Faith zuckte mit den Achseln. »Wie kam sie auf diese Frage?«

»Sie hat mir erzählt, dass Dave wie ihr Vater ist. Was einen Sinn ergibt, nachdem ich ihre Röntgenbilder gesehen habe. Sie hat in ihrer Kindheit ein fürchterliches Maß an Misshandlungen erleiden müssen.« Sara fragte sich, wie viel Will Faith über Dave erzählt hatte. Sie wollte nicht zu weit gehen. »Nach allem, was ich gehört habe, hat Dave zwei Seiten. Wie Cecil kann er ein glänzender Unterhalter sein. Und dann wieder bringt er es fertig, der Mutter seines Kindes wehzutun.«

»Die meisten Männer, die Missbrauch betreiben, sind so. Sie legen sich ihre Opfer zurecht und geben sich nicht gleich als Arschloch zu erkennen. Aber lass Bitty nicht vom Haken«, sagte Faith. »Sie könnte ihre Kinder ebenfalls körperlich missbraucht haben.«

»Es würde mich nicht überraschen«, sagte Sara. »Nach meiner Erfahrung finden Frauen wie sie allerdings mehr Vergnügen an psychischer Folter.«

»Ich weiß, es war schwer für Will, als er Mercy gefunden hat, aber ich bin froh, dass sie nicht allein war, als sie starb.«

»Sie hat sich um Jon gesorgt«, sagte Sara. »Er sollte unbedingt erfahren, dass sie ihm verziehen hat, was beim Abendessen passiert ist. Ihre letzten Worte, ihre letzten Gedanken drehten sich nur um ihren Sohn.«

Faith rieb sich die Arme, als wäre ihr kalt. »Es würde mich in so einem Fall noch einmal töten, wenn ich glauben müsste, dass Jeremy so eine Schuld für den Rest seines Lebens mit sich herumschleppen muss.«

»Jeremy hat viele Leute, die sich um ihn kümmern würden. Dafür hast du gesorgt.«

Faith wollte erkennbar nicht zu gefühlsduselig werden. Sie blickte den Weg hinauf. »Ich fass es nicht, ist das etwa eure Hütte?«

Sara wurde von Traurigkeit erfasst, als sie die wunderschönen Blumenkästen und die Hängematte sah. Aus ihrer perfekten Woche war nichts geworden. »Es ist wirklich hübsch, nicht wahr?«

»Machst du Witze?« Faith klang hingerissen. »Es sieht aus, als wohnt Bilbo Beutlin hier.«

Sara blieb ein Stück zurück, als Faith auf die Treppe zustürmte. Ein vertrauter süßlicher Geruch lag in der Luft, den sie aber nicht ganz einordnen konnte. »Riechst du das?«

»Das bin wahrscheinlich ich. Du willst nicht wissen, was hinten aus diesem Pferd kam.« Faith schlug sich an den Hals. »Noch ein Moskito. Sag mal, macht es dir etwas aus, wenn ich kurz dusche? Ich kann dir gar nicht sagen, wie eklig ich mich fühle.«

»Geh einfach rein. Such dir in der Kommode etwas zum Anziehen. Ich bleibe hier draußen, es ist zu schön, um in der Hütte zu sitzen.«

Faith stellte keine Fragen, sondern rannte sofort die Treppe hinauf.

»Faith!« Sara blieb das Herz fast stehen. »Wühl nicht in meinem Koffer, okay?«

Faith sah sie komisch an, sagte aber: »Okay.«

Sara sah sie in der Hütte verschwinden und hoffte, es war genau das eine Mal, da Faith nicht neugierig war. Will würde den Dienst quittieren und auf eine einsame Insel ziehen, wenn sie den riesigen rosa Dildo fand, den Tessa in Saras Koffer gepackt hatte.

Sie wartete, bis die Tür zu war, bevor sie sich wieder umdrehte und in die Gegend schaute. Sie fühlte sich klapprig vor Erschöpfung. Weder sie noch Will hatten in der Nacht zuvor geschlafen. Und nicht aus dem Grund, warum man in seinen Flitterwochen nicht schlief. Sara holte tief Luft. Der süßliche Geruch war immer noch da.

Auf eine Ahnung hin ging sie den Loop Trail weiter entlang. Den meisten Gästen waren Hütten näher beim Haupthaus zugeteilt worden, aber sie erinnerte sich von der Karte, dass Hütte neun etwas versteckt zwischen ihrer eigenen und dem Rest der Anlage stand.

Sara war den oberen Teil des Rundwegs nur zweimal gegangen, einmal mit Will und Jon und beim zweiten Mal im Dunkeln. Beide Male hatte sie Nummer neun nicht gesehen. Sara überlegte bereits, ob sie sich vergeblich auf den Weg gemacht hatte, als sie einen Fußweg sah, der sich einen weiteren Hügel hinaufschlängelte. Der süßliche Geruch wurde entschieden stärker, als sie dem Weg folgte. Sara wusste von Jon, dass der Geruch von einer Vape-Kartusche der Sorte Red Zeppelin stammte. Sie wusste außerdem, dass er gelogen hatte, als er behauptete, nur einen Vape-Pen zu haben. Der, den er jetzt im Mund hatte, war silbern.

Jon saß in der Schaukel auf der Veranda und starrte in den Wald. Sein Gesicht war geschwollen, die Augen blutunterlaufen von der Trauer um seine Mutter. Er war so in Gedanken versunken, dass er Sara erst bemerkte, als sie vor ihm auf der Veranda stand. Er erschrak nicht, sondern sah sie nur an. Nach seinen schweren Lidern und dem glasigen Blick zu schließen, hatte er heute nicht nur Red Zeppelin geraucht.

»Das ist ein hübscher Platz, um sich zu verstecken«, sagte sie.

Jon steckte die E-Zigarette wieder in den Mund und wischte seine Tränen ab.

»Hast du genug zu essen?«

Er nickte und blies Rauch in die Luft.

»Ich werde nicht sagen, du sollst nach Hause gehen, aber ich muss sicher sein, dass du wohlauf bist.«

»Ja, Ma'am, ich …« Er räusperte sich. »Alles okay.«

Sie konnte sehen, was ihm die Aussage abverlangt hatte. Seine Mutter war tot. Er musste davon ausgehen, dass sein Vater sie ermordet hatte. Sicherlich fühlte er sich vollkommen allein.

»Warst du eben auf dem Weg vor meiner Hütte?«, fragte Sara.

Er räusperte sich wieder. »Die Lookout-Bank war das letzte Mal … ich meine, nicht das letzte Mal, sondern der letzte Ort, wo …«

Sara sah eine Träne über sein Gesicht laufen. Sie wollte ihn nicht mit Fragen überschütten, aber sie spürte, dass er jemanden brauchte, der zuhörte. »Du hast mit deiner Mutter auf der Bank gesessen?«

Er wirkte gequält bei der Erinnerung. »Sie wollte reden. Das haben wir früher viel gemacht, als ich noch klein war. Ich dachte, ich bekomme Ärger, aber sie war gar nicht böse. Sie war allerdings echt traurig.«

Sara lehnte sich an das Geländer. »Weshalb war sie traurig?«

»Sie hat mir erzählt, dass Tante Delilah da war.« Jon legte die E-Zigarette neben sich auf die Schaukel. »Sie hat gesagt, ich soll Papa fragen, was los ist. Es ging um den Verkauf, sie wollte, dass ich es von Papa höre statt von ihr. Aber nicht etwa, weil sie feige war.«

Sara wurde weh ums Herz bei seinem beschützerhaften Tonfall.

»Ich war aber wütend auf sie. Nachdem ich mit Papa geredet hatte, meine ich. Weil – wieso wollte sie hier oben bleiben? Welchen Sinn hatte das? Wir hätten alle in ein Haus in der Stadt ziehen können, und sie hätte ihr Ding machen können, und ich … ich weiß nicht. Freunde finden. Ausgehen mit …«

Sara hörte, wie sich seine Stimme erneut verlor. »Das ist ein wunderschöner Ort hier«, sagte sie. »Er ist seit Generationen im Besitz eurer Familie.«

»Es ist scheißlangweilig.« Er presste das Kinn auf die Brust. »Entschuldigung, Ma'am.«

»Ich kann mir vorstellen, dass es hier nicht viel zu tun gibt für dich«, sagte Sara.

»Arbeit ist alles, was es gibt.« Jon wischte sich mit dem Hemdzipfel über die Nase. »Wenigstens bezahlt mir Bitty seit ein paar Jahren ein bisschen was dafür. Papa hat uns nie einen Cent gegeben. Ich hatte nicht einmal ein Handy, bis mir Bitty heimlich eins besorgt hat. Papa sagte, alle, mit denen ich reden muss, sind auf diesem Berg.«

Sara sah, wie er die E-Zigarette zwischen den Fingern drehte. »Als du mit deiner Mutter auf der Bank gesessen hast, hat sie da sonst noch etwas gesagt?«

»Ja, sie hat mir den Abend freigegeben. Dann hat sie gemeint, ich soll der Lady in Nummer sieben noch Whiskey bringen. Nur dass ich es vergessen habe.«

Sara fragte sich, ob er es wirklich vergessen hatte. »Du hast ihn selbst getrunken.«

Jons Gesichtsausdruck sagte alles.

»Es tut mir sehr leid, dass sie tot ist«, sagte Sara. »Mercy schien ein netter Mensch zu sein.«

Sara konnte an seinem Blick erkennen, dass er nicht sicher war, ob sie nur scherzte. Jon war es offensichtlich nicht gewohnt, seine Mutter in einem positiven Licht dargestellt zu sehen.

Sara fuhr fort. »Ich habe nicht viel Zeit mit deiner Mutter verbracht, aber wir haben uns ein wenig unterhalten. Eines wurde mir dabei klar: Sie hat dich sehr geliebt, und sie war überhaupt nicht wütend wegen des Streits. Ich glaube, wie alle Mütter wollte sie nur, dass du glücklich bist.«

Jon räusperte sich. »Ich habe furchtbare Dinge zu ihr gesagt.«

»Das tun Jugendliche manchmal eben.« Sara zuckte mit den Achseln. »Alle deine Gefühle von gestern Abend sind vollkommen normal. Mercy hat das verstanden. Ich garantiere dir, sie hat dir keinen Vorwurf daraus gemacht, dass du wütend auf sie warst. Sie hat dich geliebt.«

Jons Tränen flossen jetzt wieder reichlich. Er machte Anstalten, den Stift in den Mund zu stecken, dann überlegte er es sich anders. »Sie wollte nicht, dass ich die qualme.«

Sara würde ihm jetzt keinen Vortrag darüber halten, dass er aufhören sollte. »Wenn du bereit dazu bist, möchte ich gern, dass du mit Will redest. Er hat dir ein paar Dinge zu sagen.«

Jon wischte sich über die Augen. »Er ist nicht sauer, weil ich ihn Trash genannt habe?«

Sara hatte den Wortwechsel fast schon vergessen. »Nicht im Geringsten. Er würde sich sehr freuen, sich mit dir unterhalten zu können.«

»Wo ist mein …« Er unterbrach sich. »Wo ist Dave?«

»Er ist im Krankenhaus.« Sara wählte ihre Worte sorgfältig, sie wusste, sie konnte ihm im Augenblick nicht die Wahrheit sagen, aber sie wollte auch nicht lügen. »Es geht ihm gut, aber er wurde bei seiner Verhaftung verletzt.«

»Fein. Ich hoffe, er leidet so, wie er ihr immer wehgetan hat.«

Sara hörte die Bitterkeit in seiner Stimme. Seine Faust ballte sich um den Vape-Pen.

»Vor einiger Zeit hat er zu mir gesagt, dass er wahrscheinlich im Gefängnis sterben wird. Er war auf Mitleid aus, aber ich schätze, er hatte recht, oder? Es musste früher oder später passieren.«

»Lass uns von etwas anderem sprechen«, bat Sara, um ihrer selbst willen ebenso sehr wie um Jons willen. »Hast du irgendwelche Fragen dazu, was jetzt mit deiner Mutter geschieht?«

»Papa sagt, wir werden sie einäschern, aber ...« Seine Lippen fingen zu zittern an. Er wandte den Kopf ab und blickte in den Wald. »Wie ist das?«

»Einäscherung?« Sara wog ein wenig ihre Antwort ab. Sie sprach nie von oben herab mit Kindern und Jugendlichen, aber Jon war in einer kritischen Situation. »Deine Mutter wird jetzt in die GBI-Zentrale gebracht. Sobald die Obduktion abgeschlossen ist, wird sie in ein Krematorium überführt. Dort gibt es eine speziell gebaute Kammer, in der der Körper durch Hitze und Verdunstung in Asche verwandelt wird.«

»Wie ein Ofen?«

»Eher wie ein Scheiterhaufen. Weißt du, was das ist?«

»Ja. Bitty hat mich *Die Wikinger* auf ihrem iPad anschauen lassen.« Jon beugte sich vor und stützte die Ellbogen auf die Knie. »Sie müssen keine Obduktion machen, wenn Sie bereits wissen, wer es war, oder?«

»Wir müssen sie trotzdem machen. Das gehört zum Verfahren. Wir müssen Beweismittel sammeln, um eine Todesart im rechtlichen Sinn festzustellen.«

Er sah überrascht aus. »Es war nicht, weil sie erstochen wurde?«

»Letzten Endes, ja.« Sara verzichtete darauf, den Unterschied zwischen Todesart und Todesursache zu erklären. »Denk daran, was ich gesagt habe. Es gehört zu einem rechtlichen Verfahren. Alles wird dokumentiert werden müssen. Beweismittel müssen gesammelt und identifiziert werden. Es ist ein langwieriger Prozess. Ich kann die einzelnen Schritte mit dir durchgehen, wenn du willst. Wir sind noch ganz am Anfang.«

»Aber wenn mein Dad gesteht, dass er sie ermordet hat, dann müssten Sie das alles nicht tun?«

In Sara wallte das schlechte Gewissen wieder auf, weil sie ihm Daves Unschuld verheimlichte. Sie blieb trotzdem strikt bei der Wahrheit. »Jon, es tut mir leid, so funktioniert das nicht. Eine Obduktion muss zwingend durchgeführt werden.«

»Sagen Sie nicht, dass es Ihnen leidtut.« Er weinte jetzt heftig. »Was, wenn ich es nicht will? Ich bin ihr Sohn. Sagen Sie denen, dass ich es nicht will.«

»Es ist nach dem Gesetz trotzdem vorgeschrieben.«

»Ist das Ihr Ernst?«, schrie er. »Sie wurde schon erstochen, und jetzt schneiden Sie sie noch mehr auf?«

»Jon …«

»Das ist doch nicht fair.« Er stand auf. »Sie sagen, Sie haben sie gemocht, aber Sie sind genauso schlimm wie alle anderen. Haben sie ihr nicht schon genug wehgetan?«

Jon wartete nicht auf eine Antwort. Er ging in die Hütte und schlug die Tür zu.

Sara drängte es, ihm zu folgen. Er hatte das Recht, wegen Dave Bescheid zu wissen. Aber er war auch ein wütender und leidender Junge von sechzehn Jahren. Letzten Endes würde er ein wenig Frieden finden, wenn sie die Person ermittelten, die für den Tod seiner Mutter verantwortlich war. Im Moment konnte Sara nur sicherstellen, dass ihm wenigstens das Lebensnotwendige zur Verfügung stand. Er hatte ein Dach über dem Kopf. Er hatte Essen. Er hatte Wasser. Er war nicht in Gefahr. Alles andere stand nicht in ihrer Macht.

Anstatt zu ihrer Hütte zurückzugehen, beschloss sie, das Satellitentelefon aus dem Geländefahrzeug zu holen. Sara war verpflichtet, Nadine von Chucks Tod zu unterrichten. Das zumindest war eine Aufgabe, die sie erfüllen konnte. Sie schob Jons Schmerz an den Rand ihres Bewusstseins und rief sich die Einzelheiten zu Chucks Tod in Erinnerung, damit ihr Bericht an Nadine kurz und bündig ausfiel. Den Inhalt der Wasserflasche zu analysieren würde der entscheidende Punkt sein. Das Motiv würde ebenfalls eine Rolle spielen. Wenn Saras Theorie stimmte, war der Tod durch die Augentropfen herbeigeführt worden, aber die Todesursache war Ertrinken, und die Todesart war Mord. Über eventuell strafmildernde Faktoren hatte die Jury zu entscheiden.

Sie holte tief Luft, um ihre Atemwege zu reinigen. Hütte sechs kam in Sicht. Ein Stück weiter fand sie sich in der Anlage wieder und passierte die anderen Hütten. Als sie mit Will hier angekommen war, hatte sie die Lichtung als idyllisch empfunden, fast wie eine Illustration aus einem Märchenbuch. Jetzt spürte sie ein schweres Gewicht auf ihren Schultern, als sie sich dem Haupthaus näherte. Cecil saß auf der Veranda, Bitty war neben ihm. Beide schauten wütend drein. Kein Wunder, dass Jon nicht nach Hause gehen wollte.

»Sara?« Keisha stand in der offenen Tür ihrer Hütte, sie hatte die Arme verschränkt. »Was zum Teufel ist los? Sie müssen uns von diesem Berg herunterbringen.«

Sara ging auf sie zu und versuchte, keine Furcht aufkommen zu lassen. Drew wurde zu Recht verdächtigt. Sara musste die Lüge noch eine Weile aufrechterhalten. »Es tut mir leid, dass ich Ihnen nicht helfen kann. Ich würde es tun, wenn ich könnte.«

»Da drüben sind zwei Offroad-Fahrzeuge mit je vier Sitzen. Sie könnten uns eins leihen. Wir könnten Frank und Monica mitnehmen, die sind ebenfalls bereit, abzureisen.«

»Diese Entscheidung treffe nicht ich.«

»Wer trifft sie dann?«, fragte Keisha. »Wir trauen uns wegen der Schlammlawinen nicht, hinunterzuwandern. Der Himmel weiß, in welchem Zustand die Straße ist. Wir können kein Uber rufen. Es gibt kein Internet und kein Telefon. Sie halten uns hier oben gefangen.«

»Sie sind theoretisch nicht gefangen. Sie können jederzeit gehen. Sie entscheiden sich nur aus vernünftigen Gründen, es nicht zu tun.«

»Herrgott noch mal, haben Sie immer schon geredet, als wären Sie mit einem Cop verheiratet, oder fällt es mir jetzt erst auf?«

Sara holte tief Luft. »Ich bin Gerichtsmedizinerin beim GBI.«

Keisha sah überrascht aus, dann beeindruckt. »Im Ernst?«

»Im Ernst«, sagte Sara. »Können Sie mir etwas über Mercys Familie erzählen?«

Keishas Augen wurden schmal. »Was meinen Sie?«

»Sie sind schon zum dritten Mal hier oben im Urlaub. Sie und Drew kennen die McAlpines viel besser als wir. Deren Reaktion auf Mercys Tod wirkt sehr reserviert.«

Keisha verschränkte die Arme und lehnte sich an den Türpfosten. »Warum sollte ich Ihnen trauen?«

Sara zuckte mit den Achseln. »Das müssen Sie nicht, aber ich glaube, dass Ihnen Mercy etwas bedeutet hat. Die Anklage gegen ihren Mörder muss wasserdicht sein. Sie verdient Gerechtigkeit.«

»Dave hat sie jedenfalls bestimmt nicht verdient.«

Sara schluckte ihre Schuldgefühle. Sie war überstimmt worden. Darüber hinaus war sie kein Agent. Sie war nicht diejenige, die den Fall lösen musste. »Kennen Sie Dave gut?«

»Gerade gut genug, um ihn zu verabscheuen. Erinnert mich an meinen beschissenen Ex-Mann, das faule Stück.« Keishas Blick ruhte auf dem Haupthaus. Bitty und Cecil schauten zu ihnen her, aber das Paar war zu weit entfernt, um etwas hören zu können. »Die Familie war immer reserviert, aber Sie haben recht. Sie benehmen sich alle seltsam. Die McAlpines haben viele Geheimnisse hier oben. Ich schätze, sie wollen nicht, dass die ans Licht kommen.«

»Was für Geheimnisse?«

Keisha kniff die Augen wieder zusammen. »Als Gerichtsmedizinerin, sind Sie da ebenfalls Polizistin? Ich kenne mich nicht aus damit.«

Sara kehrte zu einer ehrlichen Herangehensweise zurück. »Nein, aber ich kann trotzdem als Zeugin für alles dienen, was Sie sagen.«

Keisha stöhnte. »Drew will nicht, dass ich in diese Sache verwickelt werde.«

»Wo ist er jetzt?«

»Er sucht unten beim Schuppen nach Fischtopher, damit er unsere verdammte Toilettenspülung repariert. Die spinnt, seit wir hier sind, und Drew kennt den Unterschied zwischen einem Wasserhahn und seinem Arschloch nicht.«

»Was macht sie?«

»Sie gibt Tropfgeräusche von sich.«

Sara sah einen Weg, Vertrauen zurückzugewinnen. »Mein Vater ist Installateur. Ich habe ihm früher jeden Sommer geholfen. Soll ich einen Blick darauf werfen?«

Keishas Blick ging wieder zum Haupthaus, dann zurück zu Sara. »Drew sagt, die Cops haben ohne Durchsuchungsbeschluss kein Recht, Häuser zu betreten.«

»Das stimmt in diesem Fall nicht ganz«, sagte Sara. »Das Anwesen gehört den McAlpines. Letzten Endes sind sie diejenigen, die für die Erlaubnis zuständig sind. Und wenn ich bei Ihnen etwas wie die Mordwaffe herumliegen sehe, dann werde ich es natürlich Will sagen.«

»Natürlich.« Keisha überlegte einen Moment, dann seufzte sie laut und machte die Tür auf. »Ich kann es nicht mit diesem ständigen Tropfgeräusch aushalten. Stören Sie sich nicht an der Unordnung.«

Sara nahm an, die beiden Trinkgläser und die angebrochene Packung Cracker auf dem Kaffeetisch waren die Unordnung, von der Keisha sprach. Hütte drei war kleiner als die Zehn, aber die Einrichtung war ähnlich. Eine Terrassentür im Wohnzimmer bot einen spektakulären Panoramablick. Sara sah durch die offene Tür ins Schlafzimmer. Im Gegensatz zu dem, was Faith bei Sara und Will vorfinden würde, war das Bett gemacht. Zwei Koffer warteten an der Eingangstür. Die Rucksäcke waren offenbar hastig gepackt worden und zu sehr vollgestopft. Zu Saras großer Erleichterung lagen im Müll keine leeren Flaschen von Augentropfen.

»Kommen Sie mit nach hinten.« Keisha ging zum Badezimmer durch. Auf der Waschbeckenablage waren zwei Sets Toilettenartikel, aber immer noch keine Augentropfen. »Haben Sie etwas von den harten Sachen hier oben probiert?«

»Nein.« Sara hätte es nach den letzten zwölf Stunden wirklich gern getan, aber sie sagte: »Will und ich trinken nicht.«

»Dabei würde ich es belassen. Monica hatte eine harte Nacht.« Keisha senkte die Stimme, obwohl sie allein waren. »Ich habe gesehen, wie Mercy mit der Barfrau gesprochen hat. Ich bin mir sicher, sie haben vereinbart, ihr nichts mehr zu geben. Dieses Zeug ist gefährlich. Wenn jemand hier oben ernsthaft krank wird, bedeutete das einen Hubschrauberflug nach Atlanta, und die Versicherung zahlt nicht, wenn du das Zeug ausgeschenkt hast.«

Sara nahm an, Keisha kannte sich durch ihr Catering-Geschäft mit Haftungsfragen aus. »Haben Sie letzte Nacht etwas gehört? Ein Geräusch oder einen Schrei?«

»Nicht einmal die verdammte tropfende Toilette.« Keisha klang genervt. »Das hier sollte eine romantische Auszeit werden, aber wir sind in dem erregenden Stadium unserer Ehe, wo ich mit laufendem Ventilator schlafe, damit ich Drews Apnoe-Gerät nicht höre.«

Sara lachte, sie wollte, dass die Stimmung gelöst blieb. »Wann waren Sie zuletzt hier oben?«

»Als die Bäume grün wurden. Vor etwa zweieinhalb Monaten würde ich sagen. Es ist schön hier um die Jahreszeit. Alles blüht. Ich bin wirklich traurig, dass wir nicht mehr herkommen.«

»Ich auch.« Sara konnte nicht umhin, die Rechnung anzustellen. Drews Aufenthalt lag genau im Zeitrahmen für Mercys Schwangerschaft. »Haben Sie beide viel Zeit mit Mercy verbracht?«

»Nicht bei diesem letzten Ausflug, weil der Laden voll war«, sagte sie. »Aber bei unserem ersten Aufenthalt haben wir drei-, viermal nach dem Abendessen etwas mit Mercy getrunken. Sie hatte nur Mineralwasser, aber sie konnte witzig sein, wenn die Anspannung nachließ. Ich kenne das Gefühl. Wenn du in der Gastrobranche bist, wollen den ganzen Tag lang alle etwas von dir. Mercy konnte mit uns offen darüber reden. Ich bin froh, dass wir das für sie tun konnten.«

»Sie hat es sicher zu schätzen gewusst«, sagte Sara. »Ich kann mir gar nicht richtig vorstellen, wie einsam es hier oben sein muss.«

»Ja, nicht?«, sagte Keisha. »Alles, was sie hatte, waren ihr Bruder und dieser schräge Typ. Drew nennt ihn Chuckles.«

»Haben Sie gemerkt, dass etwas zwischen Mercy und Chuck lief?«

»Das Gleiche, was Sie gestern Abend auch gesehen haben«, sagte Keisha. »Chuck war auch bei unserem ersten Mal hier. Beim zweiten Mal waren alle Hütten belegt, deshalb hat er wohl im Haus geschlafen. Papa war nicht glücklich damit, das kann ich Ihnen sagen. Mercy ebenfalls nicht, wenn ich es recht bedenke. Sie sagte, sie würde nachts einen Stuhl unter die Türklinke schieben oder so ähnlich.«

»Das ist merkwürdig.«

»Jetzt ja, aber Sie wissen doch, wie man über solche Dinge witzelt.«

Sara wusste es. Viele Frauen spielten ihre Angst vor sexuellen Übergriffen mit schwarzem Humor herunter.

»Warum mag Papa Chuck nicht?«

»Das müssten Sie ihn fragen, aber ich bezweifle, dass es einen bestimmten Grund gibt«, sagte Keisha. »Wenn ich ehrlich bin, gibt es bei Papa kein neutrales Gefühl. Entweder er liebt dich, oder er hasst dich. Nichts dazwischen. Ich wäre ungern auf der falschen Seite. Er ist ein grausamer Mann.«

»Hatten Sie je Gelegenheit, sich mit Chuck zu unterhalten?«

»Worüber sollte ich mich mit ihm unterhalten?«

Sara ging es genauso. »Und Christopher?«

»Er ist lieb, ob Sie es glauben oder nicht«, sagte Keisha. »Wenn er seine Schüchternheit erst einmal überwunden hat, ist er angenehm im Umgang. Nicht auf die Art, dass man mit ihm etwas trinken geht, aber als Guide. Er kennt sich aus mit seinen Themen. Der Junge liebt das Fischen. Er kann Ihnen alles über das Wasser, die Fische, die Ausrüstung sagen. Über wissenschaftliche Zusammenhänge und das Ökosystem. Mich hat er damit zu Tode gelangweilt, aber Drew liebt diesen Kram. Es tut ihm gut, ab und zu mal aus sich herauszugehen. Deshalb macht es mich so traurig, dass dieser Ort für uns verdorben ist. Ich bezweifle, dass sie den Betrieb der Lodge ohne Mercy weiterführen können.«

»Kann Christopher die Lodge nicht managen?«

»Hatten Sie einmal Gelegenheit, in seinen Ausrüstungsschuppen zu schauen?« Sie wartete, bis Sara genickt hatte. »Drew nennt ihn den Fischpalast. Alles hübsch ordentlich an seinem Platz, und das ist gut so, weil es Fisch glücklich macht, aber auf diese Art kann man kein Geschäft führen, es sei denn, man ist der einzige Angestellte. Gäste sind unberechenbar. Sie wollen ihr eigenes Ding machen. Jede Minute passiert etwas Verrücktes. Man jongliert mit all diesen Bällen, macht sich in die Hosen, ob man finanziell über die Runden kommt, schlägt sich mit Gästen herum, die den lieben langen Tag etwas von einem wollen, und mittendrin geht dann der Lieferwagen kaputt oder die Toilettenspülung fängt zu laufen an. Entweder man kann damit leben, oder man lässt es.«

Sara kannte diesen Druck. Sie hatte vor vielen Jahren ihre eigene Praxis als Kinderärztin gehabt.

»Einmal ist Drew in den Schuppen gegangen, um seine Angelrute in den Schrank zurückzustellen. Er wollte nett und behilflich sein, verstehen Sie? Und Fischtopher kam total aufgelöst hereingestürzt, weil er sicher sein wollte, dass sie *korrekt* zurückgestellt wurde.« Sie schüttelte den Kopf bei der Erinnerung. »Das Einzige, was er kann, ist morgens fischen und abends Scotch trinken.«

Sara fiel Chucks Tätowierung ein. »Steht Chuck auch auf Scotch?«

»Ich weiß nicht, auf was die beiden stehen, und es interessiert mich nicht. Wenn wir von diesem Berg weg sind, werde ich nie mehr zurückschauen.«

Sara fand es interessant, dass sie nach Christopher gefragt und Keisha in ihre Antwort Chuck miteinbezogen hatte.

»Was ist mit meiner Toilette?«, fragte Keisha. »Sind Sie schon dahintergekommen, woher das Tropfen kommen könnte?«

Vor allem war Sara dahintergekommen, dass Keisha mehr wusste, als sie zugab. »Es ist wahrscheinlich die Gummiabdeckung über dem Spülventil, das kann mit der Zeit porös werden und Wasser durchlassen. Wenn sie kein Ersatzteil haben, könnten Sie in eine der leer stehenden Hütten ziehen.«

»Ich habe schon zu Drew gesagt, wir sollten umziehen, aber er will nichts davon wissen. Er sagt, wir bleiben genau in der Hütte, in der wir immer wohnen. Sie wissen, wie Männer sein können.«

»Ja.« Sara nahm den Deckel vom Spülkasten. Dann hatte sie plötzlich das Gefühl, jemand hätte ihr einen Tritt gegen die Kehle verpasst. Sie lag richtig mit der Quelle des Lecks, aber sie lag falsch damit, dass es an einem porösen Gummi lag.

Eine gezahntes Stück Metall verhinderte, dass die Abdeckung richtig schloss. Es war an einem Stück rotem Plastik befestigt, das etwa zehn Zentimeter lang und einen Zentimeter dick war.

Sie hatte den abgebrochenen Messergriff gefunden.

17

Will sah zu, wie sich das Thermopapier zentimeterweise aus dem tragbaren Faxgerät schob, wie eine Schlange, die sich durch eine Nudelmaschine quetscht. Der Durchsuchungsbeschluss für die Lodge war endlich eingetroffen.

Er presste das Satellitentelefon ans Ohr und sagte zu Amanda: »Okay. Es druckt.«

»Gut«, sagte sie. »Ich möchte, dass Sie die Sache binnen einer Stunde abschließen.«

Will hätte gelacht, wäre da nicht der Umstand gewesen, dass sie ihm sein Arbeitsleben zur Hölle machen konnte. »Faith ist noch bei Sara, aber sie müssten bald zurück sein. Ich habe Penny, die Reinigungsfrau, gebeten, Hütte vier herzurichten, damit wir die Vernehmungen dort durchführen können. Kevin sichert die Leiche im Gefrierschrank. Das Küchenpersonal hat wahrscheinlich gesehen, was wir treiben, aber sie stecken mitten in der Vorbereitung für das Essen. Ich denke, wir werden Chucks Tod mindestens bis zum Dinner geheim halten können.«

»Ich bin immer noch dabei, die Akte von Drew Conklins Anklage wegen Körperverletzung aufzutreiben«, sagte sie. »Was ist mit der Familie?«

»Deren Zeit kommt noch.« Will machte sich auf den Weg zu dem Holzstapel. Er wollte ihn sich bei Tageslicht ansehen. »Um die Eltern habe ich bislang einen großen Bogen gemacht, solange ich auf den Durchsuchungsbeschluss gewartet habe. Ich weiß nicht, wo Christopher ist. Ich werde Kevin nach ihm suchen lassen, sobald er zurück ist. Jon ist noch immer nicht aufgetaucht. Ich denke, Sara wird sich ausklinken, um wieder nach ihm zu suchen. Der Subaru der Tante steht auf dem Parkplatz, sie muss also wieder im Haus sein.«

»Aus der Tante ist noch mehr herauszuholen.«

»Das sehe ich auch so.« Will stand vor dem gewaltigen Holzstapel. Es gab genügend Eichenscheite für den ganzen Winter. »Ich habe mich in Chucks Hütte umgesehen. Sie ist ein Saustall, aber ich habe nichts von Interesse entdeckt. Keine blutige Kleidung. Kein abgebrochener Messergriff. Nicht einmal Augentropfen. Was nicht überraschend ist. Ich war nach dem Mord in allen Hütten, um nach Dave zu suchen. Ich habe damals nichts gesehen, und ich bezweifle, dass ich jetzt etwas finde.«

»Würde es Sie überraschen, zu erfahren, dass Mr. Weller, Ihr Chuck, zweihunderttausend Dollar auf einem Geldmarktkonto hat?«

»Jesus Christus!« Will hatte seine Notreserve angezapft, um die Flitterwochen zu bezahlen. »Ich kann halbwegs verstehen, wieso Christopher Geld auf der hohen Kante hat. Bei ihm fallen keine Rechnungen an. Aber wie sieht es bei Chuck aus?«

»Ganz ähnlich wie bei Christopher. Er hat sein Studiendarlehen ebenfalls vor einem Jahr zurückgezahlt, fast in derselben Woche. Er hat einen Angelschein, einen Führerschein und zwei Kreditkarten, die durchgehend beglichen werden. Ich kann keine nahen Verwandten ausfindig machen. Und wie bei Christopher hat dieser Geldsegen anscheinend erst vor Kurzem stattgefunden. Ich habe zehn Jahre zurückrecherchiert. Bis vor einem Jahr steckten beide bis zum Hals in Schulden.«

»Wir müssten ihre Steuererklärungen sehen.«

»Liefern Sie mir einen Grund, und ich liefere Ihnen eine richterliche Anordnung.«

»Aktiengeschäfte? Lottogewinn?«

»Habe ich überprüft – nein.«

»Das Geld muss legal sein. Sie würden es nicht auf die Bank tragen, wenn sie es nicht versteuert hätten.« Will ging an den einzelnen Holzstößen entlang. Einer sah anders aus als die übrigen.

»Womit hat Chuck seinen Lebensunterhalt verdient?«

»Ich kann nichts dazu finden. Seiner Präsenz in den sozialen Medien nach scheint er seine Zeit hauptsächlich in Stripclubs beim Lapdance verbracht zu haben.«

Will klemmte das Telefon in die Halsbeuge, um die Hand frei zu haben. »Es ist nirgendwo eine Anstellung aufgeführt?«

»Nichts«, sagte sie. »Er lebt zur Miete in Buckhead. Wir sind gerade dabei, einen Durchsuchungsbeschluss zu erwirken. Vielleicht finden wir dort einen Hinweis auf Verwandte oder auf eine Anstellung.«

»Sucht nach *Eads Clear*-Augentropfen.«

»Der Täter könnte eine andere Marke benutzt haben. Ich habe es in dem Antrag offengelassen.«

»Gut.« Will nahm ein Stück Kastanienholz zur Hand. Es war dicht gemasert. Eine teure Wahl für Brennholz. »Ich habe bereits alle Müllsäcke durchsucht und nichts gefunden.«

»Wie haben Sie das geschafft mit nur einer Hand?«

Will war sich wie ein Kleinkind vorgekommen, als er Kevin gebeten hatte, ihm den Handschuh anzuziehen. »Ich habe es geschafft.«

»Nach wie vielen Flaschen suchen Sie?«

»Ich weiß es nicht.« Will fuhr über ein Stück gefleckten Ahorn. Ebenfalls eine teure Wahl. »Ich möchte noch mit Sara sprechen, aber ich glaube mich an einen Fall zu erinnern, in dem ein Kerl Augentropfen als Vergewaltigungsdroge verwendet hat.«

»Wenn Mr. Weller sie für Frauen benutzt hat, wieso sollte er sie dann bei sich selbst benutzen?«

»Das kann ich im Moment nicht beantworten.« Will klopfte auf ein Scheit Akazienholz. Es war weich und ausgetrocknet, weil es der Sonne ausgesetzt war. Nichts, was man in seinem Kamin haben wollte. »Was wissen Sie über Holz?«

»Mehr, als mir lieb ist. Ich habe in jungen Jahren einmal einen Vergewaltigungsfall gegen einen Zimmermann bearbeitet.«

Will fragte nicht nach Einzelheiten. »Ich habe mehr und mehr das Gefühl, dass Christopher und Chuck nebenbei irgendein krummes Ding laufen hatten. Die Tante hat mir erzählt, dass sich die beiden beim Holzlager herumgetrieben haben, als sie auf das Grundstück fuhr.«

»Finden Sie es heraus«, sagte Amanda. »Die Uhr tickt.«

Die Leitung war tot. Eins musste Will ihr lassen – sie wusste, wie man ein Gespräch beendet.

Er clipte das Telefon in seinen Gürtel und ging vor dem gestapelten Holz auf die Knie. Bis auf diesen einen Bereich war alles Eiche. Warum lagerten sie teures Holz im Freien, wo es Wind und Wetter ausgesetzt war? Welche Art von Geschäft würde jeweils zweihunderttausend Dollar in Christophers und Chucks Taschen spülen? Und warum wurde Mercy nicht bezahlt?

»Will?« Saras Stimme klang angespannt.

Er stand auf. Faith war nirgendwo zu sehen. »Was ist los?«

»Ich habe den abgebrochenen Messergriff im Spülkasten von Keisha und Drew gefunden.«

Er starrte sie an. »Was?«

»Keisha hat mir erzählt, dass ihre Toilettenspülung tropft, also habe ich nachgesehen und …«

»Weiß sie, dass du ihn gesehen hast?«

»Nein. Ich habe den Deckel wieder draufgemacht und ihr gesagt, sie soll mit Christopher reden.«

»Wo ist Drew?«

»Er ist zum Ausrüstungsschuppen gegangen, um Christopher zu suchen.«

»Hast du ihn gesehen? Wo zum Teufel war Faith?« Er musste unbedingt verhindern, dass Sara auch nur in die Nähe von Drews Hütte kam. »Was hast du dir dabei gedacht, da allein hinzugehen?«

»Will«, sagte sie. »Sieh mich an. Ich bin okay. Darüber können wir später reden.«

»Verdammt.« Will löste das Telefon vom Gürtel. Er drückte den Sprechknopf. »Faith, bitte kommen.«

Erst war statisches Rauschen zu hören, dann sagte Faith. »Ich bin auf dem Weg zum Haupthaus. Wo ist Sara?«

»Bei mir. Beeil dich.« Er drückte wieder auf den Knopf. »Kevin, bitte kommen.«

»Schon da.« Kevin ging gerade auf sie zu. Er war voller Schlamm und Dreck, weil er Chucks Leiche vom Bach heraufgeschleppt hatte. »Was gibt es?«

»Du musst Drew aufspüren. Er ist angeblich mit Christopher beim Schuppen. Behalte ihn im Auge, aber nähere dich nicht. Er könnte bewaffnet sein.«

»Verstanden.« Kevin entfernte sich in flottem Tempo.

»Will«, sagte Sara. »Keisha hat mir erzählt, dass sie zuletzt vor zweieinhalb Monaten hier oben waren.«

Er brauchte keine Erinnerung. »Etwa die Zeit, da Mercy schwanger wurde.«

»Was ist los?« Faith war auf dem Weg über die Anlage an Kevin vorbeigekommen. Sie trug ihre Glock und eine ausgebeulte schwarze Hose. »Wo warst du, Sara? Ich wollte mir die Karte mit dir ansehen.«

»Wir müssen Hütte drei sichern«, sagte Will. »Der Messergriff ist im Spülkasten von Keisha und Drew.«

Faith stellte keine Fragen. Sie machte sich im Laufschritt auf den Weg zu der Hütte, die Glock seitlich am Körper.

Will hielt mit ihr Schritt. »Auf der Rückseite ist eine Terrassentür.«

»Schon unterwegs.« Faith löste sich von ihm.

Will ließ den Blick schweifen, überprüfte Fenster und Türen, um sicherzugehen, dass sie nicht überrascht wurden. Er wusste, die Eingangstür würde nicht verschlossen sein. Er ging hinein, ohne anzuklopfen.

»Verdammt!« Keisha sprang von der Couch auf. »Will, was soll das?«

Es war dieselbe Reaktion wie beim letzten Mal, aber diesmal wusste Will genau, wonach er suchte. »Bleiben Sie sitzen.«

»Was soll das heißen, sitzen bleiben?« Keisha wollte ihm folgen, aber Faith hielt sie zurück. »Wer zum Teufel sind Sie?«

»Ich bin Special Agent Faith Mitchell.«

Will zog einen Handschuh aus der Tasche, als er sich der Toilette näherte. Er benutzte das Nitril als Barriere zwischen seinen Fingern und der Keramik, als er den Deckel des Spülkastens anhob.

Der abgebrochene Messergriff war genau dort, wo Sara gesagt hatte. Ein schmales Stück Metall verhinderte, dass die Gummiabdeckung dicht hielt. Was keinen Sinn ergab. Wenn Drew den Griff im Spülkasten versenkt hatte, wieso suchte er dann nach Christopher, damit der das Leck abdichtete?

Oder hatte Drew befürchtet, die Hütten würden durchsucht werden, und die Toilette als geschickten Schachzug manipuliert, damit niemand annahm, er selbst hätte den Messergriff dort versteckt?

Will wusste nichts mit Sicherheit, außer dass der Täter eine Affinität zu Wasser hatte. Mercy war in einem See abgelegt worden. Chuck war im Bach gestorben.

»Will!«, schrie Keisha. »Sagen Sie mir, was zum Teufel hier los ist!«

Er legte den Spülkastendeckel vorsichtig auf die Badematte vor der Wanne. Faith versperrte Keisha den Weg, als er ins Wohnzimmer zurückging. »Sichere den Beweis«, sagte er zu ihr.

»Welchen Beweis?«, fragte Keisha. »Warum tun Sie das?«

»Sie müssen mit mir zur Nachbarhütte kommen.«

»Ich werde nirgendwohin mit Ihnen gehen«, rief sie. »Wo ist mein Mann?«

»Keisha«, sagte Will. »Entweder Sie gehen selbstständig hin, oder ich trage Sie.«

Sie wurde aschfahl im Gesicht. »Ich rede nicht mit Ihnen.«

»Ich verstehe«, sagte er. »Aber Sie müssen in die andere Hütte gehen, damit wir Ihre Sachen durchsuchen können.«

Keishas Kiefer waren fest zusammengepresst. Sie sah gleichermaßen wütend und verängstigt aus, aber sie ging gottlob auf die Veranda hinaus.

Sara stand in der Mitte der Anlage. Will wusste, warum sie dort war. Sie wollte Keisha gegenübertreten, ihr die Gelegenheit geben, diejenige anzuschreien, der sie das alles zu verdanken hatte. Will kümmerte es nicht, dass sich Keisha verraten fühlte. Er wollte nur Sara so schnell wie möglich von diesem Berg hinunterbringen.

»Hier entlang.« Will dirigierte Keisha in Richtung von Hütte vier. Sie warf einen Blick zurück zu Sara, bevor sie die Treppe hinaufging und die Tür öffete. Vier war genau wie drei. Der gleiche Grundriss. Die gleichen Möbel. Die gleichen Fenster und Türen.

»Setzen Sie sich bitte auf die Couch«, sagte Will.

Keisha setzte sich und klemmte die Hände zwischen die Knie. Ihre Wut war verflogen. Sie war sichtlich erschüttert. »Wo ist Drew?«

»Mein Partner sucht nach ihm.«

»Er hat nichts getan, okay? Er kooperiert. Wir kooperieren beide und fügen uns Ihren Anordnungen. Wir fügen uns. Ja? Sara, haben Sie das gehört? Wir fügen uns.«

Wills Magen zog sich zusammen, als er Sara in der Hütte sah.

»Ich habe es gehört«, sagte sie zu Keisha. »Ich bleibe bei Ihnen, während wir die Sache klären.«

»Na ja, ich habe schon einmal den Fehler gemacht, Ihnen zu trauen, und schauen Sie, wohin es mich gebracht hat.« Keisha presste die Faust an den Mund. Tränen strömten ihr übers Gesicht. »Was ist nur geschehen? Wir sind hier heraufgekommen, um diesem ganzen Mist zu entfliehen.«

Will sah, wie Sara in einem Clubsessel Platz nahm. Sie sah ihn an, als suchte sie seine Anleitung, dabei hatte die darin bestanden, ihr zu sagen, dass sie draußen bleiben sollte.

Ein statisches Rauschen brach los, dann: »Will, hörst du mich?«

Will griff nach seinem Telefon. Er hatte keine andere Wahl, als auf die Veranda hinauszugehen, doch er ließ die Tür offen, damit er ein Auge auf Keisha haben konnte. »Was gibt es?«

Kevin sagte: »Die fraglichen Personen sind mit einem Kanu auf den See gefahren und angeln. Sie haben mich nicht gesehen.«

Will klopfte mit dem Telefon an sein Kinn. Er dachte an all die Werkzeuge, einschließlich Messer, zu denen Drew in dem Boot Zugang hatte. »Bleib weg, behalt sie im Auge und sag mir Bescheid, wenn sich etwas ändert.«

»Will?« Faith kam auf die Veranda. Sie hielt einen Beweismittelbeutel mit dem abgebrochenen Messergriff darin in der Hand. »In ihren Koffern oder Rucksäcken war nichts. Die Hütte ist sauber. Soll ich das hier im Quad einschließen?«

»Bring es in die Hütte.«

Keisha saß immer noch stocksteif auf der Couch, als Will wieder hereinkam. Ihr Blick ging zu seiner Waffe, dann zu der von Faith. Ihre Hände zitterten. Sie hatte sichtlich Angst, dass sie in eine Hütte gebracht worden war, wo es keine Zeugen gab, damit man ihr etwas antun konnte.

Will nahm den Beweismittelbeutel und gab Faith das Zeichen, sie solle hinausgehen. Er ließ die Tür angelehnt, damit sie von der Veranda zuhören konnte. Dann setzte er sich in den anderen Sessel, der nicht seine erste Wahl gewesen wäre, aber Sara saß Keisha am nächsten. Er legte den durchsichtigen Plastikbeutel auf den Tisch.

Keisha starrte auf den Griff. »Was ist das?«

»Es war im Spülkasten Ihrer Toilette.«

»Ist das ein Kinderspielzeug oder …« Sie beugte sich vor. »Ich weiß nicht, was das ist.«

Will blickte auf den roten Plastikgriff, aus dessen abgebrochenem Ende ein gebogenes Stück Metall ragte. Wenn man nicht wusste, was man vor sich hatte, konnte man es leicht für ein Küchengerät oder ein altmodisches Spielzeug halten.

»Was, denken Sie, ist es?«, fragte er.

»Ich weiß es nicht!« Ihre Stimme war schrill vor Verzweiflung. »Warum fragen Sie mich das überhaupt? Sie haben doch den Mörder. Wir wissen alle, dass Sie Dave verhaftet haben.«

Will fand, es war ein guter Zeitpunkt, um die Katze aus dem Sack zu lassen. »Dave hat Mercy nicht getötet. Er hat ein Alibi.«

Keisha schlug die Hand vor den Mund. Sie sah aus, als wollte sie sich gleich übergeben.

»Keisha …«, begann Will.

»Mein Gott«, flüsterte sie. »Drew hat noch gesagt, ich soll nicht mit euch reden.«

»Sie können beschließen, nichts zu sagen«, sagte Will. »Das ist Ihr Recht.«

»Sie werden uns trotzdem einlochen. Verdammt noch mal, ich glaube es einfach nicht. Sara, was zum Teufel soll das?«

»Keisha.« Will wollte nicht, dass sie mit Sara sprach. »Lassen Sie uns versuchen, die Sache aufzuklären.«

»Einen Scheißdreck werden wir!«, schrie sie. »Wissen Sie, wie viele Idioten im Gefängnis verrotten, weil Cops gesagt haben, sie müssten irgendwelches Zeug aufklären?«

Will sagte nichts. Sara zum Glück ebenfalls nicht.

»Lieber Himmel.« Ihre Hand ging wieder zum Mund. Sie sah zu dem Beutel auf dem Tisch und hatte es sich endlich zusammengereimt. Sie wusste nun, es war ein Teil der Mordwaffe. »Ich habe das noch nie zuvor gesehen, das müssen Sie mir glauben! Weder ich noch Drew. Keiner von uns. Sagen Sie mir, wie wir aus der Sache herauskommen, ja? Wir waren es nicht. Keiner von uns hat etwas damit zu tun.«

Will fragte: »Wann haben Sie zum ersten Mal bemerkt, dass die Toilettenspülung tropft?«

»Gestern. Wir haben ausgepackt, und wir haben sie tropfen gehört, also ist Drew losgezogen, um mit Mercy zu reden. Sie war verärgert, weil Dave die Toilette hätte reparieren sollen, bevor wir eingecheckt haben.«

Will hörte sie nach Luft schnappen. Sie hatte Angst.

»Mercy sagte, wir sollten ein bisschen spazieren gehen, während sie sich darum kümmert, also sind wir den Judge Cecil Trail hinaufgegangen, um den Blick ins Tal zu genießen. Als wir zurückkamen, war die Toilette repariert.«

»War Mercy noch da?«

»Nein. Wir haben sie bis zur Cocktailstunde nicht mehr gesehen.«

»Wann haben Sie das Geräusch aus der Toilette dann wieder bemerkt?«

»Heute Morgen«, sagte sie. »Wir sind zum Frühstück gegangen und – da muss es passiert sein, oder? Jemand hat das Ding in unserer Toilette versteckt. Man versucht, uns hereinzulegen.«

»Wer war noch beim Frühstück?«

»Äh …« Sie legte die Hände an den Kopf und dachte nach. »Frank und Monica waren da. Er wollte sie dazu überreden, dass sie etwas isst, aber sie brachte nichts runter. Sie sind vor uns gegangen. Und die App-Typen. Wussten Sie, dass er Paul heißt?«

»Ja.«

»Sie sind erst gekommen, als wir bereits wieder gegangen sind. Sie kommen immer später. Bei den Cocktails gestern Abend auch.«

»Was ist mit den Familienmitgliedern?«

»Die kommen nie zum Frühstück. Zumindest habe ich sie noch nie gesehen.« Sie wandte sich an Sara. »Bitte hören Sie mir zu. Die Türen sind nie abgesperrt. Sie wissen, wir hatten nichts mit der Sache zu tun. Was sollte unser Motiv sein?«

»Mercy war in der zwölften Woche schwanger«, sagte Will.

Keishas Kinnlade klappte herunter. »Wer war …«

Will hörte ihre Zähne aufeinanderklicken, als sie den Mund wieder schloss. Sie sah Sara an, in ihrem Blick lag glühender Zorn über den Verrat. »Sie haben mich ausgetrickst.«

»Das habe ich.«

»Keisha.« Will lenkte ihre Aufmerksamkeit wieder auf sich. »Drew wurde schon einmal wegen Körperverletzung verurteilt.«

»Das ist zwölf Jahre her«, sagte Keisha. »Mein Ex, Vick, hat mich nicht in Ruhe gelassen, er ist in der Arbeit aufgetaucht, hat mir Nachrichten geschickt. Ich habe ihm gesagt, er soll damit aufhören, dann ist er betrunken bei uns zu Hause aufgekreuzt. Er hat versucht, mich am Arm zu packen. Drew hat ihn weggestoßen, und Vick ist die Treppe hinuntergefallen. Hat sich den Kopf angeschlagen. War nicht so schlimm, aber er hat darauf bestanden, ins Krankenhaus zu gehen, und eine große Sache draus gemacht. Das war alles. Sie können es nachlesen.«

Will rieb sich das Kinn. Es klang glaubwürdig, andererseits wollte Keisha unbedingt, dass man ihr glaubte. »Hat Drew je Zeit mit Mercy allein verbracht?«

»Sie wollen, dass ich Ja sage, oder?« Sie klang heiser vor Verzweiflung. »Was, wenn ich Dave letzte Nacht gesehen habe? Er ist auf dem Rundweg rumgelaufen, okay? Ich schwöre es auf einen Stapel Bibeln.«

Will glaubte ihr nicht, aber er sagte: »Okay.«

»Dave hat Mercy immer geschlagen. Sie beide wissen es doch. Welches Alibi er auch haben mag, es kann widerlegt werden, oder? Wenn ich ihn also auf dem Weg gesehen habe, bevor sie ermordet wurde …«

Keisha stand auf, deshalb tat Will es ebenfalls.

»Herrgott noch mal, ich muss mich nur ein bisschen bewegen«, sagte sie. »Wohin sollte ich wohl gehen?«

Er sah zu, wie sie in dem kleinen Zimmer auf und ab lief, bis er Saras Blick auffing. Er sah ihr an, dass sie unschlüssig war. Er nahm außerdem wahr, dass ihre Anwesenheit ihn ablenkte. Keisha war wütend und aufgebracht. Es kam Will ungelegen, dass er sich um Sara Sorgen machte. Er musste seine ganze Aufmerksamkeit auf die mögliche Komplizenschaft bei einem Mord konzentrieren.

»Sagen Sie mir, was ich erzählen soll«, bettelte Keisha. »Sagen Sie es mir einfach, und ich erzähle es.«

»Keisha.« Will wartete, bis sie ihn ansah. »Als ich alle ins Freie geholt habe, um ihnen zu sagen, dass Mercy tot ist – erinnern Sie sich, was da passiert ist?«

»Was?« Sie sah verdattert aus. »Natürlich weiß ich noch, was passiert ist. Wovon reden Sie?«

»Drew hat etwas zu Bitty gesagt.«

Sie sah ihm in die Augen, doch sie schwieg.

»Drew sagte zu Bitty: ›Vergessen Sie diese andere Geschichte. Tun Sie hier oben, was Sie wollen. Es ist uns egal.‹«

Keisha verschränkte die Arme. Sie war der Prototyp eines Menschen, der etwas zu verbergen hat.

»Was meinte Drew damit?«, fragte Will. »Was hat es mit *dieser anderen Geschichte* auf sich?«

Sie beantwortete die Frage nicht, sondern suchte nach einem Ausweg. »Wir könnten eine Verabredung treffen, einen Handel machen, oder? So läuft das doch?«

»So läuft was?«

»Sie brauchen jemanden, dem sie es anhängen können. Warum nicht Chuck?« Sie meinte es vollkommen ernst. »Oder einem der App-Typen? Oder Frank? Lassen Sie Drew in Ruhe.«

»Keisha, so arbeite ich nicht.«

»Das sagen alle korrupten Cops.«

»Ich will wissen, wer Mercy getötet hat.«

»Chuck hat das Motiv«, sagte Keisha. »Wir alle haben gesehen, wie Mercy seinetwegen ausgerastet ist. Sie wollen wissen, wer vor zweieinhalb Monaten hier war? Chuck. Er ist total abartig. Sara, Sie wissen, wovon ich rede. Der Typ hat diese Vergewaltiger-Ausstrahlung. Frauen erkennen das. Fragen Sie Ihre Partnerin. Noch besser, setzen Sie sie fünf Minuten lang mit Chuck allein in einen Raum und sehen Sie selbst, was passiert.«

Will dirigierte sie behutsam fort von Chuck. »Womit wollen Sie handeln?«

»Informationen«, sagte sie. »Etwas, das ein Motiv liefert – das Chuck ein Motiv liefert.«

Will würde ihr nicht erzählen, was mit Chuck passiert war, aber er hatte schon vor langer Zeit gelernt, dass sich Menschen zu Rätseln hingezogen fühlen – selbst wenn deren Lösung nicht unbedingt zu ihrem Vorteil war. »Sowohl Chuck als auch Christopher haben ein paar Hunderttausend Dollar auf Bankkonten liegen.«

»Wollen Sie mich verarschen?« Keisha wirkte erstaunt. »Großer Gott, die haben etwas laufen.«

»Was haben sie denn laufen?«

»Nein.« Sie schüttelte den Kopf. »Ich sage kein einziges Wort mehr, bevor Drew neben mir steht. Unversehrt. Haben Sie verstanden?«

»Keisha …«

»Nein, Sir. Kein Wort mehr.«

Sie setzte sich auf die Couch, schlang die Arme um die Mitte und starrte zur Tür, als würde sie beten, dass ihr Mann hereinspaziert kam.

Will versuchte es noch einmal. »Keisha.«

»Wenn ich einen Anwalt verlange, dann müssen Sie aufhören, mir Fragen zu stellen, richtig?«

»Richtig.«

»Dann bringen Sie mich nicht dazu, einen Anwalt zu verlangen.«

Will gab nach. »Meine Partnerin wird hier bei Ihnen bleiben.«

»Nein«, sagte Keisha. »Wohin sollte ich wohl gehen, Mann? Ich wäre längst weg von diesem Berg, wenn ich könnte. Ich brauche keinen Babysitter.«

»Wenn Sie einen Deal machen wollen, dann müssen Sie das, was ich über Mercys Schwangerschaft gesagt habe, für sich behalten«, sagte Will.

»Und Sie müssen mir verdammt noch mal aus dem Weg gehen.«

Will öffnete die Tür. Faith war noch auf der Veranda. Beide sahen Keisha nach, als sie zu ihrer Hütte stapfte. »Was denkst du?«, fragte Faith.

Er schüttelte den Kopf. Er wusste nicht, was er von dem Ganzen halten sollte. »Christopher und Chuck hatten zusammen mit Mercy irgendein Geschäft laufen. Drew wusste davon. Jetzt sind Chuck und Mercy tot.«

»Dann willst du also mit Christopher und Drew reden?«

Er nickte. »Kevin ist bereits unten am See. Willst du mitkommen?«

»Ich will mir diese Karte vornehmen. Etwas stimmt nicht mit dem zeitlichen Ablauf.«

Will hatte erlebt, was Faith mit einer Zeitleiste anfangen konnte. »Ich gebe dir Bescheid, wenn ich dich brauche.«

Er hielt Sara die Tür auf, und sie kam auf die Veranda heraus. Er folgte ihr mit zusammengebissenen Zähnen in Richtung Loop Trail. Sie würden etwa zehn Minuten bis zu ihrer Hütte brauchen, und er wollte die Zeit dazu verwenden, ihr zu erklären, warum sie um alles in der Welt in ihrer eigenen Spur bleiben musste. Sie hatte ihn abgelenkt, als er Keisha vernahm. Will durfte nicht zulassen, dass es noch einmal geschah.

Sara ahnte nichts von alldem. Sie schlenderte über den Rundweg und wies mit einem Kopfnicken auf Hütte fünf. Paul und Gordon lagen einander in der Hängematte auf ihrer Veranda gegenüber. Gordon winkte. Paul trank direkt aus einer Schnapsflasche.

Die Tür zu Hütte sieben ging knarrend auf. Monica kam heraus und kniff die Augen im Sonnenlicht zusammen. Sie trug ein schwarzes Nachthemd und hatte ein Glas in der Hand, das wahrscheinlich Alkohol enthielt, denn offenbar hatte Sara recht damit, dass ihr hier oben nichts anderes übrig blieb, als zu trinken.

Sara änderte ihren Kurs und ging auf Monica zu. »Wie geht es Ihnen?«, fragte sie.

»Besser, danke.« Monica blickte auf das Glas in ihrer Hand. »Sie hatten recht. Das beruhigt etwas.«

»Macht es Ihnen etwas aus, wenn ich koste?«

Monica sah so überrascht aus, wie Will war, aber sie gab Sara das Glas.

Sara trank einen Schluck und verzog das Gesicht. »Das brennt.«

»Man gewöhnt sich dran.« Monica lachte traurig. »Nehmen Sie keine Ratschläge in puncto Trinken von mir an. Ich muss mich bei Ihnen beiden für mein Benehmen gestern Abend entschuldigen. Und für heute Morgen. Die ganze Zeit eigentlich.«

»Sie haben keinen Grund, sich schuldig zu fühlen.« Sara gab ihr das Glas zurück. »Jedenfalls nicht, was uns betrifft.«

Will war sich dessen nicht so sicher. »Ich muss Sie wegen gestern Abend etwas fragen, es betrifft die Zeit kurz vor Mitternacht.«

»Ob ich etwas gehört habe?«, fragte Monica. »Ich lag bewusstlos in der Badewanne, als die Glocke zu läuten anfing. Ich dachte, es ist ein Feueralarm. Ich konnte Frank nicht finden.«

Will knirschte mit den Zähnen. »Wo war er?«

»Er saß vermutlich auf der Veranda und hat sich eine Pause von meinen Kaspereien gegönnt. Jedenfalls kam er panisch durch die Terrassentür gestürzt.« Monica schüttelte bekümmert den Kopf. »Ich weiß wirklich nicht, warum er bei mir bleibt.«

Will war mehr an Franks Alibi interessiert. Es war bereits das zweite Mal, dass er gelogen hatte. »Wo ist Frank jetzt?«

»Er ist zum Speisesaal hinuntergegangen, um Ginger Ale zu holen. Meinem Magen geht es noch immer nicht so doll.«

Will nahm an, Frank würde die Nachricht von Chucks Tod mitbringen, was wiederum ganz eigene Probleme verursachen konnte. »Sagen Sie ihm, ich muss mit ihm reden.«

Monica nickte und sagte zu Sara: »Danke für Ihre Hilfe. Ich weiß es sehr zu schätzen.«

Sara drückte ihr die Hand. »Sagen Sie Bescheid, wenn Sie noch etwas brauchen.«

Will folgte Sara zurück auf den Rundweg. Er war froh, dass ihr Tempo diesmal höher war und sie nicht schlenderte. Will legte sich in Gedanken einen Plan zurecht. Er würde Sara in ihrer Hütte zurücklassen und dann zum See weitergehen. Sich dann mit Kevin besprechen und überlegen, wie sie sich Drew und Christopher nähern wollten, denn egal, was Keisha sagte – Drew war noch nicht aus dem Schneider. Er hatte offenbar von dieser *Geschichte* oder dem *Geschäft* gewusst. Der Messergriff war in seiner Toilette gefunden worden. Er hatte sich sofort auf seine Rechte berufen, was er theoretisch durfte, aber ebenso durfte Will misstrauisch sein.

Das Beste war wohl, wenn sie Christopher und Drew trennten. Kevin konnte Drew zum Bootshaus bringen. Der Mann würde wahrscheinlich wieder nach einem Anwalt schreien. Will würde Christopher beim Schuppen festhalten. Mercys Bruder war nicht so raffiniert wie Drew. Er würde sich in die Hosen machen, dass Drew redete. Will würde ihm den Gedanken einpflanzen, dass die erste Ratte den Käse bekam. Und Christopher würde hoffentlich in Panik geraten und erst erkennen, dass er besser den Mund gehalten hätte, wenn es zu spät war.

Will steckte die Hand in die Tasche. Er musste dafür sorgen, dass Sara in der Hütte blieb, und das hieß, er hatte ein sehr unangenehmes Gespräch vor sich, um sie davon zu überzeugen.

»Du hättest nicht mit mir und Keisha im selben Raum sein dürfen«, sagte er. »Ich habe eine Vernehmung durchgeführt, und du hast mich aus der Bahn gebracht.«

Sie sah ihn an. »Das tut mir leid, daran habe ich nicht gedacht. Du hast recht. Lass uns in der Hütte darüber reden.«

Will hatte nicht gedacht, dass es so einfach sein würde, aber er strich den Gewinn ein. »Du musst packen. Ich möchte, dass du vor heute Abend den Berg verlässt.«

»Und ich möchte, dass sich deine Hand nicht entzündet, aber sieh sie dir an.«

Das war eher das, womit er gerechnet hatte. »Sara …«

»Ich habe Antibiotika in der Hütte. Wir können darüber …«

»Meiner Hand geht es gut.« Seine Hand brachte ihn um. »Es geht nicht nur darum, dass du im Raum warst. Ich habe gesagt, dass du bei Faith bleiben sollst, und du bist einfach losgerannt. Was hast du dir dabei gedacht, allein mit Keisha zu reden? Was, wenn Drew aufgetaucht wäre? Er ist wegen Körperverletzung vorbestraft.«

Sie blieb mitten im Weg stehen und sah ihn an. »Noch etwas?«

»Allerdings. Was hat es damit auf sich, dass du mitten am Tag trinkst? Willst du dir das jetzt angewöhnen?«

»Großer Gott«, flüsterte sie.

»Selber großer Gott.« Will nahm den Alkohol in ihrem Atem wahr. »Du riechst nach Feuerzeugbenzin.«

Sara presste die Lippen zusammen und wartete ab. Als er nichts weiter sagte, fragte sie: »Bist du fertig?«

Will zuckte mit den Achseln. »Was sollte ich noch sagen?«

»Als ich *einfach losgerannt* bin, habe ich Jon gefunden. Er hält sich in Hütte neun auf, die gleich da drüben ist. Ich will nicht, dass er hört, was ich zu erzählen habe.«

Will blickte über sie hinweg. Er konnte das Schindeldach zwischen den Bäumen sehen. »Ich habe sie heute früh durchsucht, als ich Dave nachgeforscht habe. Jon muss erst in die Hütte gegangen sein, nachdem ich weg war.«

Sara sagte nichts dazu, sondern ging einfach weiter. Will folgte ihr wieder. Er fragte sich, ob Jon noch in der Hütte war, und wenn ja, wie viel er gehört hatte. Will hatte nur wegen des Alkohols die Stimme gehoben. Er wusste, dass er zu verbissen war, was das Trinken anging, aber es war seltsam gewesen, als Sara aus Monicas Glas getrunken hatte. Was ihn zu der Frage führte, was Sara wohl damit gemeint hatte, dass Jon nicht hören sollte, was sie zu erzählen hatte.

Er musste nicht lange auf die Antwort warten. Sara blieb ein Stück vor ihrer eigenen Hütte stehen und sah zu ihm auf. »Dieses Nebengeschäft von Mercy, Christopher und Chuck – was sind deine Theorien dazu?«

Er hatte noch keine Theorie entwickelt. »Das Anwesen grenzt an einen Staatsforst und einen Nationalpark. Vielleicht illegaler Holzschlag?«

»Holz?«

»Auf dem Holzlagerplatz gibt es ein paar teure Arten – Kastanie, Ahorn, Akazie.«

»Okay, das ergibt Sinn.« Sara nickte. »Die App-Typen haben mir erzählt, dass der Bourbon wie Terpentin geschmeckt hat. Monica trinkt hochpreisigen Whiskey, aber er riecht und schmeckt wie Feuerzeugbenzin. Sie war letzte Nacht am Rande einer Alkoholvergiftung, aber sowohl sie als auch Frank waren überrascht, weil sie normalerweise besser mit der Alkoholmenge klarkommt. Und vor zwanzig Minuten hat mich Keisha gefragt, ob wir den Schnaps probiert hätten. Sie hat mich davor gewarnt, es zu tun, und dann hat sie einen Vortrag über Haftung gehalten, falls ein Gast mit dem Hubschrauber vom Berg geholt werden muss.«

Will kam sich blind vor, weil er das Puzzle nicht früher zusammengesetzt hatte. »Du meinst, das Geschäft, von dem Chuck und Christopher gesprochen haben, beruht darauf, dass sie gepanschten Schnaps verkaufen.«

»Keisha und Drew betreiben ein Catering-Unternehmen. Sie würden es bemerken, wenn mit dem Alkohol etwas nicht stimmt. Vielleicht haben sie es bei Bitty und Cecil zur Sprache gebracht. Einige der teureren Marken haben ein rauchiges Aroma. Eiche, Mesquite …«

»Kastanie, Ahorn, Akazie?«

»Ja.«

Will kam immer wieder auf die Unterhaltung zurück, die er auf dem Weg hinter dem Speisesaal belauscht hatte. »Chuck sagte zu Christopher: ›Eine Menge Leute verlassen sich auf uns.‹ Amanda hat erzählt, dass Chuck seinen Posts in den sozialen Medien zufolge viel Zeit in Stripclubs verbracht hat.«

»Wo meist ein Minimumkonsum von zwei Drinks gilt.«

»Glaubst du, Drew hat sich an Bitty gewandt, weil sie ein Stück vom Kuchen haben wollten?«

»Das glaube ich nicht«, sagte Sara. »Vielleicht gestehe ich ihnen zu viel zu, aber Keisha und Drew waren furchtbar gern hier oben. Es kommt mir wahrscheinlicher vor, dass sie der Sache Einhalt gebieten wollten. Keisha hat die Haftungsfrage aufgebracht. Sie hat mich davor gewarnt, etwas zu trinken. Ich kann mir nicht vorstellen, dass sie sich auf etwas einlassen würde, wovon sie weiß, dass es tödlich enden kann. Außerdem, denk daran, was sie über einen Deal gesagt hat. Sie würde nicht Drew verraten. Aber den gepanschten Whiskey.«

»Die Überprüfung ihrer Finanzen hat nichts ergeben. Sie sitzen nicht gerade auf einem Haufen Kohle.« Will rieb sich das Kinn. Er übersah noch immer etwas. »Was keinen Sinn ergibt, ist: Warum wurden Mercy und Chuck getötet? Und nicht Drew?«

»Du bist derjenige, der gern finanzielle Motive unterstellt«, sagte Sara. »Wenn Mercy und Chuck tot sind, bekommt Christopher, was an Geld im Pott ist. Plus: Er hat das Geschäft für sich allein. Dann hängt er Drew eine Mordanklage an.«

Will zog sein Telefon heraus und drückte den Sprechknopf. »Kevin, was ist der Stand der Dinge?«

»Nur ein paar Typen, die am See sitzen und Bier trinken.«

Will fing Saras besorgte Miene auf. Chucks Wasser war vergiftet gewesen, und jetzt hatte Christoph, der am engsten mit Chuck gewesen war, Drew ein Bier gegeben. »Kevin, versuch zu verhindern, dass sie etwas trinken, aber so, dass sie nicht merken, was du tust.«

»Okay.«

Will wandte sich zum Gehen, aber dann fiel ihm Sara ein.

»Geh«, sagte sie. »Ich bleibe hier.«

Will clipte das Telefon an seinen Gürtel und lief in Richtung See. Er kam an der Gabelung und der Lookout-Bank vorbei. Er wusste nicht viel über Schnaps, aber er wusste alles über die Staats- und Bundesgesetze, die Herstellung, Vertrieb und Verkauf von Alkohol ohne Lizenz beschränkten. Die Frage, die er vor allem beantworten musste, war, wie sie es machten. Es würde Wochen dauern, Proben der Alkoholflaschen auf dem Anwesen auszuwerten. Ersetzten sie hochwertige Produkte durch billigen Fusel, was sie ihre Schanklizenz und eine saftige Geldstrafe kosten würde? Oder stellten sie den Alkohol selbst her, womit sie alle möglichen Gesetze auf Staats- und Bundesebene verletzten?

Will nahm die Abkürzung hinunter zum Schuppen. Er konnte bis zum See blicken, wo er zwei leere Liegestühle mit je einer Bierdose in der Kunststoffhalterung sah. Kevin lag auf dem Boden und hielt sich das Bein. Christopher und Drew standen vor ihm. Will blieb vor Schreck beinahe das Herz stehen, aber dann wurde ihm klar, dass Kevin einen Weg gefunden hatte, die Männer vom Trinken abzuhalten.

Kevin ließ sich von Will aufhelfen. »Tut mir leid, Leute, ich habe immer diese üblen Krämpfe im Bein.«

Drew schaute skeptisch drein. »Fisch, ich gehe zurück. Danke für das Bier.«

Christopher tippte sich an den Hut, und Drew lief in Richtung Rundweg. Will gab Kevin ein Zeichen, ihm zu folgen. Drew würde nicht gerade glücklich sein, wenn Keisha ihm erzählte, dass sie mit Will gesprochen hatte.

»Und?«, sagte Christopher. »Wie sieht es aus? Hat Dave gestanden?«

Will ging davon aus, dass sich die Neuigkeit bereits herumgesprochen hatte. »Dave hat Ihre Schwester nicht getötet.«

»Tja.« Christophers Gesichtsausdruck änderte sich nicht. »Ich wusste, er würde es früher oder später schaffen, sich herauszuwinden. Hat Bitty ihm ein Alibi verschafft?«

»Nein. Mercy hat ihm eins verschafft.« Will hätte zumindest ein wenig Verblüffung erwartet, aber von Christopher kam nichts. »Ihre Schwester hat Dave angerufen, bevor sie starb. Ihre Sprachnachricht schließt ihn als Täter aus.«

Christopher blickte zum See. »Das kommt überraschend. Was hat Mercy gesagt?«

»Dass sie Daves Hilfe braucht.«

»Ebenfalls überraschend. Dave hat Mercy kein einziges Mal geholfen, als sie noch lebte.«

»Haben Sie ihr geholfen?«

Christopher antwortete nicht. Er verschränkte die Arme und starrte aufs Wasser.

Will sagte kein Wort. Nach seiner Erfahrung ertrugen Menschen Schweigen nicht.

Offensichtlich war Christopher immun. Er hielt die Arme verschränkt und den Mund geschlossen und blickte zum See.

Will musste einen anderen Weg finden, den Mann aus der Ruhe zu bringen.

Er schaute zu dem Geräteschuppen. Die Tür stand weit offen. Die Messer waren am selben Ort wie zuvor, aber sie sahen im Tageslicht schärfer aus. Die Klingen waren nicht Wills einzige Sorge. Ein Paddel an den Kopf oder ein Schlag in den Unterleib mit dem Holzgriff an einem Kescher konnten viel Schaden anrichten. Ganz zu schweigen davon, dass Christopher wahrscheinlich die gleiche Angelausrüstung in den Taschen hatte wie Chuck. Universalwerkzeug für Angler, Rollleine, Taschenmesser.

Will hatte nur eine Hand. Die andere war heiß und pochte, denn Sara hatte recht behalten mit der Infektion. Andererseits konnte er mit der nicht infizierten Hand mühelos einen Smith & Wesson-Revolver mit kurzem Lauf ziehen.

Er ging in den Schuppen und begann, mit lautem Getöse Schränke zu öffnen und Schubläden aufzuziehen.

Christopher kam sichtlich verstört hereingestürzt. »Was machen Sie denn da? Lassen Sie die Finger von den Sachen.«

»Ich habe einen Durchsuchungsbeschluss für das Anwesen.« Will durchwühlte eine weitere Schublade. »Wenn Sie ihn sehen wollen, können Sie zur Hotelanlage gehen und ihn sich von meiner Partnerin zeigen lassen.«

»Warten Sie!« Christopher war jetzt aus der Ruhe gebracht. Er fing an, hektisch die Schubladen wieder zu schließen. »Wonach suchen Sie? Ich kann Ihnen sagen, wo es ist.«

»Wonach werde ich wohl suchen?«

»Ich weiß es nicht. Aber das ist mein Schuppen. Alles hier ist da, weil ich es hierhergebracht habe.«

Er schien eine Sekunde zu spät zu bemerken, dass er soeben die Eigentümerschaft an allem eingeräumt hatte, was Will finden würde.

»Was glauben Sie, wonach ich suche?«, fragte Will.

Christopher schüttelte den Kopf.

Will ging durch den Schuppen, als hätte er ihn nie zuvor gesehen. Er behielt Christopher so weit im Auge, dass er jede schnelle Bewegung erkennen würde. Der Mann machte zwar einen passiven Eindruck, aber das konnte sich leicht ändern. Was Will an dem Schuppen sofort auffiel, war, dass sich alles wieder an Ort und Stelle befand. Als Will am Morgen nach etwas gesucht hatte, womit er Dave fesseln konnte, war er nicht sehr sorgsam vorgegangen. Jetzt waren die Werkzeuge wieder an ihrem vorgezeichneten Ort. Die Netze hingen in gleichmäßigen Abständen an der Wand. Im Tageslicht konnte Will das Schloss zu dem Raum auf der Rückseite sehen. Und das abgenutzte Vorhängeschloss.

»Hören Sie«, sagte Christopher. »Gäste dürfen hier nicht rein. Lassen Sie uns nach draußen gehen.«

Will drehte sich zu ihm um. »Sie haben oben beim Haus ein paar interessante Holzsorten gelagert.«

Christopher schluckte hörbar. Er hatte zu schwitzen begonnen. Will hoffte inständig, dass hier nicht wieder Augentropfen im Spiel waren. Er wollte zügig vorankommen und beschloss, ein Risiko einzugehen.

»Als wir gestern Abend alle zum Essen in den Speisesaal gingen, sind Sie mit Mercy draußen geblieben«, sagte er.

Christophers Miene blieb teilnahmslos. »Und?«

Will dachte, dass sich das Risiko bezahlt gemacht hatte. »Worüber haben Sie mit ihr gesprochen?«

Christopher antwortete nicht. Er blickte zu Boden.

Will wiederholte seine Frage. »Worüber haben Sie mit Mercy gesprochen?«

Christopher schüttelte den Kopf, sagte aber: »Über den Verkauf natürlich. Sie haben von Bitty und Papa sicher davon gehört.«

Will nickte, obwohl er mit den Eltern noch gar nicht geredet hatte. »Wissen Sie, was sie mir noch erzählt haben?«

»Es ist kein Geheimnis. Mercy hat den Verkauf blockiert. Sie hoffte, ich würde mich auf ihre Seite schlagen, aber ich bin es leid. Ich will das nicht mehr tun.«

»Genau das haben Sie zu Chuck gesagt, nicht wahr?« Die Unterhaltung der beiden Männer auf dem Weg hatte sich in Wills Gedächtnis eingebrannt. »Sie sagten, dass sie es von Anfang an nicht gewollt hätten. Dass es ohne Mercy nicht funktionieren würde. Dass sie sie brauchten.«

Christopher sah endlich überrascht aus. »Das hat er Ihnen gesagt?«

Will studierte das Gesicht des Mannes. Die Überraschung wirkte echt, aber Will hatte auf die harte Tour gelernt, keinem potenziellen Psychopathen zu trauen. »Sie brauchen das Geld aus dem Verkauf eigentlich gar nicht, oder?«

Christopher fuhr sich mit der Zunge über die Lippen. »Wie meinen Sie das?«

»Sie stehen ziemlich gut da, nicht?«

»Ich weiß nicht, was Sie mir sagen wollen.«

»Sie haben ein paar Hunderttausend Dollar in einem Geldmarktfonds. Haben Ihr Studiendarlehen abbezahlt. Bei Chuck ist es das Gleiche. Wie kommt's?«

Christophers Blick ging wieder zum Boden. »Wir haben ein paar kluge Investitionen getätigt.«

»Aber auf Ihrer beider Namen läuft kein Geldanlage- oder Investmentkonto. Sie sind bei keinen Unternehmen angestellt, Ihr einziger Job ist der als Angelguide in der Lodge Ihrer Familie. Woher stammt das Geld also?«

»Bitcoin.«

»Wird das aus Ihrer Steuererklärung hervorgehen?«

Christopher räusperte sich lautstark. »Sie werden Gehaltsabrechnungen des Familientrusts finden. Es gehört zu meiner Gewinnbeteiligung.«

Will vermutete, er würde Beweise für Geldwäsche finden. An diesem Punkt kam Mercy wahrscheinlich ins Spiel. »Dave ist ebenfalls am Familientrust beteiligt, oder? Wo ist sein Geld?«

»Ich bin nicht dafür zuständig, wer was bekommt.«

»Wer ist dann zuständig?«

Christopher räusperte sich wieder.

»Mercy hat ihre Gewinnbeteiligung nicht erhalten. Sie hat kein Bankkonto, sie hat keine Kreditkarten und keinen Führerschein. Sie hatte gar nichts. Wie ist das zu erklären?«

Christopher schüttelte den Kopf. »Ich habe keine Ahnung.«

»Was ist drin?« Will schlug an die Wand. Die Kescher klapperten auf dem Holz. »Was werde ich finden, wenn ich diese Tür aufbreche?«

»Brechen Sie die Tür nicht auf. Bitte.« Christopher hielt den Blick weiter zu Boden gerichtet. »Der Schlüssel ist in meiner Tasche.«

Will wusste nicht, ob der Mann tatsächlich gefügig war oder ob es sich um einen Trick handelte. Er ließ die Hand demonstrativ auf dem Griff des Revolvers ruhen. »Leeren Sie alle Ihre Taschen auf die Werkbank.«

Christopher fing mit seiner Anglerweste an und arbeitete sich dann nach unten zu seiner Cargoshorts. Er legte eine Anzahl Werkzeuge von exakt denselben Marken und Farben auf den

Tisch, die Chuck in seinen Taschen gehabt hatte. Sogar eine Tube Lippenbalsam war dabei. Das Einzige, was fehlte, war ein Fläschchen Augentropfen.

Der letzte Gegenstand, den Christopher auf die Arbeitsfläche legte, war ein Schlüsselbund. Es waren vier insgesamt daran, was seltsam war, nachdem in der Lodge keine Türen verschlossen wurden. Will erkannte den Zündschlüssel für einen Ford. Einen Zylinderschlüssel, der wahrscheinlich zu einem Safe gehörte. Die restlichen beiden waren Schlüssel mit schwarzen Kunststoffgriffen für kleinere Vorhängeschlösser. Auf einem war ein gelber Punkt, auf dem anderen ein grüner.

Will behielt die Hand auf dem Revolver und trat von der Tür zurück. »Öffnen Sie sie.«

Christophers Kopf blieb unten. Will ließ seine Hände nicht aus den Augen, denn der Mann würde seine Absichten definitiv nicht über den Gesichtsausdruck verraten. Christopher wählte den Schlüssel mit dem gelben Punkt aus, steckte ihn ins Schloss, zog das Schließband zurück und öffnete die Tür.

Das Erste, was Will bemerkte, war der Geruch von kaltem Rauch. Dann sah er die Folienabschnitte, auf denen sie versuchsweise Kombinationen von Hölzern verbrannt hatten. Es gab Eichenfässer. Kupfertanks. Gewundene Rohre und Schläuche. Sie füllten keinen billigen Fusel in teure Flaschen – sie stellten ihren eigenen her.

»Es sind zwei Schlüssel«, sagte Will. »Wo ist die andere Destillieranlage?«

Christopher blickte immer noch nicht auf.

Will würde ihn wieder aufschrecken müssen. Nichts macht einem Mann mehr Angst als das kalte Metall von Handschellen um seine Gelenke. Will hatte keine Handschellen, aber er wusste, wo Christopher seine Kabelbinder aufbewahrte. Er zog die Schublade auf.

Heute Morgen hatte Will ein schlechtes Gewissen gehabt, weil er die Kabelbinder lose liegen lassen musste. Irgendwann später hatte sie jemand wieder zusammengebunden. Er nahm an, es war dieselbe Person, die sechs leere Flaschen Augentropfen in die Schublade gelegt hatte.

18

Faith sehnte sich nach einer weiteren Dusche. Und zwar nicht nur, weil sie schwitzte wie ein Schwein. Keisha hatte sie derart angewidert angesehen, dass sich Faith wie die Repräsentantin aller beschissenen Polizisten auf der ganzen Welt vorgekommen war.

Deshalb wollte sie auch nicht, dass ihr Sohn zum FBI, zum GBI oder zu einer anderen Strafverfolgungsbehörde ging. Niemand traute mehr Polizisten. Manche hatten verdammt gute Gründe dafür. Andere wurden ständig mit Beispielen schlechter Cops konfrontiert. Es ging nicht mehr nur um einzelne faule Äpfel. Ganze Polizeibehörden waren faule Apfelkisten. Wenn Faith noch einmal anfangen müsste, würde sie zur Feuerwehr gehen. Niemand war wütend auf Leute, die Kätzchen von Bäumen retteten.

Faith schüttelte den Kopf, während sie die untere Hälfte des Rundwegs entlangging. Genug gejammert über Dinge, die sie nicht ändern konnte. Für den Moment hatte sie es mit zwei Morden und einem Verdächtigen zu tun. Will wollte, dass sie Christophers Vernehmung leitete. Er ging davon aus, dass der Mann Chucks frauenverachtende Ansichten teilte, und das hieß, es würde ihm gewaltig gegen den Strich gehen, von einer Frau vernommen zu werden. Faith war mit seiner Strategie einverstanden. Christopher hörte sich ruhiger an, als ihm guttat. Sie musste einen Weg finden, ihm gehörig Angst zu machen. Glücklicherweise hatte er ihr eine Menge Munition geliefert.

Im Staat Georgia war allein der Besitz eines Destillierapparats, der etwas anderes als Wasser, Ölessenzen, Essig und dergleichen produzierte, eine Straftat. Wenn man den Transport, Vertrieb und Verkauf dazurechnete, sah Christopher einer längeren Strafe in einem Staatsgefängnis entgegen. Aber das war nur ein Teil seines Problems. Die Bundesregierung beanspruchte einen Anteil an jedem Tropfen Alkohol, der im Land verkauft wurde.

Wenn Christopher nicht wegen der beiden Morde den Rest seines Lebens im Gefängnis verbrachte, dann würde es wegen der Steuerhinterziehung passieren.

»Hallo.« Sara wartete am Fuß der Treppe. »Will und Kevin sind noch immer unten am See. Christopher bringt sie zur Bootsanlegestelle, um ihnen die zweite Destillieranlage zu zeigen.«

Faith grinste. Will schleifte Christopher wie einen Hund an der Leine durch die Gegend, sodass er sich vollkommen hilflos fühlen würde, bis Faith ihn in die Mangel nahm. »Sein Timing ist großartig. Dave ist vorhin im Haus aufgetaucht, als ich gerade gehen wollte. Jetzt wissen also alle, dass er Mercy nicht getötet hat.«

Sara runzelte die Stirn. »Wie ist er hier heraufgekommen?«

»Mit einem Dirt Bike«, sagte Faith. »Dem wird von den Eiern bis zum Arsch alles wehtun.«

»Er hat sich wahrscheinlich Fentanyl besorgt, sobald er aus dem Krankenhaus raus war«, sagte Sara. »Ich habe Nadine angerufen, um ihr wegen Dave Bescheid zu sagen. Das Problem ist, durch den Todesfall hat die Lodge Priorität bei der Instandsetzung der Straßen, wir werden hier oben also nicht mehr lange isoliert sein.«

»Tja, ich habe sogar noch schlechtere Nachrichten. Telefon und Internet funktionieren wieder, das ist hier also nicht mehr unser kleines Cabot Cove aus *Mord ist ihr Hobby*.«

Sara schaute besorgt drein. »Jon versteckt sich in der Hütte nebenan. Ich sollte ihm sagen, dass Dave hier ist. Er sucht wahrscheinlich einen Grund, nach Hause zu gehen.«

»Ich weiß nicht, schau dir doch an, in welche Art von Zuhause er gehen kann.« Faith hatte eine bessere Idee. Sie klopfte auf ihre Handtasche. »Jon kann von Hütte neun sowieso nicht ins Internet gehen. Kann ich dir die Karte zeigen? Vielleicht kannst du mir helfen, ein paar Leerstellen zu füllen, bis ich von Will grünes Licht für Christopher bekomme.«

»Sicher.« Sara bedeutete Faith, ihr nach oben zu folgen.

Faith musste sich erst zum Treppensteigen zurechtmachen. Sie hatte sich eine Yogahose von Sara geborgt, die ihr rund dreißig Zentimeter zu lang und drei Zentimeter zu eng war. Sie hatte sie am Bund dreimal aufrollen müssen, damit der Zwickel nicht bis zu ihren Knien hinunterhing, und dann die Hosenbeine an ihren Waden hochgekrempelt. Ihr Body lockte genau null Jungs hinter dem Ofen hervor.

Die Hütte war saubergemacht worden, seit Faith geduscht hatte. Sara hatte offenbar aufgeräumt. Oder vielleicht war es Penny gewesen, denn Faith roch Orangenduft, und Sara war zwar ordentlich, aber nicht *so* ordentlich.

»Was hast du?«, fragte Sara.

»Farbige Filzstifte und Rachegelüste.« Faith setzte sich auf die Couch und wühlte in ihrer Handtasche nach der Karte. Sie legte sie auf den Tisch. »Ich bin mit meinem Handy um das ganze Anwesen gelaufen, um das WLAN-Signal zu testen. Die gelben Linien geben in etwa den Bereich mit Empfang an. Mercy musste innerhalb dieser Bereiche gewesen sein, um die Anrufe bei Dave tätigen zu können.«

Sara nickte. »Das umfasst also die Hütten eins bis fünf sowie sieben und acht, dazu das Haupthaus und den Speisesaal.«

»Der Empfang im Speisesaal deckt die Aussichtsplattform ab und noch halb den Fischtopher Trail hinunter, das ist dort, wo Chuck gestorben ist. Auf der anderen Seite reicht das Netz ein wenig bis in den Bereich unterhalb der Plattform. Ich wollte mich nicht zu weit von der Zivilisation entfernen, ohne dass jemand weiß, wo ich bin. Außerdem gab es massenhaft Vögel.«

»Es ist interessant, dass beide Leichen im Wasser gefunden wurden«, sagte Sara.

»Christopher liebt Wasser. Wusstest du, dass es ein FischTok gibt?«

»Mein Vater ist dabei.«

»Christopher ebenfalls. Er steht total auf Regenbogenforellen. Lass uns hier anfangen.« Faith zeigte auf den Bereich, wo Mercy gefunden worden war. »Der Lost Widow Trail verbindet die Junggesellenhütten und den Speisesaal. Das ist der Weg, den ihr beide mit Nadine gegangen seid, um an den Tatort zu gelangen. Will hat schließlich denselben Weg genommen, als er in Richtung der beiden Schreie gerannt ist. Kannst du folgen?«

Sara nickte.

»Man sieht, wie der Weg in der Schlucht mäandert, weshalb man zehn bis fünfzehn Minuten braucht, um nach unten zu kommen. Aber es gibt einen schnelleren Weg vom Speisesaal zu den Junggesellenhütten, der nicht auf der Karte eingezeichnet ist. Alejandro hat mir davon erzählt. Sie nennen ihn den Rope Trail. Ich habe die Seile gefunden, und es ist im Grunde ein kontrollierter Sturz in die Schlucht. Wenn Mercy um ihr Leben gerannt ist, wird sie diesen Weg gewählt haben. Alejandro schätzt, dass es rund fünf Minuten dauert, um nach unten zu kommen. Will wird mir helfen müssen, die Zeit zu stoppen. Wir können die Daten benutzen, um die Geschichte zu erhärten, die uns Christopher auftischt.«

»Du willst also sagen, der erste Schrei, das Heulen, ist vom Speisesaal gekommen, und die beiden anderen Schreie von den Junggesellenhütten.« Sara blickte auf die Karte. »Das klingt einleuchtend, aber letzte Nacht, als es passierte, konnte ich nur feststellen, dass die beiden Schreie aus dieser allgemeinen Richtung kamen. Schall breitet sich hier wegen der Höhenunterschiede ganz seltsam aus. Der See liegt in einer Caldera.«

Faith sah ihre Notizen durch. »Du warst mit Jon in der Nähe des Hauses, als du den zweiten Hilfeschrei gehört hast?«

»Ja. Wir haben uns kurz unterhalten, dann habe ich den Hilfeschrei gehört. Es gab eine kurze Pause, dann der zweite Schrei – *Bitte!* Jon ist zum Haus zurückgerannt. Ich habe mich auf die Suche nach Will gemacht.«

»Zurück zum Haus gerannt«, wiederholte Faith. »Als du Jon zuerst gesehen hast, kam er also gerade *aus* dem Haus?«

»Ich habe ihn nicht gleich erkannt, weil es so dunkel war. Er kam mit einem Rucksack die Treppe herunter. Er ist auf die Knie gefallen und hat sich übergeben.«

»Worüber ging die Unterhaltung?«

»Ich habe vorgeschlagen, dass wir uns auf die Veranda setzen und reden. Er hat gesagt, ich soll mich verpissen.«

»Klingt nach betrunkenem Teenager«, sagte Faith. »Aber du hast ihn vor dir gesehen, als du die Schreie gehört hast, also können wir Jon von der Liste streichen.«

Sara sah überrascht aus. »War er denn je drauf?«

Faith zuckte mit den Achseln, aber was sie betraf, war außer Rascal jedes männliche Wesen hier oben auf der Liste.

»Amanda meinte, dass sie eine Aussage von Jon aufnehmen will«, sagte Sara. »Er könnte bei der Zeitleiste hilfreich sein. Nach der Szene beim Abendessen würde Mercy zumindest nach ihm geschaut haben.«

»Vielleicht aber auch nicht«, sagte Faith. »Vielleicht wollte sie ihm Freiraum geben.«

»So oder so glaube ich nicht, dass er eine große Hilfe sein wird. Er war wahrscheinlich zu betrunken, um sich an etwas zu erinnern.« Sara zeigte auf die Karte. »Ich kann dir helfen, zu ermitteln, wo alle anderen gewesen sein müssten. Sydney und Max, die Investoren, waren in Hütte eins. Chuck war in Hütte zwei. Keisha und Drew sind in drei, Gordon und Paul in fünf, Monica und Frank in sieben. Der WLAN-Bereich deckt sie alle ab, Mercy könnte die Anrufe an Dave also von jeder dieser Hütten abgesetzt haben. Laut Paul war sie um halb elf auf dem Rundweg.«

»Paul Ponticello klingt wie Paulchen Panther.« Faith wandte sich wieder der Zeitleiste in ihren Aufzeichnungen zu. »Was immer passiert ist, muss um zehn nach elf losgegangen sein, richtig? Mercy hat Dave fünf Mal in zwölf Minuten angerufen. Das macht man nur, wenn man hektisch, verängstigt, wütend ist. Oder alles zusammen. Um zwei Minuten vor halb zwölf hat Mercy dann die Sprachnachricht hinterlassen, deshalb wissen wir, dass sie zu diesem Zeitpunkt zu dem Mörder gesprochen hat. Sie sagte: ›Dave wird bald hier sein. Ich habe ihm erzählt, was passiert ist.‹«

»Und was ist passiert?«

»Genau das muss ich herausfinden«, sagte Faith. »Aber nehmen wir einmal an, dass Christopher der Mörder ist. Er tötet Mercy, schafft Chuck aus dem Weg und hängt es Drew an, womit er Keisha zum Schweigen bringt. Schwuppdiwupp, alles geritzt.«

»Das ist sehr kompliziert«, sagte Will.

Faith drehte sich um. Er stand im Eingang, die bandagierte Hand auf dem Herzen. Sie wusste, Will meinte es nicht ironisch. Die meisten Verbrechen waren schnörkellos. Nur in Comics verließen sich die Schurken darauf, dass die Dominosteine in der richtigen Reihenfolge fielen und die richtigen Leute umbrachten.

»Dave ist im Haupthaus«, sagte Faith. »Ist mit einem Dirt Bike heraufgekommen.«

Will antwortete nicht. Sara hatte ein Glas Wasser geholt und hielt zwei Tabletten in der Hand. Will sperrte den Mund auf, sie warf sie hinein und reichte ihm das Wasserglas. Er trank und gab ihr das Glas zurück. Sara ging in die Küche. Faith faltete die Karte und tat, als wäre das alles völlig normal.

Faith fragte: »Gibt es schon Nachricht von den Forensikern, ob sie Mercys Notizbuch retten konnten?«

Sie hatte Sara die Frage gestellt, aber Sara sah Will an. Was seltsam war, denn Forensik war Saras Fach.

Will schüttelte kurz den Kopf. »Noch keine Nachricht zu dem Notizbuch.«

»Okay.« Faith bemühte sich, das seltsame Benehmen der beiden zu ignorieren. »Was ist mit der Schwangerschaft? Ich weiß, der vorläufige Obduktionsbericht schließt eine Vergewaltigung weder aus noch bestätigt er sie, aber halten wir es für möglich, dass Christopher der Vater sein könnte?«

Sara sah entsetzt aus, aber sie sagte noch immer nichts.

Faith versuchte es noch einmal. »Ich weiß, wir werden früher oder später DNA von dem Fötus erhalten, aber Mercy hat sich mit anderen Männern eingelassen. Christophers Anwalt könnte leicht argumentieren, dass einer ihrer Liebhaber von der Schwangerschaft erfahren hat, eifersüchtig wurde und Mercy erstochen hat.«

Will zeigte wieder das knappe Kopfschütteln, aber nicht als Antwort. »Sara, könntest du noch einmal mit Jon reden? Du hast ein gutes Verhältnis zu ihm. Er hat wahrscheinlich vieles gesehen hier oben. Die Leute vergessen gern, dass Kinder anwesend sind.«

Sara fragte: »Bist du dir sicher?«

»Ja«, sagte er. »Du gehörst ebenfalls zu diesem Team.«

Sie nickte. »Okay.«

Er nickte. »Okay.«

Faith sah, wie die beiden sich in dieser verschwörerischen Art ansahen, die alle anderen Leute ausschloss. Sie war einmal mehr der lustige Sidekick in ihrer romantischen Komödie. Dabei hätte sie eine Auszeichnung verdient, weil sie nicht in Saras Koffer gelinst hatte, als die Gelegenheit da war.

»Fertig?«, fragte sie Will.

»Fertig.«

Er trat beiseite, damit Faith zuerst die Treppe hinuntergehen konnte. Was galant war, aber auch gefährlich, weil Faith niemanden hatte, auf dem sie bei einem Sturz landen konnte. Sie schlug eine Mücke von ihrem Arm. Die Sonne bohrte sich wie ein Laser in ihre Netzhäute. Sie war so was von bereit, von hier zu verschwinden.

Will war entspannter als sonst, als sie den Weg hinuntergingen. Er steckte die linke Hand in die Tasche. Die rechte presste er immer noch an die Brust.

Faith fiel kein subtiler Einstieg ein, deshalb fragte sie einfach: »Erzähl mir von dir und Dave, als ihr Kinder wart.«

Er sah sie an und brauchte erkennbar eine Erklärung.

»Dave ist aus dem Kinderheim weggelaufen«, sagte sie. »Was immer er in Atlanta getrieben hat, er hat es wahrscheinlich auch hier oben mit Christopher gemacht.«

Will stöhnte, aber er antwortete. »Er hat sich blöde Spitznamen ausgedacht. Sachen von dir gestohlen. Dich hingehängt, wenn er etwas angestellt hatte. In dein Essen gespuckt. Wege gefunden, dich in Schwierigkeiten zu bringen.«

»Hört sich sehr gewinnend an.« Faith fiel noch immer keine einfühlsame Vorgehensweise ein. »Hat er jemanden sexuell missbraucht?«

»Er hatte definitiv Sex, aber das ist nicht ungewöhnlich. Sexuell missbrauchte Kinder neigen dazu, sich auf Sex als Mittel zum Herstellen von Verbindungen zu fokussieren. Und Sex fühlt sich gut an, also bleiben sie dabei.«

»Waren es Mädchen, Jungs, beides?«

»Mädchen.«

Faith folgerte aus Wills zusammengebissenen Zähnen, dass Dave etwas mit Wills Ex-Frau gehabt hatte. Was ihn nicht gerade zu einem Außenseiter machte.

»Als Kind sexuell missbraucht worden zu sein, bedeutet nicht zwangsläufig, dass man später selbst Kinder missbraucht«, sagte Will. »Andernfalls wäre die halbe Welt pädophil.«

»Du hast recht«, sagte sie. »Aber lass uns Dave von dieser Statistik trennen. Er war dreizehn, als er in die Lodge kam, aber sie haben ihn als elf ausgegeben. Wenn dich als Dreizehnjährigen alle wie einen Elfjährigen behandeln, wirst du infantilisiert.

Dave muss wütend und frustriert gewesen sein, sich entmannt und verwirrt gefühlt haben. Aber er hat auch Mercy verführt. Er hat mindestens seit sie fünfzehn war und er zwanzig mit ihr geschlafen. Wo war Christopher, als Dave seine kleine Schwester vergewaltigt hat?«

»Du meinst, dass er sie nicht beschützt hat?«

»Ich meine, dass Christopher ebenfalls Angst vor Dave hatte.«

»Das wäre ein großartiges Motiv, wenn Christopher Dave ermordet hätte.«

»Vielleicht hat er eine Bombe am Körper befestigt, wenn wir zum Haus zurückkommen, und du musst sie entschärfen, bevor sie explodiert.«

Will sah zu ihr hinunter.

»Komm schon, du bist bereits durch ein brennendes Gebäude gestürmt und hast dich fast einen Wasserfall hinuntergestürzt.«

»Ich würde es sehr begrüßen, wenn du es in deinem Bericht nicht in dieser Weise beschreibst.«

Er dirigierte sie einen weiteren steilen Pfad hinunter. Faith sah zuerst den See. Die Oberfläche reflektierte die Sonne wie eine Discokugel aus der Hölle. Sie schirmte die Augen mit der Hand ab. Kevin stand beim Geräteschuppen, und sie hatten ein Kanu auf den Boden gestellt. Christopher saß in der Mitte, die Handgelenke mit Kabelbinder an die Stange gefesselt, die quer über das Boot verlief.

»Sara hat mir erzählt, dass die Stange Crosspiece genannt wird«, sagte Will. »Das obere Ende heißt Dollbord.«

Faith fühlte sich an die Zeit erinnert, als Will Sara kennengelernt hatte. Er hatte die idiotischsten Gründe gefunden, um ihren Namen auszusprechen.

»Hallo.« Kevin kam zu ihnen gejoggt. »Er hat keinen Mucks gemacht.«

»Hat er einen Anwalt verlangt?«, sagte Faith.

»Nein. Ich habe es auf Video aufgenommen, wie ich ihm seine Rechte vorgelesen habe. Der Typ hat in die Kamera geschaut und gesagt, er braucht keinen Anwalt.«

»Gut gemacht, Kev«, sagte Faith.

»Agent Mädchen-für-alles liefert zuverlässig.« Er zog einen Schlüsselring aus der Tasche. »Ich sag Bescheid, wenn ich den Safe finde.«

Will sah ihm nach. »Ist Kevin sauer, weil du diesen Witz gemacht hast?«

»Keine Ahnung.« Kevin war sauer auf Faith, weil sie den Kontakt zu ihm abgebrochen hatte, nachdem sie vor zwei Jahren eine Affäre gehabt hatten. »Du musst bedrohlich im Hintergrund lauern, während ich ihn vernehme, okay?«

Will nickte.

Faith studierte Christopher, als sie auf das Kanu zuging. Sie hatten ihn so platziert, dass er vom Wasser wegschaute und einen ungehinderten Blick auf die illegale Destillieranlage im hinteren Teil des Schuppens hatte. Er sah durchschnittlich aus. Nicht muskulös, aber auch nicht pummelig. Sein blaues T-Shirt ließ einen kleinen Bauch sehen. Das dunkle Haar war im Nacken ein wenig länger, genau wie bei Chuck.

Sie ging an ihm vorbei, holte tief Luft und blickte auf den See hinaus. Mücken schwirrten in der Nähe der Badeplattform umher. Vögel kreisten. Sie stieß einen gespielten Seufzer der Zufriedenheit aus. »Himmel, es ist fantastisch hier draußen. Ich kann mir gar nicht vorstellen, wie es ist, die Natur als Arbeitsplatz zu haben.«

Christopher sagte nichts.

»Sie sollten Ihren Anwalt bitten, sich das Coastal State Prison anzusehen«, sagte Faith. »Es ist in Savannah. Wenn der Wind günstig steht, kann man gelegentlich einen Hauch Meeresbrise über dem Geruch des ungeklärten Abwassers wahrnehmen.«

Christopher reagierte noch immer nicht.

Faith machte kehrt und ging um das Boot herum. Will lehnte in der offenen Tür des Schuppens und schaute Furcht einflößend. Sie nickte ihm anerkennend zu, bevor sie sich zu Christopher umdrehte. Der Verdächtige saß vornübergebeugt auf einer von zwei Bänken, weil seine Hände an die Querstrebe gefesselt waren. Die zweite Bank war kleiner und in das hintere Ende gezwängt.

Sie deutete darauf und fragte: »Ist das der Bug oder das Steuerbord?«

Er sah sie an wie eine Schwachsinnige. »Steuerbord ist die rechte Seite. Der Bug ist vorn. Sie stehen am Heck.«

»Na dann«, sagte Faith. Sie stieg in das Kanu. Das Fiberglas knirschte auf dem steinigen Ufer.

»Hören Sie auf«, sagte Christopher. »Sie machen den Rumpf kaputt.«

»Rumpf.« Faith ließ es extra knirschen, als sie sich setzte. »Glauben Sie mir, Sie wollen mich nicht auf dem Wasser dabeihaben. Ich kann einen Krossspieß nicht von einem Tollbord unterscheiden.«

»Es heißt *Crosspiece* und *Dollbord.*«

»Oh, mein Fehler, tut mir leid.« Faith tat, als wäre sie noch nie von einem Mann korrigiert worden. Sie hob ein Stück Seil auf, das an einem Metallring befestigt war. »Wie heißt dieses Ding?«

»Seil.«

»Seil«, wiederholte sie. »Ich komme mir vor wie ein Seemann.«

Christopher seufzte gequält. Er wandte den Kopf ab und starrte auf den Boden.

»Haben Sie etwas zu essen bekommen? Sind Sie hungrig?« Sie öffnete ihre Handtasche und holte eins von Wills Snickers heraus. »Mögen Sie Schokolade?«

Damit gewann sie seine Aufmerksamkeit.

Faith riss die Verpackung auf. Sie sah Christopher entschuldigend an und legte ihm den Riegel in die offene Hand. Es schien ihm nichts auszumachen. Er ließ die Verpackung auf den

Boden des Boots fallen und hielt das Snickers waagrecht zwischen den Händen statt gerade in die Höhe. Dann beugte er sich vor und nagte daran wie an einem Maiskolben.

Sie ließ ihn seinen Spaß haben und versuchte, sich eine bessere Herangehensweise auszudenken. Es konnte nicht mehr so viele Teile in einem Kanu geben, die sie falsch benennen konnte. Will nutzte normalerweise sein düsteres Schweigen, um Verdächtigen die Wahrheit zu entlocken, aber das konnte man sich nur leisten, wenn man eins fünfundneunzig groß und von Natur aus Furcht einflößend war. Faiths besonderes Talent bestand darin, dass sich Männer jedes Mal, wenn sie den Mund aufmachte, ungeheuer unwohl fühlten. Sie wartete, bis Christopher ein großes Stück Snickers abgebissen hatte, um ihre erste Frage zu stellen.

»Christopher, haben Sie Ihre Schwester gefickt?«

Er würgte so heftig, dass das Boot wackelte. »Sind Sie wahnsinnig?«

»Mercy war schwanger. Sind Sie der Vater?«

»Wollen Sie mich v-verdammt noch mal v-verarschen?«, stotterte er. »Wie können Sie mich so etwas auch nur fragen?«

»Es ist eine naheliegende Frage. Mercy war schwanger. Außer Ihrem Vater und Jon sind Sie der einzige Mann hier oben.«

»Dave.« Er wischte sich den Mund an der Schulter ab. »Dave ist ständig hier.«

»Sie wollen mir erzählen, dass Mercy ihren gewalttätigen Ex-Mann gefickt hat?«

»Ja, genau das will ich Ihnen sagen. Sie war gestern noch vor dem Familientreffen mit ihm zusammen. Sie haben sich wie die Tiere auf dem Boden herumgewälzt.«

»Auf welchem Boden?«

»Hütte vier.«

»Um welche Zeit war das Familientreffen?«

»Mittags.« Er schüttelte den Kopf, er kam nicht von dem Inzest los. »Himmel, ich kann nicht glauben, dass Sie mich das gefragt haben.«

»Hat Dave je versucht, Sie zu ficken?«

Der Schock war diesmal weniger stark, aber er sah dennoch angewidert aus. »Nein, natürlich nicht. Er war mein Bruder.«

»Er hat seine Schwester gefickt, aber er würde seinen Bruder nicht ficken?«

»Was?«

»Sie haben mir gerade erzählt, dass Dave seine Schwester gefickt hat.«

»Können Sie aufhören, dieses Wort zu sagen? Es ist nicht sehr damenhaft.«

Faith lachte. Wenn Amanda es nicht schaffte, sie zu beschämen, dann hatte dieser Knabe hier erst recht keine Chance. »Okay, Kumpel. Ihre Schwester wurde brutal vergewaltigt und ermordet, aber Sie stoßen sich daran, dass ich *ficken* sage.«

»Was hat das alles mit der Schwarzbrennerei zu tun?«, fragte er. »Sie haben mich auf frischer Tat ertappt.«

»Das haben wir, verfickt noch mal.«

Christopher schnaufte, als hätte er Mühe, sich zu beherrschen. Er sah Will an. »Sir, können wir die Sache hinter uns bringen? Ich nehme alle Schuld auf mich. Es war meine Idee. Ich habe beide Destillieranlagen gebaut. Ich war für alles verantwortlich.«

»Hey, Dummbold.« Faith schnippte mit den Fingern. »Reden Sie nicht mit ihm. Reden Sie mit mir.«

Christophers Wangen röteten sich vor Zorn.

Faith ließ nicht locker. »Wir wissen bereits, dass Chuck bis zu den Eiern in Ihrer kleinen Schnapsunternehmung steckte. Er hat sogar eine Tätowierung auf dem Rücken, um es zu beweisen.«

Christopher blähte die Nasenlöcher, aber er gab schnell nach. »Okay, ich sage gegen Chuck aus. Ist es das, was Sie wollen?«

Faith breitete die Arme aus. »Sagen Sie es mir.«

»Chuck und ich sind Kenner, okay? Wir lieben Whiskey, Scotch, Bourbon. Wir haben angefangen, kleine Mengen für uns selbst herzustellen. Immer nur wenig auf einmal. Wir haben mit Aromen und verschiedenen exotischen Hölzern experimentiert, um den vollen Geschmack zur Geltung zu bringen.«

»Und dann?«

»Papa hatte seinen Unfall. Mercy fing an, Veränderungen in der Lodge vorzunehmen. Sie hat die Bäder renoviert. Bot Cocktails an. Es kam mehr Geld herein, richtig viel Geld. Hauptsächlich durch den Alkohol. Chuck sagte, wir sollten den Zwischenhändler ausschalten und stattdessen unseren schwarzgebrannten Schnaps nehmen. Mercy wusste erst nicht, dass wir die Flaschen mit unserem Zeug nachfüllten, aber irgendwann kam sie dahinter. Es war ihr egal. Sie wollte nur Papa beweisen, dass sie einen satten Gewinn erzielen konnte.«

»Es war aber nicht nur die Lodge«, sagte Faith. »Chuck hat auch an Stripclubs in Atlanta verkauft.«

Christopher sah ertappt drein. Ihm war endlich klar geworden, dass Faith sehr viel mehr wusste, als sie zu erkennen gab.

»Wissen Ihre Eltern Bescheid?«, fragte Faith.

»Überhaupt nicht.«

»Aber Drew und Keisha wussten es.«

»Ich …« Er schüttelte den Kopf. »Das war mir nicht klar. Was haben sie gesagt?«

»Sie stellen hier nicht die Fragen«, sagte Faith. »Kommen wir auf Mercy zurück. Wie ging es ihr damit, dass sie von dem finanziellen Segen ausgeschlossen war?«

»Ich habe sie nicht ausgeschlossen. Sie ist meine Schwester. Ich habe ein Treuhandkonto für Jon angelegt. Er wird sich davon bedienen können, wenn er einundzwanzig ist.«

»Warum nicht Mercy das Geld geben?«

»Weil Dave es in seine gierigen Finger bekommen hätte. Mercy kann … sie konnte … nicht Nein sagen zu Dave. Er hat alles aus ihr herausgequetscht. Es gab nichts, was er nicht von ihr genommen hat. Und Sie sagen, sie war schwanger? Sie wäre den Rest ihres Lebens nicht mehr von ihm losgekommen.«

Christopher sah plötzlich traurig aus. »Genauso war es ja wohl, oder? Mercy ist gestorben, bevor sie von ihm wegkam.«

Faith gab ihm einige Sekunden, um zu Atem zu kommen. »Wusste Mercy von dem Treuhandkonto für Jon?«

»Nein. Ich habe es nicht einmal Chuck erzählt.« Er beugte sich vor und zerrte an den Kabelbindern. »Sie hören mir nicht zu, Lady. Ich sage Ihnen, wie das läuft. Mercy hätte es früher oder später Dave erzählt, und Dave hätte Jon gnadenlos zugesetzt, bis das Konto leer gewesen wäre. Es gibt nur zwei Dinge, die ihn interessieren: Geld und Mercy. In dieser Reihenfolge. Er wird alles tun, um beides zu kontrollieren.«

Faith setzte neu an. »Erzählen Sie mir, wie es lief. Wie haben Sie das Geld gewaschen?«

Er richtete sich wieder auf und blickte auf seine Hände. »Über die Lodge. Mercy versteht viel von Buchhaltung. Sie hat ein Onlinekonto eröffnet, Gehaltskonten eingerichtet. Sie hat dafür gesorgt, dass wir auf alles Steuern bezahlt haben. Die Unterlagen sind alle in dem Safe im Büro.«

»Sie sagen, Mercy konnte gut mit Geld umgehen, aber sie besaß keinen Cent.«

»Das war ihre Entscheidung«, sagte Christopher. »Ich habe ihr gegeben, was sie wollte, aber sie wusste, wenn sie Geld auf der Bank hatte oder eine Kredit- oder Debitkarte, würde Dave es herausfinden. Sie hing in allem, was sie zum Leben brauchte, von mir ab.«

Faith überkam ein erdrückendes Gefühl von Klaustrophobie, wenn sie daran dachte, wie hilflos Mercy wahrhaftig gewesen war.

»Darüber haben wir vor dem Abendessen in Wirklichkeit geredet.« Christopher sah Will wieder an. »Mercy hat mich dazu gedrängt, die Investoren abzulehnen. Sie sagte, sie hätte nichts zu verlieren. Vielleicht hätte ich einfach meine Konten leerräumen und alles ihr geben sollen. Kann sein, dass sie Dave verlassen hätte, bevor es zu spät war, oder?«

Er hatte Faith die Frage gestellt. Sie konnte sie nicht beantworten. Sie kannte nur die Statistiken, und die waren niederschmetternd. Missbrauchte Frauen benötigten im Schnitt sieben Versuche, um ihren Peiniger zu verlassen, vorausgesetzt, er brachte sie nicht vorher um.

»Was ist mit Chuck?«, fragte sie.

»Wie gesagt, er weiß nichts von Jons Treuhandkonto. Er fürchtet sich noch mehr vor Dave als ich.«

»Nein, was ich meinte, war, wieso haben Sie Chuck ermordet?«

Diesmal gab es als einzige Reaktion ein ausdrucksloses Starren. »Wie bitte?«

»Chuck ist tot, Christopher. Aber das wussten Sie. Sie sind derjenige, der seinen Wasserkanister mit Augentropfen vergiftet hat.«

Christopher sah Faith an, dann Will und dann wieder Faith. »Sie lügen.«

»Ich kann Sie auf der Stelle zu ihm bringen«, bot Faith an. »Wir mussten seine Leiche in dem Gefrierschrank vor der Küche deponieren. Er hängt darin wie eine Rinderhälfte.«

Christopher sah Faith an, als wartete er darauf, dass sie lachte und sagte, es sei alles nur ein Scherz. Als sie es nicht tat, schnappte er nach Luft. Sein Kinn sank auf die Brust, und er fing zu weinen an. Chucks Tod setzte ihm mehr zu als Mercys.

Sie ließ ihn einen Moment heulen. Faith hatte die Tyrannin gespielt. Jetzt spielte sie die Mutter. Sie beugte sich vor und rieb Christophers Rücken, um ihn zu beruhigen. »Warum haben Sie Chuck getötet?«

»Nein.« Christopher schüttelte den Kopf. »Das habe ich nicht.«

»Sie wollten aus dem Schnapsgeschäft raus. Er wollte Sie zwingen, dabeizubleiben.«

»Nein.« Christopher schüttelte in einem fort den Kopf. »Nein, nein, nein.«

»Sie haben zu Chuck gesagt, dass das Geschäft ohne Mercy nicht funktioniert.«

Er zitterte so heftig, dass sie es durch den Rumpf spürte.

»Christopher, Sie sind so nahe dran, mir die Wahrheit zu sagen.« Faith rieb immer weiter seinen Rücken. »Kommen Sie, Kumpel. Sie werden sich besser fühlen, wenn Sie sich alles von der Seele reden.«

»Sie hat ihn gehasst«, flüsterte er.

»Mercy hat Chuck gehasst?« Faith tätschelte ihm die Schulter, aber sie behielt ihren mütterlichen Ton bei. »Kommen Sie, Christopher, setzten Sie sich auf. Erzählen Sie mir, was passiert ist.«

Er richtete sich langsam auf. Faith sah seinen Stoizismus bröckeln. Es war, als wäre jede Gefühlsregung, die er in seinem Leben unterdrückt hatte, von der Leine gelassen worden. »Chuck hat Mercy vor allen Leuten in Verlegenheit gebracht. Ich ... ich habe ihr beigestanden. Ich wollte ihm eine Lektion erteilen.«

»Was für eine Lektion?«

»Dass er aufhören soll, sich mit ihr anzulegen«, sagte Christopher. »Ich verstehe es nicht. Wie ist er gestorben? Ich habe dieselbe Menge genommen wie zuvor.«

Faith wurde selten von etwas überrascht, was ein Verdächtiger sagte, aber das jetzt machte sie sprachlos. »Sie haben Chucks Wasserflasche schon früher kontaminiert?«

»Ja, genau das will ich Ihnen sagen. Ich bin Destillateur. Ich bin sehr genau mit meinen Bemessungen. Ich habe die gleiche Menge in sein Wasser getan wie bei den vorherigen Malen.«

»Malen?«, wiederholte Faith. »Wie oft haben Sie ihn denn vergiftet?«

»Ich habe ihn nicht vergiftet. Sein Darm war in Aufruhr. Er bekam Dünnschiss. Das war alles, was es bewirkt hat. Chuck hat etwas Fieses zu Mercy gesagt, und ich habe ihm ein paar Tropfen in sein Wasser geschüttet, um ihm eine Lektion zu erteilen.« Christopher sah aufrichtig verwirrt aus. »Wie ist er gestorben? Es muss etwas anderes sein. Warum lügen Sie? Dürfen Sie das?«

Faith hatte Saras Theorie am Tatort gehört. Chuck war nicht an den Augentropfen gestorben. Er war gestorben, weil er ins Wasser gerollt und ertrunken war.

Sie musste es fragen: »Christopher, hat Chuck Mercy getötet?«

»Nein.«

Faith hörte die Gewissheit in seiner Stimme. Sie rechnete damit, dass er etwas Abwegiges sagen würde, wie: *Chuck hat Mercy geliebt, wie hätte er sie töten können?* Aber er tat es nicht.

»Ich habe ihn bewusstlos gemacht.«

»Sie haben was?«

»Wir schließen den Abend immer mit einem Schlummertrunk ab. Ich habe ihm Xanax in seinen Drink getan, um zu garantieren, dass er keine Dummheiten machte. Chuck hat auf seinem iPad gelesen, dann ist er eingeschlafen.« Christopher zuckte mit den Achseln. »Von dem Fenster im Treppenhaus auf der Rückseite kann man in das Schlafzimmer von Hütte zwei sehen. Ich habe nach ihm geschaut, bevor ich ins Bett gegangen bin. Er hat die Hütte nicht verlassen.«

Faith fehlten die Worte.

»Ich habe meine Schwester geliebt«, sagte Christopher. »Aber Chuck war mein bester Freund. Er konnte nichts dafür, dass er Mercy ebenfalls geliebt hat. Ich habe ihn in Schach gehalten. Ich habe Mercy auf die einzige Weise unterstützt, auf die ich mich verstand.«

Faith war beinahe wieder sprachlos. »Wusste Chuck, dass sie ihn betäubten?«

»Es spielt keine Rolle.« Christopher tat die zahlreichen Straftatbestände mit einem Achselzucken ab. »Mercy war freundlich zu mir. Wissen Sie überhaupt, was für ein Gefühl das ist, wenn niemand auf der Welt freundlich zu einem ist? Ich weiß, ich bin sonderbar, aber Mercy war es egal. Sie hat sich um mich gekümmert. Sie hat sich wieder und wieder zwischen mich und Papa gestellt. Wissen Sie, wie oft ich zugesehen habe, wie er sie geschlagen hat? Ich rede nicht von seinen Fäusten. Er hat sie mit einem Seil ausgepeitscht. Sie in den Bauch getreten. Ihr die Knochen gebrochen. Ließ sie nicht ins Krankenhaus gehen. Und dann ihr Gesicht … die Narbe … das ist alles Papas Schuld. Er hat Mercy diese Schuld tragen lassen, seit …«

Faith sah den Ausdruck von Angst in Christophers Augen, bevor er den Kopf wieder sinken ließ. Er hatte zu viel gesagt. Aber möglicherweise nicht aus Versehen. Christopher wollte, dass Faith ihm die Wahrheit zu entlocken versuchte. Was er nicht verstand, war, dass keiner von ihnen beiden dieses Kanu verlassen würde, bis sie es geschafft hatte.

Sie sagte: »Penny Danvers hat mir erzählt, dass Ihre Schwester die Narbe von einem Autounfall in der Devil's Bend hatte. Mercy war siebzehn Jahre alt. Ihre beste Freundin kam dabei ums Leben.«

Christopher antwortete nicht.

»Wieso ist Mercys Narbe die Schuld Ihres Vaters?«

Christopher schüttelte den Kopf.

»Wieso ist Ihr Vater für die Narbe verantwortlich?«

Faith wartete, aber er antwortete noch immer nicht.

»Welche Schuld hat Ihr Vater Mercy mit sich herumtragen lassen?«

Erneut keine Antwort.

»Christopher.« Faith beugte sich vor und rückte ihm unangenehm nahe. »Sie haben mir erzählt, dass Sie Mercy zu beschützen versuchten, so gut Sie es eben verstanden, und ich glaube es. Ich glaube es wirklich. Aber ich verstehe nicht, wieso um alles in der Welt Sie jetzt Ihren Vater beschützen wollen. Mercy wurde brutal ermordet. Man hat sie auf dem Land Ihrer Familie verbluten lassen. Können Sie ihrer Seele nicht ein wenig Frieden schenken?«

Christopher schwieg noch einige Sekunden lang, dann holte er hastig Luft und stieß hervor: »Er war es.«

»Wer?«

»Papa.« Christopher blickte kurz auf, ehe er wieder nach unten schaute. »Er hat Gabbie getötet.«

Faith konnte Wills Anspannung hinter sich spüren. Sie musste rasch Luft holen, ehe sie wieder sprechen konnte. »Wie hat …«

»Gabbie war so wunderschön. Und nett. Und süß. Ich war verliebt in sie.« Christopher sah Faith jetzt in die Augen, seine Stimme war schrill. »Alle haben mich ausgelacht, denn ich hatte keine Chance bei ihr, aber ich habe sie so geliebt. Es war eine reine Liebe. Nichts, was man besudeln durfte. Deshalb habe ich verstanden, wie es Chuck mit Mercy ging. Er konnte nicht anders.«

Faith bemühte sich um einen ruhigen Tonfall. »Was ist mit Gabbie passiert?«

»Papa ist passiert.« Der schrille Ton war verschwunden. Seine Stimme klang so tot wie immer. »Er ertrug es nicht, dass Gabbie durch die Welt schwirrte wie ein wunderschöner Schmetterling. Sie war immer so fröhlich, sie hatte diese Leichtigkeit an sich. Sie flirtete mit den Gästen. Sie lachte über ihre albernen Witze. Sie liebte Mercy. Sie hat sie wirklich geliebt. Und Mercy hat sie geliebt. Alle liebten Gabbie. Alle wollten sie. Also hat Papa sie vergewaltigt.«

Faith war zumute, als füllte sich ihr Mund mit Sand. Es lag an dem sachlichen Ton, mit dem er etwas beschrieb, was eigentlich unbeschreiblich war. »Wann ist das passiert?«

»In der Nacht des sogenannten Unfalls.«

Faith blieb still. Sie musste ihn nicht mehr drängen. Christopher war endlich bereit, die Geschichte zu erzählen.

»Ich war draußen, Regenwürmer als Köder sammeln«, sagte er. »Papa hat Gabbie in meinem Bett vergewaltigt. Er hat sie liegen gelassen, damit ich sie finde. Papa sagte, er würde nicht zulassen, dass jemand etwas bekam, was er nicht zuerst gehabt hatte.«

Faith versuchte, den Sand in ihrem Mund zu schlucken.

»Er hat sie nicht nur vergewaltigt. Er hat ihr das Gesicht zerschlagen. Ihre ganze Schönheit, ihre Perfektion, es war nichts mehr davon übrig.« Christopher sog wieder scharf die Luft ein. »Ich ging Mercy holen, aber sie lag mit einer Nadel im Arm bewusstlos auf dem Boden in ihrem Zimmer. In ihrem Körper war so viel Schmerz. Sie wollte so verzweifelt fort. Sie und Gabbie wollten am Ende des Sommers weggehen, aber ...«

Er musste nicht zu Ende sprechen. Penny Danvers hatte Faith vom Plan der beiden erzählt. Gabbie und Mercy wollten nach Atlanta ziehen, sich zusammen eine Wohnung nehmen, kellnern und viel Geld verdienen und das Leben genießen, wie es nur junge Leute können.

Und dann war Gabbie gestorben, und Mercys Leben hatte sich für alle Zeit verändert.

»Papa ... er zwang mich, Mercy zum Auto zu tragen«, sagte Christopher. »Er warf sie einfach wie einen Müllsack auf den Rücksitz. Dann haben wir Gabbie vorn reingesetzt. Sie hat sich zu diesem Zeitpunkt nicht einmal mehr bewegt. Vielleicht der Schock, oder weil sie so viele Schläge auf den Kopf bekommen hatte – ich weiß es nicht. Vielleicht war Gabbie auch schon tot. Ich war froh, dass sie nicht wusste, was vor sich ging.«

Er hatte zu weinen begonnen. Faith hörte, wie er durch die Nase pfiff, während er seine Atmung zu kontrollieren versuchte. Sie erinnerte sich an noch etwas, das Penny erzählt hatte – Christopher war nach Gabbies Tod so untröstlich gewesen, dass er wochenlang nicht aus dem Bett gekommen war.

»Papa sagte, ich soll ins Haus gehen, also bin ich rein. Ich habe von meinem Schlafzimmerfenster aus gesehen, wie sie weggefahren sind. Ich bin mit dem Kopf auf dem Arm eingeschlafen.« Christopher rang wieder nach Atem. »Drei Stunden später habe ich gehört, wie eine Autotür zugeknallt wurde. Sheriff

Hartshorne war da. Meine Mutter kam zu mir ins Zimmer. Sie weinte so heftig, dass sie kaum sprechen konnte. Wir gingen nach unten in die Küche. Papa war auch da. Der Sheriff hat uns erzählt, dass Gabbie tot war und Mercy im Krankenhaus lag.«

»Was hat Ihr Vater gesagt?«

Er lachte bitter. »Er sagte: ›Verdammt noch mal, ich wusste, Mercy würde früher oder später jemanden umbringen.‹«

Sein Tonfall hatte etwas Endgültiges an sich, aber Faith hatte nicht die Absicht, ihn an diesem Punkt aufhören zu lassen. »Bitty hatte am Abend zuvor nichts gehört?«

»Nein, Papa hatte ihr Xanax gegeben. Nichts hätte sie aufgeweckt.« Er beugte sich vor, um sich die Nase am Ärmel abzuwischen. »Mutter wusste nur, dass Mercy sich zugedröhnt und einen Unfall mit dem Auto gebaut hatte, bei dem Gabbie ums Leben kam. Wir haben nie nach den Einzelheiten gefragt. Wir wollten es nicht wissen.«

Faith kannte die offizielle Version von Penny. Mercy hatte am Steuer des Wagens gesessen, der in der Devil's Bend aus der Kurve geflogen war. Die Sanitäter hatten in der Stadt erzählt, Mercy hätte im Rettungswagen gelacht wie eine Hyäne und steif und fest behauptet, sie würden vor der Lodge stehen. Was verständlich war, denn sie war mit einer Nadel im Arm in ihrem Zimmer eingeschlafen. Sie hatte keine Erinnerung daran, dass sie zum Auto getragen wurde.

Faith konnte jetzt nur vermuten, dass Cecil McAlpine den Wagen im Leerlauf den Berg hinunterrollen ließ und hoffte, die Schwerkraft würde ihn von seiner Tochter und der jungen Frau befreien, die er geschlagen und vergewaltigt hatte.

Sie sagte zu Christopher: »Der Wagen stürzte sieben Meter tief in eine Schlucht. Mercy wurde durch die Windschutzscheibe geschleudert. Dabei wurde ihr halbes Gesicht weggerissen. Gabbies Kopf war völlig zerschmettert, aber das war vor dem Unfall passiert. Sheriff Hartshorne, der gute Freund Ihres Vaters, sagte, sie hätte die Füße beim Aufprall auf dem

Armaturenbrett gehabt. Der Coroner berichtete, ihr Schädel sei fast pulverisiert gewesen. Sie mussten zahnärztliche Unterlagen heranziehen, um sie identifizieren zu können. Es war, als hätte jemand ihren Kopf mit einem Vorschlaghammer bearbeitet.«

Christophers Lippen zitterten. Er konnte Faith nicht in die Augen schauen, aber sie wusste, dass Christopher vielen Menschen nicht in die Augen schauen konnte.

»Wie war Gabbies vollständiger Name?«, fragte sie.

»Gabriella«, flüsterte er. »Gabriella Maria Ponticello.«

19

Wills Kopf vibrierte vor Selbstvorwürfen. Er hatte Paul die ganze Zeit direkt vor der Nase gehabt. Will hätte den Mann unter Druck setzen sollen, weil er unter einem falschen Namen eingecheckt hatte. Er hätte Pauls Vergangenheit gründlich durchleuchten sollen. Delilah hatte Will weniger als eine Stunde nach Mercys Tod von Gabbie erzählt. Will wurde flau im Magen, weil er vermutlich genau wusste, was die Tätowierung auf Pauls Brust bedeutete. Man ließ sich nicht ein Wort dauerhaft über das Herz schreiben, wenn es einem nichts bedeutete.

Will hatte auf das Wort geblickt, aber er hatte es nicht lesen können.

Faith hatte kaum eine Minute auf ihrem Handy gebraucht, um Pauls Verbindung zu Gabbie zu bestätigen. Sie fand einen Nachruf in den Archiven des *Atlanta Journal-Constitution*. Gabriella Maria Ponticello hinterließ ihre Eltern Carlos und Sylvia und ihren jüngeren Bruder Paul.

»Kevin«, sagte Faith. »Lauf außen herum auf die andere Seite. Ich möchte, dass du Gordon zu Hütte vier bringst. Hör dir an, welche Geschichte er erzählt, dann vergleichen wir sie mit der, die wir aus Paul herausbekommen.«

Kevin sah überrascht aus, dann salutierte er. »Jawohl, Ma'am.«

Will taten die Zähne weh, weil er sie so kräftig zusammengebissen hatte. Faith ließ Kevin die Vernehmung durchführen, weil sie glaubte, auf Will aufpassen zu müssen.

Er konnte es ihr nicht verübeln. Er hatte schon so viel verbockt.

Die Tür zum Haupthaus ging auf. Delilah kam zuerst heraus und eilte die Treppe hinunter. Bitty schob Cecil auf die Veranda, Dave war hinter ihnen. Er zündete sich eine Zigarette an, blies den Rauch in die Luft und folgte ihnen zu der Rollstuhlrampe auf der Rückseite des Hauses.

Faith zupfte an Wills Ärmel und zog ihn in den Wald. Sie warteten, bis sich das Gelände vor dem Haus geleert hatte. Christopher war mit Kabelbindern an ein Schaufelrad im Bootshaus gefesselt. Sara war bei Jon. Die Cocktailstunde hatte vor fünf Minuten begonnen. Monica und Frank waren als Erste aufgebrochen. Nachdem nun der Rest der Familie zum Speisesaal eilte, blieben nur noch Paul und Gordon zurück. Das Licht in Hütte fünf war an, aber die Männer waren nicht herausgekommen. Warum sollten sie auch? Dank Will konnte Paul zuversichtlich sein, dass er ungestraft mit einem Mord davongekommen war.

Will konnte es nicht länger unterdrücken. »Ich habe es verbockt«, sagte er. »Es tut mir leid.«

»Inwiefern hast du es verbockt?«, fragte Faith.

»Paul hat eine Tätowierung auf der Brust. Ich weiß, sie lautet Gabbie. Ich habe sie gesehen, aber ich konnte sie nicht schnell genug lesen. Er hat sie mit einem Handtuch verdeckt.«

Faith schwieg einen Moment zu lange. »Das kannst du nicht wissen.«

»Ich weiß es. Du weißt es. Amanda wird es erfahren. Sara wird ...« Ihm war, als füllte sich sein Magen mit Dieseltreibstoff. »Keisha hat mir erzählt, dass Paul und Gordon zu spät zum

Frühstück gekommen sind. In dieser Zeit muss Paul den Messergriff im Spülkasten ihrer Toilette versteckt haben. Ich habe sie wegen nichts in Angst und Schrecken versetzt. Sie dachten, sie würden erschossen werden. Und Chuck würde wahrscheinlich noch leben. Christopher sollte heute Vormittag Gäste zum Angeln führen. Chuck hätte noch geschlafen.«

»Falsch«, sagte Faith. »Die Aktivitäten wurden wegen Mercy gecancelt.«

Will schüttelte den Kopf. Es spielte alles keine Rolle.

»Penny hat mir von dem Autounfall erzählt«, sagte Faith. »Ich hätte der Sache vor Stunden nachgehen können. Ich kannte Gabbies Vornamen. Ich hätte ihn mit allen anderen Namen einschließlich Pauls abgleichen können. So habe ich den Nachruf gefunden.«

Will wusste, sie klammerte sich an Strohhalme. »Wir müssen Paul zu einem Geständnis bringen. Ich darf ihn nicht wegen meines Fehlers davonkommen lassen.«

»Er wird nicht davonkommen«, sagte Faith. »Schau mich an.«

Will konnte sie nicht ansehen.

»Christopher wird eine lange Gefängnisstrafe bekommen. Wir werden Cecil mithilfe seiner Aussage für den Mord an Gabbie vor Gericht bringen. Wir werden Paul verhaften, weil er Mercy getötet hat. Der Himmel weiß, wie viele Stripclubs in Atlanta schwarzgebrannten Schnaps von Chuck gekauft haben. Sie hätten Monica mit dem Dreck beinahe umgebracht. Nichts davon wäre passiert, wenn du nicht hier oben gewesen wärst. Glaubst du, Biscuits hätte den Mord an Mercy untersucht? Nur deinetwegen wird Paul gefasst werden. Und Christopher. Und Cecil.«

»Faith, ich weiß, du willst, dass es mir besser geht, aber alles, was du sagst, klingt nach Mitleid.«

Die Tür zu Hütte fünf ging auf. Gordon kam zuerst heraus, dann Paul. Sie lachten über etwas, denn sie hatten keine Ahnung, dass gleich die Hölle über sie hereinbrechen würde.

»Gehen wir«, sagte Will.

Er durchquerte im Laufschritt die Hotelanlage. Kevin kam von der anderen Seite. Er packte Gordon am Arm.

»Entschuldigung?«, sagte Gordon, aber Kevin zog ihn bereits fort.

»Hey!« Paul wolle ihm folgen, aber Will drückte ihm die Hand auf die Brust.

Paul blickte nach unten. Diesmal gab es keine koketten Sprüche. Er verzog den Mund zu einem geraden Strich. »Also gut. Dann ist es jetzt wohl so weit.«

»Gehen wir wieder hinein«, sagte Faith.

Will blieb Paul dicht auf den Fersen für den Fall, dass er wegzulaufen versuchte. Kevin brachte Gordon in Hütte vier. Das Licht ging an. Die Tür schloss sich, aber vorher warf Gordon Paul noch einen ruhigen Blick zu. Will vergewisserte sich, dass Faith es ebenfalls bemerkt hatte.

Beide Männer wussten Bescheid.

Im Wohnzimmer roch es wie in einer Kneipe. Halb volle Whiskeyflaschen und umgekippte Gläser. Der Mülleimer quoll über von Chipstüten und Süßigkeitenverpackungen. Will fing einen Hauch von Marihuana auf. Er entdeckte einen Aschenbecher neben dem Sessel, mit mehr Stummeln von Joints, als er zählen konnte.

»Sieht aus, als hätten Sie beide hier ziemlich gefeiert«, sagte Faith. »Gab es einen besonderen Anlass?«

Paul zog eine Augenbraue hoch. »Bedauern Sie es, dass wir Sie nicht eingeladen haben?«

»Ich bin bitter enttäuscht.« Faith zeigte auf die Couch. »Setzen Sie sich.«

Paul setzte sich mit einem genervten Schnauben. Er lehnte sich zurück und verschränkte die Arme. »Worum geht es?«

»Sie sind derjenige, der gesagt hat, dass es jetzt wohl so weit ist«, antwortete Faith. »Was ist so weit?«

Paul sah Will an. »Sie haben die Tätowierung gesehen.«

Will war zumute, als hätte man ihm einen Metalldorn in die Brust gebohrt.

»Ich habe Sie den ganzen Tag hier herumlaufen sehen. War es Mercy? Hat sie es jemandem erzählt, bevor sie gestorben ist?«

»Was hatte sie zu erzählen?«, fragte Faith.

Will sah, wie Paul sein Hemd aufknöpfte und den Stoff beiseiteschob, damit man die Brust sah. Die Tätowierung war kunstvoll verschlungen, mit roten Herzen und bunten Blumen. Aus dieser Entfernung konnte Will nur das G sehen, aber das lag wahrscheinlich daran, dass er den Namen bereits kannte.

Faith beugte sich vor. »Das ist geschickt gemacht. Man sieht den Namen im Grunde erst, wenn man weiß, was man vor sich hat. Darf ich?«

Paul zuckte mit den Achseln, als Faith ihr Handy hervorholte.

Sie machte mehrere Fotos, dann sank sie mit einem Seufzer wieder in den Sessel.

»Bin ich ein Zeuge, oder werde ich verdächtigt?«, fragte Paul.

»Ich verstehe, warum es verwirrend ist«, sagte Faith. »Denn Sie benehmen sich, als wären Sie weder das eine noch das andere.«

»Das Privileg weißer Männer, hab ich recht?« Paul griff nach einer Schnapsflasche. »Ich brauche einen Drink.«

»Das würde ich nicht tun«, sagte Faith. »Es ist kein Old Rip.«

»Es ist trotzdem Alkohol.« Pauk trank einen großen Schluck direkt aus der Flasche. »Wonach suchen Sie beide?«

Faith sah Will an, als erwartete sie, dass er übernahm. Er ging davon aus, dass sie sein Schweigen nicht lange aushalten würde, aber diesmal kam es anders.

»Hallo?«, sagte Paul. »Zeuge-Schrägstrich-Verdächtiger hier. Ist jemand zu Hause?«

Will spürte, wie er rot wurde. Er durfte nicht länger der Grund dafür sein, dass die Sache schiefging. Er fragte Paul: »Hat Mercy Ihr Tattoo gesehen?«

»Ich habe sie es sehen lassen, wenn Sie das meinen.«

»Wann?«

»Ich weiß nicht, etwa eine Stunde nachdem wir eingecheckt hatten. Ich hatte geduscht und wollte mich im Schlafzimmer gerade anziehen. Als ich aus dem Fenster schaute, habe ich Mercy auf unsere Hütte zukommen sehen. Ich dachte, warum nicht?« Paul drehte die Flasche in den Händen. »Ich habe mir das Handtuch wieder um die Mitte geschlungen und gewartet.«

»Warum wollten Sie, dass sie die Tätowierung sieht?«, fragte Will.

»Ich wollte, dass sie weiß, wer ich bin.«

»Wusste Mercy, dass Gabbie einen Bruder hatte?«

»Ich nehme es an. Sie kannten einander nur einige Monate, den Sommer über, aber zwischen den beiden hat sich sehr schnell ein intensives Band entwickelt. Alle Briefe, die Gabbie nach Hause schrieb, drehten sich um Mercy und wie viel Spaß sie miteinander hatten. Es klang wie …« Paul hielt inne, er suchte nach den richtigen Worten. »Sie wissen, wie das ist, wenn man jung ist und man lernt jemanden kennen, und es macht einfach *klick*, und es ist, als würden zwei Magnete zusammenkleben? Man versteht nicht, wie man vorher ohne diesen Menschen leben konnte, und man will für den Rest seines Lebens nicht mehr ohne ihn sein.«

»Waren sie ein Liebespaar?«, fragte Will.

»Nein, es war einfach eine perfekte, wunderbare Freundschaft. Und dann wurde sie zerstört.«

»Sie haben unter einem falschen Namen in der Lodge eingecheckt. Das wäre der Moment gewesen, um Mercy wissen zu lassen, dass Sie Gabbies Bruder sind.«

»Ich wollte nicht, dass ihre Familie es herausfindet.«

»Warum?«

»Weil …« Paul trank noch einen Schluck. »Himmel, das ist ja furchtbar. Was ist das?«

»Schwarzgebrannt.« Faith nahm ihm rasch die Flasche aus der

Hand und stellte sie auf den Boden. Sie wartete darauf, dass Will fortfuhr.

Er konnte nichts weiter tun, als seinen Mund auf Autopilot arbeiten zu lassen. »Warum?«

»Warum ich nicht wollte, dass es die McAlpines erfuhren?« Paul seufzte. »Ich wollte, dass es zwischen Mercy und mir bleibt, okay? Ich war mir nicht einmal sicher, dass ich es tun wollte, aber dann habe ich sie gesehen und …«

Paul zuckte mit den Achseln, statt den Satz zu beenden.

Will lauschte in die Stille im Raum. Er sah auf seine Hände hinab. Selbst die verletzte versuchte, sich zur Faust zu ballen. Sein Kiefer schmerzte vom Zähnezusammenbeißen. Sein Körper kannte diesen Zorn gut. Er hatte ihn in der Schule gespürt, wenn der Lehrer ihn ausschimpfte, weil er den Satz an der Tafel nicht zu Ende schreiben konnte. Er hatte ihn im Kinderheim gespürt, wenn Dave sich über ihn lustig gemacht hatte, weil er nicht so gut lesen konnte. Will hatte eine Technik entwickelt, um sich von der Situation abzukoppeln, wie eine Lampe, deren Kabel ausgesteckt wurde.

Aber er saß nicht mehr in der letzten Bank eines Klassenzimmers. Er war nicht mehr im Kinderheim. Er sprach mit einem Mordverdächtigen. Seine Partnerin zählte auf ihn. Wichtiger noch, Jon zählte auf ihn. Will hatte die letzten Schläge von Mercys Herz gespürt. Er hatte der Frau lautlos versprochen, dass ihr Mörder seiner gerechten Strafe zugeführt würde. Dass ihr Sohn Frieden finden würde, weil der Mann, der ihm die Mutter geraubt hatte, für sein Verbrechen bestraft wurde.

Will schob den Beistelltisch von der Couch weg und setzte sich direkt gegenüber von Paul. »Sie haben gestern Nachmittag auf dem Weg mit Gordon gestritten.«

Paul sah überrascht aus. Er konnte nicht wissen, dass Sara sie gehört hatte.

»Sie haben zu Gordon gesagt: ›Es interessiert mich nicht, was du denkst. Es ist richtig, so zu handeln.‹«

»Das hört sich nicht nach mir an.«

»Und Gordon sagte: ›Seit wann interessiert es dich, das Richtige zu tun?‹«

»Gibt es hier Kameras?«, fragte Paul. »Ist die Lodge verwanzt?«

»Wissen Sie, was Sie Gordon geantwortet haben?«

Paul zuckte mit den Achseln. »Überraschen Sie mich.«

»Gordon hat gefragt: ›Seit wann interessiert es dich, das Richtige zu tun?‹, und Sie sagten: ›Seit ich verdammt noch mal gesehen habe, wie sie lebt.‹«

Paul nickte. »Okay, das klingt nach mir.«

»Gordon sagte, Sie müssen es auf sich beruhen lassen. Aber Sie haben es nicht auf sich beruhen lassen, nicht wahr?«

Paul bearbeitete den Saum seines Shirts und faltete ihn eng zusammen. »Was habe ich noch gesagt?«

»Sagen Sie es mir.«

»Wahrscheinlich etwas wie: ›Lass uns das bei einem Fass Jim Beam besprechen.‹«

»Sie sagten, dass Sie Mercy gestern Abend gegen halb elf auf dem Rundweg gesehen haben.«

»Ja.«

»Sie sagten, sie hat ihre Runde gedreht.«

»So ist es.«

»Haben Sie mit ihr gesprochen?«

Paul fing an, die Falten wieder zu lösen. »Ja.«

»Was haben Sie gesagt?«

»Sie werden es mir nicht glauben«, sagte Paul. »Gordon hat mir geraten, mich von Ihnen fernzuhalten. Er meinte, Sie seien nur ein großer, dummer Cop, der darauf aus ist, irgendwen zu verhaften, der auch nur halbwegs einen Grund hat.«

»Sie hatten mehr als halbwegs einen Grund«, sagte Will. »Was haben Sie gestern Abend auf dem Weg zu Mercy gesagt, Paul? Sie hat ihre Arbeit gemacht, ihre Runde gedreht, und Sie sind gegen halb elf aus Ihrer Hütte gekommen und haben mit ihr gesprochen.«

»Das ist richtig.«

»Was haben Sie gesagt?«

»Dass …« Er seufzte schwer. »Dass ich ihr vergebe.«

Will sah zu, wie Paul wieder anfing, Falten zu legen.

»Ich habe ihr *vergeben*«, sagte Paul. »Ich habe Mercy so viele Jahre lang beschuldigt. Es hat mich innerlich aufgefressen, verstehen Sie? Gabbie war meine große Schwester. Ich war erst fünfzehn, als es passiert ist. So vieles von ihrem Leben – von unserem gemeinsamen Leben – ist mir gestohlen worden. Ich habe sie nie richtig kennengelernt.«

»Haben Sie Mercy deshalb getötet?«

»Ich habe sie nicht getötet«, sagte Paul. »Man muss jemanden hassen, um ihn zu töten.«

»Sie haben die Frau nicht gehasst, die für den Tod Ihrer Schwester verantwortlich war?«

»Doch, das habe ich. Viele Jahre lang. Und dann habe ich die Wahrheit gehört.« Paul blickte zu Will auf. »Mercy hat das Auto nicht gefahren.«

Will studierte den Mann, aber er ließ sich nichts anmerken. »Wieso wissen Sie, dass Sie nicht gefahren ist?«

»Weil ich auch weiß, dass Cecil McAlpine Gabbie vergewaltigt hat.«

Will schien es, als wäre sämtlicher Sauerstoff aus dem Raum entwichen. Er schaute zu Faith. Sie sah genauso überrumpelt aus wie er.

Paul fuhr fort. »Ich weiß auch, dass Cecil und Christopher Gabbie zusammen mit Mercy in das Auto gesetzt haben. Ich hoffe, Gabbie war da bereits tot. Ich will mir nicht vorstellen, dass sie zu sich gekommen ist, das Auto auf die scharfe Kurve zurasen sah und nichts tun konnte, um es aufzuhalten.«

Will sah Faith wieder an. Sie war an den Rand ihres Sessels gerutscht.

»Ihr Becken war ebenfalls zertrümmert«, sagte Paul. »Dieses kleine Detail hat mir meine Mutter letztes Jahr erzählt. Die arme

Frau lag auf dem Sterbebett. Bauchspeicheldrüsenkrebs plus Demenz plus eine schlimme Harnwegsinfektion. Sie hatte eine hohe Dosis Morphium bekommen. Ihr Verstand – ihr wundervoller Verstand – blieb in dem Sommer gefangen, in dem Gabbie starb. Wie sie ihr half, für den Job in den Bergen zu packen, dafür sorgte, dass sie die richtige Kleidung dabeihatte. Wie sie zum Abschied gewunken hat, als mein Vater mit ihr wegfuhr. Wie sie dann ans Telefon ging. Von dem Unfall hörte. Wie sie erfuhr, dass Gabbie tot war.«

Paul beugte sich hinunter und hob die Flasche vom Boden auf. Er trank einen großen Schluck, bevor er fortfuhr.

»Außer mir war niemand am Sterbebett meiner Mutter. Mein Vater war zwei Jahre zuvor an einem Herzinfarkt gestorben.« Paul drückte die Flasche an seine Brust. »Demenz kennt kein Muster. Mutter erinnerte sich an die seltsamsten Kleinigkeiten und vergaß sie wieder. Dass Gabbie vergessen hatte, ihren Stoffbären einzupacken. Vielleicht könnten wir ihn ihr schicken? Oder dass sie hoffte, die McAlpines würden ihr anständig zu essen geben. Waren sie nicht so nette Leute? Sie hatte mit dem Vater am Telefon gesprochen, als Gabbie sich für das Praktikum bewarb. Er hieß Cecil, aber alle nannten ihn Papa. Er war derjenige, der anrief, um uns zu sagen, dass Gabbie tot war.«

Paul machte Anstalten zu trinken, überlegte es sich dann jedoch anders. Er gab Will die Flasche. »Dieser Anruf von Cecil – das war das, was ihr wirklich im Gedächtnis blieb. Papa hat ihr den Unfall und die Folgen in allen Einzelheiten geschildert. Meine Mutter nahm an, dass er mit seiner brutalen Ehrlichkeit hilfreich sein wollte, aber darum ging es nicht. Er kostete die Gewalt noch einmal aus. Können Sie sich vorstellen, was für ein Psychopath man sein muss, um das Kind einer Frau zu vergewaltigen und zu ermorden und sie dann anzurufen und ihr alles darüber zu erzählen?«

Will hatte solche Psychopathen getroffen, aber er hatte bis jetzt nicht gewusst, dass Cecil McAlpine einer war.

»Dieser Anruf hat meine Mutter bis ins Grab verfolgt. Ihr blieben nur noch wenige Stunden, und es war alles, worüber sie reden konnte. Nicht die glücklichen Ereignisse, wie eines von Gabbies Geigenkonzerten oder ihre Leichtathletikwettkämpfe oder als ich alle überraschte und ein Medizinstudium aufnahm. Sondern dieser Anruf von Cecil McAlpine, in dem er ihr all die schrecklichen Einzelheiten über Gabbies Tod erzählte. Und ich musste mir jedes einzelne Wort anhören, denn es waren die letzten Momente, die ich mit meiner Mutter auf Erden haben würde.«

Er blickte aus dem Fenster, seine Augen glänzten im Licht.

»Wie haben Sie herausgefunden, dass Cecil Ihre Schwester getötet hat?«, fragte Faith.

»Ich musste nach dem Tod meiner Mutter ihre Papiere durchgehen. Die meines Vaters ebenfalls. Sie hatte sich nie wirklich die Mühe gemacht, sich damit zu beschäftigen. Ganz hinten im Aktenschrank meines Vaters war ein Ordner, in dem es ausschließlich um den Unfall ging. Nicht dass es viel zu lesen gab. Ein vierseitiger Polizeibericht. Ein zwölfseitiger Obduktionsbericht. Ich bin plastischer Chirurg, ich habe Leute nach Autounfällen behandelt. Ich habe bei Strafverfahren und Zivilprozessen über die entstandenen Verletzungen ausgesagt. Mir ist nie ein Fall untergekommen, bei dem es nicht kistenweise Dokumente gab. Und das waren noch nicht einmal Unfälle mit Todesfolge. Gabbie ist gestorben. Mercy wäre fast gestorben. Und da sollen sechzehn Seiten genügt haben?«

Will hatte zahlreiche Obduktionsberichte gelesen. Der Mann hatte recht. »Wurde eine toxikologische Untersuchung vorgenommen?«

»Sie sind ja doch nicht nur ein hübsches Gesicht.« In Pauls Lächeln lag Traurigkeit. »Das war das, was wirklich herausragte. Gabbie hatte Marihuana und eine hohe Konzentration von Alprazolam im Blut.«

»Xanax«, sagte Will. Die McAlpines hatten eine Vorliebe für das Medikament.

»Gabbie hat geraucht, aber sie war gern hellwach«, sagte Paul. »Sie hat stimulierende Sachen genommen, Amphetamine, Adderall, Molly, manchmal Koks, wenn jemand etwas hatte. Sie war nicht süchtig. Sie hat nur gern gefeiert. Das war einer der Gründe, warum sie mein Vater zu dem Praktikum in der Lodge gezwungen hat. Er war derjenige, der das Angebot entdeckt hat. Er dachte, frische Luft, harte Arbeit und viel Bewegung würden sie auf den rechten Weg bringen.«

»Mercy wurde in Zusammenhang mit dem Unfall nie wegen etwas angeklagt«, sagte Will. »Ihre Eltern fanden das nicht seltsam?«

»Mein Vater war ein großer Anhänger von Wahrheit, Gerechtigkeit und den amerikanischen Werten. Wenn ein Polizist sagte, hier gab es nichts zu sehen, dann gab es nichts zu sehen.«

Faith räusperte sich. »Welcher Polizist?«

»Jeremiah Hartshorne senior. Der Junior hat den Job jetzt, was eine angemessene Berufung ist.«

»Haben Sie mit ihm gesprochen?«

»Nein, ich habe einen Privatdetektiv engagiert«, sagte Paul. »Er hat herumtelefoniert, an Türen geklopft. Die Hälfte der Leute in der Stadt hat sich geweigert, mit ihm zu sprechen. Die andere Hälfte hat jedes Mal gekocht, wenn er Mercy erwähnt hat. Sie war eine Hure, ein Junkie, eine Mörderin, eine schlechte Mutter, eine Hexe, vom Satan besessen. Alle haben ihr die Schuld an Gabbies Tod gegeben, aber es ging eigentlich nicht um Gabbie. Sie haben Mercy einfach gehasst.«

»Wie haben Sie herausgefunden, was wirklich passiert ist?«, fragte Will.

»Ein Informant ist an uns herangetreten. Sehr geheimnisvoll, wie im Kino.« Pauls Lächeln wurde bitter. »Es hat mich zehn Riesen gekostet, aber das war es mir wert, endlich die Wahrheit zu hören. Natürlich konnte ich nichts unternehmen. Das Arschloch hat dichtgemacht, sobald er das Geld hatte. Wollte keine Aussage machen, keine Aufnahme erlauben. Wir haben ihn überprüft. Er ist ein schmieriger kleiner Scheißkerl. Ich bezweifle, dass seine Aussage Jeffrey Dahmer ins Gefängnis gebracht hätte, weil er bei Rot über die Ampel gegangen ist.«

Will kannte die Antwort bereits, aber er musste es fragen. »Wer war der Informant?«

»Dave McAlpine«, sagte Paul. »Sie haben ihn für den Mord an Mercy verhaftet, aber aus irgendeinem Grund wieder freigelassen. Sie wissen, dass er nicht nur ihr Ex-Mann ist, oder? Er ist außerdem ihr Adoptivbruder.«

Will rieb sich das Kinn. Es gab nichts, was Dave anfasste, das nicht zu Scheiße wurde. »Was haben Sie gestern Abend auf dem Trail zu Mercy gesagt?«

Paul stieß langsam den Atem aus. »Erst sollten Sie ein bisschen mehr über Gabbies Briefe wissen. Sie hat mindestens einen pro Woche geschrieben. Sie hat Mercy so sehr geliebt. Sie wollten eine Wohnung in Atlanta mieten und … Na ja, Sie wissen, wie dumm man mit siebzehn ist. Man rechnet und stellt fest, man kann von Käsemakkaroni für zehn Cent die Woche leben. Gabbie war so glücklich, eine Freundin gefunden zu haben. Sie hatte es nicht leicht in der Schule. Ich habe Ihnen ja schon von der Geige erzählt. Sie war im Orchester. Jahrelang ist sie deshalb nur aufgezogen worden. Erst als sie zu einer Schönheit erblüht ist, hatte sie endlich etwas wie ein Leben. Und mit Mercy hatte sie ihre erste große Freundschaft als Teil dieses neuen Lebens. Es war etwas Besonderes. Es war perfekt.«

»Was noch?«, fragte Will.

»Gabbie hat auch über Cecil geschrieben. Sie glaubte, dass er Mercy wehtat. Sie körperlich misshandelte, vielleicht noch etwas anderes. Ich weiß nichts Konkretes, weil sie es nicht geschrieben hat. Wahrscheinlich hatte sie die Worte dafür einfach nicht. Gabbie ist nicht mit Angst aufgewachsen. Das war noch die Zeit, bevor uns das Internet die Unschuld geraubt hat. Es gab nicht zig Podcasts über schöne junge Frauen, die vergewaltigt und ermordet wurden.«

Will hörte die Traurigkeit in seiner Stimme. Paul hatte seine Schwester geliebt, so viel war klar. Trotzdem hatte er die ursprüngliche Frage noch nicht beantwortet. »Was haben Sie gestern Abend auf dem Trail zu Mercy gesagt?«

»Ich habe sie gefragt, ob sie weiß, wer ich bin. Sie hat bejaht. Ich sagte, dass ich ihr vergeben habe.«

Will wartete, aber er sprach nicht weiter.

»Und?«, stieß ihn Faith an.

»Und ich hatte diese lange Rede vorbereitet, dass ich wisse, sie hatte Gabbie geliebt, und dass sie die besten Freundinnen waren, dass es nicht Mercys Schuld war, sondern dass es ihr Vater gewesen war und dass es nichts gab, wofür sie sich schuldig fühlen musste – lauter solches Zeug. Aber Mercy gab mir gar keine Gelegenheit, etwas davon zu sagen.« Paul zwang ein Lächeln auf sein Gesicht. »Sie hat mich angespuckt. Wortwörtlich. Hat etwas hochgerotzt und auf mich abgefeuert.«

»Das war alles?«, fragte Faith. »Sie hat kein Wort gesagt?«

»Doch, sie sagte, ich kann sie am Arsch lecken. Dann ist sie zum Haus gegangen. Ich habe ihr nachgesehen, bis sie drinnen war und die Tür zugeknallt hat.«

»Und dann?«, fragte Faith.

»Nichts. Ich war natürlich verdattert. Und ich hatte nach diesem Auftritt nicht vor, mich noch einmal an sie zu wenden. Sie hatte klargemacht, was sie davon hielt. Also ging ich wieder in die Hütte und habe mich genau da hingesetzt, wo ich jetzt sitze. Gordon hatte alles gehört. Wir waren beide sprachlos, um ehrlich zu sein. Ich hatte zumindest erwartet, dass es einen Dialog in Gang setzen und uns beiden helfen würde, eine Art Abschluss zu finden.«

Die Traurigkeit war aus seiner Stimme gewichen. Er klang jetzt verwundert.

»Okay, ich muss ein bisschen zurückspulen.« Faith teilte offenbar Wills Skepsis. »Mercy hat Sie angespuckt, und Sie haben nichts getan?«

»Was hätte ich denn tun können? Ich war nicht böse auf Mercy. Sie hat mir leidgetan. Sehen Sie sich an, wie sie hier oben lebt. In der Stadt verachten sie alle. Sie hockt hier oben fest mit dem Vater, der ihr den Tod ihrer besten Freundin angehängt hat. Die ganze Familie glaubt an ihre Schuld. Ihr Gesicht ist wegen dieses Mannes schlimm verunstaltet. Stellen Sie sich das vor. Mercys eigener Vater nimmt ihr das Gesicht, und sie lebt mit ihm, arbeitet mit ihm, isst mit ihm, kümmert sich um ihn. Und obendrein kassiert ihr Ex-Mann oder Bruder, oder wie Sie ihn nennen wollen, zehntausend Dollar für die Wahrheit von mir, aber ihr hat er nie erzählt, was wirklich passiert ist? Es ist so gottverdammt traurig.«

»Woher kannte Dave die Wahrheit?«, fragte Will.

»Das kann ich Ihnen nicht sagen.« Er zuckte mit den Achseln. »Bieten Sie ihm noch einmal zehntausend, ich bin sicher, er rückt heraus damit.«

Mit Dave würde sich Will später befassen. »Sie haben nicht sehr betroffen gewirkt, als ich heute Nacht bekannt gegeben habe, dass Mercy erstochen wurde.«

»Ich war sehr betrunken und sehr high«, sagte Paul. »Gordon hat mich zum Ausnüchtern unter die Dusche gestellt. Deshalb war ich nicht in der besten Verfassung, als Sie mich gesehen haben. Das Wasser war brutal kalt geworden.«

»Wie können Sie sicher sein, dass Mercy nichts davon wusste, welche Rolle ihr Vater bei Gabbies Tod gespielt hat?«, fragte Faith.

»Der Ex-Mann/Bruder sagte, dass sie keine Ahnung hat. Damit nicht genug, er schien sich noch etwas darauf einzubilden, so etwa: *Ich weiß etwas, was sie nicht weiß, schaut euch an, wie clever ich bin.*«

Das hörte sich in der Tat nach Dave an.

»Ich wusste, dass es stimmt, als ich das erste Mal mit Mercy gesprochen habe«, sagte Paul. »Ich habe versucht, es aus ihr herauszukitzeln, ja? Um zu sehen, ob sie wirklich nicht wusste, was ihr Vater getan hatte. Ich sprach von dem Geld, das die Lodge einbringt, wie hübsch es hier oben ist. Ich dachte, vielleicht weiß sie Bescheid oder hat ihren Vater sogar gedeckt.«

»Aber?«, fragte Faith.

»Ich habe sie nach der Narbe in ihrem Gesicht gefragt, und sie hat versucht, sie mit beiden Händen zu verdecken.« Paul schüttelte den Kopf. »Mercy hat sich so unglaublich geschämt, verstehen Sie? Und nicht nur normal geschämt, es war die Art von Scham, bei der man glaubt, seine Seele verloren zu haben.«

Will kannte diese Art von Scham. Dass Dave sie Mercy aufgezwungen hatte, dass er sie benutzt hatte, um die Mutter seines Kindes zu bestrafen, war ungeheuer grausam.

»Deshalb haben Gordon und ich gestritten. Ich wusste, ich musste ihr die Wahrheit sagen. Und ich habe es versucht, aber sie hat klargemacht, dass sie nicht daran interessiert ist. Gordon hatte recht. Ich habe bereits meine Schwester und beide Eltern verloren. Es ist nicht meine Aufgabe, diese kaputte Familie zu heilen. Da kommt ohnehin jede Hilfe zu spät.«

Faith legte die Hände auf die Knie. »Erinnern Sie sich noch an etwas anderes von gestern Abend? Über Mercy? Oder die Familie? Haben Sie etwas gesehen?«

»Vielleicht höre ich auch zu viele Podcasts, aber es ist immer die Sache, von der man denkt, sie würde keine Rolle spielen, die am Ende dann doch zählt, also …« Paul zuckte mit den Achseln. »Als Mercy ins Haus ging und die Tür zuknallte, war ich noch völlig benommen. Ich bin noch eine Weile stehen geblieben und habe ungläubig vor mich hingestarrt. Und ich schwöre bei Gott, ich habe jemanden auf der Veranda gesehen.«

»Wen?«, fragte Faith.

»Ich irre mich wahrscheinlich. Ich meine, es war dunkel und alles. Aber ich schwöre, er sah aus wie Cecil.«

»Warum glauben Sie, dass Sie sich irren?«

»Weil er, nachdem die Tür zugefallen war, aufgestanden ist und ins Haus ging.«

20

Sara passte ihr Tempo Jons schlurfendem Gang an, als sie dem Rundweg zum Speisesaal folgten. Sie hatte ihren Aufbruch hinausgeschoben, weil sie einen Sechzehnjährigen nicht zum Cocktailtrinken mitnehmen wollte. Auch wenn es lächerlich war, diese Grenze zu ziehen, wenn sie bedachte, dass Jon high gewesen war, als sie an die Tür von Hütte neun geklopft hatte. Sie hatte ihn mit Chipstüten und zwei Snickers, die Will sicher vermissen würde, bestochen, damit er aufmachte.

Jon hatte die Nachricht von der Unschuld seines Vaters mit schockiertem Schweigen aufgenommen. Die Ereignisse der letzten vierundzwanzig Stunden waren sichtlich zu viel für ihn. Er versuchte nicht mehr, seine Tränen zu verbergen. Er hatte Sara nur ungläubig und mit zitternder Unterlippe angestarrt, als sie die Fakten übermittelte: Dave war unschuldig. Es gab einen anderen Verdächtigen, aber mehr durfte ihm Sara nicht sagen.

Sie hatte angeboten, ihn zu seinen Großeltern zu bringen, aber Faith hatte recht gehabt. Der Junge hatte es nicht eilig damit, nach Hause zu gehen. Sara hatte ihm, so gut sie konnte, Gesellschaft geleistet. Sie hatten über Bäume, Wanderwege und alles Mögliche geredet, nur nicht über den Mord an seiner Mutter. Sara merkte an seiner Sprechweise, an dem Fehlen von *Ähh* und *Ey* und *Ich so,* mit denen die meisten Sätze von Teenagern gespickt waren, dass er sich überwiegend in der Gesellschaft von Erwachsenen aufgehalten hatte. Dass alle diese Erwachsenen den Nachnamen McAlpine trugen, war sein großes Pech.

Jon kickte einen Kieselstein vom Weg, und sein Fuß hinterließ eine Furche in der Erde. Er war sichtlich nervös. Er wusste besser als Sara, dass es nicht mehr weit bis zum Speisesaal war.

Wahrscheinlich dachte er, dass sein Erscheinen Aufsehen erregen würde, nachdem er so lange fort gewesen war. Als er das letzte Mal in dem Gebäude gewesen war, hatte er seine Mutter sturzbetrunken angebrüllt, dass er sie hasste.

»Bist du dir sicher, dass du das willst?«, fragte Sara. »Es ist nicht direkt privat. Etliche Gäste werden ebenfalls da sein.«

Er nickte, die Haare fielen ihm in die Augen. »Wird er da sein?«

Sara wusste, er meinte Dave. »Wahrscheinlich, aber wenn du willst, sage ich deiner Familie Bescheid, dass du zurück bist, und du könntest im Haus auf sie warten.«

Er kickte wieder einen Kieselstein aus dem Weg und schüttelte den Kopf.

Sara nahm an, sie würden schweigend weitergehen, aber Jon räusperte sich. Er sah sie kurz an, bevor er seinen Blick wieder senkte.

Er fragte: »Wie ist Ihre Familie?«

Sara überlegte sich ihre Antwort gut. »Ich habe eine jüngere Schwester, die eine Tochter hat. Sie macht eine Ausbildung zur Hebamme. Meine Schwester, nicht meine Nichte.«

Jon verzog den Mund zu einer Andeutung von Lächeln.

»Mein Vater ist Installateur. Meine Mutter macht die Buchhaltung und die Einsatzplanung für den Betrieb. Sie ist sehr engagiert in bürgerschaftlichen Dingen und kirchlichen Aktivitäten, woran sie mich oft erinnert.«

»Wie ist Ihr Dad?«

»Na ja …« Sara wusste, dass Jon eine komplizierte Beziehung zu seinem Vater hatte. Sie wollte Dave nicht stellvertretend beschämen. »Er liebt Dad-Witze.«

Jon sah sie wieder kurz an. »Was für welche?«

Sara dachte an die Karte, die ihr Vater in den Koffer gelegt hatte. »Zum Beispiel den: ›Warum geht ein Cowboy nicht gern zum Friseur?‹«

Jon zuckte mit den Achseln.

»Weil er Angst hat, dass sein Pony weg ist, wenn er wieder rauskommt.«

Jon musste tatsächlich lachen, und Sara fand es wundervoll. »Denk daran, was ich dir über Will gesagt habe. Er möchte über deine Mom mit dir reden. Er hat dir ein paar Dinge zu sagen.«

Jon nickte. Sein Blick ging wieder zum Boden. Sie dachte an den jungen Mann, den sie am Vortag kennengelernt hatte. Er war so selbstbewusst gewesen, als er die Treppe vom Haus seiner Familie herunterkam. Zumindest bis Will ihn in seine Schranken verwiesen hatte. Jetzt wirkte Jon nervös und eingeschüchtert.

Als Kinderärztin kannte Sara diese beiden Seiten bei Kindern. Insbesondere Jungen wollten unbedingt herausfinden, wie man ein Mann wurde. Leider orientierten sie sich häufig an den falschen Vorbildern. Jon hatte Cecil, Christopher, Dave und Chuck. Sicher gab es Schlimmeres als einen gruseligen Frauenverächter, der regelmäßig von seinem besten Freund vergiftet wurde, aber man konnte es auch sehr viel besser erwischen.

»Sara?«

Faith wartete auf dem Aussichtsdeck auf sie. Sie war allein. Im Speisesaal brannte Licht, und Sara hörte Geschirr klappern und das leise Murmeln von Gesprächen. Alle waren seit Stunden hier isoliert und hatten gesehen, wie ein Gast nach dem anderen zur Überprüfung ausgewählt wurde. Das Küchenpersonal hatte ihnen wahrscheinlich von der Leiche im Gefrierschrank erzählt. Christopher war nirgendwo zu finden. Und dann war Dave aufgetaucht, als hätte eine Atombombe eingeschlagen, und Gordon und Paul waren nicht zur Cocktailrunde gekommen. Sara nahm an, dass unter ihnen die Theorien nur so schwirrten.

Sie fragte Jon: »Willst du auf mich warten, bis du hineingehst?«

»Nein, Ma'am. Ich schaffe das schon.« Jon straffte die Schultern, als er durch die Tür ging, als würde er eine Rüstung anlegen. Sara blutete das Herz beim Anblick seiner fragilen Courage.

»Sara«, wiederholte Faith. »Hier entlang.«

Sara folgte ihr den Chow Trail hinauf. Vorhin hatte Faith Sara von Christophers Enthüllungen berichtet, während Kevin und Will den Mann im Bootshaus eingesperrt hatten. Jetzt versuchte Sara wiederum, Faith auf ihren Stand der Ermittlung zu bringen. »Nadine hat angerufen. Der Bach ist zurückgegangen. Sie haben zwanzig Tonnen Kies auf die Straße schütten müssen. Nadine wird in spätestens einer Stunde hier sein. Nicht lange, dann spricht es sich herum, dass die Leute von hier wegkönnen. Sie reden bereits darüber. Was man einer Person sagt, kann man genauso gut allen sagen.«

»Erzähl mir von der Obduktion«, forderte Faith sie auf.

Sara konnte im Moment nicht in Stichworten denken. »Du meinst, von der Schwangerschaft oder …«

»Was für Proben hast du für das Labor genommen?«

»Das Sperma in ihrer Vagina. Urin und Blut. Ich habe Abstriche von Oberschenkeln, Rektum, Mund, Rachen und Nase genommen, für Speichel, Schweiß oder Kontakt-DNA. Ich habe Fasern eingesammelt – rote hauptsächlich, aber auch ein paar schwarze, die nicht mit Mercys Kleidung übereinstimmen. Es gab Haare mit intakten Wurzeln. Ich habe gesammelt, was sie unter den Fingernägeln hatte, und …«

»Okay, das ist gut. Danke.«

Faith wurde untypisch still. Sie wälzte erkennbar Ideen im Kopf. Sara war sicher, sie würde früh genug erfahren, was los war, und genau das geschah, als sie um die letzte Biegung auf dem Weg kamen und Will sahen.

Er studierte die Karte, auf der Faith ihre Ergebnisse eingetragen hatte. Sara erkannte an seinem erschöpften Gesichtsausdruck, dass bei der Vernehmung von Paul etwas fürchterlich schiefgegangen war.

»Er war es nicht?«, fragte sie.

»Nein«, sagte Will. »Paul wusste bereits, dass Cecil seine Schwester getötet hat. Gordons Geschichte stimmte fast genau mit seiner überein. Er war es nicht.«

Ehe sich Sara von ihrer Verblüffung erholen konnte, fragte Faith: »Was ist dir als Ärztin an Cecil aufgefallen?«

Sara schüttelte den Kopf. Die Frage war aus dem Nichts gekommen. »Du musst konkreter werden.«

»Kann er aus dem Rollstuhl aufstehen?«, sagte Faith.

Sara schüttelte wieder den Kopf, aber mehr aus Verwirrung. »Ich kenne das Ausmaß seiner Verletzungen nicht, aber zwei Drittel der Nutzer von Mobilitätshilfen sind bis zu einem gewissen Grad gehfähig. Das heißt, sie sind nicht gelähmt und können kurze Entfernungen zurücklegen, aber sie benutzen den Rollstuhl wegen chronischer Schmerzen, wegen Erschöpfung oder weil es physisch einfacher ist.« Sara rief sich die kurze Begegnung mit Cecil bei der Cocktailstunde des Vortags in Erinnerung. »Er kann seinen rechten Arm benutzen. Er hat uns gestern Abend die Hand geschüttelt, weißt du noch?«

»Sein Händedruck war kräftig«, sagte Will.

»Du hast recht, aber man kann ohne eine vollständige Untersuchung aus diesen Einzelheiten keine Rückschlüsse ziehen.« Sara dachte es durch, aber sie sah keine Möglichkeit, ihnen zu helfen. »Ich kann euch nicht sagen, ob er gehen kann, bevor ich seine Patientenakte gesehen und mit seinen Ärzten gesprochen habe. Und selbst dann ist es erstaunlich, was Willenskraft bewirken kann. Seht euch an, wie lange Mercy noch am Leben geblieben ist, nachdem so oft auf sie eingestochen wurde. Die Wissenschaft wird nie alles erklären können. Manchmal ist ein Körper zu Dingen fähig, die eigentlich unmöglich sind.«

»Kann er eine Erektion bekommen?«, fragte Faith.

Sara erkannte schockiert, was die Frage implizierte. Sie hatten Cecil im Visier. »Ich brauche mehr Informationen.«

»Du warst im Haus«, sagte Will. »Hast du gesehen, wo Cecil schläft?«

»Sie haben ein Wohnzimmer im Erdgeschoß umgeräumt«, erinnerte sich Sara. »Er benutzt ein normales Bett, kein Krankenbett. Aber ... das muss nichts bedeuten, aber ich würde eine

Kommode neben dem Bett erwarten. Die Toilette unten ist zu schmal für einen Rollstuhl. Für die Badewanne gibt es keinen Transferstuhl. Cecil trug Boxershorts, als ich ihn heute Morgen auf der Veranda gesehen habe. Er hatte keinen Urinbeutel bei sich. Im Badezimmer waren keine Katheter. Ich habe außerdem Toilettenartikel für Männer auf der Ablage im Bad gesehen. Selbst wenn es zugänglich wäre, könnte er sie von einem Rollstuhl aus nicht erreichen.«

»Du meintest, es ist seltsam, dass auf dem Parkplatz kein Van für einen Rollstuhl steht«, sagte Faith.

»Ich habe nicht gesagt, dass es seltsam ist«, sagte Sara. »Ich sagte, dass er wahrscheinlich Leute hat, die ihm in den Truck und wieder heraushelfen. Bitty ist zu klein, um es allein zu schaffen. Sie könnte Jon oder Christopher bitten. Oder auch Dave.«

»Wartet«, sagte Will. »Als ich die Glocke geläutet habe, war Cecil der Erste, der herauskam. Dann habe ich Bitty gesehen, aber sie hat den Rollstuhl nicht geschoben. Cecil war einfach da, und dann war Bitty da. Christopher ist erst später aufgetaucht. Genau wie Jon. Delilah war immer noch oben, als ich von Gordons und Pauls Hütte zurückkam. Du hast es selbst gesagt. Bitty hätte Cecil unmöglich allein heben können. Sie ist kaum über eins fünfzig und wiegt vielleicht fünfzig Kilo. Wie ist Cecil also in seinen Rollstuhl gekommen?«

»Er ist aufgestanden und gegangen«, sagte Faith.

Sara wollte das Thema nicht weiter erörtern. »Wieso alle diese Fragen? Was hat Paul gesagt?«

»Er hat Mercy um halb elf gesehen, aber sie ist nicht den Rundweg hinauf«, antwortete Will. »Sie ist ins Haus gegangen. Paul hat gesehen, wie Cecil auf der Veranda aufstand und ihr ins Haus gefolgt ist.«

Sara wusste nicht, was sie sagen sollte.

»Der erste Anruf von Mercy bei Dave war um 22.47 Uhr«, sagte Faith. »Dave hat sich nicht gemeldet. Mercy hat gekocht. Dann ist sie gegangen, um mit ihrem Vater zu reden. Vielleicht ist Cecil in Panik geraten, weil er dachte, Mercy würde noch einmal mit Paul reden und herausfinden, wie Gabbie wirklich gestorben ist. Was hat Cecil in diesen zehn Minuten mit Mercy gemacht?«

Sara legte die Hand an die Kehle. Sie hatte gehört, zu welchen Dingen Cecil fähig war.

»Was immer mit Cecil passiert ist, es hat Mercy zum Durchdrehen gebracht. Sie hat Dave um 22.47 Uhr, um 23.10 Uhr, um 23.12 Uhr, um 23.14 Uhr, um 23.19 Uhr und noch mal um 23.22 Uhr angerufen. Wir wissen, dass sie sich im WLAN-Bereich aufhielt, als sie diese Anrufe getätigt hat.«

Will hielt die Karte hoch, damit Sara sie sehen konnte. »Mercy war wahrscheinlich noch im Haus, als sie mit den Anrufen anfing. Sie hat ihren Rucksack gepackt, Kleidung und das Notizbuch eingesteckt. Sie ist zum Speisesaal hinuntergelaufen. Sie hat immer weiter versucht, Dave zu erreichen.«

»Es gibt einen Bürosafe hinter der Küche«, sagte Faith. »Kevin hat ihn mit Christophers Schlüssel geöffnet. Er war leer.«

»Erinnert euch, was Mercy in der Sprachnachricht gesagt hat«, sagte Will. »›Dave wird bald hier sein.‹«

»Sie hat mit Cecil gesprochen«, sagte Faith.

Sara schaute auf die Karte und schätzte die Entfernung zwischen dem Haus und dem Speisesaal sowie dem Speisesaal und den Junggesellenhütten ab. »Cecil konnte es vielleicht bis zum Speisesaal schaffen, aber nicht bis hinunter zu den Junggesellenhütten. Den Rope Trail hätte er nicht bewältigen können, und über den Old Widow hätte er zu lange gebraucht. Ganz zu schweigen davon, dass er nicht die Kraft gehabt hätte, so oft auf Mercy einzustechen.«

»Und deshalb hat er jemanden geschickt, der sich um Mercy gekümmert hat«, sagte Will.

Sara brauchte einen Moment, um zu verarbeiten, was sie da sagten. Sie sah Will an. Jetzt verstand sie seinen verhärmten Gesichtsausdruck. »Du glaubst, Cecil hatte einen Komplizen?«

»Dave«, sagte Will.

Sara hatte das Gefühl, dass sich alles fügte. »Mercy wollte den Verkauf blockieren. Wenn sie aus dem Weg geschafft war, würde Dave Jons Stimme wahrnehmen. Er hatte ein finanzielles Motiv.«

»Nicht nur das«, sagte Will. »Er hat Cecil schon früher dabei geholfen, zu bereinigen, was er angerichtet hatte.«

Faith übernahm. »Dave wusste, dass Cecil den Unfall damals inszeniert hatte. Er hat es Paul letztes Jahr gegen Bezahlung verraten. Schaut …«

Faith wischte über ihr Handy und rief eine Karte des County auf. »Devil's Bend ist in der Nähe des Steinbruchs außerhalb der Stadt, etwa fünfundvierzig Minuten Fahrzeit von der Lodge. Christopher sagte, dass zwischen dem Zeitpunkt, als Cecil mit Gabbie und Mercy wegfuhr, und der Ankunft des Sheriffs, der sie von dem Unfall unterrichtete, rund drei Stunden vergingen. Cecil könnte in dieser Zeit unmöglich zu Fuß nach Hause gelangt sein. Zwischen den beiden Orten liegt ein ganzer Berg. Jemand muss ihn gefahren haben.«

»Dave«, sagte Sara.

»Vor vierzehn Jahren hat Dave Cecil geholfen, den Mord an Gabbie zu vertuschen«, sagte Faith. »Und letzte Nacht hat Dave Cecil wieder gedeckt und ihm geholfen, Mercy zu töten.«

Sara war überzeugt. »Was werdet ihr tun? Wie sieht der Plan aus?«

Will sagte: »Ich möchte, dass du einen Weg findest, Jon aus dem Haus zu holen. Ich werde Dave provozieren.«

»Dave provozieren?« Sara gefiel nicht, wie das klang. »Wie willst du das machen?«

Will wandte sich an Faith. »Gib uns eine Minute.«

Saras Nackenhaare stellten sich auf, als Faith den Weg hinunterging. »Du musst Dave dazu bringen, dass er sich gegen Cecil wendet.«

»Ja.«

»Also wirst du Dave dazu verleiten, etwas Dummes zu sagen.«

»Ja.«

»Und er wird wahrscheinlich versuchen, dir etwas anzutun.«

»Ja.«

»Und er hat wahrscheinlich noch ein Messer.«

»Ja.«

»Und Kevin und Faith werden es geschehen lassen.«

»Ja.«

Sara blickte auf seine rechte Hand, die er immer noch an die Brust drückte. Der Verband war ausgefranst und fast schwarz vor Dreck, Schweiß und weiß der Himmel was noch. Sie ließ den Blick abwärtswandern. Er trug nicht den Revolver, den ihm Amanda gegeben hatte. Seine linke Hand lag am Körper. Sie konnte den Ehering an seinem Finger sehen.

Wills erster Heiratsantrag war im Grunde gar kein Antrag gewesen. Sie hatte die Frage nicht beantwortet, weil er die Frage eigentlich gar nicht gestellt hatte. Diese Tatsache hätte sie nicht überraschen dürfen. Er war ein bemerkenswert unbeholfener Mann. Er neigte zum Brummeln und langen Schweigen. Er zog die Gesellschaft von Hunden der der meisten Menschen vor. Er brachte gern Sachen wieder in Ordnung. Er sprach lieber nicht darüber, wie sie entzweigegangen waren.

Aber er hörte Sara auch zu. Er respektierte ihre Meinung. Er schätzte ihre Beiträge. Er vermittelte ihr ein Gefühl von Sicherheit. Er war ihrem Vater sehr ähnlich. Was zum Kern dessen vordrang, warum Sara so tief und unwiderruflich in ihn verliebt war. Will würde immer aufstehen, wenn alle anderen sitzen blieben.

Sie sagte: »Mach ihn fertig.«

»In Ordnung.«

Sara hatte weiche Knie, als sie zum Speisesaal ging. Sie drehte ihren Ehering am Finger und dachte an Jon, denn er war der eine Mensch, den sie schützen wollte. Die letzten vierundzwanzig Stunden waren traumatisch für den jungen Mann gewesen. Er hatte sich sinnlos betrunken. Er hatte mit seiner Mutter gestritten. Er hatte sich in seinem eigenen Garten vor einer Fremden übergeben. Er war von weiteren Fremden umgeben gewesen, als er erfuhr, dass seine Mutter ermordet worden war. Dann war sein Vater verhaftet und später wieder rehabilitiert worden, und jetzt war Will im Begriff, Dave dazu zu verleiten, dass er damit prahlte, die Mutter seines Kindes getötet zu haben.

Sara musste Jon von dort wegbringen, bevor das geschah.

Faith wartete wieder auf dem Aussichtsdeck. Kevin war bei ihr. »Ich habe das Küchenpersonal aus der Schusslinie geschafft«, sagte Kevin. »Sie sind oben in Hütte vier, bis alles vorbei ist. Was ist mit den Gästen?«

»Wir spielen es nach Gehör«, sagte Will. »Wir wollen, dass Dave eine Schau abzieht. Er könnte ein Publikum brauchen.«

Sara sah Will an. »Was, wenn ich Jon nicht dazu bringe, zu gehen?«

»Dann hört er eben, was er hört.«

Sara holte tief Luft. Es war schwer, das zu schlucken, doch sie nickte. »Okay.«

»Behaltet Bitty im Auge«, warnte Faith. »Denkt daran, was ich darüber gesagt habe, dass sie sich wie Daves psychopathische Ex-Freundin benimmt. Sie könnte unberechenbar sein.«

Darauf war Sara vorbereitet. Nichts, was in dieser Lodge geschah, konnte sie noch überraschen. »Bringen wir es hinter uns.« Kevin öffnete die Tür.

Sara betrat den Speisesaal als Erste. Die Szene war vertraut. Zwei lange Tische, doch nur einer für das Abendessen gedeckt. Es war bereits serviert worden. Dessertteller wurden leergekratzt. Weingläser waren halb voll. Statt als Gruppe zusammenzusitzen, hatten sich die Paare in verschiedene Lager aufgeteilt. Frank und Monica waren bei Drew und Keisha. Gordon und Paul saßen mit Delilah zusammen. Cecils Rollstuhl stand am Kopfende des Tisches. Bitty war zu seiner Linken, neben ihr

Dave. Jon saß rechts von Cecil, genau gegenüber seiner Großmutter.

Sara fühlte alle Augen auf sich gerichtet, als sie neben Jon Platz nahm. Seinem Vater so nahe zu sein, hatte dem jungen Mann den Mut geraubt. Er hielt die Hände im Schoß umklammert, auf seinem Shirt waren Schweißflecken. Er hielt den Kopf gesenkt, aber selbst Sara konnte den weiß glühenden Hass spüren, den er in Daves Richtung zur anderen Tischseite ausstrahlte.

»Jon.« Sara berührte seinen Arm. »Kann ich draußen mit dir sprechen?«

»Nein, zum Teufel«, sagte Dave. »Ihr habt mich schon um viel zu viel Zeit mit meinem Jungen gebracht.«

»Das ist wahr, verdammt«, sagte Bitty. »Ich möchte, dass Sie hier verschwinden, sobald die Straße befahrbar ist.«

»Ruhe«, sagte Cecil. Er packte die Gabel mit der rechten Hand, spießte ein Stück Kuchen auf und kaute lautstark in der Stille.

Jon hielt den Kopf gesenkt. Seine Seelenqual war so greifbar wie sein Zorn. Sara hätte ihn gern in die Arme genommen und schnell weggebracht, aber sie durfte sich nicht in die Ermittlung einmischen. Will und Faith hatten bereits ihre Positionen eingenommen. Kevin blockierte den Eingang. Faith stand am entgegengesetzten Ende des Tischs. Will hatte sich nahe an Dave heranbewegt, wodurch er auch nicht weit von der Küchentür entfernt war. Sie bildeten ein perfektes Dreieck.

»Und?«, bellte Cecil. »Worum geht es?«

»Wo ist mein Sohn?«, fragte Bitty.

»Christopher wurde wegen der Herstellung, des Vertriebs und Verkaufs von illegal gebranntem Alkohol verhaftet«, erklärte Faith.

Die Stille, die darauf folgte, wurde von Daves Gelächter durchbrochen.

»Verdammt«, sagte er. »Gut gemacht, Fischtopher.«

»Hört, hört.« Paul hob das Glas. »Auf Fischtopher.«

Monica wollte ihm zuprosten, aber Frank hielt ihre Hand fest. Sara sah Bitty an. Die Aufmerksamkeit der Frau war ganz auf Dave konzentriert.

Dessen Haltung hatte sich verändert. Er wusste, das war keine freundliche Plauderei hier. Er trommelte mit den Fingern auf dem Tisch und blickte erst zu Kevin, dann zu Faith, bevor er zu Will hinaufschaute. »Hey, Trash, wie geht es deiner Hand?«

»Besser als deinen Eiern«, sagte Will.

Jon kicherte.

»Jon«, sagte Sara leise, »was hältst du davon, wenn wir gehen?«

»Du rührst dich nicht vom Fleck, Junge«, sagte Dave.

Jon war bei dem schneidenden Befehl erstarrt. Bitty machte beschwichtigende Geräusche. Sara betrachtete das ausgelegte Besteck. Zwei verschiedene Gabeln, ein Messer, ein Löffel. Alles konnte in eine Waffe verwandelt werden. Sie wusste, Will hatte dieselbe Überlegung angestellt. Sein Blick war nicht auf Daves Gesicht gerichtet, sondern auf seine Hände. Sara blickte auch auf Bittys Hände. Sie waren auf dem Tisch gefaltet.

»Und?«, sagte Dave. »Was gibt es, Trash?«

Faith antwortete. »Der Coroner hat angerufen. Sie hat bei Mercys Obduktion Beweise gefunden.«

»Ist das ein angemessener Rahmen, um solche Dinge zu besprechen?«, empörte sich Bitty.

Paul sagte: »Ich glaube, heute Abend wäre eine großartige Gelegenheit dafür, dass wir alle die Wahrheit erfahren.«

Sara beobachtete, wie Faith ihn mit einem Blick zum Schweigen brachte.

»Oder auch nicht.« Paul stellte sein Glas wieder auf den Tisch.

»Nadine hat unter Mercys Fingernägeln geschabt. Sie hat Hautpartikel gefunden, und das bedeutet, Mercy hat ihren Angreifer gekratzt. Wir werden von allen Personen hier DNA-Proben benötigen.«

Dave lachte. »Viel Glück damit, gute Frau. Dafür brauchen Sie einen richterlichen Beschluss.«

»Judge Framingham unterschreibt ihn in diesem Moment.« Faith sprach mit so viel Autorität, dass selbst Sara ihr beinahe geglaubt hätte. »Sie kennen den Richter, nicht wahr, Dave? Er hat ein paar Ihrer Verfahren wegen Alkohol am Steuer geleitet, oder? Er war derjenige, der Ihren Führerschein auf Lebensdauer eingezogen hat.«

Dave fuhr mit dem Zeigefinger an der Gabel neben seinem Teller entlang. »Sie wollen einfach von allen hier eine DNA-Probe nehmen?«

»Ganz recht«, sagte Faith. »Von jeder einzelnen Person.«

»Das können Sie nicht tun«, sagte Drew. »Es gibt keinen Grund, einen Verdacht …«

»Sie brauchen meine scheiß DNA nicht«, sagte Cecil. »Ich bin verdammt noch mal ihr Vater.«

Sara zuckte bei dem Wutausbruch zusammen. Sie musste sofort an Gabbie denken, dann an Mercy.

»Mr. McAlpine.« Faith sprach in ruhigem Ton. »Es gibt etwas, das sich Kontakt-DNA nennt. Das bedeutet, dass jeder, der körperlich in Berührung mit Mercy kam, seien es Bitty, Delilah oder Sie oder Jon oder selbst einer der Gäste, genetisches Material auf ihrer Haut hinterlassen hat. Wir müssen ein Profil für alle Leute erstellen, damit wir das genetische Material des Täters isolieren können. Das Küchenpersonal und Penny haben bereits Proben abgegeben. Es ist wirklich keine große Sache.«

»Okay.« Delilah überraschte alle, indem sie als Erste sprach. »Ich habe Mercys Hand gehalten. Das war vor dem Abendessen, aber ich bin dabei. Wie machen wir das? Spucke? Abstrich?«

»Scheiße, nein.« Keisha schlug auf den Tisch. »Ich wahre euer Geheimnis nicht länger. Das ist doch alles Blödsinn.«

»Welches Geheimnis?«, fragte Delilah.

»Mercy war im dritten Monat schwanger«, antwortete Faith.

Bitty stockte hörbar der Atem. Ihr Blick ging sofort zu Dave.

Sara schaute ebenfalls zu Dave. Die Nachricht hatte ihn sichtlich aufgeschreckt.

Faith fuhr fort: »Wir wissen, dass Mercy Sex mit einigen Gästen hatte.«

Am anderen Ende des Tischs wurde hin und her geredet, aber Sara sah nur, wie Bitty beruhigend die Hand auf Daves Arm legte. Sein Kiefer war fest zusammengebissen. Er ballte ständig die Fäuste.

»Was sagen Sie da über meine Frau?«, sagte er.

Diesen Moment wählte Will, um einzugreifen. »Mercy war nicht deine Frau.«

Dave ballte wieder die Faust. Er ignorierte Will und richtete seine ganze Wut auf Faith. »Was für ein Scheißdreck ist da gerade aus Ihrem gottverdammten Maul gekommen?«

»Es waren nicht nur die Gäste«, sagte Will. »Mercy hatte auch regelmäßig Verkehr mit Alejandro.«

Dave stand so schnell auf, dass sein Stuhl umfiel. Er starrte Will jetzt an. »Halt dein verdammtes Maul.«

Sara war reglos vor Anspannung wie alle anderen am Tisch. Die beiden Männer fixierten einander, beide bereit, den anderen umzubringen.

»Dave.« Bitty zupfte am Rücken seines Shirts. »Setz dich, Baby. Wenn sie einen Beschluss hätten, würden sie ihn dir zeigen.«

Dave verzog den Mund zu einem vulgären Grinsen. »Sie hat recht. Zeig mir das Papier, Trash.«

»Du glaubst, ich komme nicht an deine DNA?«, sagte Will. »Du wirfst eine Zigarette weg oder eine Dose Coke oder schmierst mit deinem Arsch über den Toilettensitz, und ich werde da sein, um alles einzusammeln. Du kannst nicht anders. Du hinterlässt deinen Unrat auf allem, was du anrührst.«

»Ich rauche nicht«, mischte sich Frank ein, wie immer bemüht, Frieden zu stiften. »Aber Sie müssen mir nicht hinterherlaufen. Sie können gern Speichel haben, oder auch einen Abstrich.«

»Sicher, warum nicht?«, sagte Gordon. »Ich bin dabei.«

»Können wir uns aussuchen, welcher Art unsere DNA-Spende ist?«, fragte Paul.

Sara sah, wie Jon plötzlich das Gesicht in den Händen barg. Er gab einen schrillen Schrei von sich und stieß sich vom Tisch ab. Er lief durch den Raum und wäre fast in Kevin gerannt. Die Tür fiel krachend hinter ihm zu. Das Geräusch hallte in der Stille nach. Sara wusste nicht, was sie tun sollte, ob sie ihm folgen oder bleiben sollte.

»Mein lieber Junge«, flüsterte Bitty in die Stille.

Dave sah zu seiner Mutter hinunter. Bitty hing immer noch halb über dem Tisch und streckte die Hand nach Jons leerem Stuhl aus. Dann setzte sie sich langsam wieder und faltete die Hände. Daves Blick ging zu der Tür, durch die Jon gerade entkommen war. Etwas Ungeschütztes lag in seinem Gesichtsausdruck. Seine Unterlippe zitterte, Tränen traten ihm in die Augen.

Dann war der Spuk genauso schnell wieder vorbei.

Daves Gebaren änderte sich so schnell, dass Sara glaubte, einen Zaubertrick mit angesehen zu haben. In dem einen Moment hatte er vollkommen gebrochen gewirkt, im nächsten raste er vor Wut.

Dave trat gegen seinen umgekippten Stuhl. Das Holz zersplitterte an der Wand.

»Du willst meine DNA, Trash?«, brüllte er.

»Ja, die will ich.«

»Dann nimm sie von dem Baby, das ich in Mercys Bauch gepflanzt habe. Niemand sonst hat sie je angerührt. Dieses Kind ist verdammt noch mal meins.«

»Ah«, sagte Will. »Der Vater des Jahres.«

»Ganz richtig, Mann.«

»Du erzählst nur Scheiße«, sagte Will. »Mercy war der einzige wirkliche Elternteil, den Jon je hatte. Sie hat ihn beschützt, sie hat für ihn gesorgt. Dank ihr hatte er ein Dach über dem Kopf und Essen auf dem Tisch und Liebe im Herzen, und du hast ihm das alles genommen.«

»*Wir* haben Jon diese Dinge gegeben!«, brüllte Dave. »Ich und Mercy. Es waren immer ich und sie.«

»Seit du elf warst, richtig?«

»Leck mich.« Dave trat drohend einen Schritt auf Will zu. »Du hast keine Ahnung, was wir hatten. Mercy hat mich geliebt, seit sie klein war.«

»Wie eine liebe kleine Schwester?«

»Du Scheißkerl«, murmelte Dave. »Du weißt genau, was wir hatten. Ich war der, den sie geliebt hat. Ich war der, der ihr etwas bedeutet hat. Ich war der einzige Mann, der sie je gefickt hat.«

»Gefickt hast du sie allerdings.«

»Sag das noch mal«, fauchte Dave. »Sag es mir ins Gesicht, du Arschloch. Soll ich es dir aufschreiben? Soll ich es dir buchstabieren, Trash? Mercy hat *mich* geliebt. Alles, was sie je interessiert hat, war *ich*.«

»Warum hat sie dann nichts über dich gesagt?«, fragte Will. »Mercy hat noch gelebt, als ich sie gefunden habe, Dave. Sie hat mit mir gesprochen. Sie hat deinen Namen nicht einmal erwähnt.«

»Blödsinn.«

»Ich wollte, dass sie mir sagt, wer sie niedergestochen hat. Ich habe sie angefleht. Weißt du, was sie gesagt hat?«

»Sie hat nicht gesagt, dass ich es war.«

»Nein, das hat sie nicht«, sagte Will. »Sie wusste, dass sie sterben würde, und alles, was sie interessiert hat, war Jon.«

»*Unser* Jon.« Dave schlug sich mit der Faust auf die Brust. »*Unser* Sohn. *Unser* Junge.«

»Sie wollte, dass Jon von dir wegkommt«, sagte Will. »Das war das Erste, was sie zu mir gesagt hat. ›Jon darf nicht bleiben. Bring ihn weg von hier.‹ Weg von *dir*, Dave.«

»Das ist nicht wahr.«

»Sie haben beim Abendessen gestritten«, sagte Will. »Jon war wütend auf Mercy, weil sie den Verkauf der Lodge blockiert hat. Er sagte, er wollte mit seiner Großmutter und dir in einem Haus leben. Wer hat ihm das in den Kopf gesetzt, Dave? War es dasselbe Arschloch, das ihn aufgehetzt hat, mich Trash zu nennen?«

Dave schüttelte den Kopf. »Du redest nur Scheiße.«

»Mercy wollte, ich soll Jon sagen, dass sie ihm vergibt«, sagte Will. »Sie wollte nicht, dass er Schuldgefühle wegen dieses Streits mit sich herumschleppt. Das waren buchstäblich die letzten Worte aus ihrem Mund. Es ging nicht um dich, Dave. Es ging nie um dich. Mercy konnte kaum noch sprechen. Sie verblutete. Das Messer steckte noch in ihrer Brust. Ich konnte die Atemluft durch die Löcher in ihrer Lunge pfeifen hören. Und mit ihrem letzten Rest an Kraft, mit ihren buchstäblich letzten Atemzügen hat sie mir in die Augen gesehen und es dreimal hintereinander gesagt. *Drei* Mal: Vergib ihm, vergib ihm, vergib …«

Will stockte die Stimme. Er starrte Dave mit einem Ausdruck des Entsetzens an.

»Was?«, fragte Dave. »Was hat sie gesagt?«

Sara verstand nicht, was vor sich ging. Sie sah, wie sich Wills Brust hob und senkte, wie er tief Luft holte und sie langsam wieder entweichen ließ. Er und Dave starrten sich immer noch in die Augen. Etwas geschah gerade zwischen ihnen. Vielleicht war es ihre gemeinsame Geschichte. Sie waren zwei vaterlose Jungen. Jon war als vaterloser Sohn aufgewachsen. Und jetzt war seine Mutter tot. Sie wussten besser als die meisten Menschen, was es bedeutete, wahrhaft allein zu sein.

Will sagte zu Dave: »Mercys letzte Worte waren: *Sag Jon, dass ich ihm vergebe.*«

Dave sagte nichts. Er schaute mit zurückgelegtem Kopf und geschlossenem Mund zu Will auf. Er nickte leicht, kaum mehr als ein Senken des Kinns. Dann passierte der Zaubertrick wieder, nur diesmal andersherum. Dave war wie ein Ballon, aus dem die Luft entweicht. Der Kopf sank zwischen die Schultern, er löste die Fäuste und ließ die Hände seitlich am Körper herabhängen. Das Einzige, was sich nicht änderte, war sein trauriger Gesichtsausdruck.

»Das hat Mercy gesagt?«, fragte er.

»Ja.«

»Genau das?«

»Ja.«

»Okay.« Dave nickte einmal, als hätte er einen Entschluss gefasst. »Okay, ich war es. Ich habe sie getötet.«

Bitty stöhnte erschrocken auf. »Davey, nein!«

Dave nahm eine Papierserviette vom Tisch und trocknete sich die Augen. »Ich war es.«

»Davey«, flehte Bitty. »Hör auf zu reden. Wir besorgen einen Anwalt.«

»Es ist gut, Mama. Ich habe Mercy erstochen. Ich war es, der sie getötet hat.« Dave gestikulierte in Richtung Tür. »Geht jetzt. Ihr müsst die Einzelheiten nicht hören.«

Sara konnte den Blick nicht von Will abwenden. Der Schmerz in seinen Augen brachte sie um. Sie hatte ihn am See zusammen mit Mercy gesehen. Sie wusste, was ihr Tod ihn gekostet hatte. Er sah auf seine verletzte Hand hinunter und legte sie wieder auf seine Brust. Sara verlangte es danach, zu ihm zu gehen, aber sie wusste, sie durfte es nicht. Sie konnte nur hilflos dasitzen, während sich der Raum leerte. Erst die Gäste, bis zuletzt auch Bitty aufstand und Cecils Rollstuhl schob. Dann waren sie fort.

Will sah endlich Sara an. Er schüttelte den Kopf. Er sagte zu Faith: »Übernimm du.«

Sara spürte seine Hand auf der Schulter, als er vorbeiging. Er drückte sie leicht nach unten, um ihr zu bedeuten, dass sie bleiben sollte. Er musste allein sein. Sara musste ihm diese Zeit lassen.

Faith handelte rasch. Sie hatte ihre Glock in den Händen. Kevin war näher gekommen. »Zeigen Sie mir dieses Messer«, sagte sie zu Dave. »Langsam.«

Dave fing mit dem Butterflymesser in seinem Stiefel an. Er legte es auf den Tisch. »Ich wusste, dass Mercy herumvögelte«, sagte er. »Ich wusste, sie war schwanger. Ich wusste nichts von der Schwarzbrennerei, aber ich wusste, dass sie Geld machte und mir nichts davon gab. Wir sind in Streit geraten.«

»Wo haben Sie gestritten?«

»In der Küche.« Dave holte seine Brieftasche und sein Handy heraus. »Ich habe den Safe ausgeräumt. Deshalb haben Sie nichts darin gefunden.«

»Was war in dem Safe?«, fragte Faith.

»Geld. Die Bücher, die sie frisiert hat, damit alle bezahlt wurden.«

»Was ist mit dem Messer?«, fragte Faith.

»Was soll damit sein?«, sagte Dave und zuckte übertrieben mit den Schultern. »Roter Griff, aus dem abgebrochenen Teil schaut ein Stück Metall heraus.«

»Woher haben Sie es?«

»Mercy hat es in ihrer Schreibtischschublade aufbewahrt. Sie hat es als Brieföffner benutzt.«

»Wie ist sie bei den Junggesellenhütten gelandet?«

»Ich habe sie den Rope Trail hinuntergejagt. Ich habe sie erstochen und tot liegen lassen. Zumindest dachte ich das. Dann habe ich Feuer gelegt, um meine Spuren zu verwischen.«

»Sie wurde nicht in der Hütte gefunden.«

»Ich habe es mir anders überlegt. Ich wollte, dass Jon einen Leichnam hat, den er beerdigen kann. Darum habe ich sie zum Wasser geschleift. Dachte, das würde auch noch Spuren wegspülen. Ich wusste nicht, dass sie noch lebte, sonst hätte ich sie ertränkt.« Er zuckte mit den Achseln. »Dann habe ich mich im alten Camp versteckt. Habe mir einen Fisch gefangen und was zu essen gemacht.«

»Haben Sie sie vergewaltigt?«

Er zögerte, aber nur kurz. »Ja.«

»Was haben Sie mit dem Messergriff gemacht?«

»Ich habe mich in Hütte drei geschlichen, nachdem Trash die Glocke geläutet hat. In dieselbe Toilette, die ich repariert hatte, bevor die Gäste kamen.« Dave zuckte wieder mit den Achseln. »Ich dachte, Drew würde deswegen dran glauben müssen. Aber jetzt habt ihr mich wohl doch erwischt.«

Sara sah, wie Dave die Hände hob, damit Faith ihm Handschellen anlegen konnte.

»Noch nicht«, sagte Faith. »Erzählen Sie mir von Cecil.«

Dave zuckte einmal mehr mit den Achseln. »Was wollen Sie wissen?«

21

Will rannte durch den Wald. Er hatte den Weg wieder verlassen und kürzte den Loop ab. Niedrige Äste und Zweige streiften sein Gesicht. Er hob die Arme vors Gesicht, um die Augen zu schützen. Er dachte an letzte Nacht, die blinde Verwirrung, als er nach der Quelle der Schreie gesucht hatte. Er hatte noch keine Vorstellung im Kopf gehabt, was sich wo genau auf dem Gelände der Lodge befand. Er war in zwei verschiedene Richtungen ausgeschickt worden, hatte zuerst den Rauch von der brennenden Hütte gerochen und war hineingerannt, um nach Mercy zu suchen. Dann war er ans Ufer gestürzt, um sie zu retten. Er hatte sich die Hand bei dem Versuch aufgespießt, sie am Leben zu halten. Und dann hatte er genau das gehört, was er hören wollte.

Vergib ihm … Vergib ihm …

Will trat leise auf, als er die Treppe zur Veranda seiner Hütte hinaufstieg. Die Tür war nur angelehnt. Er schlich hinein. Es war mittlerweile dunkel geworden, Wolken, die neuen Regen ankündigten, verdeckten den Mond. Will sah eine Gestalt im

Schlafzimmer. Schubladen waren durchwühlt worden. Koffer standen offen auf dem Boden.

Dave hatte es bereits kurz vor Will begriffen. Ein Funken Verständnis hatte den Schakal aus dem Konzept gebracht. Er hatte Mercy seit Kindertagen gekannt. Er war ihr Bruder. Ihr Ehemann. Der Mann, der sie missbrauchte.

Er war außerdem gerissen, schlau und manipulativ.

Daves Geständnis für Faith war garantiert makellos. Es war außerdem gelogen. Er hatte im Verlauf der letzten zwölf Stunden wahrscheinlich genügend Einzelheiten aufgeschnappt, um jede Frage von Faith beantworten zu können. Alle Leute in der Anlage waren geweckt worden, als Will die Glocke geläutet hatte. Biscuits wusste, dass Mercy am See gefunden wurde. Delilah hatte nahe der ausgebrannten Hütte bei ihrer Leiche gesessen. Keisha hatte den abgebrochenen Messergriff gesehen. Dave wusste wahrscheinlich, wo es gelegen hatte, bevor es als Waffe benutzt wurde. Das Küchenpersonal hatte gesehen, wie Kevin den leeren Safe geöffnet hatte. Es war nicht schwer zu erraten, was Mercy darin aufbewahrt hatte. Dave wusste, wo es WLAN gab, wo man einen Anruf machen konnte und wo nicht.

Vergib ihm. Vergib ihm.

Am See hatte Will Mercy angefleht, für Jon durchzuhalten. Sie hatte Blut in Wills Gesicht gehustet, hatte ihn am Hemd gepackt und zu sich heruntergezogen, hatte ihm in die Augen geschaut und ihre letzten Worte gesprochen. Aber ihr letzter Wunsch war nicht für Jon gedacht gewesen. Sie hatte ihn an Will gerichtet.

Vergib ihm.

Du, als Polizist, vergib meinem Sohn, dass er mich ermordet hat.

Will hörte, wie ein Reißverschluss aufgezogen wurde. Dann noch einer. Jon durchwühlte hektisch Saras Rucksack. Er suchte nach dem Vape, den Sara ihm abgeluchst hatte. Vorhin im Speisesaal hatte Will dem Jungen praktisch erklärt, dass er von dem

Stift eine DNA-Probe nehmen konnte und dass sie ihn mit dem Mord an Mercy in Verbindung bringen würde.

Er wartete, bis Jon den verschließbaren Plastikbeutel in der Vordertasche gefunden hatte.

Will schaltete das Licht ein.

Jon stand der Mund offen.

»Ich, äh ...«, stotterte er. »Ich ... äh ... habe etwas gebraucht, um meine Nerven zu beruhigen.«

»Was ist mit deinem anderen Vape?« fragte Will. »Dem in deiner Hosentasche?«

Jon griff danach, dann hielt er inne. »Der ist kaputt.«

»Lass mich mal sehen. Vielleicht kann ich ihn reparieren.«

Jons Blick wanderte vergeblich im Raum umher, zu den Fenstern, zur Tür. Er schob sich in Richtung des Badezimmers, denn er war sechzehn Jahre alt und dachte noch wie ein Kind.

»Lass es«, sagte Will. »Setz dich aufs Bett.«

Jon setzte sich auf die Ecke der Matratze, die Schuhe flach auf dem Teppich für den Fall, dass er eine Gelegenheit zur Flucht sah. Er hielt den Plastikbeutel umklammert, als hinge sein Leben daran. Was auch stimmte, denn es hing tatsächlich daran.

Nicht Dave war Cecils Komplize gewesen.

Sondern Jon.

Sara hätte ihn unmittelbar nach dem Mord beinahe erwischt. Jon trug einen Rucksack, war bereit, in die Berge aufzubrechen. Er war außerdem in Dunkelheit gehüllt gewesen. Sara hatte nur geraten, als sie seinen Namen rief. Sie hatte angenommen, dass er sich übergab, weil er betrunken war. Sie hatte nicht ahnen können, dass er gerade seine Mutter ermordet hatte.

Dass der Schakal es vor Will kapiert hatte, war nicht überraschend. Dass er versucht hatte, sich für seinen Sohn zu opfern, war das einzig Gute, was der Mann je getan hatte.

Will löste den Beutel aus Jons Griff und legte ihn auf den Tisch. Er setzte sich in den Sessel. »Erzähl mir, was passiert ist«, sagte er.

Jons Adamsapfel hüpfte auf und ab.

»Sara hat mir erzählt, dass sie dich genau vor sich hatte, als deine Mutter um Hilfe schrie«, sagte Will. »Mercy starb nicht sofort. Sie verlor das Bewusstsein. Sie wachte auf. Sie muss starke Schmerzen gehabt haben, sie muss orientierungslos und verängstigt gewesen sein. Deshalb hat sie um Hilfe gerufen. Deshalb hat sie *Bitte!* geschrien.«

Jon schwieg weiter, aber er begann, am Nagelhäutchen seines Daumens zu zupfen. Will sah, wie die Augen des Jungen hin und her zuckten, als er verzweifelt überlegte, wie er aus der Sache herauskommen sollte.

»Was hast du deiner Mutter angetan?«, fragte Will.

Ein Blutstropfen quoll aus Jons Nagelbett.

»Sara hat mir erzählt, dass du einen dunklen Rucksack bei dir hattest«, sagte Will. »Was war da drin? Deine blutverschmierte Kleidung? Der Messergriff? Das Geld aus dem Safe?«

Jon drückte auf den Nagel, mehr Blut floss heraus.

»Als du gehört hast, wie Mercy um Hilfe schrie, bist du ins Haus gerannt.« Will hielt inne. »Was hat dich veranlasst, hineinzugehen? Hat dort jemand auf dich gewartet?«

Jon schüttelte den Kopf, aber Will wusste, dass Cecils Schlafzimmer im Erdgeschoss lag.

»Dein Haar war nass, als ich dich gesehen habe. Wer hat dir gesagt, dass du duschen sollst? Wer hat dir gesagt, dass du deine Kleidung wechseln sollst?«

Jon verschmierte das Blut über seinen Daumen, über seinen Handrücken. Er brach endlich sein Schweigen. »Sie ist immer zu ihm zurückgegangen.«

Will ließ ihn sprechen.

»Dave war alles, was sie je interessiert hat«, sagte Jon. »Ich habe sie angefleht, ihn zu verlassen. Damit wir nur zu zweit wären. Aber sie ist immer zu ihm zurückgegangen. Ich … ich hatte niemanden.«

Will lauschte auf seinen Tonfall genauso wie auf seine Worte.

Jon klang hilflos. Will kannte die besondere Seelennot eines Kindes, das den Launen eines unzuverlässigen Erwachsenen ausgeliefert ist.

»Egal, was Dave getan hat, ob er sie schlug, trat, würgte – sie hat ihm immer verziehen«, sagte Jon. »Jedes Mal hat sie ihn mir vorgezogen.«

Will setzte sich gerade. »Ich weiß, das ist jetzt schwer zu verstehen für dich, aber Mercys Beziehung zu Dave hatte nichts mit dir zu tun. Missbrauch ist eine komplizierte Angelegenheit. Egal, was passiert ist, sie hat dich von ganzem Herzen geliebt.«

Jon schüttelte den Kopf. »Ich hing ihr wie ein Albatros am Hals.«

Will wusste, dass sich Jon diese Beschreibung nicht selbst ausgedacht hatte. »Wer hat das gesagt?«

»Alle, mein ganzes Leben lang.« Jon sah trotzig zu ihm auf. »Sie haben es ja selbst gesagt. Sie hat mit Gästen gevögelt, mit Alejandro. Ist wieder schwanger geworden. Reden Sie mal mit den Leuten in der Stadt, die werden Ihnen genau das Gleiche sagen. Mercy war ein schlechter Mensch. Sie hat ein Mädchen umgebracht. Sie war eine Nutte. Sie hat gesoffen und Drogen genommen. Hat ihr Kind von jemand anderem aufziehen lassen. Hat sich von ihrem Ex-Mann grün und blau prügeln lassen. Sie war nichts weiter als eine dämliche Nutte.«

»Es macht es leichter, ihr all diese Sachen nachzusagen, oder?«, sagte Will.

»Es macht was leichter?«

»Die Tatsache, dass du so oft auf sie eingestochen hast.«

Jon leugnete es nicht, aber er wandte den Blick auch nicht ab.

»Deine Mutter hat dich geliebt«, sagte Will. »Ich habe euch beide zusammen gesehen, als wir eingecheckt haben. Mercy hat richtig gestrahlt, wenn du in der Nähe warst. Sie hat das Sorgerecht von deiner Tante Delilah erstritten. Sie hat mit Alkohol und Drogen aufgehört. Sie hat ihrem Leben eine Wendung gegeben. Alles für dich.«

»Sie wollte gewinnen«, sagte Jon. »Darum ging es ihr in Wirklichkeit. Sie wollte Delilah besiegen. Ich war die Trophäe. Sobald sie mich hatte, hat sie mich in ein Regal gestellt und vergessen.«

»Das ist nicht wahr.«

»Es ist wahr«, beteuerte er. »Dave hat mir einmal den Arm gebrochen. Ich musste ins Krankenhaus. Wussten Sie das?«

Will wünschte, er wäre weniger überrascht. »Was ist passiert?«

»Mama hat gesagt, ich muss ihm verzeihen. Sie hat gesagt, es tut ihm leid und dass er versprochen hat, er wird mich nie mehr anrühren, aber es war Bitty, die mich am Ende beschützt hat«, sagte Jon. »Sie hat Dave erklärt, wenn er mir noch einmal wehtut, darf er nicht mehr hierherkommen. Und es war ihr Ernst. Also hat er mich in Ruhe gelassen. Das hat Bitty für mich getan. Sie hat mich beschützt. Sie beschützt mich noch.«

Will fragte ihn nicht, warum seine Großmutter diese Drohung nie dazu benutzt hatte, ihre eigene Tochter zu beschützen.

»Sie hat mich gerettet«, sagte Jon. »Ich weiß nicht, was ohne Bitty aus mir geworden wäre. Wahrscheinlich hätte mich Dave inzwischen umgebracht.«

»Jon …«

»Sehen Sie nicht, wozu mich Mama getrieben hat?« Jons Stimme klang bei diesen letzten Worten angespannt. »Ich wäre hier oben einfach verschwunden. Ich wäre nichts gewesen. Bitty ist die Einzige, die mich je geliebt hat. Mama hat sich einen Dreck um mich geschert, bis sie gesehen hat, dass sie mich verloren hat.«

Will musste seinen Wunsch nach einem Geständnis gegen Jons seelische Gesundheit abwägen. Er durfte den Jungen nicht völlig zerstören. Jon verbrachte den Rest seines Lebens wahrscheinlich im Gefängnis, aber an irgendeinem Punkt musste er auf seine Tat zurückblicken. Er hatte es verdient, die letzten Worte seiner Mutter zu erfahren.

»Jon«, sagte Will. »Mercy hat noch gelebt, als ich sie gefunden habe. Sie war noch in der Lage, mit mir zu reden.«

Jons Reaktion war nicht so, wie es Will erwartet hatte. Er riss erschrocken den Mund auf, und sein Gesicht wurde aschfahl. Er erstarrte und atmete nicht einmal mehr.

Er sah vollkommen entsetzt aus.

»Was …« Er brachte vor Panik nichts heraus. »Was hat sie … hat sie …«

Will spulte die letzten Sekunden ihrer Unterhaltung lautlos noch einmal ab. Jon war teilnahmslos geblieben, als Will ihn des Mordes bezichtigt hatte. Was aber hatte die panische Reaktion soeben bei ihm ausgelöst? Was fürchtete er?

»Was sie gesehen hat …« Jon begann wieder zu keuchen, fast zu hecheln. »Es war nicht … Wir haben nicht …«

Will lehnte sich langsam im Sessel zurück.

Sehen Sie nicht, wozu sie mich getrieben hat?

»Ich wollte nicht …« Jon atmete durch den Mund. »Sie hätte nur weggehen müssen, verstehen Sie? Wenn sie uns einfach in Ruhe gelassen hätte, damit wir …«

Mama hat sich einen Dreck um mich geschert, bis sie gesehen hat, dass sie mich verloren hat.

»Bitte, ich habe nicht … bitte …«

Wills Körper begann, die Wahrheit zu akzeptieren, bevor es sein Verstand tat. Seine Haut wurde heiß. In seinen Ohren ertönte ein lautes, durchdringendes Klingeln. Wie auf einem Karussell aus Albträumen gingen seine Gedanken zu der Szene im Speisesaal zurück. Er sah Daves erschütterte Miene, als Jon zur Tür hinausrannte. Die Veränderung in seinem Benehmen. Das Nicken, weil er verstanden hatte. Die plötzliche Kapitulation. Es war nicht Jons Abgang, der sein Geständnis ausgelöst hatte. Es war Bittys Flüstern …

Mein lieber Junge.

Faith hatte gewitzelt, dass sich Bitty wie Daves psychopathische Ex-Freundin benahm. Aber es war kein Witz. Dave war dreizehn gewesen, als er aus dem Kinderheim weglief. Bitty hatte ihn auf elf Jahre verjüngt. Sie hatte ihn infantilisiert, er war wütend und frustriert gewesen, hatte sich entmannt und verwirrt gefühlt. Nicht alle sexuell missbrauchten Kinder werden als Erwachsene zu Missbrauchstätern, aber Sexualstraftäter sind permanent auf der Pirsch nach neuen Opfern.

»Jon.« Will brachte den Namen kaum heraus. »Mercy hat Dave angerufen, weil sie etwas gesehen hat, oder?«

Jon bedeckte das Gesicht mit den Händen. Er weinte nicht. Er versuchte, sich zu verstecken. Die Scham drang tief in seine Seele vor.

»Jon«, sagte Will. »Was hat deine Mutter gesehen?«

Jon antwortete nicht.

»Sag es mir«, forderte ihn Will auf.

Er schüttelte den Kopf.

»Jon«, wiederholte Will. »Was hat Mercy gesehen?«

»Sie wissen, was sie gesehen hat!«, schrie Jon plötzlich. »Zwingen Sie mich nicht, es zu sagen!«

Will verspürte den Schmerz von tausend Rasierklingen, die ihm in die Brust schnitten. Er war so verdammt dumm gewesen und hatte immer nur gehört, was er hören wollte.

Mercy hatte nicht zu Will gesagt, dass Jon von *hier* wegmusste. Sie hatte gesagt, dass er von *ihr* wegmusste.

Siebenunddreißig Minuten vor dem Mord

Mercy schaute aus dem schmalen, schießschartenähnlichen Fenster in der Eingangshalle. Der Mond war so hell, dass er die Anlage wie ein Scheinwerfer ausleuchtete. Paul Ponticello zerriss sich mit seinem Lover in Hütte fünf wahrscheinlich gerade das Maul über sie. Er hatte jedes Recht dazu. Das berüchtigte Mercy-Temperament hatte gebrüllt wie ein Löwe, und jetzt bereute sie es zutiefst. Die Wahrheit war, dass Pauls Angebot, ihr zu vergeben, sie vollkommen fassungslos gemacht hatte.

Mercy hatte vieles verdient dafür, dass sie Gabbie umgebracht hatte, aber Vergebung gehörte ganz sicher nicht dazu.

Sie presste die Finger auf die Augen. Ihr Schädel brachte sie beinahe um. Sie war froh, dass Dave nicht ans Telefon gegangen war, als sie ihn angerufen hatte, um ihm zu sagen, was passiert war. Er liebte eine gute Fick-dich-selber-Geschichte weiß Gott, aber er hätte sie nur noch weiter aufgehetzt.

Sie fühlte sich körperlich ohnehin schon aufgeschwemmt bis zum Platzen. Sie war aufgedunsen und unappetitlich. Wahrscheinlich kam bald ihre Periode. Mercy hatte aufgehört, die App zu benutzen, mit der man über seinen Zyklus auf dem Laufenden blieb. Sie hatte Horrorgeschichten über Cops gelesen, die sich die Daten besorgten und Kreditkartenbelege abglichen, um zu sehen, wann man das letzte Mal Tampons gekauft hatte. Das hätte Mercy gerade noch gefehlt, dass Fischs Finanzunterlagen durchkämmt wurden. Sie musste mit Dave darüber reden, dass er wieder ein Kondom benutzen sollte. Dieses Mal meinte sie es ernst. Und wenn er noch so viel schmollte, es war das Risiko für ihren Bruder nicht wert.

Auch Daves Bruder, wenn man es rein theoretisch betrachten wollte.

Sie schloss die Augen wieder. All das Schlimme, was heute passiert war, holte sie plötzlich wieder ein. Darüber hinaus tat ihr Daumen höllisch weh. Ein weiterer dummer Fehler von ihr, dass sie das Glas fallen ließ, als Jon sie angebrüllt hatte. Die Naht war aufgeweicht, als sie die Küche saubergemacht hatte. Ihr Hals war innen wund und geschwollen, weil Dave sie gewürgt hatte. Sie durfte nichts Stärkeres als Tylenol nehmen.

Schlimmer noch, was zum Teufel hatte sie sich dabei gedacht, mit dieser Ärztin zu reden? Sara hatte Mercy mit ihrer Nettigkeit eingelullt, und am Ende hatte sie vergessen, dass die Frau mit einem Cop verheiratet war. Will Trent hatte Dave sowieso schon auf dem Kieker. Das Letzte, was Mercy gebrauchen konnte, war ein GBI-Agent, der auf dem Anwesen herumschnüffelte. Zum Glück war ein Unwetter im Anmarsch. Den Flitterwöchnern würde hoffentlich jeder Vorwand recht sein, den Rest der Woche in ihrer Hütte zu bleiben.

Mercy dachte daran, wie dieser bescheuerte Chuck am Morgen vor dem Gerätschuppen mit der qualmenden Folie herumgewedelt hatte. Er wurde schlampig, er destillierte zu viel illegalen Alkohol in zu kurzen Abständen und kam mit der Qualitätskontrolle nicht mehr hinterher. Es war Zeit, dass sie mit diesem Quatsch aufhörten. Fisch deutete seit Monaten an, dass er rauswollte. Und es ging nicht nur um die Schwarzbrennerei. Er wollte dieses klaustrophobische Gefängnis hinter sich lassen, das Generationen von McAlpines nicht aus Stolz, sondern aus Bosheit errichtet hatten.

Die schockierende Wahrheit war: Mercy wollte es ebenfalls.

Ihre Drohungen beim Familientreffen waren letzten Endes doch hohl gewesen. Sie würde niemals jemandem ihre Tagebücher aus der Kindheit zeigen, in denen Papas Wüten haarklein dokumentiert war. Niemand würde erfahren, dass Papa die Kontrolle über die Lodge an sich gerissen hatte, indem er seine ältere Schwester mit einer Axt angriff. Bittys Verbrechen waren sicher ohnehin verjährt. Mercys Briefe an Jon, in denen Daves Misshandlungen geschildert waren, würden nie ans Licht kommen. Fisch konnte sich von der Schwarzbrennerei befreien und sein einsames Leben auf dem Wasser führen.

Mercy würde den Zyklus durchbrechen. Jon hatte etwas Besseres verdient, als an dieses verfluchte Land gefesselt zu sein. Sie würde für den Verkauf an die Investoren stimmen, hunderttausend Dollar für sich selbst behalten und den Rest auf ein Treuhandkonto zu Jons Gunsten einzahlen. Delilah könnte die Treuhänderin sein. Sollte Dave ruhig versuchen, aus dieser Quelle zu schöpfen. Mercy nahm sich eine kleine Wohnung in der Stadt, damit Jon die Schule beenden konnte, und dann schickte sie ihn auf ein gutes College. Sie wusste nicht, wie viel Geld man brauchte, um allein zu leben, aber sie hatte auch beim letzten

Mal Arbeit gefunden. Sie fand sicher wieder eine Stelle. Sie hatte ein starkes Kreuz. Eine solide Arbeitsmoral. Lebenserfahrung. Sie würde es schaffen.

Und wenn sie scheiterte, konnte sie immer noch wieder mit Dave zusammenziehen.

»Wer ist da?«, bellte Papa.

Mercy hielt den Atem an. Ihr Vater war auf der Veranda gewesen, als sie Paul ins Gesicht spuckte, dass er sie am Arsch lecken konnte. Papa hatte Genaueres wissen wollen, aber Mercy hatte sich geweigert. Jetzt hörte sie, wie sich ihr Vater im Bett regte. Bald würde er in den Flur taumeln und seine Beine nachziehen wie ein Geist seine Kette. Mercy verschwand die Treppe hinauf, ehe er sie erwischen konnte.

Die Lichter waren aus, aber Mondlicht strömte durch die Fenster an beiden Enden des Flurs. Sie hielt sich rechts. Mercy hatte sich oft genug aus dem Haus geschlichen und wieder hinein, um zu wissen, wo Bodenbretter knarrten. Sie blickte zum Badezimmer am Ende des Flurs. Jon hatte sein Handtuch auf dem Boden liegen lassen. Sie hörte Fisch hinter seiner geschlossenen Zimmertür wie eine Dampflok schnarchen. Bittys Tür war nur angelehnt, aber Mercy hätte den Kopf eher in einen Hornissenschwarm gesteckt.

Jons Zimmer war verschlossen. Weiches Licht drang unter dem Türspalt hervor.

Mercy spürte, wie ein Anfllug ihrer früheren Beklommenheit zurückkehrte. Auf der Skala aller Auseinandersetzungen mit ihrem Sohn war die beim Abendessen nicht die schlimmste gewesen, wohl aber die öffentlichste. Sie wusste nicht mehr, wie oft Jon sie schon aus Leibeskräften angebrüllt hatte, dass er sie hasste. Meist brauchte er ein, zwei Tage, bis er wieder abkühlte. Er war nicht wie Dave, der einem erst ins Gesicht schlug und im nächsten Moment schmollte, weil man böse auf ihn war.

Der Himmel wusste, dass sich Mercy nie Illusionen gemacht hatte, eine gute Mutter zu sein. Sie war eine sehr viel bessere als

Bitty, aber diese Messlatte lag erbärmlich tief. Sie war okay als Mutter. Sie liebte ihren Sohn. Sie würde ihr Leben für ihn geben. Die Himmelspforten würden sich nicht weit öffnen für sie angesichts all der Menschen, die sie verletzt, und angesichts des kostbaren Lebens, das sie zerstört hatte, aber vielleicht würde ihr die Reinheit ihrer Liebe zu Jon immerhin ein hübsches Plätzchen im Fegefeuer sichern.

Sie sollte Jon von dem Verkauf erzählen. Er konnte nicht mehr böse auf sie sein, wenn er genau das bekam, was er wollte. Vielleicht konnten sie zusammen irgendwohin fahren. Urlaub in Alaska oder auf Hawaii machen oder an einem der zahlreichen Orte, von denen er immer gesprochen hatte, als er noch ein unaufhörlich plappernder kleiner Junge mit großen Träumen war.

Mercy konnte dazu beitragen, dass ein paar dieser Träume jetzt wahr wurden.

Mercy stand vor Jons Tür und hörte den metallischen Klang einer Spieluhr. Sie runzelte die Stirn. Ihr Sohn hörte Bruno Mars und Miley Cyrus, nicht *Funkel, funkel, kleiner Stern*. Sie klopfte leise an die Tür. Wartete und lauschte nach seinen vertrauten federnden Schritten auf dem Boden. Doch alles, was sie hörte, war der blecherne Klang der Metallstäbe, die über eine sich drehende Spule fuhren.

Ein Instinkt riet ihr, nicht noch einmal zu klopfen. Sie drehte behutsam den Knauf und öffnete die Tür.

Der Autounfall, der Gabbie das Leben gekostet hatte, war immer ein schwarzer Fleck in Mercys Erinnerung gewesen. Sie war in ihrem Schlafzimmer eingenickt. Sie war in einem Rettungswagen aufgewacht. Das waren die einzigen beiden Dinge, die sie noch wusste. Aber manchmal produzierte ihr Körper eine Erinnerung. Entsetzen flammte auf und brannte sich durch ihre Nervenbahnen. Kalte Angst ließ ihr das Blut in den Adern gefrieren. Ein Hammer schlug ihr Herz in Stücke.

Genauso fühlte sie sich jetzt, als sie ihre Mutter im Bett mit ihrem Sohn vorfand.

Es war eine keusche Szenerie. Beide waren bekleidet. Jon lag in Bittys Armen. Ihre Lippen waren auf seinen Scheitel gepresst. Die Spieluhr lief. Jons Schultern waren in seine Babydecke gehüllt. Eine Hand von Bitty griff in sein Lockenhaar, ihre Beine waren mit seinen verschränkt, die andere Hand hatte sie unter sein Shirt geschoben und streichelte seinen Bauch. Es hätte fast als normal durchgehen können, wäre Jon nicht ein junger Mann und sie seine Großmutter.

Bittys Gesichtsausdruck beseitigte jede Spur von Zweifel. Die schuldbewusste Miene sagte alles. Sie beeilte sich, aus dem Bett zu steigen, raffte ihren Morgenrock um den Körper und sagte: »Mercy, ich kann es erklären.«

Mercys Knie gaben nach, als sie ins Bad wankte. Sie übergab sich in die Toilette. Wasser und Erbrochenes spritzten zurück in ihr Gesicht. Sie umklammerte die Schüssel mit beiden Händen und würgte noch einmal.

»Mercy«, flüsterte Bitty. Sie stand in der Tür und drückte Jons Babydecke an die Brust. »Lass uns darüber reden. Es ist nicht so, wie du denkst.«

Mercy brauchte nicht zu reden. Alles fiel ihr plötzlich wieder ein. Wie ihre Mutter Jon behandelt hatte, wie sie Dave behandelt hatte. Die ekelhaften Blicke. Das ständige Betatschen. Das unablässige Hätscheln und Knuddeln.

»Mama …« Jon stand im Flur und zitterte am ganzen Leib. Er hatte seinen Pyjama mit den Zeichentrickfiguren auf der Hose an, den er für Bitty tragen musste. »Mama, bitte …«

Mercy schluckte den Rest von Erbrochenem in ihrem Mund. »Pack deine Sachen.«

»Mama, ich …«

»Geh wieder in dein Zimmer. Zieh dich um.« Sie drehte ihn eigenhändig um und schob ihn in sein Zimmer. »Pack deine Sachen. Nimm alles mit, was du brauchst, denn wir werden nie mehr hierher zurückkommen.«

»Mama …«

»Nein!« Sie streckte ihm den Zeigefinger ins Gesicht. »Hast du mich verstanden, Jonathan? Pack deine verdammten Sachen und sei in fünf Minuten unten beim Speisesaal, oder ich reiße dieses gottverdammte Haus nieder!«

Mercy lief in ihr Zimmer und riss ihr Telefon vom Ladegerät. Sie rief Dave an. Dieses Arschloch. Er hatte die ganze Zeit gewusst, was Bitty war.

»Mercy?«, brüllte Cecil. »Was zum Teufel ist los da oben?«

Mercy hörte bis zum vierten Läuten zu, dann beendete sie den Anruf, bevor Daves Mailbox ansprang. Sie schaute sich um. Sie brauchte ihre Wanderstiefel. Heute Nacht würden sie den Berg hinunterwandern. Sie würden nie mehr an diesen gottverlassenen Ort zurückkehren.

»Mercy!«, schrie Papa. »Ich weiß, dass du mich hören kannst.«

Mercy fand ihren purpurnen Rucksack auf dem Boden und fing an, wahllos Kleidung hineinzustopfen. Sie achtete nicht darauf, was es war, es war ihr egal. Sie rief Dave wieder an.

»Geh ran, geh ran«, murmelte sie. Ein Läuten. Zwei. Drei. Vier. »Scheiße!«

Mercy wandte sich zum Gehen, aber dann fiel ihr das Notizbuch ein. Ihre Briefe an Jon. Sie ging vor ihrem Bett auf die Knie und griff unter die Matratze. Plötzlich bekam sie kaum noch Luft. Ihr Junge. Ihr freundlicher, sensibler junger Mann. Sie drückte das Notizbuch an ihr Herz, hielt es im Arm wie ihr Baby. Sie wollte zurückgehen und jedes Wort in jedem Brief lesen, um nachzuschauen, was sie übersehen hatte.

Mercy unterdrückte ein Schluchzen. Dave war hier nicht das einzige Ungeheuer. Mercy hatte die Zeichen übersehen. Alles war in genau diesem Haus geschehen, in genau diesem Flur, während sie schlief.

Sie steckte das Notizbuch in ihren Rucksack. Der Nylonstoff war so straff gespannt, dass sie den Reißverschluss kaum zubekam. Sie stand auf.

Bitty stand in der Tür und versperrte ihr den Weg.

»Mercy!«, brüllte Papa wieder.

Sie packte ihre Mutter am Arm und schüttelte sie brutal. »Du bösartige Fotze. Wenn du meinem Sohn noch einmal nahe kommst, bringe ich dich um. Hast du verstanden?«

Mercy stieß sie gegen die Wand. Sie wählte erneut Daves Nummer, während sie in Jons Zimmer ging. Er saß auf dem Bett. »Steh auf. Sofort. Pack dein Zeug zusammen. Ich meine es ernst, Jon. Ich bin deine Mutter, und du wirst verdammt noch mal tun, was ich sage.«

Jon stand auf und sah sich benommen im Zimmer um.

Mercy beendete den Anruf bei Dave. Sie ging zu Jons Schrank und warf irgendwelche Sachen heraus. Shirts. Unterhosen. Shorts. Wanderstiefel. Sie ging erst, als Jon angefangen hatte zu packen. Ihre Mutter war immer noch im Flur. Mercy hörte Bodendielen knarren. Fisch stand auf der anderen Seite seiner geschlossenen Tür.

»Bleib da drin!«, warnte Mercy ihren Bruder. Sie durfte ihn das nicht sehen lassen. »Geh wieder ins Bett, Fisch. Wir sprechen morgen früh darüber.«

Mercy wartete, bis er gehorchte, ehe sie zur hinteren Treppe ging. Rotz und Tränen liefen ihr übers Gesicht. Papa wartete unten auf sie, er stützte sich mit beiden Armen am Geländer ab.

Sie stieß ihm den Zeigefinger entgegen. »Ich hoffe, der Teufel fickt dich in der Hölle.«

»Du kleines Miststück!« Er wollte sie am Arm packen, erwischte aber nur die Schnürsenkel ihrer Wanderstiefel. Sie schleuderte sie ihm ins Gesicht und rannte zur Tür hinaus. Während sie die Rollstuhlrampe hinunterlief, wählte sie noch einmal Daves Nummer. Zählte das Läuten mit.

Verdammt!

Mercys Knie gaben nach, als sie den Chow Trail erreichte. Sie fiel zu Boden und presste die Stirn auf die Schottersteine. Sie sah ständig Bilder von Bitty vor sich, nicht mit Jon – allein der Gedanke war zu quälend –, sondern mit Dave. Wie sie jedes Mal einen Kuss verlangte, wenn sie ihn sah. Wie Dave Bitty das Haar im Waschbecken wusch und sie seine Kleidung aussuchen ließ. Diese Rituale hatten nicht erst mit der Krebserkrankung angefangen. Dave holte Bittys Morgenkaffee, massierte ihr die Füße und hörte sich ihren Klatsch an, er lackierte ihr die Fingernägel und legte den Kopf in ihren Schoß, während sie mit seinem Haar spielte. Sie hatte in dem Moment mit seinem Training begonnen, als Papa ihn mit nach Hause gebracht hatte. Er war so dankbar gewesen. So verzweifelt liebebedürftig.

Mercy setzte sich auf und starrte ins Dunkel.

Was, wenn Dave gar nicht über Jon Bescheid wusste? Was, wenn er ebenso ahnungslos war, wie Mercy es gewesen war? Dave war von seinem Sportlehrer missbraucht worden. Er hatte seine Mutter nie gekannt. Er war sein ganzes Leben lang von beschädigten Menschen umgeben gewesen. Er wusste nicht, wie normal aussah. Er wusste nur, wie man überlebte.

Mercy rief erneut seine Nummer an. Wartete, bis es viermal geläutet hatte, ehe sie auflegte. Dave war vermutlich in einer Kneipe. Oder bei einer Frau. Oder stach sich eine Nadel in den Arm. Oder spülte eine Handvoll Xanax mit einer Flasche Rum hinunter. Hauptsache, es machte ihn gefühllos gegen seine Erinnerungen. Hauptsache, es erlaubte ihm zu entfliehen.

Mercy würde nicht zulassen, dass ihr Sohn genauso endete.

Sie stand auf und lief den Chow Trail hinunter zur Aussichtsplattform. Sie musste den Safe öffnen. Er enthielt nur fünftausend Dollar in Bargeld, aber sie würde es nehmen und mit Jon vom Berg hinunterwandern, und wenn sie irgendwann Zeit fand, um durchzuatmen, würde sie überlegen, wie sie mit alldem umgehen sollte.

Mercy spürte ein klein wenig Erleichterung, als sie sah, dass das Licht in der Küche bereits brannte. Jon war offenbar den hinteren Weg heruntergekommen. Mercy riss sich zusammen, als sie um das Gebäude ging, und bemühte sich, nicht gequält dreinzuschauen, als sie die Tür öffnete.

»Verdammt.« Drew stand an dem Rollwagen mit den Spirituosen. Er hatte eine Flasche Uncle Nearest in der Hand. Mercy sehnte sich nach dem geschmeidig die Kehle hinunterbrennenden Geschmack.

Sie ließ den Rucksack neben der Tür fallen. Sie hatte keine Zeit für diesen Scheiß. »Okay. Sie haben mich erwischt. Er ist gefälscht. Der große Destillierapparat steht im Geräteschuppen. Der kleine im Bootshaus. Erzählen Sie es Papa. Erzählen Sie es den Cops. Es ist mir egal.«

Drew stellte die Flasche wieder auf den Wagen. »Wir werden es niemandem erzählen.«

»Wirklich?«, fragte sie. »Ich habe gesehen, wie Sie nach dem Abendessen Bitty beiseitegenommen haben. Sie sagten, Sie müssen über etwas mit ihr reden. Ich dachte, Sie wollten sich über die verdammten Kalkflecken auf den Gläsern beschweren. Was ist, wollen Sie und Keisha ein Stück vom Kuchen abhaben?«

»Mercy.« Drew klang enttäuscht. »Wir sind furchtbar gern hier oben. Wir wollen nur, dass Sie damit aufhören. Es ist gefährlich. Sie könnten am Ende noch jemanden töten.«

»Wenn das so einfach wäre, würde ich meiner Mutter jede einzelne Flasche, die wir haben, in ihre verfluchte Kehle schütten.«

Drew war sichtlich ratlos, was er tun sollte.

»Gehen Sie einfach.« Mercy stieß die Tür für ihn auf, und Drew ging kopfschüttelnd hinaus. Sie folgte ihm auf die Aussichtsplattform, um zu sehen, ob Jon endlich da war. Sie hörte ein Rascheln hinter der Küche. Ihr Herz hätte fast einen Hüpfer gemacht. Jon kam den Fischtopher Trail herunter.

Nur dass es nicht Jon war, den sie neben der Freiluftgefriertruhe stehen sah.

»Chuck.« Mercy spie den Namen aus. »Was zum Teufel willst du?«

»Ich war besorgt.« Chuck setzte dieses dämliche schamhafte Gesicht auf, bei dem sich Mercy der Magen umdrehte. »Ich habe schon geschlafen und habe Cecil schreien hören, und dann habe ich dich durch den Garten laufen sehen.«

»Hat er etwa nach dir geschrien?«, fragte Mercy. »Nein? Dann geh wieder nach oben und kümmere dich um deine eigenen Angelegenheiten.«

»Lieber Himmel, ich wollte doch nur ein Gentleman sein. Warum bist du immer so zickig?«

»Das weißt du verdammt genau, du Perverser.«

»Hey, hey.« Chuck machte beschwichtigende Gesten, als wäre sie ein tollwütiges Tier. »Beruhigt euch, Mylady. Kein Grund, unangenehm zu werden.«

»Wie wär's, wenn ich meinen Mylady-Arsch zu Hütte zehn schiebe? Dieser Typ mit der Rothaarigen ist ein Cop. Willst du, dass ich ihn hole, Chuck? Willst du ihm von deinen kleinen Nebengeschäften in Atlanta erzählen?«

Er ließ die Hände sinken. »Du bist eine gottverdammte Fotze.«

»Na, dann herzlichen Glückwunsch – du hast endlich eine gefunden.« Mercy ging in die Küche und schlug die Tür zu. Sie sah auf die Uhr, sie hatte keine Ahnung, wann sie das Haus verlassen hatte. Zu Jon hatte sie gesagt, dass er in fünf Minuten hier unten sein sollte, aber es fühlte sich eher nach einer Stunde an.

Sie joggte in den Speisesaal, um nach ihm zu suchen, aber er war leer. Dann schlug ihr das Herz plötzlich bis zum Hals. Das Aussichtsdeck. Die Schlucht war eine Todesfalle. Was, wenn Jon ihr nicht mehr ins Gesicht schauen konnte? Was, wenn er beschlossen hatte, sich das Leben zu nehmen?

Mercy rannte hinaus und packte das Geländer mit beiden Händen. Sie schaute über den Rand, in den steilen fünfzehn Meter hohen Einschnitt, der aussah, als wäre eine Axt in den Berg gefahren.

Wolken begannen, sich vor den Mond zu schieben. Schatten tanzten durch die Schlucht. Sie lauschte – nach einem Wimmern, Schreien, mühsamem Atmen. Sie wusste, wie es sich anfühlte, wenn man am Ende war, wenn der Schmerz zu viel wurde, wenn dein Körper zu müde war, wenn du nur noch wolltest, dass dich Dunkelheit umfing.

Sie hörte Gelächter.

Mercy wich vom Geländer zurück. Zwei Frauen waren auf dem Old Bachelor Trail. Sie erkannte Delilahs langes weißes Haar. Mercy war gar nicht aufgefallen, dass die alte Hexe nicht im Haus war. Sie reckte den Hals, um zu erkennen, wessen Hand Delilah hielt.

Es war Sydney, die Investorin, die ununterbrochen über Pferde redete.

»Großer Gott«, flüsterte Mercy. Heute Nacht begegneten ihr wirklich alle gottverdammten Gespenster.

Mercy lief ins Gebäude zurück. Durch den leeren Speisesaal, in die Küche. Sie blickte durch die Toilette bis nach hinten zu ihrem Büro. Fisch hatte einen Safe in die Wand geschnitten, als sie mit der Schwarzbrennerei anfingen. Über der Tür hing ein Kalender. Mercy hastete zum Schreibtisch und wühlte in den Schubladen nach dem Schlüssel. Sie entdeckte einen von Fischs alten Rucksäcken, der in der Ecke verstaubte, und nahm ihn mit. Alles, was sie aus dem Safe zog, brachte sie und Jon der Freiheit näher.

Fünftausend Dollar in Zwanzigern. Das Kassenbuch für die illegalen Spirituosen. Gehaltsabrechnungen. Die Unterlagen, die die doppelte Buchführung der Lodge belegten. Das Tagebuch, das Mercy geführt hatte, als sie zwölf war. Sie warf alles in Fischs braunen Rucksack und zog den Reißverschluss zu. Sie versuchte, sich einen Plan zurechtzulegen: *Wo konnte sie Jon verstecken? Wie konnte sie ihm helfen? Wie lange würde das Geld reichen? Wo konnte sie Arbeit finden? Was kostete ein Jugendpsychiater? An wen sollte sie sich wenden, an die Polizei oder den Sozialdienst? Würde sie jemanden finden, dem Jon genügend vertraute? Wie in Gottes Namen sollte sie auch nur Worte für das finden, was sie gesehen hatte?*

Die Fragen waren zu viel für ihr Gehirn. Mercy musste etappenweise, stundenweise denken. Die Wanderung war nachts gefährlich. Sie packte ein Briefchen Zündhölzer in das Reißverschlussfach vorn im Rucksack. Holte das Messer mit dem roten Griff aus der Schreibtischschublade. Sie benutzte es als Brieföffner, aber die Klinge war noch scharf. Sie würde es brauchen, falls sie auf dem Wanderweg einem Tier begegneten. Mercy steckte das Messer in ihre Gesäßtasche. Die Klinge schnitt durch die Naht, und es entstand so eine Art Scheide. Mercy wusste, wie man für eine Wanderung packte. Schutz, Wasser, Essen. Sie kehrte in die Küche zurück und warf den Rucksack neben ihren eigenen an die geschlossene Tür. Im Kühlschrank waren Tüten mit Trail-Mix. Sie brauchte eine Extraportion für Jon.

Mercy blickte auf.

Was tat sie da?

Die Küche war noch immer menschenleer. Sie ging zurück in den Speisesaal. Da war auch niemand. Ihr sank der Mut, als sie wieder in die Küche schlich. Die Panik war verflogen. Jetzt traf sie die Realität mit der Wucht eines Güterzugs.

Jon kam nicht.

Bitty hatte es ihm ausgeredet. Mercy hätte ihn nie allein dort zurücklassen dürfen, aber sie war so schockiert, angeekelt und erschrocken gewesen, und wie immer hatte sie sich von ihren Emotionen leiten lassen, statt sich die kalten harten Fakten anzusehen. Sie hatte ihren Sohn im Stich gelassen, so wie sie ihn tausendmal zuvor schon im Stich gelassen hatte. Mercy würde zum Haus zurückgehen und ihn aus Bittys Klauen reißen müssen. Sie konnte das, was als Nächstes kam, unmöglich allein tun.

Mercy musste das Telefon auf die Arbeitsfläche legen, weil ihre Hände so verschwitzt waren, dass sie es fast nicht halten konnte. Sie rief Dave ein letztes Mal an. Ihre Verzweiflung wuchs mit jedem Läuten. Er meldete sich wieder nicht. Sie musste ihm eine Nachricht hinterlassen, um sich diese Fäulnis von der Seele zu reden. Mercy dachte an das, was sie sagen würde, wie sie ihm sagen würde, was sie gesehen hatte, aber nachdem es viermal geläutet hatte und seine Ansage kam, sprudelten ihr in ihrer Panik die Worte einfach aus dem Mund.

»Dave!«, schrie sie. »Dave! O mein Gott, wo bist du? Bitte, bitte ruf mich zurück. Ich kann nicht glauben … O Gott, ich kann es nicht … Bitte ruf mich an. Bitte. Ich brauche dich. Ich weiß, du warst noch nie für mich da, aber ich brauche dich jetzt wirklich. Ich brauche deine Hilfe, Baby. Bitte ruf …«

Sie schaute hoch. Ihre Mutter stand in der Küche. Bitty hielt Jons Hand. Mercy war zumute, als sitze eine Faust in ihrer Kehle fest. Jons Blick war zu Boden gerichtet. Er konnte seine Mutter nicht ansehen. Bitty hatte ihn gebrochen, so wie sie alle brach.

Mercy hatte Mühe, ihre Stimme zu finden. »Was tust du hier?«

Bitty griff nach dem Telefon.

»Nicht!«, warnte Mercy. »Dave wird bald hier sein. Ich habe ihm erzählt, was passiert ist. Er ist unterwegs.«

Bitty hatte bereits auf den Schirm getippt, um das Gespräch zu beenden. »Nein, ist er nicht.«

»Er hat gesagt, dass er …«

»Er hat gar nichts zu dir gesagt. Dave übernachtet in den Schlafbaracken. Dort drüben funktioniert sein Telefon nicht.«

Mercy presste die Hand auf den Mund. Sie blickte zu Jon, aber er sah sie nicht an. Ihre Finger zitterten, sie bekam kaum Luft. Sie hatte Angst. Warum hatte sie solche Angst?

»J-Jon«, stotterte sie. »Sieh mich an, Baby. Es ist alles gut. Ich bringe dich hier weg.«

Bitty stand vor Jon, aber Mercy konnte seinen gesenkten Kopf noch sehen. Tränen liefen in den Kragen seines T-Shirts.

»Baby«, versuchte es Mercy. »Komm her zu mir, okay? Komm einfach zu mir herüber.«

»Er will nicht mit dir reden«, sagte Bitty. »Ich weiß nicht, was du glaubst, gesehen zu haben, aber du benimmst dich hysterisch.«

»Ich weiß verdammt noch mal sehr genau, was ich gesehen habe!«

»Pass auf, wie du mit mir sprichst«, fuhr Bitty sie an. »Wir müssen wie Erwachsene über diese Sache reden. Komm wieder ins Haus.«

»Ich werde nie mehr einen Fuß in dieses verdammte Haus setzen«, zischte Mercy. »Du verdammtes Monster. Du bist der Teufel, der genau vor mir steht.«

»Hör sofort auf damit«, kommandierte Bitty. »Warum machst du alles so schwierig?«

»Ich habe gesehen …«

»Was hast du gesehen?«

Die Bilder blitzten in Mercys Kopf auf: vier verschränkte Beine im Bett, eine Hand unter Jons Shirt, die Lippen auf seinem Scheitel. »Ich weiß genau, was ich gesehen habe, *Mutter*.«

Jon zuckte bei ihrem scharfen Ton zusammen. Er konnte sie noch immer nicht ansehen. Es zerriss Mercy das Herz. Sie wusste, wie es war, den Kopf vor Scham gesenkt zu halten. Sie hatte es so lange getan, dass sie kaum mehr wusste, wie man aufblickte.

»Jon«, sagte sie. »Es ist nicht deine Schuld, Baby. Du hast nichts falsch gemacht. Wir besorgen dir Hilfe, okay. Es kommt alles wieder in Ordnung.«

»Hilfe von wem?«, fragte Bitty. »Wer wird dir denn glauben?«

Mercy hörte das Echo der Frage durch alle Jahre ihres Lebens hallen. Als Papa ihr mit einem Seil die Haut vom Rücken gefetzt hatte. Als Bitty sie so heftig mit dem Stiel eines Holzlöffels in den Arm gestochen hatte, dass ihr das Blut über den Körper gelaufen war. Als Dave ihr das brennende Ende einer Zigarette wieder und wieder in die Brust gedrückt hatte, bis sie sich vom Gestank ihrer eigenen verbrannten Haut übergeben musste.

Es gab einen Grund, warum Mercy nie jemandem davon erzählt hatte.

Wer wird dir glauben?

»Ich dachte es mir.« Auf Bittys Gesicht stand der Ausdruck vollkommenen Triumphes. Sie nahm Jons Hand, verschränkte ihre Finger mit seinen.

Er blickte endlich auf. Seine Augen waren rot. Seine Unterlippe zitterte.

Dann sah Mercy mit Entsetzen, wie er Bittys Hand an seinen Mund führte und sanft küsste.

Sie schrie wie ein Tier.

All der Schmerz ihres Lebens kam als wortloses Heulen aus ihr. Wie hatte sie das geschehen lassen können? Wann hatte sie ihren Sohn verloren? Sie durfte ihn nicht bleiben lassen. Sie durfte nicht zulassen, dass Bitty ihn verschlang.

Das Messer war in Mercys Hand, bevor sie wusste, was sie tat. Sie riss Bitty von Jon weg, stieß sie gegen die Arbeitsfläche und hielt ihr die Messerspitze vors Auge. »Du dummes Miststück. Hast du vergessen, was ich heute Mittag gesagt habe? Ich werde deinen dürren Arsch ins Gefängnis schicken. Nicht dafür, dass du meinen Jungen fickst, sondern dafür, dass du die Geschäftszahlen fälschst.«

In Mercys ganzem Leben war nichts süßer gewesen, als zu sehen, wie die Arroganz aus Bittys Miene wich.

»Ich habe die Unterlagen hinten im Schrank gefunden. Weiß Papa von deiner doppelten Buchführung?« Mercy erkannte an Bittys schockierter Miene, dass ihr Vater keine Ahnung hatte. »Du solltest dir nicht nur seinetwegen Sorgen machen. Du betrügst seit Jahren bei der Steuer. Denkst du, du kommst damit durch? Die Regierung geht sogar gegen beschissene Präsidenten vor, sie werden nicht vor einer verdorrten alten Kinderschänderin haltmachen. Vor allem nicht, wenn ich ihnen die Beweise in die Hand gebe.«

»Du …« Bitty bekam keine Luft. »Du würdest nicht …«

»Ich werde, verdammt noch mal.«

Mercy hatte genug geredet. Sie steckte das Messer wieder in die Tasche, drehte sich zu den Rucksäcken um und hängte sich beide über die Schultern. Sie wandte sich zu Jon um, damit er sich in Bewegung setzte, aber er beugte sich zu Bitty hinunter, damit sie ihm etwas ins Ohr flüstern konnte.

Galle schoss in Mercys Mund hoch. Die Zeit der Drohungen war vorbei. Sie versetzte ihrer Mutter einen so heftigen Stoß, dass sie quer durch den Raum flog. Dann packte sie Jon am Handgelenk und zerrte ihn aus der Tür.

Jon versuchte nicht, sich loszumachen. Er tat nichts, um sie zu bremsen. Er ließ zu, dass sie sein Handgelenk wie ein Ruder benutzte, mit dem sie ihn steuerte. Mercy lauschte seinen schnellen Atemzügen, dem schweren Trott seiner Füße. Sie hatte keinen Plan, wollte nur irgendwohin, wo Bitty ihnen nicht folgen konnte.

Sie fand ohne Mühe den Felsblock, der den Beginn des Rope Trail kennzeichnete, und ließ Jon vorangehen, damit sie ihn im Auge behalten konnte. Sie hangelten sich rasch von einem Seil zum anderen und rutschten den größten Teil des Wegs in die Schlucht hinunter. Schließlich standen sie wieder auf festem Boden. Mercy packte Jon erneut am Handgelenk, um ihn zu führen. Sie erhöhte das Tempo, fiel in einen Laufschritt. Sie würde es durchziehen. Sie würde es tatsächlich durchziehen.

»Mom …«, flüsterte Jon.

»Nicht jetzt.«

Sie trampelten durch den Wald. Zweige schlugen an ihren Körper. Es war ihr egal. Sie würde nicht stehen bleiben. Sie lief weiter und orientierte sich mithilfe des Mondlichts. Heute Nacht würden sie in den Junggesellenhütten Zuflucht suchen. Morgen früh würde Dave zur Arbeit aufkreuzen. Oder sie brachte Jon gleich zu Dave. Sie konnten am Ufer entlanggehen, ein Kanu nehmen und hinüberpaddeln. Wenn Dave in den Schlafbaracken übernachtete, hatte er Angelruten, Brennstoff, Decken, Essen. Dave wusste, wie man überlebte. Er konnte mit Jon reden, auf ihn aufpassen. Mercy konnte in die Stadt wandern und einen Anwalt suchen. Sie würde die Lodge nicht aufgeben. Sie würde todsicher nicht diejenige sein, die am Sonntag ging. Mercy würde ihren Eltern bis morgen Mittag Zeit geben, ihren Kram zu packen und zu verschwinden. Fisch konnte bleiben oder gehen, aber so oder so würden Mercy und Jon als die letzten McAlpines übrig bleiben.

»Mom«, versuchte es Jon wieder. »Was hast du vor?«

Mercy antwortete nicht. Sie sah, wie das Mondlicht am unteren Ende des Wegs auf den See fiel. Der letzte Abschnitt war mit Eisenbahnschwellen terrassiert. Sie waren nur noch wenige Meter von den Junggesellenhütten entfernt.

»Mom«, sagte Jon noch einmal. Er wirkte wie aus einer Trance erwacht. Jetzt endlich leistete er Widerstand, versuchte, sich aus ihrem Griff zu befreien. »Mom, bitte.«

Mercy verstärkte ihren Griff und zerrte ihn so heftig hinter sich her, dass sie die Anstrengung in ihren Rückenmuskeln spürte. Sie keuchte, als sie die Lichtung schließlich erreichten.

Sie ließ die beiden Rucksäcke auf die Erde fallen. Überall lagen Zigarettenkippen. Dave hatte keine Vorbereitungen für das Unwetter getroffen. Alles lag noch genau so da, wie er es zurückgelassen hatte. Sägeböcke und Werkzeuge, ein Kanister Benzin ohne Deckel, ein umgekippter Generator. Der beschissene Zustand der Baustelle war eine mehr als deutliche Erinnerung daran, wer Dave war. Er kümmerte sich nicht um Dinge, geschweige denn um andere Menschen. Er schaffte es nicht einmal, seinen eigenen Dreck wegzuräumen. Mercy konnte ihm die Sache nicht anvertrauen.

Sie war einmal mehr auf sich allein gestellt.

»Mom«, sagte Jon. »Bitte lass es einfach sein, okay? Lass mich zurückgehen.«

Mercy starrte ihn an. Er hatte aufgehört zu weinen, aber sie konnte hören, wie er beim Atmen durch die verstopfte Nase pfiff.

»Ich … ich muss zurück. Sie hat gesagt, dass ich zurückkommen kann.«

»Nein, Baby.« Mercy legte eine Hand auf seine Brust. Sein Herz hämmerte so stark, dass sie es durch die Rippen spüren konnte. Sie konnte ein Schluchzen nicht unterdrücken. Die Ungeheuerlichkeit dessen, was gerade geschehen war, wurde ihr plötzlich in aller Deutlichkeit klar. Die schrecklichen Dinge, die ihre Mutter ihrem Sohn angetan hatte. Die Fäulnis, die ihre Familie erfasst hatte.

»Baby, schau mich an«, sagte sie. »Du wirst nie zurückgehen. Das ist beschlossene Sache.«

»Ich …«

Sie nahm sein Gesicht in beide Hände. »Jon, hör mir zu. Wir besorgen dir Hilfe.«

»Nein.« Er löste ihre Hände von seinem Gesicht, tat einen Schritt rückwärts, dann noch einen. »Bitty hat niemanden außer mir. Sie braucht mich.«

»*Ich* brauche dich!« Mercys Stimme war heiser. »Du bist mein Sohn. Ich brauche dich als meinen Sohn.«

Jon schüttelte den Kopf. »Wie oft habe ich dich gebeten, ihn zu verlassen? Wie oft haben wir unsere Sachen gepackt, und am nächsten Tag hast du ihn wieder gefickt?«

Es war die Wahrheit, Mercy konnte es nicht leugnen. »Du hast recht. Ich habe dich im Stich gelassen, aber ich mache es jetzt wieder gut.«

»Du musst überhaupt nichts für mich tun«, sagte Jon. »Bitty ist diejenige, die mich beschützt hat. Nur wegen ihr bin ich sicher.«

»Sicher vor was? Sie ist diejenige, die dir wehtut.«

»Du weißt, was Dave mir angetan hat«, sagte er. »Ich war erst fünf Jahre alt. Er hat mir den Arm gebrochen, und du hast gesagt, dass ich ihm verzeihen muss.«

»Was?« Sie bebte am ganzen Körper. Es war ganz anders gewesen. »Du bist von einem Baum gefallen. Ich habe genau danebengestanden. Dave hat versucht, dich zu fangen.«

»Sie hat mich davor gewarnt, dass du das sagen wirst«, sagte

Jon. »Bitty hat mich vor ihm beschützt. Du hast gesagt, ich muss ihm verzeihen, ihn tun lassen, was er will, damit er nicht wieder böse wird.«

Mercy schlug beide Hände vor den Mund. Bitty hatte ihm widerliche Lügen eingepflanzt.

»Jon …« Sie sagte das Erstbeste, was ihr in den Sinn kam. »Wir gehen zu Hütte zehn.«

»Wieso?«

»Das Paar in Hütte zehn.« Sie sah endlich einen Ausweg. Die Lösung war die ganze Zeit da gewesen. »Will Trent ist vom Georgia Bureau of Investigation. Er wird nicht zulassen, dass Biscuits die Sache unter den Teppich kehrt. Seine Frau ist Ärztin. Sie kann auf dich aufpassen, während ich ihm erzähle, was passiert ist.«

»Du meinst Trash?« Seine Stimme ging vor lauter Panik schrill in die Höhe. »Du kannst nicht …«

»Ich kann, und ich werde.« Mercy war sich in ihrem Leben nie so sicher gewesen. Sara hatte ihr erzählt, dass sie Will vertraute, dass er ein guter Mann war. Er würde das lösen. Er würde sie beide retten. »Genau das machen wir. Komm.«

Mercy griff nach den Rucksäcken.

»Du kannst mich mal.«

Die Kälte in seiner Stimme brachte Mercy abrupt zum Innehalten. Sie sah Jon an. Sein Gesicht war so hart, wie aus einem Marmorblock gemeißelt.

»Es geht dir nur darum, zu gewinnen«, sagte er. »Du willst mich jetzt nur, weil du weißt, dass du mich nicht haben kannst.«

Mercy wurde bewusst, dass sie sehr vorsichtig sein musste. Sie hatte Jon schon früher wütend gesehen, aber nie so. Seine Augen waren beinahe schwarz vor Wut. »Hat Bitty das gesagt?«

»Es ist das, was ich sehe!« Speichel sprühte aus seinem Mund. »Schau dir an, wie armselig du bist. Du versuchst mich gar nicht zu beschützen. Du läufst zu diesem Cop, weil du nicht akzeptieren kannst, dass ich jemanden gefunden habe, der *mich* glücklich macht. Der sich um *mich* sorgt. Der *mich* liebt.«

Er klang so sehr nach Dave, dass es ihr den Atem raubte. Dieses bodenlose Loch, dieser nicht enden wollende Treibsand. Ihr eigenes Kind war die ganze Zeit neben ihr darin gelaufen, und sie hatte es nicht bemerkt.

»Es tut mir so leid«, sagte sie. »Ich hätte es sehen müssen. Ich hätte es wissen müssen.«

»Scheiß auf deine Entschuldigungen. Ich brauche sie nicht.« Er fuchtelte mit den Händen. »Es ist exakt das, wovor sie mich gewarnt hat. Was zum Teufel muss ich tun, um dich aufzuhalten?«

»Baby …« Sie streckte die Hände wieder nach ihm aus, aber er schlug sie weg.

»Rühr mich verdammt noch mal nicht an«, warnte er sie. »Sie ist die einzige Frau, die mich anfassen darf.«

Mercy hob die Arme als Zeichen der Kapitulation. Sie hatte noch nie vor Jon Angst gehabt, aber jetzt hatte sie Angst. »Atme durch, okay? Beruhige dich einfach.«

»Es heißt, du oder sie«, sagte er. »Das hat sie zu mir gesagt. Ich muss mich entscheiden. Du oder sie.«

»Baby, sie liebt dich nicht. Sie manipuliert dich.«

»Nein.« Er begann, den Kopf zu schütteln. »Halt den Mund. Ich muss nachdenken.«

»Sie ist ein Raubtier«, sagte Mercy. »Genau das macht sie mit Jungs. Sie ergreift Besitz von ihnen und setzt ihnen schlimme …«

»Halt den Mund.«

»Sie ist ein Ungeheuer«, sagte Mercy. »Warum, glaubst du, ist dein Daddy so versaut? Es lag nicht nur an dem, was ihm in Atlanta passiert ist.«

»Halt den Mund.«

»Hör mir zu«, flehte Mercy. »Du bist nichts Besonderes für sie. Was sie mit dir macht, ist exakt das Gleiche, was sie mit Dave gemacht hat.«

Er stürzte sich so rasend auf sie, dass sie nicht wusste, wie ihr geschah. Seine Hände schossen vor und schlossen sich um ihren Hals. »Halt dein verdammtes Maul.«

Mercy keuchte nach Luft. Sie packte seine Handgelenke und versuchte, seine Hände wegzuziehen. Er war zu stark. Sie grub die Fingernägel in Jons Brust, versuchte, ihn mit den Füßen zu treten. Sie spürte, wie ihre Augenlider zu flattern begannen. Er war so viel stärker als Dave. Er drückte zu fest.

»Du erbärmliches Miststück.« Jons Stimme war jetzt tödlich ruhig. Er hatte von seinem Daddy gelernt, dass man nicht zu viel Lärm machte. »Ich bin nicht derjenige, der heute Nacht von hier fortgeht. Das bist du.«

Mercy war benommen. Vor ihren Augen verschwamm alles. Er würde sie umbringen. Sie griff nach hinten in ihre Tasche und schloss die Finger um den roten Plastikgriff des Messers.

Die Zeit schien zu kriechen. Mercy ging durch, was zu tun war. Das Messer herausziehen. Ihn in den Unterarm stechen. Gab es dort Arterien? Muskeln? Sie durfte keinen Schaden anrichten – er war bereits fast irreparabel verletzt. Sie sollte ihm das Messer zeigen. Die Drohung würde genügen. Es würde ihn aufhalten.

Es hielt ihn nicht auf.

Jon riss ihr das Messer aus der Hand. Er schwang die Klinge über dem Kopf, bereit, sie Mercy in die Brust zu stoßen. Sie duckte sich weg und kroch auf den Knien über den Boden. Sie spürte den Luftzug, als die Klinge nur Zentimeter neben ihrem Kopf vorbeisauste. Mercy wusste, ein zweiter Hieb würde folgen. Sie packte den Rucksack und hielt ihn wie einen Schild in die Höhe. Die Klinge rutschte über das dichte, feuerfeste Material. Sie ließ Jon keine Zeit, sich zu sammeln. Sie schwang den Rucksack gegen seinen Kopf, sodass er rückwärtstaumelte.

Ihr Instinkt übernahm das Kommando. Sie drückte den Rucksack an ihre Brust und rannte los. An der ersten Hütte vorbei, an der zweiten. Jon war ihr auf den Fersen, verkürzte den Abstand schnell. Sie sprintete die Treppe zur letzten Hütte hinauf. Schlug ihm die Tür vor der Nase zu. Schob mit zitternden Händen den Riegel vor. Hörte ihn mit der Faust gegen das massive Holz schlagen.

Mercy rang nach Luft, ihre Brust wogte, und ihr Herz schlug bis zum Hals, während sie ihn auf der Veranda auf und ab tigern hörte. Mercy lehnte sich mit dem Rücken an die Tür, schloss die Augen und lauschte nach dem federnden Schritt ihres Sohnes. Nichts als Stille. Sie spürte, wie ein leichter Luftzug den Schweiß auf ihrem Gesicht trocknete. Alle Fenster bis auf eines waren mit Brettern vernagelt. Die Maserung der grob gezimmerten Holzwände, der Boden, ihre Schuhe, ihre Hände – alles leuchtete im bläulichen Schein des Mondes.

Mercy blickte auf.

Dave hatte nicht gelogen, was die Trockenfäule in Hütte drei anging. Die hintere Wand des Schlafzimmers war vollständig entfernt worden. Jon war durch die Stützbalken geschlüpft und stand mit dem Messer in der Hand im Raum.

Mercy griff blind hinter sich. Sie schob den Riegel zurück. Drehte den Türknopf. Riss die Tür auf. Sie wirbelte herum und spürte es wie einen Hammerschlag zwischen die Schultern, als Jon ihr das Messer bis zum Heft in den Rücken rammte.

Der Angriff raubte ihr alle Atemluft. Sie starrte auf den See hinaus, den Mund vor Entsetzen weit offen.

Dann zog Jon das Messer heraus und stieß es wieder in sie. Und wieder. Und wieder.

Mercy taumelte von der Veranda, fiel die Treppe hinunter, landete auf der Seite.

Das Messer schnitt in ihren Arm. Ihre Brust. Ihre Beine. Jon versetzte sich auf sie, trieb das Messer in ihren Bauch. Mercy versuchte, sich aufzubäumen, wegzudrehen, aber nichts konnte ihn aufhalten. Jon holte ein ums andere Mal aus, stieß ihr das Messer in den Leib, zog es wieder heraus. Sie fühlte, wie Knochen brachen, Organe barsten, ihr Körper füllte sich mit Urin, Kot und Galle, bis Jon nicht mehr zustach, sondern sie mit den Fäusten bearbeitete, denn die Klinge war in ihrer Brust abgebrochen.

Plötzlich hielt er inne.

Mercy hörte ihn keuchen, als hätte er gerade einen Marathon beendet. Er war erschöpft von dem Angriff. Er schaffte es kaum, aufzustehen, und wankte dann von ihr fort. Mercy wollte Luft holen, doch sie lag mit dem Gesicht im Dreck. Langsam wälzte sie sich auf die Seite. Ihr ganzer Körper brannte vor Schmerz. Sie war über die Treppe gefallen, ihre Füße waren noch auf der Veranda, ihr Kopf lag auf der Erde.

Jon war wieder zurück.

Sie hörte eine Flüssigkeit schwappen, aber es waren nicht die Wellen am Seeufer. Jon ging mit dem Benzinkanister die Treppe hinauf. Sie hörte ihn den Treibstoff in der Hütte verteilen. Er wollte die Beweise verbrennen. Er wollte Mercy verbrennen. Er ließ den leeren Kanister neben ihre Füße fallen.

Er kam wieder die Treppe herunter, Mercy blickte nicht auf. Sie sah Blut von seinen Fingern tropfen. Sah auf die Schuhe, die Bitty ihm in der Stadt gekauft hatte. Sie spürte, wie Jon auf sie herabsah. Nicht traurig oder bedauernd, sondern mit einer Art Distanziertheit, die sie an ihrem Bruder, ihrem Vater, ihrem Mann, ihrer Mutter gesehen hatte. An ihr selbst. Ihr Sohn war ein McAlpine durch und durch.

Und er war es nie mehr als in dem Moment, da er ein Streichholz entzündete und in die Hütte warf.

Ein Schwall heißer Luft rauschte über ihre Haut. Mercy sah Jons blutgetränkte Schuhe durch den Dreck schlurfen, als er sich entfernte. Er ging zurück ins Haus. Zurück zu Bitty. Mercy sog pfeifend die Luft ein. Ihre Lider fingen zu flattern an. Blut gluckerte in ihrer Kehle. Ein Gefühl des Schwebens erfasste sie. Ihre Seele verließ den Körper. Doch nichts von der ersehnten Ruhe stellte sich ein, es gab kein Loslassen. Es gab nur eine eisige Dunkelheit, die sich von den Rändern her voranarbeitete, so wie der See im Winter zufror.

Dann war Gabbie plötzlich da.

Sie flogen durch die Luft, aber sie waren keine Engel im Himmel. Sie wurden in der Devil's Bend aus dem Auto geschleudert. Mercy wandte den Kopf, um Gabbie anzusehen, aber von ihrem Gesicht war nur blutiger Brei geblieben. Ein Auge hing aus der Höhle. Dann drohte eine starke, sengende Hitze sie einzuhüllen.

»Hilfe!«, schrie Mercy. »Bitte!«

Sie öffnete die Augen und keuchte. Blutstropfen sprühten über den Boden. Mercy lag immer noch auf der Seite, hing immer noch halb über der Treppe. Die Hitze von dem Feuer war so stark, dass sie spüren konnte, wie das Blut auf ihrer Haut trocknete. Mercy zwang sich, den Kopf zu wenden, um zu sehen, was passierte. Die Flammen fraßen sich über die Veranda. Bald würden sie sich über die Treppe ausbreiten und sie erfassen.

Mercy wappnete sich gegen noch mehr Schmerz, als sie sich auf den Bauch wand. Sie schob sich mit den Ellbogen von der Treppe. Das abgebrochene Messer in ihrer Brust scharrte wie ein Fahrradständer über die Erde. Sie zwang sich weiter vorwärts, die Bedrohung durch das Feuer trieb sie an. Ihre Füße schleiften nutzlos hinter ihr her. Ihre Hose war aufgegangen und bis auf die Knöchel hinuntergerutscht. Die Anstrengung erschöpfte sie schnell, ihr Blick verschwamm wieder. Sie zwang sich, bei Bewusstsein zu bleiben. Delilah hatte gesagt, dass die McAlpines schwer umzubringen seien. Mercy würde die Sonne nicht mehr über den Bergen aufgehen sehen, aber sie konnte es bis zu dem verdammten See schaffen.

Wie schon ihr ganzes Leben waren selbst diese letzten Momente ein Kampf. Sie verlor das Bewusstsein, tauchte wieder auf, trieb sich weiter, wurde wieder ohnmächtig. Ihre Arme zitterten, als sie endlich Wasser spürte. Mit letzter Kraft drehte sie sich auf den Rücken. Sie wollte zum Vollmond hinaufblicken, wenn sie starb. Er war ein vollkommener Kreis, wie ein Loch in der Finsternis. Sie lauschte ihrem Herzschlag, der langsam alles Blut aus dem Körper pumpte. Leise schwappte das Wasser um ihre Ohren.

Mercy wusste, sie war dem Tod nahe, nichts würde ihn mehr aufhalten. Doch sie sah nicht ihr Leben vor ihrem inneren Auge vorbeiziehen.

Sie sah Jons Leben.

Sie sah ihn in Delilahs Garten mit seinen kleinen Holzklötzen spielen. Sie sah ihn an der Rückwand des Raums sitzen, als Mercy zu ihrem ersten vom Gericht genehmigten Besuchstermin erschien. Sah, wie Mercy ihn vor dem Gerichtsgebäude aus Delilahs Armen riss. Wie er auf Mercys Schoß saß, während Fisch sie den Berg hinauffuhr. Wie er sich mit Mercy versteckte, wenn Dave einen seiner Anfälle hatte. Wie er Mercys Bücher über Alaska, Montana und Hawaii anschleppte, damit sie wegfahren konnten. Sie sah, wie sie wieder und wieder ihre Taschen packten. Und sie wieder auspackten, weil Dave ihr ein Gedicht geschrieben oder Blumen geschickt hatte. Sie sah, wie er an Bitty übergeben wurde, wenn sich Mercy mit Dave zu einer der Hütten schlich. Wie er bei Bitty zurückgelassen wurde, weil Mercy wieder einmal wegen eines Knochenbruchs, einer Verletzung, die nicht heilte, oder einer Naht, die nicht hielt, ins Krankenhaus musste.

Wie er ständig in die Arme von Mercys Mutter, seiner Großmutter, seiner Vergewaltigerin geschoben wurde.

»Mercy …«

Sie hörte ihren Namen wie ein Flüstern in ihrem Schädel. Sie fühlte, wie ihr Kopf gedreht wurde, sah die Welt, als blickte sie durch das falsche Ende eines Fernrohrs. Ein Gesicht tauchte auf. Der Mann von Hütte zehn. Der Cop, der mit der Rothaarigen verheiratet war.

»Mercy McAlpine«, sagte er, und seine Stimme schien sich zu entfernen wie eine Sirene auf einem vorbeirasenden Rettungsfahrzeug. Er schüttelte sie, zwang sie, nicht aufzugeben. »Sie müssen mich jetzt ansehen.«

»J-Jon …« Mercy hustete den Namen heraus. Sie musste es schaffen. Es war noch nicht zu spät. »Sag ihm … sag ihm … er muss … muss weg von i-ihr …«

Wills Gesicht verschwamm immer wieder vor ihren Augen. In einem Moment sah sie ihn, im nächsten war er verschwunden.

Dann schrie er: »Sara! Hol Jon! Beeil dich!«

»N-nein …« Durch Mercy lief ein Zittern. Der Schmerz war unerträglich, aber sie durfte jetzt nicht aufgeben. Sie hatte eine letzte Chance, es richtig zu machen. »J-Jon darf nicht … er darf nicht … bleiben … muss weg von …«

Will sprach, aber sie verstand seine Worte nicht. Sie wusste nur, dass es zwischen ihr und Jon so nicht enden durfte. Sie musste durchhalten. »L-liebe ihn … liebe ihn … so sehr.«

Mercy spürte ihr Herz langsamer schlagen. Ihr Atem wurde flach. Es wäre eine Erleichterung, hinüberzugleiten. Sie kämpfte dagegen an. Jon musste erfahren, dass er geliebt wurde. Dass es nicht seine Schuld war. Dass er diese Last nicht tragen musste. Dass er dem Treibsand entkommen konnte.

»Es t-tut … mir leid.« Sie hätte es zu Jon sagen müssen. Sie hätte es ihm persönlich sagen müssen. Jetzt konnte sie nichts anderes mehr tun, als diesen Mann zu bitten, Jon ihre letzten Worte auszurichten. »V-vergib … ihm … vergib ihm …«

Will schüttelte Mercy so heftig, dass sie ihre Seele in den Körper zurückschnellen fühlte. Er war über sie gebeugt, sein Gesicht war unmittelbar über ihrem. Dieser Cop. Dieser Detective. Dieser eine gute Mann. Sie packte ihn am Hemd, zog ihn noch näher zu sich, blickte ihm so tief in die Augen, dass sie praktisch seine Seele sehen konnte.

Sie musste Luft einsaugen, bevor sie die Worte noch einmal herausbrachte. »V-vergib ihm.«

Er nickte. »Okay.«

Das war alles, was Mercy hören musste. Sie ließ ihn los. Ihr Kopf sank zurück ins Wasser. Sie sah zu dem wunderschönen, vollkommenen Mond hinauf und merkte, wie die Wellen an ihrem Körper zogen. Ihre Sünden wegwuschen. Ihr Leben wegwuschen. Die Ruhe kam nun endlich und mit ihr ein überwältigendes Gefühl von Frieden.

Zum ersten Mal in ihrem Leben fühlte sich Mercy sicher.

Ein Monat nach dem Mord

Will saß neben Amanda auf der Couch in ihrem Büro. Ihr Laptop stand offen auf dem Beistelltisch, und sie sahen sich die Aufzeichnung der Vernehmung mit Jons Geständnis an. Jon trug einen braunen Overall. Er war nicht mit Handschellen gefesselt, weil er nicht in ein Gefängnis, sondern in eine jugendpsychiatrische Einrichtung eingewiesen worden war. Delilah hatte einen erstklassigen Strafverteidiger aus Atlanta engagiert. Jon würde in einer Anstalt bleiben, aber vielleicht nicht für den Rest seines Lebens.

Auf dem Video sagte Jon gerade: »Ich hatte einen Blackout. Ich weiß nicht mehr, was als Nächstes geschah. Ich wusste nur, sie wird zu ihm zurückgehen. Sie ging immer wieder zu ihm. Mich ließ sie immer zurück.«

»Ließ dich bei wem zurück?« Faiths Stimme war leise. Sie war nicht im Bild zu sehen. »Bei wem ließ sie dich zurück?«

Jon schüttelte den Kopf. Er weigerte sich immer noch, seine Großmutter mit hineinzuziehen, obwohl sie tot war. Bitty hatte eine Flasche Morphium geschluckt, bevor man sie verhaften konnte. Die Obduktion hatte offenbart, dass sie Krebs im Endstadium hatte. Die Frau hatte nicht nur die Justiz betrogen. Sie hatte einen langsamen und schmerzlichen Tod betrogen.

»Lass uns zu dieser Nacht zurückgehen«, sagte Faith. »Nachdem du die Nachricht hinterlassen hast, dass du wegläufst – wohin bist du da gegangen?«

»Ich bin bei der Pferdekoppel geblieben, und am nächsten Morgen bin ich dann zu Hütte neun gegangen, weil ich wusste, dass dort niemand wohnt.«

»Was ist mit dem Messergriff?«

»Ich wusste, dass Dave ...« Jon ließ seine Stimme ausklingen. »Ich wusste, dass Dave die Toilette repariert hat, deshalb dachte ich, es wird dann ihn belasten. Weil Sie ihn schon für den Mord an ihr verhaftet hatten. Er sollte so oder so ins Gefängnis kommen. Ich weiß, Mercy hat gesagt, es stimmt nicht, aber er hat mir den Arm gebrochen. Das ist Kindesmisshandlung.«

»Okay.« Faith ließ sich nicht aus dem Konzept bringen, obwohl sie beide den Krankenhausbericht über den gebrochenen Arm gesehen hatten. Jon war von einem Baum gefallen. »Als Dave verhaftet wurde, warst du bereits von zu Hause weggelaufen. Wer hat dir erzählt, was passiert war?«

Jon begann, den Kopf zu schütteln. »Ich musste eine Entscheidung treffen.«

»Jon ...«

»Ich musste mich selbst schützen«, sagte er. »Niemand sonst hat auf mich aufgepasst. Niemand sonst hat sich gekümmert.«

»Lass uns zurückgehen zu ...«

»Wer wird mich jetzt beschützen?«, fragte er. »Ich habe niemanden. Niemanden.«

Will wandte den Blick vom Bildschirm ab, als Jon zu weinen anfing. Er dachte an seine letzte Unterhaltung mit dem Jungen. Sie hatten im Schlafzimmer von Hütte zehn gesessen. Will hatte zu Jon gesagt, dass Missbrauch eine komplizierte Angelegenheit war, aber im Moment erschien es ihm verdammt einfach: Tut Kindern nicht weh.

»Also gut« sagte Amanda. »Man sieht, worauf es hinausläuft.«

Sie klappte den Laptop zu und nahm für einige Sekunden Wills Hand. Dann stand sie von der Couch auf und ging an ihren Schreibtisch.

»Bringen Sie mich auf den neuesten Stand im Fall um den Alkoholbetrug.«

Will stand auf, froh, dass die Zeit für Gefühle vorüber war. »Wir haben Mercys Kassenbuch, in dem die Auszahlungen genau aufgeführt sind. In den Kalkulationstabellen auf Chucks Computer sind alle Clubs in Atlanta aufgeführt, an die er verkauft hat. Wir koordinieren uns mit der Behörde für Alkohol und Tabak und mit der Steuerfahndung.«

»Gut.« Amanda setzte sich auf ihren Schreibtischsessel. Sie griff nach ihrem Telefon. »Und?«

»Christopher ist entschlossen, wegen der Vergiftung von Chuck auf fahrlässige Tötung zu plädieren. Er wird maximal fünfzehn Jahre bekommen, solange er gegen seinen Vater wegen des Mordes an Gabriella Ponticello aussagt. Außerdem haben wir Unterlagen für die doppelte Buchführung der Lodge, um ihn wegen Steuerhinterziehung zu belangen. Cecil sagt, er wusste nichts davon, aber das Geld liegt auf seinen Konten.«

Sie tippte auf ihr Handy. »Und?«

»Paul Ponticello sowie sein Privatdetektiv haben eidesstattliche Erklärungen darüber abgegeben, was Dave ihnen erzählt hat. Es ist allerdings nur Hörensagen. Wir müssen Dave finden, um den Sack zuzumachen.«

»Wir?« Amanda blickte auf. »Sie bearbeiten diesen Teil des Falls nicht.«

»Ich weiß, aber …«

Amanda brachte ihn mit einem schneidenden Blick zum Verstummen. »Dave ist am Tag nach dem Selbstmord seiner Mutter verschwunden. Er hat nicht versucht, mit Jon Kontakt aufzunehmen. Sein Telefon ist tot. Er war nicht wieder in seinem Wohnwagen, auch nicht auf dem alten Campingplatz. Die Außenstelle North Georgia hat ihn zur Fahndung ausgeschrieben. Er wird sicher früher oder später auftauchen.«

Will rieb sich das Kinn. »Er hat viel durchgemacht, Amanda. Die einzige Familie, die er je hatte, hat sich gerade komplett aufgelöst.«

»Sein Sohn ist immer noch da«, rief sie ihm in Erinnerung. »Und vergessen Sie nicht, was er seiner Frau angetan hat. Ich spreche nicht nur von den körperlichen und seelischen Misshandlungen. Dave wusste seit Jahren, dass Mercy nicht für Gabbies Tod verantwortlich war. Er hat es ihr verschwiegen, um sie noch besser beherrschen zu können.«

Will konnte diesen Aspekt nicht bestreiten, aber es gab viele andere. »Amanda …«

»Wilbur«, unterbrach ihn Amanda. »Dave McAlpine wird nicht plötzlich ein besserer Mensch werden. Er wird nie der Vater sein, den Jon braucht. Keine Logik, kein kluger Rat, keine Lektion, die das Leben ihm erteilt, und kein Maß an Liebe werden ihn umkehren lassen. Er lebt, wie er lebt, weil er sich dazu entschieden hat. Er weiß genau, wer er ist, und er findet es gut. Er wird sich nicht ändern, weil er sich nicht ändern will.«

Will rieb sich wieder das Kinn. »Das hätten viele Leute auch von mir gesagt, als ich ein Jugendlicher war.«

»Aber Sie sind kein Jugendlicher mehr. Sie sind erwachsen.« Sie legte das Telefon auf den Schreibtisch. »Ich weiß besser als die meisten, was Sie überwinden mussten, um dahin zu kommen, wo Sie heute sind. Sie haben sich Ihr Glück verdient. Sie haben das Recht, es zu genießen. Ich werde nicht zulassen, dass Sie es für den fehlgeleiteten Versuch wegwerfen, alle Welt zu retten. Und besonders nicht die Leute, die gar nicht gerettet werden wollen. Sie können nicht zwei Herren dienen. Es hat seinen Grund, warum Superman nie Lois geheiratet hat.«

»Sie waren verheiratet, in *Superman: The Wedding Album* aus dem Jahr 1996.«

Sie griff nach ihrem Handy und fing wieder zu tippen an.

Will wartete auf ihre Antwort. Dann fiel ihm ein, wie gut sie es beherrschte, Gespräche zu beenden.

Er steckte die Hände in die Hosentaschen, als er die Treppe hinunterging. Es gab viel auszupacken, was Jon anging, aber Will war eher ein Macher als ein Auspacker. Er griff mit der verletzten Hand nach der Ausgangstür. Die Messerwunde sah aus wie aus einem Horrorfilm. Sara hatte keine Witze gemacht, als sie ihn vor einer Infektion warnte. Einen Monat später schluckte er immer noch Tabletten, die etwa die Größe eines Hohlspitzgeschosses hatten.

Die Lichter auf seinem Flur waren aus. Theoretisch hatte Will frei, allerdings fiel ihm auf, dass Amanda ihn nicht dafür getadelt hatte, dass er länger blieb. Was sie gesagt hatte, war falsch, und das nicht nur, weil Will eindeutig mehr Batman als Superman war.

Veränderung war möglich. Will hatte seinen achtzehnten Geburtstag in einer Obdachlosenunterkunft verbracht, seinen neunzehnten im Gefängnis, und an seinem zwanzigsten war er auf dem College eingeschrieben gewesen. Der Grundschüler, der routinemäßig nachsitzen musste, weil er nicht seine ganzen Hausaufgaben gemacht hatte, war mit einem Diplom in Kriminalwissenschaft abgegangen. Der einzige Unterschied zwischen Will und Dave war, dass jemand Will eine Chance gegeben hatte.

»Hey«, rief Faith aus ihrem Büro.

Will schaute zu ihr hinein. Sie entfernte gerade mit einem Fusselroller Katzenhaare von ihrer Hose. Faith hatte die Katzen der McAlpines nach Atlanta mitgenommen, um sie in ein Tierheim zu bringen. Dann hatte Emma sie gesehen, und eine war aus ihrer Transportbox entwischt und hatte einen Vogel umgebracht, und so kam es, dass Faith jetzt zwei Katzen hatte, von denen einer Hercule hieß und die andere Agatha.

»Irgendein blödes Kind in der Kita hat Emma TikTok gezeigt«, sagte Faith. »Sie versucht jetzt ständig, mein Telefon zu klauen.«

»Das musste früher oder später passieren.«

»Ich dachte, ich hätte noch mehr Zeit.« Faith warf den Roller in ihre Handtasche. »In der Zwischenzeit rennt mir das FBI die Tür ein, weil sie Jeremys Bewerbung beschleunigen wollen. Warum passiert alles so schnell? Selbst Tiefkühlgerichte dürfen eine Minute ruhen, nachdem man sie aus der Mikrowelle genommen hat.«

Wills Magen knurrte. »Ich habe Jons Vernehmung gesehen. Das war gute Arbeit.«

»Ja, stimmt.« Sie hängte ihre Handtasche über die Schulter. »Ich habe Mercys Briefe an Jon zu Ende gelesen. Sie haben mir verdammt noch mal das Herz gebrochen. Ich hätte sie an Jeremy scheiben können. Oder an Emma. Mercy hat einfach versucht, eine gute Mutter zu sein. Ich hoffe, Jon kommt eines Tages an einen Punkt, da er sie lesen kann.«

»Das wird er«, sagte Will, hauptsächlich weil er es sich wünschte. »Was ist mit Mercys Tagebuch?«

»Genau das, was man von einer Zwölfjährigen erwarten würde, die in ihren Adoptivbruder verliebt ist und schreckliche Angst vor ihrem gewalttätigen Vater hat.«

»Gibt es etwas von Christopher?«

»Er behauptet immer noch, dass er keine Ahnung hatte, was vor sich ging. Bitty hat ihn nie in dieser Weise angefasst. Er war wohl nicht ihr Typ.« Faith zuckte mit den Achseln, aber nicht, um es abzutun. Es war einfach zu viel. »Mercy hat gesehen, wie es mit Dave passiert ist, verstehst du? Manches davon kommt in ihrem Tagebuch vor. Vieles in den Briefen. Bitty hat etwa Daves Haar gestreichelt, oder Mercy kam in ein Zimmer und Dave lag mit dem Kopf in Bittys Schoß. Oder er rieb ihr die Füße oder massierte ihre Schultern. Es hat einen merkwürdigen Eindruck auf sie gemacht – Mercy bezeichnet es selbst so, als *merkwürdig* –, aber sie hat nie wirklich zwei und zwei zusammengezählt.«

»Verführer ziehen sich nicht nur ihre Opfer heran. Sie verunsichern auch die Umgebung des Opfers, sodass man selbst als derjenige dasteht, der krank ist, wenn man etwas dazu sagt.«

»Wenn du wissen willst, was krank ist, solltest du ein paar von den Textnachrichten zwischen Bitty und Jon lesen.«

»Das habe ich«, sagte Will. Ihm war so übel geworden, dass er das Mittagessen ausfallen ließ.

»Sie hasste Babys«, sagte Faith. »Erinnerst du dich, dass Delilah erzählt hat, wie Bitty nicht einmal ihre eigenen Kinder hochhob. Sie ließ sie in ihren schmutzigen Windeln hocken. Und dann kommt Dave daher, und er ist genau ihr Typ. Oder sie macht ihn jünger, damit er genau ihr Typ ist. Glaubst du, Dave wusste, dass sie Jon die ganze Zeit missbraucht hat?«

»Ich glaube, er hat es sich im Speisesaal zusammengereimt, und er hat getan, was er konnte, um seinen Sohn zu retten.«

»Ich will es mal glauben, denn die Alternative ist, dass er gestanden hat, um Bitty zu retten.«

Will wollte sich keine Gedanken über dieses Szenario machen. Es gab andere Dinge, die ihn nachts nicht schlafen ließen. »Es tut mir leid, dass ich Pauls Tätowierung übersehen habe.«

»Sei bloß still«, sagte Faith. »Ich bin die dumme Nuss, die ständig gesagt hat, dass sich Bitty wie Daves psychopathische Ex-Freundin aufführt, als wäre sie nicht tatsächlich Daves psychopathische Ex gewesen.«

Will war klar, er musste dieses Thema fallen lassen. »Sieh zu, dass du nicht noch mal so einen Mist baust.«

Faith grinste. »Ich werde es versuchen.«

Will schaute sich etwas von Amanda ab und ging ohne ein weiteres Wort über den Flur zurück zu seinem Büro. Wie immer wurde ihm leicht ums Herz, als er dort Sara auf der Couch sitzen sah. Sie hatte einen Schuh ausgezogen und rieb sich den kleinen Zeh.

Er liebte es, wie ihr Gesicht leuchtete, wenn sie ihn ansah.

»Hey«, sagte sie.

»Hey.«

»Ich habe mir den Zeh am Sessel gestoßen«, sagte sie. »Hast du die Vernehmung gesehen?«

»Ja.« Will setzte sich neben sie. »Wie war das Mittagessen mit Delilah?«

»Ich glaube, es geht ihr gut, wenn sie jemanden zum Reden hat«, sagte Sara. »Sie tut, was sie kann, für Jon. Im Augenblick ist es schwierig, weil er keine Hilfe annehmen will. Jedes Mal, wenn sie ihn besucht, starrt er eine Stunde lang auf den Boden, dann geht sie und kommt am nächsten Tag wieder, und er starrt wieder auf den Boden.«

»Er weiß, dass sie da ist«, sagte Will. »Denkst du, es könnte helfen, wenn Dave Jon besucht?«

»Das würde ich den Experten überlassen. Jon hat eine Menge Veletzungen zu verarbeiten. Dave ist selbst schwer geschädigt. Er muss sich erst selbst helfen, bevor er seinem Sohn helfen kann.«

»Amanda sagt, Dave will gar nicht geheilt werden, weil kaputt sein alles ist, was er kennt.«

»Sie hat wahrscheinlich recht, aber bei Jon würde ich noch nicht aufgeben. Delilah ist bereit für einen langen, mühsamen Weg. Sie liebt ihn wirklich. Ich denke, das macht in so einer Lage einen gewaltigen Unterschied. Hoffnung ist ansteckend.«

»Ist das deine Ansicht als Ärztin?«

»Meine Ansicht als Ärztin ist, dass mein Mann und ich mit der Arbeit Schluss machen sollten, damit wir eine Menge Pizza essen, noch mehr *Buffy – Im Bann der Dämonen* gucken und dafür sorgen können, dass mein Zeh nicht das Einzige ist, was heute Abend gestoßen wird.«

Will lachte. »Ich muss diesen Bericht noch abschicken, wir sehen uns dann zu Hause.«

Sara gab ihm einen sehr angenehmen Kuss, bevor sie ging.

Will setzte sich an seinen Schreibtisch. Er tippte die Tastatur an, um den Bildschirm zu aktivieren, und wollte gerade seine Kopfhörer einstöpseln, als das Telefon auf seinem Schreibtisch läutete.

Er drückte die Lautsprechertaste. »Will Trent.«

»Trent«, sagte ein Mann. »Hier ist Sheriff Sonny Richter aus Charlton County.«

Will hatte noch nie einen Anruf aus Georgias südlichstem County erhalten. »Ja bitte, Sir. Was kann ich für Sie tun?«

»Wir haben einen Kerl wegen einer defekten Heckleuchte angehalten und einen Packen Heroin gefunden, der unter den Sitz geklebt war. Er ist von North Georgia zur Fahndung ausgeschrieben, aber er sagte, wir sollen Sie anrufen. Behauptet, er hätte Informationen, für die er ein milderes Urteil aushandeln kann.«

Will wusste, was kommen würde, noch bevor der Mann zu Ende geredet hatte.

»Er heißt Dave McAlpine«, sagte der Sheriff. »Wollen Sie hier runterkommen, oder soll ich die Außenstelle anrufen?«

Will drehte den Ehering an seinem Finger. Das schmale Metallband schloss so viele Dinge mit ein. Er wusste noch immer nicht, wie er damit umgehen sollte, dass ihm in Saras Nähe jedes Mal so leicht ums Herz wurde. Er hatte diese Art von anhaltendem Glück nie zuvor erlebt. Sie waren seit einem Monat verheiratet, und die Euphorie, die er bei der Trauungszeremonie empfunden hatte, war noch nicht abgeklungen. Im Gegenteil, sie wurde mit jedem Tag stärker. Sara brauchte ihn nur anzulächeln oder über einen seiner dummen Witze zu lachen, und es war, als verwandelte sich sein Herz in einen Schmetterling.

Amanda irrte auch darin.

Es gab ein Maß an Liebe, das einen Mann zur Umkehr bewegen konnte.

»Rufen Sie in North Georgia an«, antwortete Will dem Sheriff. »Ich kann dem Mann nicht helfen.«

hat etliche Fragen zum GBI beantwortet. Etwaige Fehler liegen natürlich bei mir.

Last but not least danke ich meinem Vater fürs Durchhalten. Und DA – mein Herz. Du kannst dir meiner immer sicher sein. Ich werde mir deiner immer sicher sein.

DANKSAGUNG

Ein erster Dank geht immer an Kate Elton und Victoria Sanders, die so ziemlich von Anfang an dabei waren. Ich möchte auch Bernadette Baker-Baughman danken sowie Diane Dickensheid und dem gesamten Team bei Victoria Sanders Associates. Dank an Hilary Zaitz Michael und die Leute bei William Morris Endeavor. Und weil wir gerade dabei sind, vielen Dank an Liz Heldens, weil sie dieses Abendessen in Atlanta weiterverfolgt hat und den Zauber wahr werden ließ. Und auch dafür, dass sie Dan Thomsen in mein Leben gebracht hat. Ihr seid die Besten.

Bei William Morrow besonderen Dank an Emily Krump, Liate Stehlik, Heidi Richter-Ginger, Jessica Cozzi, Kelly Dasta, Jen Hart, Kaitlin Harri, Chantal Restivo-Alessi und Julianna Wojcik. Bei HarperCollins weltweit vielen Dank an Jan-Joris Keijzer, Miranda Mettes und nicht zuletzt an die wunderbare und unermüdliche Liz Dawson.

David Harper berät mich (und Sara) schon viel zu lange kostenlos in medizinischen Fragen, und ich werde ewig dankbar für seine Geduld und Freundlichkeit sein, vor allem, wenn ich mich in ein Google-Loch verirre und an meinem Musikantenknochen herausgezogen werden muss. Der unvergleichliche Ramón Rodriguez war so freundlich, einige Speisen vorzuschlagen, die ein puerto-ricanischer Koch servieren würde. Dona Robertson